Mi música extremada

Guillermo Cabrera Infante

Mi música extremada

Edición de Rosa M. Pereda

ESPASA CALPE

Edición especial de la COLECCIÓN AUSTRAL

Director Editorial: Javier de Juan y Peñalosa
Editora: Celia Torroja Fungairiño

Diseño de cubierta: Joaquín Gallego
Maqueta de cubierta: Ángel Sanz
Fotografía de cubierta: © El País/Francisco Ontañón

Depósito legal: M. 39.269-1995
ISBN: 84-239-7696-3

Impreso en España/Printed in Spain
Impresión: UNIGRAF, S. L.

Editorial Espasa Calpe, S. A.
Carretera de Irún, km 12,200. 28049 Madrid

ÍNDICE

8

La mirada cómplice

Ítaca te dio el bello viaje. Sin ella, nunca lo habrías emprendido. Y si la encuentras pobre, Ítaca no te ha defraudado. Con
la enorme sabiduría que has ganado, con tanta experiencia, debes
seguramente ya saber lo que significan las Ítacas.

Guillermo Cabrera Infante cita a Cavafis, en la subjetiva cronología que cierra este
libro, refiriéndose a esa Cuba que encontró en su, hasta ahora, último regreso a la isla.
Es una cita ambigua, pero, nuevo Ulises, no ha dejado, no dejará de tener en su cabeza y en su corazón La Habana, que es decir Cuba, que es decir Ítaca. Que es decir:
volver. Ni en los libros ingleses, ni en los libros en inglés: ni mucho menos en los
libros cubanos, que son todos, porque Cuba le dio «el bello viaje». Y hasta la vuelta,
será la nostalgia.

La Habana de Guillermo Cabrera Infante está hecha de recuerdos, de autobiografía, de cine, de música, de disidencia, de muerte y de amor. Amor y música son los
temas de este libro, y son los temas y las formas de su obra completa. Este libro resul-
tará, pues, sorprendentemente coherente, porque, ceñidos como estamos a dos temas,
vemos cómo estos dos, amor y música, se van implicando en los demás: de todos sus
libros hay partes que podrían estar aquí. De casi todos hay textos que están. Y es que
el amor —ese sueño de la mirada, del descaro y del chiste, esa ansia permanente, ese
deseo gozoso— y la música —las músicas, habría que decir, porque todas interesan
a Guillermo Cabrera Infante, cuya literatura quiere ser música por otros medios—
juntos, dan una señal muy cabal de lo que es la escritura de este Ulises cubano.

Pero tengo que hacer un previo: Escribir sobre un amigo es probablemente uno
de los retos más difíciles que se plantean a un crítico. Es un reto porque uno puede
dar demasiadas cosas por supuestas, esas, precisamente, que le han dado ciertas ven-
tajas en la lectura. Si ninguna crítica puede ser inocente ni objetiva, ni siquiera —y esas
menos que ninguna— las que se autopresentan como tales, con el amigo juega siempre una especial complicidad. No se trata de fórmulas de compromiso, o de tejemanejes
comerciales. Tampoco se trata de estar de acuerdo en todo, ni siquiera de disfrutar de
idéntica manera con todo lo que el amigo hace. Pero no se leen igual los libros del
amigo que los del desconocido. Estoy hablando de literatura, o más exactamente, de
lectura. Y estoy hablando de amistad, de una amistad que puede tener y tiene altos y
bajos, que contiene presencias y contiene olvidos, pero que está ahí y consigue que la
conversación silenciosa, la discusión, esa referencia que es siempre el amigo, siga
viva. Y con esa vieja amistad vienen dadas muchas de las claves de la obra literaria.

Seguramente, la amistad impide una lectura desapasionada, pero permite la mirada cómplice que necesita pocas señales para entender, que capta referencias a veces
secretas que añaden sentido a esa literatura con la biografía, el gesto, la conversación.
Lo digo porque yo reivindico esa mirada cómplice. Pero también la necesidad de
expresar la complicidad como punto de partida de la crítica. No hacerlo sería, a mi
modo de ver, fraudulento.

Y dicho esto, me apresuro a afirmar que a Guillermo Cabrera Infante, al que quiero como amigo porque primero le admiré como escritor, y a mí, nos une una vieja relación, que fue antes epistolar —hacía mi tesina sobre *Tres Tristes Tigres,* a principios de los setenta, un texto que, descargado de las marcas académicas, se convirtió en la que creo que es la primera monografía sobre GCI y desde luego mi primer libro, publicado por EDAF en 1978— y más tarde personal, a partir de su visita a Madrid en 1976. Recuerdo que llovía, que él y Miriam Gómez vivían en el hotel Plaza y recibían en su habitación, y que, cuando yo llegaba nerviosa a la primera cita con «mi» escritor, salía de la suya, de amistad más antigua, el que más tarde sería mi marido, Marcos Ricardo Barnatán. Un golpe de azar, seguramente.

El que yo eligiera *Tres Tristes Tigres,* la novela que creo sigue siendo el corazón de la obra de Cabrera Infante y una de las más originales, complejas y hermosas novelas escritas en castellano, tiene una explicación. Eran los últimos sesenta, Franco imperante en una España que, en el mundo laboral y universitario, exigía, al menos en una minoría más o menos consciente, un cambio que para algunos de nosotros tenía que superar la simple democracia —que ya era mucho. Yo era una universitaria trotskista, lo que quiere decir que creía en el desarrollo desigual y combinado en todos los terrenos, que tenía confianza en el internacionalismo proletario y que odiaba en el fondo de mi alma todas las dictaduras, incluida la estalinista. Que la vanguardia artística y literaria —salvo casos de expreso fascismo, tipo Céline, que me siguen repugnando hoy— me parecía parte de esa soñada vanguardia revolucionaria, y que hacía mío el doble objetivo de Breton y Rimbaud, de cambiar el mundo y cambiar la vida. El manifiesto surrealista de México, redactado en realidad por León Trotsky y firmado por Breton y Diego Rivera entre otros, representaba bien mi credo estético, y un «mix» del estructuralismo telqueliano, los padres de la Escuela de Praga, el rigor crítico del Umberto Eco de *Obra Abierta* y los análisis ideológicos contra la «crítica universitaria» de Roland Barthes, junto con la sociología marxista de Lukács y Goldmann y el anarquismo revolucionario y disciplinado de Maiakowsky, iban conformando lo que quería ser un método crítico propio. *Tres Tristes Tigres* fue no sólo un placer de lectura: poco antes había descubierto la poesía de Octavio Paz, la pintura de Mondrian y el jazz maestro de John Coltrane en una sola tarde, como una sola cosa de vibración común; había leído a Borges, al Cortázar de *Rayuela* y los cuentos, al García Márquez de *Los funerales de la Mamá Grande* y *Cien años de soledad,* al primer Fuentes y a Rulfo, entre otros, y seguía, desde mi Deusto de provincias, la polémica que se debatía en las páginas amarillas del suplemento literario del diario *Informaciones* en torno al *Boom* Latinoamericano, veía en el cine semiclandestino de los cineclubs y salas «de arte y ensayo» a Godard como a Fellini, o a Visconti y a Pasolini como a Costa Gavras, y escuchaba en vivo a Tete Montolíu, a Juan Carlos Calderón y el jazz progresivo de la banda que entonces lideraba, desde la percusión, Javier Estrella, aunque también cantaba a Dylan y Joan Baez, a Mercedes Sosa y Atahualpa Yupanqui, a Chabela Vargas, a Paco Ibáñez y a Raimon.

No sólo fue un placer leer *Tres Tristes Tigres,* sino que además era un campo perfecto de trabajo, porque lo tenía todo: había una estructura compleja, había un lenguaje nuevo que intentaba romper la contradicción milenaria entre escritura y oralidad, había una diversidad de perspectivas que despreciaba la novela socialrealista, contenía un tono poético ligado con la música y, además, contaba una historia. Y aunque de algún modo esas mujeres que subían al cielo rodeadas de mariposas amarillas me podían fascinar, Cabrera Infante mostraba que un mapa de una ciudad, con sus historias entrecruzadas, organizado rítmicamente, cargado de humor y juegos de palabras, no necesitaba milagros para convertir una historia en una novela milagrosa. Leí antes La Habana que Dublín. Así que mi primera lectura de *Tres Tristes Tigres,* compartida con algunos compañeros de aquella «guerra», fue emocionada, porque para mí era, y de otro modo sigue siendo, una novela revolucionaria. Y no sólo literariamente.

Para seguir con el punto de partida, que Barthes enseñó que siempre debe ser expreso, en noviembre de 1977 visité por primera vez en Londres a Guillermo y a Miriam, en su casa de Kensington. Desde entonces hemos viajado frecuentemente allá y ellos han sido los anfitriones de muchas, muchas veladas. Juntos hemos visitado esas pequeñas ciudades inglesas —Canterbury, Bath, Brighton— y hemos protestado de la comida y de los ferrocarriles ingleses, hemos localizado lugares marcados por la literatura, la historia o la arqueología, y hay fotos que nos recuerdan que hemos remado juntos en el inseguro bote alquilado y por el canal prerrafaelita de un tibio verano británico. También juntos hemos probado comidas exóticas —Bombay, Vietnam— y hemos visto cómo algún barrio de Londres se convertía en mediterráneo: terrazas nocturnas, pizzerías y hasta pescaíto frito. Alguna vez han venido a Santander y muchas a Madrid. Pocas hemos dejado de coincidir.

En todos estos años, Cabrera Infante ha cambiado poco, como apenas se ha movido su trama de amigos españoles: escritores ya no tan jóvenes, pero que al principio sí lo eran, con los que ha ejercido un siempre discreto papel de maestro, ese que comenzara en Cuba, sobre todo como director de *Lunes,* el suplemento cultural del diario *Revolución,* y que el exilio ha cortado. Ese que, en palabras de Miriam Gómez, no ha podido ejercer con los que debían haber sido sus discípulos naturales. Con nosotros sí lo ha hecho, y como maestro le hemos tratado ahí donde estábamos: en los periódicos, en las posibilidades de gestión cultural, en fin. Cabrera Infante ha sido, y sigue siendo para nosotros, un maestro.

Guillermo Cabrera Infante ha cambiado poco, se ha alejado poco, sólo lo que su popularidad creciente impone —viajes, congresos, encuentros, premios— y hay que decir que se toma su fama más que merecida con más escepticismo que muchos colegas suyos menos importantes y, sobre todo, menos «pertenecientes definitivamente a la cultura» que él. Y es que el humor —a veces malhumor— es un componente fundamental de su carácter, y la caudalosa conversación, siempre llena de gracia y picor, si se exceptúa la época que él llama «de su locura», y que felizmente pertenece al pasado, ha sido y es una de sus mejores características. Con humor nadie se sube al podio, aunque le corresponda. Esa es una de sus clases: su clase.

Tampoco ha cambiado mucho su casa, aunque el pequeño estudio tapizado en papel estampado de pantera rubia, o mejor de leopardo —«quiay, tigre» era un saludo cubano de los cincuenta— ya no exista, y aunque a la smith-corona original la acompañen ahora mil aparatos tecnológicamente actuales: contestadores, faxes, vídeos, televisores: una colección de películas impresionante, todo el cine en casa. Y todos sus mitos. Lo cual no impide que, como decía justo cuando yo cierro esta introducción, sea la suya «una casa cubana en medio de Londres». Él dice que es esa planta de crecimiento imparable, tropical de verdad, que va llenando el balcón integrado, con ventanas laterales en chaflán, al fondo del salón-comedor-biblioteca, un confortable living con cocina incluida, muy a la americana, presidido por ese retrato que siempre les he envidiado: en él, si no me miente el recuerdo —hace ya algunos años que no voy a Londres— Miriam Gómez y Guillermo Cabrera Infante posan juntos, plácidamente sentados, hermosos, y también está Offenbach, un gato huraño de cuya pérdida no se resignan: él les acompañó en los años malos y se fue a morir cuando empezaban los buenos. Pero así es la vida.

Desde el retrato, de tamaño natural, miran los dos la biblioteca, alta como sólo los buenos techos ingleses pueden permitir: hay una escalera para alcanzar los últimos estantes, y Guillermo me ha hecho subir por ella alguna vez a buscar algún libro, para después hacer risas. (Es uno de los pocos humanos que alaban mis piernas.) Y hay un comedor largo que conoce la excelente comida de Miriam Gómez, y también sus estupendos cócteles, un milagroso daiquirí entre otros: protegidos, desde la cocina minúscula y blanca, por una santa de su devoción. Y está la mesa de Guillermo, junto al tabique que separa y no separa la cocina, y están esas ventanas victorianas, a las que parece que ahora cubre la planta desmesurada y cálida, dando a la tranquila calle de Kensington en la que viven. Una calle cotidianamente británica, en la que hay de todo, tiendecitas y almacenes, farmacias, restaurantes, en fin: una buena calle británica.

De esa calle, más bien de ese barrio, ha escrito Cabrera Infante muchas veces: Gloucester Road, a un paso de Belgravia, a un paso de Chelsea, a un paso de Hyde Park, en mitad de Kensington, un barrio lleno de placas que recuerdan estancias y vidas y nacimientos de escritores y de pintores y de músicos, pequeñas iglesias, plazas minúsculas y secretos callejones de anticuarios. Estoy segura de que esa calle —que alguna vez vio a Ava Gardner, con grandes gafas de sol y el cabello cubierto con un pañuelo, pasear su decadencia— ha tenido que ver con el cambio intermitente de lengua de Cabrera Infante, es decir, con su incursión literaria en el inglés.

Como se sabe, sólo en los últimos años ha escrito Cabrera Infante directamente en esa lengua en la que piensa mucho: además de conferencias y artículos, empezó con un cuento para una antología y ha seguido con *Holy Smoke,* ese estupendo libro que desde el título es un juego de palabras sobre el tabaco, o mejor, sobre los puros, y un homenaje al cine de Hollywood de los cincuenta, que no permitía el «Holy Moses», Santo Moisés, invocación casi blasfematoria, y que hacía con el humo del puro —*Puro Humo,* se iba a llamar en castellano— un eufemismo puritano. Pero eran otros tiempos: ahora probablemente fumar sea una palabra peor.

Si bien se piensa, este salto al inglés, nunca definitivo, no es tan sorprendente, porque esta lengua aparece guiando algunos hechos de su vida, además de tener mucho que ver con su entendimiento del español. Su primer trabajo adolescente —me escribió hace muchos años— consistió en traducir textos del comunista *Daily Worker* para el *magazine* del también comunista periódico cubano *Hoy,* en el que ejercía, militante, su propio padre. En 1952, eran en inglés las malas palabras —proposiciones deshonestas, *English profanities* dice GCI— que un turista americano hacía en el cuento «Balada de plomo y yerro», por el que fue detenido, multado y encarcelado por la policía y los tribunales de Batista, no el turista americano en la ficción, sino el propio Cabrera Infante en la realidad, y además sancionado con dos años de expulsión de la Escuela de Periodismo —y creo citar parcial pero textualmente el prólogo a *Así en la paz como en la guerra,* en que se incluye el cuento, y la historia, más detallada, que después contó en *O.* En inglés escribe su primer guión de cine, en el exilio madrileño y poniendo un pie en Londres, y probablemente el segundo, que sí llegó a película y se llamó *Wonderwall,* con música de George Harrison, el «beatle» en pleno momento (1967), y probablemente también el de *Vanishing Point,* que será una magnífica película de Hollywood, y años más tarde, el de *Bajo el volcán,* para Joseph Losey. El guión, que tenía el pie forzado de la novela de Malcolm Lowry, no llegó al cine, pero a Losey lo trajo a Santander Cabrera Infante en un memorable curso de la Universidad Menéndez Pelayo, aquella semana verdaderamente inter-nacional. Al director de *Accidente* no le oí una sola palabra en castellano —ni siquiera las maldades sobre mi manera de conducir coches que, más tarde, me tradujeron Guillermo y Miriam.

Y algo más: pienso que el contagio entre el inglés y el español es uno de los padres del peculiar humor de Cabrera Infante. El «M.C.», maestro de ceremonias y presentador que abre en Tropicana *Tres Tristes Tigres* —y que bien podría estar basado en un personaje verdadero, más que probablemente bilingüe, con el talento como para convertir lo que fuera una buena idea pero algo lejos de la vida habanera en el «cabaret más famoso del mundo»— lo hace en español y en inglés, y no sería raro que las dos lenguas estuvieran mutuamente corrompidas... ni que de esa corrupción surgiera una vitalidad especial, esos nuevos significados confusos.

Pero también esa doble traducción inglés-castellano es una de las cruces con que carga Caín. Por ejemplo, *Holy Smoke* terminó por no ser autotraducida, y según propia confesión, Cabrera Infante, que lee «infinitamente más en inglés que en castellano», y que juega continuamente —como bilingüe perfecto— a la traducción en ambos sentidos, se sintió incapaz de volver al castellano el libro en inglés. Explicación: la lengua inglesa le permite una infinidad de juegos de palabras que el castellano limita, cambia el sentido: le parecía mucho más brillante y atenta (literaria, traduzco) la obra inglesa. Y así, el traductor de *Dubliners* de Joyce, invitado cien veces a volver al castellano el *Finnegan's Wake,* se encontró en su libro con el mismo «callejón sin salida» que con el del irlandés. Callejón por el que sale con toda libertad cuando escribe directamente en cubano, autopista de libertad incluso —ha dicho en público— para «escribir mal»: para trocear la sintaxis, para construir al descuido. Es decir: para dejarse hablar en su propia salsa.

Y sin embargo, es del inglés de donde vienen, ya pensados y construidos en castellano, algunos mecanismos básicos en su escritura personalísima. Me refiero a esos juegos de palabras que llenan sus libros como llenan su conversación. Y que son herencia directa del *pun* británico, de las palabras-maletín de Lewis Carroll y los *calembours* de Joyce. Desde y con el inglés, Cabrera Infante trabaja el español con una libertad poco común —mejor, el cubano—, y hace un ensayo pocas veces repetido: capta «al vuelo», él mismo lo dice, la voz de la lengua hablada, y convierte la grafía en sombra de la música de la voz. Sus personajes hablan cubano, refleja hasta las diferencias acentuales de las distintas regiones, modula los distintos timbres y las distintas fonéticas de las clases, de los sexos, de los oficios. Y esta preocupación musical es una preocupación escritural. Lo suyo —como en ese personaje emblemático de *Tres Tristes Tigres* que era el Bustrófedon— es la escritura, dicho sea en el sentido más estructuralista posible.

Escritura quiere decir voluntad de construcción autónoma. Cabrera Infante sabe que no se trata de la transcripción fonética y sintáctica —y hasta morfológica— de una cinta magnetofónica, sino de un experimento puramente literario. Es la literatura la que vale por sí misma y —se ha cansado de repetirlo— la realidad, en literatura, es siempre «realidad». No es pues la suya una preocupación de antropólogo —como podría ser la de Lidia Cabrera—, ni siquiera un intento de reflejo fiel —como lo que ha hecho a veces Miguel Barnet o el último Manuel Puig: se trata de una creación que intenta escribir música y voz porque eso dará significados distintos, sólo entendibles dentro de la escritura misma.

Y SIN EMBARGO, LA VIDA

Y sin embargo, la vida. Cabrera Infante no ha hecho otra cosa que contar su vida, ha ido cumpliendo sus proyectos primeros —salvo la siempre prometida novela *Cuerpos Divinos*—, ha ido redondeando y dando cuerpo y alma a los personajes que le rodean. Y, además, como tal vez la mismísima *Tres Tristes Tigres,* y desde luego alguna de sus páginas, haya que leer su obra, toda su obra, al revés. O como propone su personaje, Bustrófedon: un renglón de derecha a izquierda, el siguiente de izquierda a derecha. Como escribían, jugando, los griegos, como ara el arado la tierra, sin saltar los ojos de la línea del texto que consigue mucho más que la sucesión de palabras: hace un ritmo distinto y nuevo y caliente, que va de la vida a la literatura, de la literatura a la vida.

Por ejemplo, se podría empezar toda su obra por *La Habana para un Infante Difunto.* Aparte el juego obvio con la *Pavanne pour une infante defunte,* de Ravel, y con su propio nombre, hay ya en el título el dolor del exilio, de la nostalgia, y dentro hay pendiente su memoria de infancia en Gibara, de la que habla como «viejo proyecto» ya en su primer libro, *Así en la paz como en la guerra,* y que habría de llamarse *Allá en el patio,* pero es que aquí, y desde la llegada a La Habana como emigrantes del campo —comunistas sus padres—, hasta la primera madurez, aparece punto por punto su autobiografía. Primero el amor, después la iniciación al sexo, luego al amor, más tarde la traducción del amor en sexo —de vuelta estamos en la vida escrita con el arado griego de Bustrófedon—, mientras, el descubrimiento de la cultura, inmediatamente después o antes, el de la política. En *La Habana para un Infante Difunto* están los hechos que antes ha consignado en su cronología titulada *Orígenes* —no puedo dejar de pensar que contiene una broma, que no sería la primera, sobre esa referencia inevitable que fue la revista de Lezama Lima. Todos los hechos, con todo detalle. Y están, también, los personajes, con nombres y apellidos: los Carlos Franqui, los Jesse Fernández, los Frank Domínguez, los Néstor Almendros: nombres y apellidos para esos constructos anteriores, los tigres de *TTT,* los tres caballeros nocturnos de La Habana nocturna que vendrá después, y que, como los mosqueteros de Dumas, son cuatro.

Después de leer *La Habana...* podemos pensar que ese Arsenio Cué que, borracho, dice a Silvestre que se va a la sierra con los barbudos, tiene mucho que ver con Carlos Franqui, que tanto tuvo que ver en la formación y en la amistad de Guillermo Cabrera Infante, que se fue a la Sierra, y que fundó *Revolución,* el órgano del movimiento 26 de Julio, más tarde periódico cuyo suplemento *Lunes* dirigirá GCI Aunque el personaje es un actor y su nombre puede ser, veremos más tarde, homenaje a Arsenio Rodríguez, el compositor cubano que ya desde los años cuarenta cambia la música y las orquestas centrándolas en ese instrumento completamente cubano que es el *tres,* ese pariente de la guitarra y el laúd, y del timple canario, con nueve o doce cuerdas, que, aunque de procedencia europea, vivía reducido al folklore. Más claramente, al «punto guijarro».

Y sabemos —vuelta atrás— que Silvestre es un heterónimo, un nombre querido de Cabrera Infante, nombre que protagoniza algunos de sus primeros cuentos («Las puertas se abren a las tres» y «Un nido de gorriones en un toldo», de su primer libro, por ejemplo) y que vuelve a aparecer, irremediable, en los cuentos reunidos en el hasta ahora último libro, *Delito por bailar el chachachá,* arrancando en *En el gran ecbó,* en cuyo primer prólogo advierte Cabrera Infante que es «un arribista», el mismo de los otros cuentos, «que se ha comprado un convertible inglés». Y sabemos que Códac puede ser muy bien Jesse Fernández, aunque él aparezca otras veces con su verdadero nombre, porque finalmente él era el fotógrafo de las estrellas, de La Estrella, pero que algo ha tenido que ver con ese personaje Osvaldo Alburquerque, que era el fotógrafo de la revista *Bohemia,* y que, a lo mejor desdoblado en Eribó —muchos Ribot en La Habana—, vuelve a la música primigenia y compone, entre otros boleros, *Triste condena,* grabado en 1957 por Lucho Gatica, *Te he buscado* y *No aguanto más,* que podrían resumir su historia entre los Tigres y La Estrella.

Pero volviendo al coche convertible de *En el gran ecbó* y *Una mujer que se ahoga,* resulta ser absolutamente fundamental en la «Bachata», esa sinfonía final de *Tres Tristes Tigres,* el coche para levantar ligues por el Malecón a velocidad variable según la música, y para ir a la playa, a oír en el cabaret Alí Bar al Beny Moré, el negro autodidacta que hizo la esencia de la historia y la música cubana, y a lo mejor al Chori, al negro gigante que tocaba los timbales y las botellas, y desde luego, a La Estrella, a Fredy, esa voz legendaria, grave, pastosa, que cantaba «a capella», que no necesitaba orquesta y que iba a triunfar y que triunfó y que luego, desmesurada, grabó un disco y se fue para Puerto Rico y se murió cuando empezaba a cumplir su sueño de triunfar, emigrante como el bolero que cantaba como nadie.

19

Fredy hubiera sido olvidada si no la cuenta Cabrera Infante, si no la vuelve personaje literario. La Estrella es la protagonista de «Ella cantaba boleros», que es una historia que tiene autonomía —relativa pero que tiene una lectura autónoma, porque la cuenta Códac, que lo ve todo a la distancia focal de, menos en este caso, porque le fascina cómo la naturaleza misma fascina a los hombres y los controla y los domina. Pero que a su vez tiene un origen en la vida, el capítulo que Cabrera Infante no ha novelado de su vida, del que ha hablado a veces en entrevistas y que es, fíjense bien, un vértice fundamental no sólo en su propia vida, sino en la historia posterior de Cuba y la Revolución de Cuba. No en vano es, por ejemplo, uno de los temas centrales del libro de *Memoria de las ciudades* dedicado a La Habana, que preparó el también cubano exiliado Jacobo Machover, y que apareció en España en 1995, tras su éxito en francés. «Ella cantaba boleros» es la continuación de *PM* por otros medios, es decir, por medios literarios en vez de por la vía del «Cinema verité».

P.M., es decir, «Post Meridiem» o más ambiguo «Pasado meridiano», es un ensayo de contar la vida nocturna de La Habana que filmaron, a cámara casi oculta, sin más medios que el talento y el cariño por las gentes —como dijo Virgilio Piñera—, Sabá Cabrera Infante y Orlando Jiménez Leal —otro nombre para *TTT,* otro Leal junto a Rine Leal, a quien el Bustro llamaba «el más leal amigo del hombre». Con las técnicas del *free cinema* los dos jóvenes artistas habían ido recorriendo ese mundo de la playa, apoyados por *Lunes,* el suplemento literario del diario *Revolución,* que para entonces ya había extendido su fuerza revolucionaria y más bien irrespetuosa a la televisión. Había habido una visita de Sartre y Beauvoir a La Habana, un poco demasiado entusiasta según los de *Lunes,* que levantaron su propia tormenta negando el «huracán sobre el azúcar» sartriano, y para entonces, si no me equivoco, Virgilio Piñera había caído ya en una redada, la célebre «noche de las tres Pes», en que fueron detenidos «proxenetas, prostitutas, pederastas», sin que todavía tuviera mayores consecuencias para él, salvo ese primer miedo: la revolución se estaba volviendo puritana. Y encima, en La Habana, la ciudad del relajo.

El corto, que dura 23 minutos, pasó por televisión, pero en mayo de 1961 fue prohibido por la comisión revisora del recién creado ICAIC, dirigido por Alfredo Guevara. «Se aducía —dice Pío E. Serrano— que el corto era licencioso y obsceno, y que, para mayor escándalo, difundía imágenes del pueblo trabajador dado a la bebida y la francachela. No bastó que sus autores aseguraran que su propósito único había sido reflejar un fragmento de La Habana de noche, una Habana cercana al puerto, a la bahía, un breve experimento de *free cinema* como se hacía en cualquier capital del mundo.» Y añade que Néstor Almendros defendió la película (como efectivamente lo hizo, en la revista *Bohemia),* que doscientos intelectuales firmaron inútilmente contra la censura y que Mirta Aguirre, crítica de cine del diario *Hoy* —sí, el mismo que se había hecho prácticamente desde el *solar* en que vivían los Cabrera Infante—, lo calificó como contrarrevolucionario.

El 26 de junio de ese mismo año, Carlos Franqui, que había fundado *Revolución* en la Sierra, y los redactores de *Lunes* fueron convocados por Fidel Castro a las célebres sesiones de la Biblioteca Nacional. «Dentro de la revolución, todo. Contra la revolución, nada.» Ya habían desaparecido Huber Matos y Camilo Cienfuegos, ahora se iba a hacer la depuración cultural. Y, además de mantener la prohibición de «PM», se clausura *Lunes de Revolución,* en noviembre del mismo año, y se crea la luego temidísima Unión de Escritores, con Nicolás Guillén como director. Y los jóvenes, muchas veces crueles colaboradores de *Lunes,* algunos de los cuales se habían formado en *Ciclón,* la revista fundada y financiada por Rodríguez Feo tras sus disidencias con Lezama Lima y su abandono —personal y económico— de *Orígenes,* son enviados poco después, incluyendo al propio Cabrera Infante, con puestos diplomáticos a cierta distancia. A madurar. De ahí, de ese giro censor de la revolución, vendría en poco tiempo el exilio de Cabrera Infante y tantos otros —Calvert Casey, Severo Sarduy, Néstor Almendros, el propio Jesse Fernández—, y hay que decir, volviendo al irlandés, que Cabera Infante intentó, tras su vuelta a Ítaca en el 64, a los funerales de su madre, su sabiduría: silencio, astucia, exilio. Bueno, no fue posible, porque algo tenía Guillermo que hizo pivotar la historia cubana en torno suyo, aunque estuviera callado y en la pobreza, en Madrid o en Londres. Heberto Padilla, en 1964, defiende *Tres Tristes Tigres* en el premio Biblioteca Breve frente a *Pasión de Urbino,* de Lisandro Otero, y se monta la polémica rencorosa en la que Padilla comienza a ser represaliado, expulsado de su trabajo de periodista en *Granma.* Y es que la original revolución cubana estaba virando al estalinismo, acallaba las voces disidentes, se volvía hipócrita y puritana.

Y cuando Padilla publica *Fuera de juego,* la Unión de Escritores le concede el premio de Poesía, pero la revista *Verde Olivo,* de las fuerzas armadas, lo acusa inmediatamente de «contra». *Verde Olivo,* en uno de cuyos ejemplares leí, en plena tesis, una frase casi incomprensible para mí: que GCI era «un tallador de la CIA». Nunca le he preguntado qué significa eso de «tallador» en Cuba, aunque sí sabía lo que era la CIA. Pero ya para entonces entendía lo que es el estalinismo, y me divertía de antemano lo que sabía que me iba a decir después, que me dijo, Cabrera Infante, que cumple años el mismo día que cumplía Lenin: «Yo no soy Trotsky, pero Castro tampoco es Stalin.» En *TTT* hay una parodia del asesinato de Trotsky y de un buen puñado de escritores, consagrados, muchos vivos entonces, y a distintas distancias, hay que decirlo, de la revolución.

También fueron estigmatizados como de la CIA otros escritores cubanos: y eso era gravísimo entonces en el mundo intelectual-editorial en castellano, porque suponía un cerco de silencio, y no sólo en España, donde una dictadura en sus estertores finales tenía que soportar a regañadientes la aparición de una «inteligencia» progresista y filocomunista las más de las veces, antifranquista y antiyanky siempre, y donde publicar suponía siempre elegir y ser elegido, sino en toda la América Latina: pero ese es otro tema y otra historia. Cayeron en el saco fácil de la CIA Antón Arrufat, el valeroso Virgilio Piñera y José Rodríguez Feo, uno de los hombres que más hizo por la cultura cubana. En cuanto a Padilla, el ignominioso proceso a que fue sometido, tras largos años de ninguneo en el interior, tuvo un solo efecto positivo entre tantos dramáticamente negativos: hacer reflexionar a muchos intelectuales de todo el mundo acerca de los métodos estalinianos que se estaban llevando a cabo en el mundo intelectual —y se podía pensar que no sólo en el intelectual— cubano. El testimonio último de Reinaldo Arenas, *Antes que anochezca,* es un libro en el que cuenta su pasión en todos los sentidos de la palabra: pasiones y sufrimientos. Saber que, enfermo terminal de sida, se suicidó en cuanto lo terminó, rodea de verdad las palabras de uno de los últimos en irse, y sus palabras son terribles. Pero toda esta parte de la historia, Cabrera Infante todavía no la ha novelado. *Tres Tristes Tigres* ocurre inmediatamente antes de la revolución, y *Delito por bailar el chachachá,* inmediatamente después.

EL AMOR

No novelar no quiere decir no escribir. Cabrera Infante, que vive un exilio valiente, ha escrito sobre Cuba, sobre sus glorias y padecimientos, numerosos artículos y ensayos, algunos de los cuales ha recogido recientemente en *Mea Cuba,* libro titulado en un latín confuso, entre el mea culpa y el mingitorio, y, triunfante de la parodia, casi como un bolero, ay, Cuba mía. Y es que la parodia articula toda su literatura, toda su escritura, es su manera de ver el mundo, o mejor, su manera de escribir el mundo y de separarlo de la vida. Porque, para conseguir universos autónomos, que es lo que son sus novelas, que es lo que pretende su escritura —aunque afirme continuamente que no es un escritor «serio», que es un escritor humorístico—, y aunque, ciertamente, si sus personajes y sus palabras escritas —y orales, ¿qué diferencia hay?— no pasan por el Callejón del Gato de Valle-Inclán —hoy, un garito donde se puede oír el mejor flamenco—, sí pasan por ese otro espejo cóncavo que es la realidad cubana, y por el Alí Bar, donde se escuchaba el mejor bolero. Parodia, no esperpento, pasando a humor ácido el ácido de la tragedia.

Por la parodia pasan la música y el amor, y se encuentran en muchos sitios, pero pocos tan privilegiados, tan hechos el uno para el otro como el bolero. «Bolero, siempre bolero, que es el amor por persona interpuesta», dice. Y es que Cabrera Infante parece contar siempre el amor con algo interpuesto. Aunque afirma, desde *La Habana para un Infante Difunto,* ser un personaje «perseguido por el sexo», es curioso señalar que, desde su primer libro, que no lleva dedicatoria, todos están dedicados a la misma persona, Miriam Gómez. Una monogamia que desmiente sus palabras, pero, como me dijo en una entrevista —precisamente sobre novela rosa—, «palabras de escritor, todas son falsas». En este caso, y sin que sirva de precedente, la referencia era un tango.

Miriam Gómez marca un antes y un después en la vida de Guillermo Cabrera Infante. Ella es actriz, y se casan —para el escritor es su segundo matrimonio— en 1961. Y desde entonces hasta hoy, en las épocas buenas y en las malas. Y ella, que estaba en pleno éxito —teatro, cine, televisión—, dejó la actuación por el amor. Primero, acompañando a su marido en su representación diplomática en Bruselas. Luego, a partir de 1965, en su exilio, madrileño y londinense. Como señal contaré que, en casi veinte años de relación amistosa, no hemos hablado nunca, directamente, de este tema.

Por tanto, antes de Miriam Gómez, todo, amores y amoríos. Que es lo que cuenta en sus novelas, autobiografía pura, impura. Y en sus relatos, y en sus artículos mitómanos, y en los retratos de mujeres hechos desde la mirada, que es el deseo. En su literatura el amor es siempre enamoramiento, enajenación, pasión. Y es siempre, casi siempre, fugaz. Pasado por la parodia, con algo interpuesto. Lo que interpone, y él se empeña en distinguir y en confundir, es el deseo, razón y móvil del amor muchas veces, barrera infranqueable otras: en los libros de Cabrera Infante aparece más el sexo que el amor, porque pone al amor dos telones: de un lado, un pudor real que se vuelve ficticio cuando escribe historias —escenas— directas, eróticas, de encuentros sexuales contados como si fueran realistas. El sexo es, entonces, máscara del amor, porque los actos no son sentimientos, los pensamientos no son sentimientos. Y el amor sí es sentimiento.

Pocas veces cuenta Cabrera Infante sentimientos, y si lo hace serán de desamor, que es quizá la manera perfecta del amor, ese amor desesperado y contra marea de Eribó: El bolero preferido de Cabrera Infante es *Perfidia*, de Alberto Domínguez, convertido en un éxito mundial por Nat King Cole. «Nadie comprende lo que sufro yo/ canto, pues ya no puedo sollozar,/ solo, temblando de ansiedad estoy/ todos me miran y se van»: así empieza lo que luego se convertirá en una casi oración: «Mujer/ si puedes tú con Dios hablar...» Pero jamás escribiría lo que tararea: lo hace con pudor que esconde la pasión y la hace aparente indiferencia, como el amor mixto de Silvestre, o, en fin y sobre todo, los amores adolescentes del yo que narra *La Habana para un Infante Difunto* y que no puede ser otro que Silvestre, alterego de GCI, anterior y posterior al propio Silvestre, en los que se confunden y se distinguen perfectamente esos enamoramientos desesperados con esa búsqueda —a veces mero encuentro casual— con el sexo iniciático, y por fin, el sueño realizado del sexo con amor. O del amor con sexo. Y entonces, es la felicidad, porque, justo esta palabra, la palabra felicidad, que aparece como objetivo en toda la literatura sentimental, es una palabra que Cabrera Infante no se permite, que sus personajes no se permiten. Y sin embargo, todos, absolutamente todos, son seres medio perdidos en busca de la felicidad.

Pero el amor sólo se puede contar en primera persona, si se trata de la novela moderna. Y Cabrera Infante, que escribe en primera persona casi siempre, que se multiplica en personajes que hablan en su primera persona, y que se enamoran y que hacen el amor, sólo deja que este aparezca oblicuamente, que se deje deslizar hablando de otra cosa, que no sea el sujeto central del texto, aunque se puede encontrar, ya digo, en una prosa que habla de otra cosa.

Y, más difícil todavía, la segunda pantalla: la parodia, la ironía. Porque más aún que el deseo, la otra máscara del amor en Cabrera Infante es la ironía. ¿Qué sentimiento amoroso soporta la mirada irónica? O mejor, ¿qué narración de sentimientos puede hacerse desde la parodia? El secreto de la literatura sentimental, que en el fondo es la que educa nuestros sentimientos y su manera de expresarse —y no hay que confundirse: hay una gran literatura sentimental, incluyendo la novela rosa—, es que se lo cree todo. El enamorado está en la verdad, es tan interior y tan

23

subjetivo el sentimiento que la mirada hacia él es una mirada implicada, insepara-
ble él de sus ojos, comprometida con él mismo. Es una mirada seria, solemne. La
entrada de la ironía crea la distancia —que es el olvido. Y el amor no se puede
olvidar ni siquiera un segundo.

Por eso, en la literatura de Cabrera Infante, pudor e ironía —vale también humor:
¿puede soportar el sentimiento amoroso el humor, sin convertirse en material erótico risible o ridículo?— ponen serios obstáculos al amor. Y es que los enamorados
no se ríen de su amor. La parodia defiende y oscurece el amor, y no el sexo, que,
en cambio, se deja conducir, y describir, sin negarse, distante. Esas aventuras de una
noche pilladas en un convertible inglés, del puerto al motel o al hotel de la playa.
O esos encuentros adúlteros a veces, clandestinos siempre, que guían *La Habana...* Siempre, continuamente, la mirada de los cuerpos. El sexo mirón, que mira no
sólo a la «partenaire» sino a las otras, a todas, que se fija en las curvas anatómicas,
que por la mente les propondría matrimonio, que las desea: véase *Delito por bailar el chachachá,* publicado alguna vez como fragmento de *Cuerpos Divinos* acompañando un monográfico colectivo dedicado a él, y este mismo año, titulando y
articulando un libro de relatos. En este caso, en *Delito...,* el sexo —la mirada—
actúa como contraste con la opresión política. La conversación con los dos «comi-
sarios» se cruza con las miradas casi perversas: las bromas, el humor, son las formas expresas de la rebelión. El sexo-mirada es el refugio y, naturalmente, ante la
verdadera perversión —la política— se llena de inocencia.

Y es que Cabrera Infante siempre interpone algo al amor, porque no es un
escritor ingenuo. Y sin embargo —y en este libro hay buenas pruebas— ha sido uno
de los primeros intelectuales en defender los géneros rosas, de la novela breve de
Corín Tellado, al culebrón de Delia Fiallo, pasando por el mismísimo bolero, «que
es el amor por persona interpuesta». Pero, aunque tenga tanto que ver con esto,
esa ya es otra canción: es la canción cubana, el respeto a los géneros populares y
al habla popular, por otros medios. Es la teoría de lo que, hablando de la música,
ya inmediatamente se explica, hace en la práctica: meter —aunque siempre esté protegido en la parodia— el habla musical y popular en la novela. Que es un género
culto.

LA MÚSICA

Obviamente, si uno está hablando de Cabrera Infante y de Cuba o, mejor, de La Habana, y más de La Habana de los cincuenta, La Habana de los Tigres y de los cuentos,
desde *Así en la paz...* a *Delito...,* cuyos prolegómenos están en *La Habana para un
Infante Difunto,* si se está hablando de todo esto, vida y música son una tautología.
Como dice Cristóbal Díaz Ayala, en su *Música cubana, del Areyto a la Nueva Trova,* la música estaba en todo. En el cine —donde los shows en vivo eran obligatorios, y al final de la década de los cuarenta había en la isla más de cuatrocientos— y

en las películas, musicales producidos o coproducidos en Cuba; en las máquinas de discos, las victrolas o los traganíqueles a la americana, que estaban presentes en los bares y en los burdeles y moteles —donde siempre reinaron, dice con malicia, Los Panchos—; en la radio, cuyo auge de los cuarenta no se apaga en los cincuenta, sino al contrario, tal parece que la televisión tempranísima en Cuba la fortalece, como fortalece la televisión privada a la radio —siempre con cadenas privadas— en la España de los ochenta; en la misma televisión, compitiendo con los teledramas pero muchas veces ganándoles el público, como en los numerosos conciertos emitidos por las cadenas privadas llenando de contenido las revistas más populares e importantes, *Carteles* —en la que Cabrera Infante firmaba G. Caín la crítica de cine, y de la que llegó a ser redactor jefe— y *Bohemia* —que llegó a tirar un millón de ejemplares— y en las que se fraguaban tantas Cuba Venegas, que venían de ser emigrantes del campo, empezaban trabajando en cualquier cosa y, con dotes y talentos, ayudadas por esa caja de resonancia que es la fotografía, se convertían en estrellas del patio. Como Cuba Venegas, vaya, constructo de cientos de nombres, aunque seguramente Cabrera Infante haya pensado en algunas más que en otras.

«Nadie podía escapar de la música», dice Cristóbal Díaz Ayala, porque estaba en los teatros, desde las óperas, zarzuelas, conciertos y ballets, que contaron con la presencia de los «músicos más sonados» —de cuyos nombres hará Caín malvado, o su personaje Bustrófedon, una buena colección de «pro y contranombres»— y las orquestas y directores más conocidos internacionalmente, hasta la guagua, el autobús donde los músicos ambulantes, particularmente niños, encontraban su público, cautivo hasta la parada, y un medio de ejercer algo más que la mendicidad. Estaba la música bufa de cabaret porno, el Shangay —que Cabrera Infante llama, contando su iniciación a la desnudez como espectáculo, el «Changay», de obvio doble sentido— y El Molino Rojo, aún más tirado. Había una presencia poderosa de la música norteamericana y Radio Artalejo trasmitía *Jam Sessions* en directo.

De aquellas sesiones en las que los músicos de jazz improvisan lo irrepetible, vendrían las célebres «descargas» cubanas. Pero para entonces había que empezar a hablar de los cabarets, que en los cincuenta fueron una institución en La Habana —y qué es *Tres Tristes Tigres* sino una larga conversación entre cabaret y cabaret, o un espectáculo de cabaret que se abre, precisamente, en Tropicana, o un mapa de La Habana que sólo se puede ver por la noche y a la que como a Cuba, la Venegas, no la otra, sólo se la puede ver, y sin embargo, se la oye.

Antes de hablar de los cabarets, de la música que va tomando cada vez más su identidad, hay que hablar de lo *afro:* de cuando la música de los barracones de esclavos, la música que da coherencia a su sincretismo religioso y es tolerada porque no se acaba de ver, porque no se mira, se convierte, sincrética, en la santería, en un poder: cada Regla, con sus sacerdotes y sacerdotisas muchas veces, y sus santos, y sus iniciados, hace su música ritual, la que lo identifica y lo diferencia, porque detrás de Santa Bárbara está Changó, detrás de la Caridad del Cobre está Ochún, detrás de San Lázaro esta Babalú Ayé. Están los dioses que acompañaron a los negros desde el viaje forzado y esclavo de África, disfrazados y a veces travestidos en santos y santas del panteón cristiano, con sus símbolos animales —el rojo y el gallo de Changó, el azul con la muñeca negra de Yemayá, el blanco y la paloma blanca de Obtalá, diosa de la pureza que protagoniza oblicuamente *En el gran ecbó*, y el amarillo y el pavo real de Ochún. Y su lenguaje, lucumí o yoruba, o congo, conservado como algo sagrado, que es lo que es, pero ya no oculto, porque cuando los negros son ya libres, las Reglas toman cartas de naturaleza y, cuando los tiempos son permisivos —porque cuanta clandestinidad y cuanta represión ha habido, y hay, en esos círculos religiosos y folklóricos que dan tanto miedo a los no iniciados— salen a la calle a celebrar sus procesiones, sus fieles se organizan en charangas, que desfilan en las fechas de sus santos, que se juntaban y competían el día de Reyes, y se incorporaron, en 1937, a los carnavales. En tiempo de libertad, cada comparsa lleva sus instrumentos y sus trajes, y estrena música y pasos de baile en rodada competencia que les obliga a trabajar en secreto durante meses: según el musicólogo antes citado, llevan al menos tres trompetas, un bombo, una tumbadora, dos quintos, un salidor, un redoblante, varias sartenes, un cencerro y, el «inspirador», una viola.

A partir de los años cuarenta, obtuvieron permiso para sus celebraciones de iniciados, propiamente religiosas. Es la santería, que es una lengua —que se entiende en el África original, cinco siglos más tarde, y en el próximo Haití, de donde muchos yorubas fueron traídos por «ingenieros» franceses, y en Santo Domingo y en zonas de Brasil— y son unos instrumentos —percusión antes que nada— y es una música, pero sobre todo es una religión iniciática. Ritos ñáñigos, ceremonias lucumíes y yorubas, santería. Justamente en este siglo, lo que tienen de musical sus ritmos e instrumentos, va a dar a la música cubana una originalidad sin par. Beny Moré, por ejemplo, cambia él solito, y varias veces, la manera de concebir una orquesta al introducir la percusión en la que estuvo educado en su infancia de iniciado y usar, decididamente, el *tres* cubano, que había sido aceptado en el folklore de los bohíos, y, como un caso de eclecticismo genial, el aire.

Cabrera Infante posee, y no sólo por la vía de la música, sino también por la de la literatura pura, este mundo de la santería. Como hiciera Arsenio con el *tres* en la orquesta, también Cabrera ha introducido en la novela moderna historias e instrumentos que estaban en el folklore: sus historias están llenas de guajiros. Es, seguramente, el primero que cuenta un bembé, una ceremonia santera en *En el gran ecbó*, donde la misa es la música. Una música a la que se refiere en *Tres Tristes Tigres* contando la historia del tambor mudo y, también, editando la letra (real) de una partitura laica, de Chano Pozo, que existió y sorprendió en la realidad, y cuya letra decía sencillamente: «Blen blen blen blen blen...» hasta llenar, en columnas perfectamente ordenadas, una página, letra no demasiado distinta de las que en la ceremonia santera repiten los fieles para llamar a los orishas. El ritmo machacón y extasiante literalmente de la repetición de la oración cantada y bailada encuentra un paralelo perfectamente explicado, por otra parte, por el propio Cabrera Infante, con la música repetitiva y minimalista. Y con Ravel, de quien es entusiasta, estudioso, y a quien hace continuos homenajes. «Siempre me ha fascinado la música, toda música. Es como el sexo para un impotente. Es algo que quiero hacer y no puedo y tengo que quedarme como un espectador: un voyeur de sonidos», me dijo en una de las últimas entrevistas.

Véase cómo la vista y el oído están tan relacionados como el tiempo y el espacio. Cabrera Infante mira los sonidos como mira los cuerpos, y su oído es *voyeur* como sus ojos: ojos que nunca perderán el deseo, que, en el sexo como en los buenos platos, también entra por los ojos.

Pero ya es hora de hablar de los cabarets, que es donde la vista y el oído se juntan en el deseo, donde la música y los cuerpos tienen una intención sexual —tanto que Códac, por ejemplo, cuando oye cantar a La Estrella en *Tres Tristes Tigres,* no duda en decir, en sentir, pese a lo que le ofrecen los ojos: «La Estrella, la amo a usted.» Y hablar de los cabarets de La Habana de los sesenta es empezar por Tropicana, «el cabaret más famoso del mundo», porque con él empieza *TTT,* y no sólo porque de él hablara alguna vez Hemingway —que prefería los mojitos, el daiquirí y el piano del restaurante Floridita— sino porque, según los entendidos, dio un importante paso: concebido en principio como un lugar para turistas extranjeros, luego se iría «cubani-zando», sobre todo cuando en los años cincuenta se producen ahí algunas «descar-gas» históricas, que se radiaron e incluso se televisaron.

Tropicana estaba en Marianao, no en la propia Habana, y era una idea de Víctor Correa, un hombre que estaba en el showbisness, que había administrado ya el Eden Concert, y que pensó convertir una residencia de Marianao en un cabaret de jardín, con toda la presencia tropical de un escenario al aire libre, que inaugura en los últimos cuarenta —1948— con una orquesta española, llamada Los Chavales de España. Competía con otros dos cabarets históricos, Montmartre y Sans Souci, que también traen «actuaciones» extranjeras.

A primeros de los cincuenta, Tropicana cambia de dueño: Ahora la compra Mar-tín Fox, más emprendedor aún que Correa, que comprende que en Cuba llueve muchas noches del año y encarga al arquitecto Max Borges Jr. el imaginativo arreglo que deja el jardín tropical intacto (el «salón bajo las estrellas») pero construye un espacio de cris-tal y levísimo hormigón, desde el que se puede seguir bailando y oyendo música a cubierto del agua, e incluso ver el jardín y las estrellas cuando es el viento del Norte el que quita tranquilidad a la noche.

Además, Fox va a contratar para conducir todo eso a un guajiro que ya está orga-nizando los shows en el Sans Souci. Es Roderico Neira, Rodney, que igual sabe orga-nizar una coreografía que presentar el espectáculo, que contratar los números o con-trolar los vestuarios. Es un todoterreno milagroso, al que el «emcí» de Tropicana dedica un homenaje en el «Prólogo» que abre *TTT* y este libro. En 1958, Rodney produce, entre otros muchos, un espectáculo que se llama «This is Cuba, Mister», y la músi-ca se transmite por Radio Levin, y la letra, por *Tres Tristes Tigres.*

Pero Tropicana no es el único cabaret: hay otros, muchos, profusión. Está la Cam-pana, está el Sierra, donde cantan la Burke verdadera y la Venegas falsa, y al que los personajes de *TTT* van continuamente; el National Night Club, alias el Nacional por-que está en los bajos del teatro del mismo nombre; el Bambú, el Casino de Sevilla en el hotel Sevilla Biltmore, que en *TTT* se llama simplemente el *Bilmor,* y las Vegas, pero sobre todo está el Alí Bar, en la Avenida Dolores y carretera del Lucero, donde coincidieron Beny Moré, Orlando Vallejo, Roberto Faz y Fernando Álvarez según los que recuerdan la época, como el crítico de música y danza Roger Salas, otro cubano del exilio a quien debo información y bibliografía preciosas para este texto.

El Alí Bar era de Alipio García, y no empezó siendo un cabaret de importancia, sino más bien marginal, situado —me cuenta Miriam Gómez— en un barrio residencial venido a menos, de grandes mansiones más o menos abandonadas o convertidas en otra cosa. Pero era justo allí donde terminaban recalando todos, donde se hacían esas competiciones a música abierta, después de que cada uno de ellos hubiera terminado su actuación en donde la tuviera. Era el cabaret de los músicos, aunque también tomaban allí la penúltima los periodistas, los actores, la gente de cine, la bohemia, siempre que estuviera en buena onda con los músicos. Allí tocaba Beny Moré, ya triunfante en México, en Puerto Rico y por supuesto en Cuba —los tres países del bolero, según Iris Zabala, autora de un bonito ensayo sobre este género del amor, al que añade una antología mayoritariamente mexicana—, allí montó su «tribu», su propia banda, y allí terminaba con música sus noches aunque las hubiera empezado en cualquier otro sitio.

En *Tres Tristes Tigres,* el Alí Bar no aparece con su nombre, por el expediente de cambiar de sitio a Beny Moré, y yo creo que las más de las veces es el Saint John —escrito de múltiples formas según quien lo mencione e incluso en qué estado etílico—, y que no he encontrado en ninguna guía nocturna y musical consultada, aunque doy fe de que existió: a diferencia de Alí Bar, que era más de la noche y estaba lejos, y que aparece a veces travestido de otros nombres, era un local con clase, caro, para gente «bien», un poco contagiada de bohemia. Porque si no, ¿quién iba a querer ir de cabarets? Para chicas como Vivian Smith-Corona, de la que un personaje dice al enamorado Eribó: ¿Has visto enamorarse alguna vez a una máquina de escribir? No es textual, pero es cierto.

Los cabarets de los *Tigres,* como los de *La Habana,* son de distintas clases. Y sólo en algunos se daba esa extrema nocturnidad, y el espectáculo era, ya fuera del espectáculo, verdadera música popular. Como en los garitos de jazz, cuando se cierran salvo para los amigos, o como en los tablaos serios de flamenco, cuando al final se producen auténticas y emocionantes sesiones espontáneas de cante jondo, que tienen igual carácter iniciático. Allí está, irrepetible, frágil y efímera, la verdadera música popular, que es música de autor en la que no importa el autor sino el momento. Y ya es la hora de hablar de La Estrella, la cantante de boleros cuya historia constituye esa novela en la novela que es *Ella cantaba boleros,* y que era *P.M.* por otros medios.

Por la descripción, no sólo de su físico, desmesurado como el del legendario Chori, que hacía percusión con timbales y botellas, el personaje que inspira La Estrella es Fredy, en realidad Fresdesvinda García, una mujer grande, gorda, de más de 150 kilos, con una admirable voz de contralto —sólo comparable con la de la más posterior Florinda— y estilo único, que de cocinera de una casa de El Vedado pasó a ser la estrella del Capri, otro cabaret real que aparece con su nombre en *TTT.* Fredy cantaba boleros «a capella», como se cantan algunos palos de flamenco, y se negaba rotundamente a ser acompañada y menos por una orquesta. Pero quería triunfar. Gorís, el creador del sello «Puchito» (pensado sólo para hacer microsurcos para niños pero luego instalado ya para todo, si tengo que creer al doctor Cristóbal Díaz), que había grabado a Olga Guillot cuando en discos —no en shows— funcionaban mejor para el bolero las voces masculinas, y había hecho de la magnífica cantante un éxito total de ventas, grabó el primer y único disco de Fredy, encargándole «la tarea casi imposible de que cante con una orquesta a ese gran músico que es Humberto Suárez». En los Tigres, La Estrella se niega a cantar en una audición privadísima en la que había un productor de discos. No aparece sino para dormir, da plantón a la reunión preparada por Códac, y cuando él, desesperado de buscarla y ya borracho total vuelve a su casa, se la encuentra completamente dormida y en su cama. Naturalmente, se acuesta a su lado y trata de dormir, preguntando ¿qué hubieran hecho ustedes?

Y se sabe que murió, en la novela, y que murió en el extranjero. En la realidad, Fredy sí grabó el disco, sí tuvo que cantar con música, y en una gira, en Puerto Rico, en 1960, murió por una complicación coronaria, que en la novela parte de una indigestión. Tanto en la realidad como en la ficción, Fredy-La Estrella es un ser extraordinario. Su música es inencontrable a estas alturas.

No así la de Cabrera Infante, que está en sus libros: hacer música por otros medios. Hacer literatura como quien hace música, podríamos parodiar a Huidobro y hasta a Verlaine: *de la musique avant tout chose*. Porque aparte de los temas —la música ocupa muchas preocupaciones del autor, que se ocupa de ella en la ficción, pero también en el ensayo periodístico— «yo soy un periodista que hace novelas», se definió a sí mismo en un divertido curso titulado «Cómo se escribe una novela», con José Luis Jover en la U.I.M.P. de Cuenca—, y aparte de los personajes (Eribó, el bongosero, el percusionista que tiene tanta fuerza como La Estrella, que es un músico que durante un tiempo lo ha dejado, tal vez por la tipografía, y hay que oírle tocar porque toca como se enamora, perdida, apasionadamente) también la música aparece en la propia estructura de sus libros y en la propia organización de su lenguaje. Las frecuencias matemáticas, las guías numéricas, los ritmos, las cadencias, son absolutamente importantes en sus novelas, y no sólo en sus novelas: también en la estructura de sus libros de cuentos y hasta en los de ensayos, y también eso tiene que ver con la música. Como tiene que ver con la música, con la armonía de los sonidos, buena parte de sus juegos de palabras: ya saben, significados confusos, múltiples, que surgen del encuentro puramente fonético de dos palabras en una, y se puede inventar todo: acumulaciones, sustracciones, sustituciones, en fin: juegos verbales que sobrepasan las pobres palabras que tenemos para nombrarlos.

Música y ritmo. Inevitable, ha dicho alguna vez Cabrera Infante, para un cubano. Para él, cubano. Porque Cuba es su obsesión.

Y CUBA (QUE ES TODO)

Cabrera Infante escribe sobre Cuba. Siempre ha escrito sobre Cuba. Con Cuba mantiene una relación erótica y tanática, una relación fuerte por edipiana, que recorre todos sus libros, que está presente hasta cuando él escribe un texto sobre cualquier tema a miles de kilómetros, porque está en su lenguaje. «Es sabido —dijo hace mucho— que los españoles y los cubanos lo tenemos todo en común, salvo el idioma.»

Así en la paz como en la guerra, su primer libro, es una colección de cuentos y viñetas cuyo protagonista es la isla misma. Mientras los cuentos van narrando historias de la cotidianidad, las viñetas, relatos breves e intercalados, entendidos como los sememas del cómic por otros medios, dan el contrapunto. Siempre son la descripción de una imagen quieta, escena suspendida en su tiempo, y siempre tienen como tema la violencia, en este libro la de la tiranía de Batista. Y sobre este contrapunto se organizó la primera versión de *Tres Tristes Tigres,* que había de titularse *Vista del amanecer en el Trópico,* que recibió el premio Biblioteca Breve de 1964, y que el autor, ya en el exilio, decidió reescribir y apareció por fin con el nombre *TTT,* que también protagoniza Cuba, y esta vez hasta con un nombre que le permite juegos ambiguos: la Venegas y la otra.

Más tarde, el que aparece con el título *Vista del amanecer en el Trópico,* es de nuevo Cuba y son de nuevo, esta vez solas, las viñetas, una serie de daguerrotipos y dibujos y viejas fotografías de escenas sangrientas en los caminos, plazas y calles cubanas. La violencia es ahora eterna, intemporal, circular. Es la violencia esencial a Cuba, porque el autor sigue, aunque exiliado, anclado a la verde isla en forma de caimán.

La Habana para un Infante Difunto, su hasta ahora última novela, es un mapa interior de La Habana por los caminos iniciáticos del sexo y el cine (y la música y la conversación). Las calles, los locales, toda la arquitectura y la música, todos los recuerdos, son una reconstrucción del mapa habanero, voluntaria en la distancia, esa necesidad de recordar paso a paso, segundo a segundo, cada lugar perdido. En la portada, un fotógrafo ambulante fotografiado a su vez en el Parque Central por Jesse Fernández —personaje, parque y ciudad que tienen que ver con el último guión de Cabrera Infante para Andy García, *La ciudad perdida.* La Habana. La Habana reconstruida palmo a palmo, en la que sólo voluntariamente se han movido algunos lugares, no por traición del recuerdo sino por conveniencia del guión.

Y si *La Habana...* es diurna y nocturna y comienza siendo adolescente, y es anterior en el tiempo del recuerdo aunque sea posterior en la escritura y la publicación, *Tres Tristes Tigres,* que cierra y abre el ciclo —hasta que llegue la siempre demorada *Cuerpos Divinos*—, es un recorrido nocturno por La Habana, el alcohol, el sexo, la conversación y el cine... y la música. Es la escritura de esa primera desilusión, y definitiva, en la que se narra lo inmediatamente anterior, porque lo siguiente es demasiado doloroso y cercano, y todavía no lo ha contado Cabrera Infante en la ficción, aunque sí lo haya hecho desde el periodismo y el ensayo, recogido en su libro *Mea Cuba.*

Cuba aparece en *Ejercicios de Esti(l)o,* homenaje confeso a Raymond Queneau desde el estío de los malos tiempos, y también en *O,* un libro voluntariamente europeo, con el nombre de una calle habanera, aunque escrito sobre todo en Bélgica y Londres, y más en Londres, trata del «Swinging London». Hay en él textos que tratan de música —pop— y amor, y también de música popular, algo más que pop: donde menciona, de pasada, el bolero. *En un oficio del Siglo 20,* reunía sus críticas de cine, en aquella penosa estancia en Cuba, decidida ya su oposición al régimen de Castro y su voluntad de exilio, y demostraba que la dictadura comunista sólo permitía una manera de ser: sin cabeza. No siendo. La imagen de un espadachín descabezado, comprado en una chamarilería habanera, que contrasta con el agudo comentario brevísimo que antecede a cada crítica de *Carteles,* es la metáfora plástica, sin palabras, de ese no ser. Obviamente, además de ser un magnífico libro sobre cine, es también un libro sobre Cuba.

Y Cuba no puede dejar de protagonizar *Holy Smoke,* su libro sobre el humo santo del habano, ese tabaco de hoja que sólo tiene su sabor característico si es cubano, más si es de Vueltabajo, una zona de un valle de una provincia de Cuba. Conozco gente —y Guillermo está entre ellos— a quienes la vista de un Lusitania de Partagás pone lágrimas en los ojos. Es más: que pueden llorar por menos, con tal que sea verdaderamente cubano, verdaderamente de Vueltabajo, hecho a mano y sin moverse de la humedad precisa. De este, que permanece en su inglés original, que para mí es una lengua críptica, no aparecerán textos en este libro.

Sobre Cuba es el último guión, *La ciudad perdida,* en el que recupera la ciudad que perdió. La misma ciudad que protagoniza, vista desde el restaurante El Carmelo, y como una metáfora de la continuidad de sus temas, el hasta ahora último de sus libros de relatos, *Delito por bailar el chachachá.*

En la obra de Cabrera Infante, La Habana es una presencia constante, pero también es una nostalgia. Alguna vez, el cubano ha hablado de la sabiduría del irlandés —silencio, astucia, exilio— para referirse a sí mismo. Pero son otros los parecidos íntimos entre Cabrera Infante y Joyce, y uno sobre todo: su concepción, vital, de la ciudad, y de la escritura como el mapa siempre repetido de la ciudad. Los cuentos de Cabrera Infante son paralelos en la intención a los de Joyce, las novelas de Cabrera Infante son paralelas, en la intención, a las de Joyce. Pero La Habana no es Dublín y, para bien o para mal, los irlandeses no son los cubanos.

Del silencio, lo sufrió algunos años. Se mantuvo callado hasta que, en aquellas célebres declaraciones a la revista *Primera Plana,* quemó sus naves castristas, que hacía mucho que estaban desarboladas. En cuanto a la astucia, no creo en un Cabrera Infante astuto ni especialmente prudente. Es el suyo un exilio valiente y doloroso, que le ha costado episodios vitales que no oculta: a cierta depresión —en la que tuvo mucho que ver el suicidio de su amigo Calvert Casey, exiliado en Roma, pero también el asedio de sus editores, la censura en España, la constatación (me dijo hace muchos años) de que, «como una puta», él «era un hombre con pasado» —se refiere como «la época de mi locura». Un exilio que tal vez ahora, que es un escritor reconocido en todo el mundo, sea más «dorado», pero que ha estado cruzado por las estrecheces económicas, la goteada e irremediable pérdida de amigos, en fin, la conciencia constante del exilio, que no es un viaje de vacaciones. La última vez que pisó su tierra fue para ver morir a su madre y sufrir un agobiante proceso kafkiano, del Kafka de *El Castillo* —estupenda y oblicuamente contado en el relato *Delito por bailar el chachachá—,* y no pudo volver a la muerte de su padre. Si no considera a Fidel Castro su enemigo personal, sí considera que Cuba no es lo bastante grande para que quepan ambos... No, no es un exilio dorado: me impresionó la vez que me dijo: un exiliado no puede comprar una casa. Me impresionó por lo que tenía de sensación de transitoriedad, por lo que tenía de desarraigo perfecto, esa sensación, que le ha costado años de silencio narrativo, de estar en el sitio que no es. Cuba, La Habana, es la nostalgia.

Cuando la democracia llegue a Cuba, Guillermo Cabrera Infante y Miriam Gómez volverán a La Habana. Sólo que entonces la nostalgia será de Londres, porque son muchas las cosas que tienen allá. Allá, en la lluviosa y fría ciudad del Támesis, hay ya cinco chavales que les llaman abuelos, hay varios restaurantes, casi todos exóticos, donde les conocen muy bien, una tienda de tabaco donde Miriam elige los cigarros de Guillermo y una calle tranquila por la que más de una vez, cubierta con un pañuelo, y tras unas negras gafas de sol, paseaba Ava Gardner su decadencia. Hay un living confortable en el que contar historias y una biblioteca con una escalera, y varios centenares de vídeos y varios sistemas de visualización de películas. Hay, sobre todo, un montón de años: épocas malas y épocas buenas. Y hay ese retrato que siempre les he envidiado. Ahora, rifado por las universidades americanas, superventas en varias lenguas, premio al mejor libro extranjero en casi todos los países civilizados —en 1995 en Italia—, mimado en Hollywood, querido en Madrid, Guillermo Cabrera Infante es un escritor reconocido. Pero tengo la impresión de que, como Joyce, va a estar siempre en el exilio. Porque a lo mejor esa y no otra es la condición del escritor.

Seleccionar la escritura de Guillermo Cabrera Infante en torno a dos temas omnipresentes en su obra, el amor y la música, significó para mí, desde el principio, intentar reproducir también su manera de organizar los materiales literarios. La primera idea fue seguir la estructura de *Tres Tristes Tigres,* que tenía once partes —nueve, más un prólogo y un epílogo— y que jugaba, expresamente, con las leyes numéricas de la kabala y, también, de la charada cubana. Por supuesto, a nadie se le oculta que la música es siempre numérica, que el mismo amor hace —y monta— números, y que los ritmos no son sino combinatoria, es decir, matemática. Luego vi que el once se repite como número ideal en otros libros de Cabrera Infante —por ejemplo, en *La Habana para un Infante Difunto—,* y más tarde supe que el once intuido como «algo musical» tiene que ver con el cuatro, y con ciertos intersticios de ritmos basados en el cuatro. Cuando le propuse el once, me respondió con un casi lacónico: sí, es un buen número.

Hay que decir que Cabrera Infante cuenta que nació el cuarto mes del año, que su hermano lo hizo a sus cuatro años, y cuatro días antes de su cumpleaños, y cuatro eran las voces narradoras de los *Tres Tristes Tigres,* con añadidos —más bien añadidas— en su primera parte, «Los debutantes». El 4 y el 11 eran, pues, los números. El 3 tiene también algo que ver, pero *ese* es un instrumento de cuerda cubano. También aparece a veces.

Decidida en principio la estructura numérica del libro, había que encontrar las recurrencias que volverían su estructura propiamente musical, siguiendo, *mutatis mutandis,* la propuesta hecha desde *TTT.* Allí hay fundamentalmente dos mitos: Bustrófedon, mito literario —sólo recurrente en el recuerdo— y La Estrella, la cantante de boleros con una historia contada en siete partes y, por tanto, recurrente, musical, no sólo por el tema sino por su rítmica aparición, que la hace omnipresente. El papel de estos mitos y, sobre todo, de esta recurrencia, lo ocupa en esta antología la presencia fragmentada, abriendo cada capítulo, de un texto de *La Habana para un Infante Difunto,* que aparece numerado en romanos. Todos, salvo el 7 y el 8.

La otra cadencia que da ritmo musical a *Tres Tristes Tigres* es la confesión, en el diván del sicoanalista, de una mujer, presentada de «primera» a «oncena» —porque aunque son nueve los capítulos, en algunos hay más de una «sesión». Decidimos que en vez de sesiones serían preguntas: una entrevista inédita, especial para este libro, planteada en preguntas abiertas y temáticas, que no aparecerían impresas. Así pues, de «primera» a «oncena» son discursos inéditos de Cabrera Infante, como lo es la continuación, desde 1975, de su cronología «Orígenes», que publicó —hasta el 1965— en

O, y que luego amplió para el libro *Guillermo Cabrera Infante,* en el que había una antología de su obra y un estudio firmados por mí.

Precisamente la existencia de ese libro, que hacía un tratamiento mucho más formal —en el sentido estructuralista— de la obra narrativa de Cabrera Infante, y probablemente el tiempo transcurrido, y seguramente la misma naturaleza temática de este proyecto, me han empujado ahora a plantear el estudio precedente de un modo distinto. Debo decir que me hubiera gustado hacer un retrato del escritor a la manera de Truman Capote, externo, frío, puramente narrativo y descriptivo, y ya habrá visto el sufrido lector cómo ese es un trabajo imposible tras veinte años de amistad. Creo que nunca podré seguir a un preso hasta la horca.

Implicada pues en esta historia, me han interesado más, por más nuevas para mí, las relaciones entre la literatura y la vida. He intentado *pillar* a los personajes de carne y hueso que, hábilmente trastocados y mezclados, se convierten en los mismos, de la novela autobiográfica a la novela autobiográfica por otros medios y en otro tiempo, y hasta en otro tono. Silvestre descubierto —desde los orígenes—, Silvestre-Salvaje (dice hablando de un personaje traducción) es el protagonista de muchas historias, y lo identifico con el propio Guillermo. Pero ahí están también Carlos Franqui, y Jesse Fernández, y Frank Domínguez, y Beny Moré y Fredy. Y está también Olga Guillot, de la que Cabrera Infante dice que es la verdadera, la continua encarnación del bolero.

El bolero se me ha aparecido como la síntesis de los dos temas a tratar: el amor y la música. Por eso el título de un bolero encabeza cada capítulo. Debo decir que su elección ha respondido a razones distintas en cada caso, y que no ha sido fácil pero sí divertido: el libro de Iris Zavala, la antología que publicó Juan Cueto en *Los Cuadernos del Norte* del verano del 89, las cintas de Bola de Nieve y Beny Moré, Barbarito Díez, María Teresa Vera y Pérez Prado, grabadas para mí por José María de la Peña e Ignacio Cabello, y Roger Salas, así como las grabaciones de Vicentico Valdés y la propia Fredy, que debo a Guillermo Cabrera Infante y Miriam Gómez, me facilitaron un tiempo en que la cultura musical dominante de mi casa pasó, del tango, al bolero.

Una cosa más: intentando recoger todas las facetas del escritor, desde distintos géneros y perspectivas, y desde distintos tiempos, he seleccionado aquí textos de todos sus libros, excepto *Mea Cuba,* por salírseme de tema, y *Holy Smoke,* por salírseme de lengua, además de un buen número de artículos aparecidos en diarios y revistas. No he podido evitar el ceñirme al ámbito habanero —contando con su lado universal—, así que el lector no encontrará sino algunos de sus sugestivos y brillantes trabajos desde y sobre Londres.

En cuanto al título final de esta antología, MI MÚSICA EXTREMADA, es una referencia clara de Guillermo Cabrera Infante a la «Oda a Salinas», de Fray Luis de León: la respiración común, a casi cinco siglos de distancia, es la del destierro y la prisión, pero sobre todo, la de la música. «El aire se serena / y viste de hermosura y luz no usada / Salinas, cuando suena / la música extremada / por vuestra sabia mano gobernada», comienza esta oda a su amigo Francisco de Salinas, ciego profesor de música de la Universidad de Salamanca, autor del tratado platónico *De música libri septem,* cuya aparición coincide en el año 1577 con su muerte y con la rehabilitación, tras cinco años de penosa prisión, de Fray Luis en la enseñanza de la Teología. Ojalá un día pueda decir Cabrera Infante, a la vuelta a su Salamanca habanera, así, como si tal cosa, lo que dijo el poeta leonés: «Dicebamus hesterna die...»

Puedo asegurar que haciendo este trabajo he sufrido miedos de principiante, pero que también he disfrutado mucho, y releer a Cabrera Infante no ha sido una de las razones menores de este disfrute. Si este libro empuja a algún nuevo lector a encontrarse con sus libros enteros, ya habrá cumplido su finalidad.

ROSA PEREDA
Madrid, mayo, 1995.

Mi música extremada

Prólogo(s)

Cabrera Infante es amigo de los prólogos. Tres textos emblemáticos dan entrada a este libro: el primero, que no tiene otro título que «Prólogo» en *Tres Tristes Tigres* (Seix Barral, Barcelona, 1967), es justamente el que abre, como un telón que se levantara, la novela. El segundo, «Ñico Saquito y el sentimiento paródico», apareció en la revista *G.Q.,* en su número de junio-julio de 1995, y «Pornografismos» es uno de los *Ejercicios de Esti(l)o* (Seix Barral, Barcelona, 1976). Con estos tres textos, el libro se abre ya en sus tres vertientes: la música y el cabaret, el sentido fundamental de la parodia y la música, y el juego literario con el material inflamable de las buenas y las malas palabras, o lo que va del humor a la pornografía. R. M. P.

*S*howtime! Señoras y señores. *Ladies and gentlemen. Muy* buenas noches, damas y caballeros, tengan todos ustedes. *Good-evening, ladies & gentlemen.* Tropicana, el cabaret MÁS fabuloso del mundo... *«Tropicana», the most fabulous night-club in the WORLD...* presenta... *presents...* su *nuevo* espectáculo... *its new show...* en el que artistas de fama continental... *where perfomers of continental fame...* se encargarán de transportarlos a ustedes al mundo maravilloso... *They will take you all to the wonderful world...* y extraordinario... *of supernatural beauty...* y hermoso... *of the Tropics...* El Trópico para *ustedes* queridos compatriotas... ¡El Trópico en Tropicana! *In the marvelous production of our Rodney the Great...* En la gran, maravillosa producción de nuestro GRANDE, ¡Roderico Neyra!... *«Going to Brazil»...* Intitulada, *Me voy pal Brasil...* Taratará tarará, taratará tarará taratareo... *Brazuil terra dye nostra felichidade... That was Brezill for you, ladies and gentlemen. That is, my very, very particular version of it!* Brasil, damas y caballeros que me escucháis esta noche. Es decir, *mi* versión del *Brazil* de Carmen Miranda y de Joe *Carioca.* Pero... ¡Brasil, público amable que colma este coliseo del placer y de la alegría y la felicidad! ¡Brasil una vez más y siempre, el Brasil eterno, amables y dignos concurrentes a nuestro foro romano del canto y la danza y el amor a medialuz! *Ouh, ouh, ouh. My apologies!...* Público amable, amable, amable público, pueblo de Cuba, la tierra *más* hermosa que ojos humanos vieran, como dijo el Descubridor Colón (no el Colón de Colón, Castillo y Campanario, no... Jojojó. Sino ¡Cristóbal Colón, el de las carabelas!)... Pueblo, público, queridos concurrentes, perdonen un momento mientras me dirijo, en el idioma de *Chakespeare,* en *English,* me dirijo a la selecta concurrencia que colma *todas y cada unas* de las localidades de este emporio del amor y la vida risueña. Quiero hablarle, si la amabilidad proverbial del Respetable cubano me lo permite, a nuestra Enorme concurrencia americana: caballerosos y radiantes turistas que visitan la tierra de las *gay senyoritaes and brave caballerros... For your exclusive pleasure, ladies and gentlemen, our Good Neighbours, you that are now in Cuba, the most beautiful land human eyes have ever seen, as Christofry Columbus, The Discoverer, said once, you, happy visitors, are once and for all, welcome. WelCOME to Cuba! All of you... be WELLcome! Bienvenidos, as we say in our romantic language, the language of colonizadors and toreros (bullfighters) and very, very, but very (I know what I say) beautiful duennas. I know that you are here to sunbathe and seabathe and sweatbathe Jo jo jo... My excuses, thousand of apologies for You There that are freezing in this cold of the rich, that sometimes is the chill of our coollness and the sneeze of our colds: the Air Conditioned I mean. For you as for every one here, its time to get warm and that* *will be with our coming show. In fact, to many of you it will mean heat! And I mean, with my apologies to the very, very old fashioned ladies in the audience, I mean, Heat. And when, ladies and gentlemen, I mean heat is HEAT!* Estimable, muy estimado, estimadísimo público, ahora para ustedes una traducción literaria. Decía yo a mis amigos americanos, a los buenos vecinos del Norte que nos visitan, les decía damas y caballeros, caballeros y damas, señoras y señoritas y... señoritos, que de todo tenemos esta noche... Le decía a la amable concurrencia norteña que pronto, muy pronto, en unos segundos, esa cortina de plata y lamé dorado que distingue el escenario prestigioso de Tropicana, ¡el cabaret más lujoso del mundo!, le decía que el frío invernal bajo techo de esta noche de verano tropical, hielo del trópico bajo los arcos de cristal de Tropicana... (Me quedó bonito, ¿eh? ¡Di-vi-no!), este frío de los ricos de nuestro clima acondicionado, se derretirá muy pronto con el calor y la pimienta de nuestro primer gran show de la noche, al descubrirse esa cortina de plata y oro. Pero antes, con la excusa de la amable concurrencia, quiero saludar a algunos viejos amigos de este palacio de la alegría... *Ladies and gentlemen tonight we are honored by one famous and lovely and talented guest... The gorgeous, beautious famous film-star, madmuasel Martin Carol! Lights, Lights! Miss Carol!, will you please?... Thank you, thank you so much Miss Carol! As they say in your language, Mercsí bocú!* (Comoustedesvieronamableconcurrenciaeslavisitadelagranestrelladelapantallalabellahermosa ¡Martin Carol!) *Less beautiful but as rich and as famous is our very good friend and frequent guest of Tropicana, the wealthy and healthy (he is an early-riser) Mr William Campbell the notorious soup-fortune heir and World champion of indoor golf and indoor tennis (and other not so mentionable indoor sports —Jojojojó), William Campbell, our favorite play-boy! Lights (Thankyou, Mr Campbell), Lights, Lights! Thanks so much, Mr Campbell, Thank-you very much!* (Amableypacientepúblicocubano es Mister Campbellelfamosomillonarioherederodeunafortunaensopas.) *Is also to-night with us the Great Emperor of the Shriners, His Excellency Mr Lincoln Jefferson Bruga. Mr Lincoln Jefferson? Mr. Jefferson?* (Es mister Lincoln Bruga, emperador de los *Shriners,* público paciente.) *Thank-YOU, Mr Bruga. Ladies and Gentlemen, with your kind permission...* Damas y caballeros, cubanos todos, nos toca ahora hacer las presentaciones de nuestros favorecedores del patio, que han sabido acoger con la generosidad proverbial y la típica caballerosidad criolla, tan nuestra, tan cubana como esas palmas que se ven al fondo y esas guayaberas (con su lacito, ¿eh?) que visten los elegantes habaneros, con esa misma hospitalidad de siempre, han permitido ustedes que presentáramos primero a nuestros parroquianos internacionales. Ahora, como es debido, les toca a los espectadores más connotados de nuestra vida social, política y cultural. ¡Paso a la juventud triunfante y seria y a la invicta vejez juvenil! ¡Paso a la concurrencia más alegre y encantadora del Universo-MUNDO! Las luces, ¿por favor? Así, así. Saludamos a la encantadora jeune-fille, como dicen nuestros cronistas sociales, señorita Vivian Smith Corona Álvarez del Real, que celebra esta noche sus quince y ha escogido para festejarlos el marco siempre glorioso del cabaret bajo las estrellas, esta noche en su arcada de cristales por el mal tiempo y la lluvia. Vivian cumple las anheladas, doradas quince primaveras, ay, que para nosotros ya pasaron hace rato. Pero podemos consolarnos diciendo que tenemos quince años dos veces. Vivian, felicidades. *Happy, happy birthday!* Vamos a cantarle el *happy-birthday* a Vivian. ¡Vamos! *Happy-birthday to you, happy birthday to you, happy birthday dear Vivian, happy-birthday to you!* Ahora, un esfuercito y lo cantamos todos, toditos, sin quedar uno, conjuntamente con los padres de Vivian, los esposos Smith Corona Álvarez del Real, que se encuentran junto a su retoño adorado. ¡Arriba, corazones! *Happy birthday to you, happy birthday to you, happy-birthday dear Vivian, happyyy-birthdaaayyy tooo-yyyoouuuuu!* ¡Así se hace! Bueno, ahora a cosas más serias. También tenemos el honor de tener entre nuestra selectísima concurrencia al coronel Cipriano Suárez Dámera, M. M., M. N. y P., pundonoroso militar y correcto caballero, acompañado, como siempre, por su bella y gentil y elegante esposa, Arabella Langoria de Suárez Dámera. ¡Una buena noche feliz para usted coronel, en compañía de su esposa! Veo por allí, en esa mesa, sí ahí mismo, junto a la pista, al senador y publicista doctor Viriato Solaún, concurrencia frecuente en este domo del placer, *Tropicana!* El senador bien acompañado, como siempre. Del mundo de la cultura viene a engalanar nuestras noches de *Tropicana* la bella, elegante y culta poetisa Minerva Eros, recitadora de altos quilates dramáticos y acendrada y fina voz: los versos se hacen rimas de terciopelo en su decir suave y acariciador. ¡MINERVA! ¡luz! ¡luz! ¡LUZ! (coño). Un minuto, amigo, por favor, que ahora le toca a las bellas. Pero ¡un momento! que es nuestro gran fotógrafo de las estrellas. *Yes, the Photographer of the Stars. Not a great astronomer but our friend, the Official Photographer of Cuban Beauties. Let's greet him as he deserves!* ¡Un aplauso para el Gran Códac! Así y aquí sí está por fin Minerva, Minerva Eros para ustedes público gentil. Un aplauso. Eso es. Quiero anunciarles que desde el próximo día primero, Minerva engalanará con sus ademanes clásicos y su figura escultural y su voz que es la voz de la cultura, el último show en cada noche de *Tropicana.* ¡Hasta entonces, Minerva! ¡Y éxitos! No, Minerva, gracias *a ti* que eres la musa de nuestras mesas. Y ahora... *and now...* señoras y señores... *ladies and gentlemen...* público que sabe lo que es bueno... *Discriminatory public...* Sin traducción... *without translation...* Sin más palabras que vuestras exclamaciones y sin más ruido que vuestros calurosos aplausos... *Without words but with your admiration and your applause...* Sin palabras pero con música y sana alegría y esparcimiento... *Without words but with music and happiness and joy...* ¡Para ustedes!... *To you all!* Nuestro primer gran show de la noche... ¡en Tropicana! *Our first great show of the evening... in Tropicana!* ¡Arriba el telón!... *Curtains up!*

Unamuno una vez escribió un tratado que llamó *Del sentimiento trágico de la vida en los hombres* (¿por qué no también en las mujeres?) y hay que asentir, decir que sí, que existe. Pero no habló Unamuno, uno menos, del sentimiento cómico de la vida, que también lo padecen algunos seres humanos. Sacándole el jugo a Unamuno, cuyo último apellido era, extraña coincidencia, Jugo, en juego hay que hablar del sentimiento paródico de la vida, que siempre se repite, unas veces en serio, otras en parodia. La palabra parodia, es cierto, es pariente pobre de la paranoia o delirio de persecución y allí donde la persecución es delirio se cura la paranoia. Pero en literatura hay quien, como yo, se siente siempre perseguido por el sexo y otros textos. Conmigo lo que Dalí llamó paranoia crítica se vuelve crítica de la paranoia por la palabra. Ya se sabe, en el principio fue el verbo pero no el adverbio, que vino después a negar a veces al nombre por el adjetivo, inútilmente. Pero la parodia es útil a quien la practica y es inútil para quienes la detestan cuando la detectan. Esta página, por ejemplo, es teoría y práctica de la parodia. Que pierdan, pues, toda esperanza los que odian a Joyce y a Lewis Carroll, o digan que no a Queneau.

En mis días de bachillerato, cuando aprendí que dejar de ir a clases era la mejor manera de educarse, cuando comencé a escribir, había una canción (compuesta por un cancionero extraordinario que adoptó el insólito seudónimo de Ñico Saquito) que era el *hit* del momento. En esa guaracha se quejaba el autor de otras canciones de mucha moda. Una de ellas hablaba de los amores que tenía la luna con un gitano. Otra comentaba que un negro llamado Facundo no trabajaba nunca. Y la tercera era un pasodoble mexicano que cantaba a un torero llamado Silverio que tenía un hermano muerto, Carmelo, también torero, que solía verlo torear todas las tardes de toros desde el cielo de los toreros. Nuestro Ñico, ángel exterminador, concibió una letanía letal para acabar con estos ritmos persistentes, insistentes lanzando «Granadas» de mano. Decía una esquirla esquinada de su canción:

> *Qué ganas tengo / de que la luna se case, / Facundo trabaje / y a Carmelo le tapen el hoyo / que tiene en el cielo / por donde mirar.*

Ahora, casi cincuenta años después, participo y me hago cómplice de ese humor popular, al mismo tiempo paródico y ejemplar, de situaciones que pueden no ser tan populares. Mejor que yo lo expresa Ñico Saquito en otra de sus canciones inmensamente célebres y al mismo tiempo particularmente idiosincrásicas, con un humor que no se ofrece, ay, hoy todos los días. Aquí parodia es lo contrario de parroquia: no hay arte más universal. Ahora gusten un fragmento de *María Cristina,* la canción tal vez más conocida del señor Saquito:

María Cristina me quiere gobernar
y yo le sigo, le sigo la corriente,
porque no quiero que diga la gente
María Cristina me quiere gobernar.

Perdón por la música que no oirán, porque yo no puedo siquiera tararear, mucho menos cantar. Pero oigan, por favor, cómo el maestro Ñico, no ñoño, expone un tema de orden ético y filosófico que ha tratado con profunda seriedad teutónica Georg Wilhelm Friedrich Hegel, autor de *La fenomenología de la mente*. Este *lied* oriental (de la provincia de Oriente en Cuba) no es más que la ilustración poética del conflicto del amo y el esclavo que Herr Hegel llama dialéctica del predominio. Observen, *bitte,* que María Cristina, que es por supuesto una mujer (un travestí no sería serio me parece), colocada en su eterna situación de dominada, quiere gobernar al narrador, marido o amante, quien a su vez cede a las intentonas de dominio por su mujer haciendo ver que accede a sus demandas (le sigue la corriente), porque el autor de la canción o su personaje cantante y sonante no quiere que la gente (es decir, sus amigos, otros hombres, el pueblo de Cuba: la opinión mundial) hable de que María Cristina lo quiere controlar. Cosa que, me parece evidente, ya ha logrado ella.

Esta cancioncita inconsecuente y olvidable para muchos es para mí una obra maestra de humor sutil y consecuente y por supuesto popular. Universal también porque cruzó los mares con éxito, viajó a otras tierras y voló en las ondas cortas y largas de la radio. (No había televisión entonces.) Ya rendí homenaje a *María Cristina* en *Tres tristes tigres,* cuyas páginas alegró por un momento, y en un breve libro de ensayos titulado *O: O* por cero pero también Oh por el asombro. La traigo aquí ahora no sólo como forma de tributo oral, sino para que disfruten ustedes al otro lado de la página su humor bien pensado, bien realizado y al mismo tiempo sepan, si no lo han adivinado ya, que este es uno de mis ideales de escritura. Ya que no puedo cantar ni tocar un instrumento (a pesar de mi práctica con la viola de gamba) quiero hacer música por otros medios para mis fines literarios. Si es cierto que todas las artes aspiran a la música, mi arte o mi parte en el arte ha aspirado siempre a la condición de música popular. ¿Qué otra cosa si no es «Ella cantaba boleros» o *Delito por bailar el chachachá?* Hay páginas mías, en efecto, que deben leerse como una partitura. Si no lo hacen ustedes mi efecto es su defecto. Ninguna de mis composiciones tiene que ver con la música seria y he abandonado tientos y tantos intentos porque quiero serlo todo menos serio. Ser serio es creerse grave y, como ustedes saben o debieran saberlo, *grave* es la tumba en inglés. Ya Shakespeare lo dijo en *Romeo y Julieta,* una tragedia de jóvenes amantes. Entre versos y veras, cuando el noble, impetuoso y siempre leve Mercucio, que jugaba tanto con las palabras como con las espadas *(words, swords),* defendiéndose de unas con otras, herido de muerte por una estocada, todavía tiene una última paronomasia mercurial: «*Ask for me tomorrow/ And you shall find me/ A grave man.*»

Los subtítulos traducen mientras traicionan la frase: «Pregunten por mí mañana y me encontrarán tumbado.»

Como dice el *pagliaccio, la parodia non e finita.* Pero la vida sí.

Llamado Mallarmé, a pesar de su enorme penetración crítica y su gusto por un buen cenáculo, para disipar los desórdenes de cacatúas literarias por su poema en el viejo Chicago, donde se le leyó muy mal. Fue su anotador chino, E La-pun, orientalista que Singapur reclama, aunque nació en pleno río Orinoco, quien se encargó de subir solo al Titicaca para depositar las cenizas de este esteta en un túmulo, mandándole a hacer una pajarera de vastas dimensiones, abusando del conocimiento que tenían los indios hijos de putumayos en el arte de trenzar su propia pingachas o crin, no cabellera. La culpa de las disputas la tuvo en parte su madre, que fue quien puso Stéphane a alguien ya llamado *mal armé*.

Noche de ronda

Es el primer bolero que el narrador de *Tres Tristes Tigres* escucha a La Estrella, la cantante negra negra que canta ese son que en su boca se convierte en música mulata, como toda la música cubana —dirá Cabrera Infante. El bolero de Agustín Lara, ese personaje legendario que, aunque mexicano, encontró sus mejores intérpretes en voces cubanas —Olga Guillot, entre otras, Fredy, La Estrella, ahora—, ofrece esa nocturnidad que marca no sólo esta primera parte del libro. Como todos —salvo dos— este primer «bolero» se abre con un fragmento iniciático de *La Habana para un Infante Difunto* (Seix Barral, Barcelona, 1979) y se cierra con una viñeta inédita hasta hoy, titulada *Primera,* primera respuesta a una entrevista dividida en once textos con los que se cierra cada parte del libro. Contiene la aparición de «Ella cantaba boleros» (fragmento de *TTT),* donde se refiere lo antes dicho; un curioso texto de *Vista del amanecer en el Trópico,* el primer libro de GCI (Seix Barral, 1974), y dos textos teóricos en torno a la música cubana: «Una historia inaudita» es el prólogo al libro *Cuba y sus sones,* de Natalio Galán (Pretextos, Valencia, 1983) y «Mi música extremada», cuya segunda parte «Boleros son» apareció en la revista *Claves* (diciembre, 1991). Como se apunta en la nota sobre la selección y construcción de «Este libro», «Mi música extremada» es una utilización del verso de Fray Luis de León en una de sus odas más conocidas, la «Oda a Salinas», músico y compañero de claustro de Fray Luis en su Universidad de Salamanca. Como se sabe, la «Oda a Salinas» es, en sí misma, un elogio de la música y sus efectos armónicos sobre el alma, y, además, una versificación en la que el siete y el once —endecasílabos y eptasílabos, es decir, silvas o selvas— es fundacional: consigue lo que Garcilaso solo no hubiera conseguido: convertir estas medidas nada respiratorias del castellano en la base de toda la poesía culta hasta hoy. Y, aunque la fecha de su composición se discuta entre los entendidos, lo cierto es que la aparición del tratado de música de Salinas, de componentes neoplatónicos y pitagóricos —es decir, numéricos y armónicos, en los que la música se hace correspondencias y proporciones, recurrencias y medidas, al tiempo que carga espiritual para recordar (o despertar) el alma—, coincide, en el mismo año, con su muerte y con la vuelta, tras cinco años de cárcel, de Fray Luis de León a una cátedra salmantina que tienen que crear para él. El largo proceso que sufrió el teólogo tenía una base lingüística: su defensa de la necesidad de acudir a la Biblia en sus fuentes, es decir, en hebreo, en lugar de a la latina *Vulgata,* así como sus comentarios y tal vez traducción al castellano del *Cantar de los Cantares,* rompiendo la prohibición que separaba los textos sagrados de quienes no conocían la lengua culta. El «mi» de «Mi música extremada» —que Fray Luis escribía «estremada», y que no llamaba suya— da también qué pensar. R. M. P.

I.

Aunque Monte 822 fue un intermedio, un interregno, proseguí allí el aprendizaje del amor, que había empezado en el pueblo con una prima de ojos verdes legendarios en la familia —pero esa es otra historia y pertenece a otro lugar. Aquí, en la cuartería momentánea, ocurrió una complicación amorosa que fue un regreso a la infancia que había perdido en Zulueta 408. Tomó la forma de un cuarteto, una complicación triple más bien, una ligazón con tres muchachas, una de ellas realmente una niña. Vivían en el cuarto de al lado, el que quedaba frente a la cocina y eran hijas de un chofer de taxi —máquina de alquiler de entonces—, llamado Pablo Efesio, un mulato de bigote, calvo, de veras peligroso (no una estampa peligrosa como el marido de Nila, villano de postalitas), que había estado en la cárcel, según él mismo confesaba y que sin embargo no me inspiraba demasiado respeto porque yo conocía su punto débil: sus hijas, que singularmente no eran adefesios. La madre ya la conocen ustedes: era Victoria, la sigilosa vengadora de Rubén Fornaris, la que se moría lentamente de tuberculosis lánguida. Las muchachas eran tres hermanas a cual más diferente: Ester, la menor, que debía tener diez años, era tullida de una pierna, padecía un leve prognatismo y llevaba su pelo más lacio que el de sus hermanas, en bucles. Luego venía Fela, que tenía unos ojos enormes y la boca negroide grande y el pelo menos lacio, con bastante de rizos negros y que era de una picardía absolutamente precoz para sus doce años. Finalmente estaba Emilia, alta y delgada, tal vez con un toque de la tuberculosis que mataría a su madre poco tiempo después, muy seria, con sus catorce años que a mí me parecían veinte. Fue de Ester de quien me enamoré, iniciando mi pasión por los amores imposibles, buscando la perfección en una mujer imperfecta. Mi amor anónimo tenía tanta necesidad de expresarse que tomé a la naturaleza por testigo: en un viaje que hicimos al pueblo vecino de Cuatro Caminos, a casa de unos parientes de mi padre, me las arreglé, siguiendo seguramente alguna película que vi con Nila, romántica y aburrida, para cortar las iniciales de Ester y mías en un árbol del patio al que seguramente dejé tullido por el gran corazón circundante. No sé cómo tatué aquel emblema pues mi padre me tenía prohibidas las cuchillas: debió de ser alguna clandestina. Cuando regresé a la cuartería iba a contarle a Ester esta hazaña amatoria, pero estaba su padre, de ogro ubicuo. Luego Fela no me dejó hacerlo. Fue después de la escuela, jugando parchís con Ester, con Fela y con Emilia que ocurrió el primer incidente perturbador, uno de una serie que hizo deleble mi impronta. El parchís estaba en una mesa pequeña (no había en el cuarto lugar para mueble más grande y seguramente comían sobre ella) y el juego estaba en lo más intricado de fichas y de dados, con todas las casillas ocupadas, cuando sentí que me tocaban entre las piernas y no fue un toque casual porque el miembro buscaba mi miembro. Miré a Ester, que estaba a mi lado, luego a Emilia que estaba al otro lado: las dos muy metidas en el parchís para pensar en otro juego. Entonces miré a Fela: tenía que ser ella la del pie táctil, ya que no podía ser la madre sentada a la ventana cosiendo. Pero Fela tenía los ojos bajos, mirando al parchís. De pronto levantó la mirada y no me hizo un guiño sino que se rió sin mover los labios, sus ojos brillando audaces: era ella. No volvió a tocarme pero después me confesó que fue ella: se había quitado un zapato y con el pie desnudo me había tocado exactamente el sexo. Desde ese momento cambió mi rumbo erótico —pero no mi amor, fiel hasta la muerte o por lo menos hasta la mudada. Mi amor era de Ester, la que no entendía de juegos eróticos: ni siquiera me permitía tocar sus senos, tal vez fuera porque no existían pero estaba su pecho que no me dejaba alcanzar. Sin embargo se dejaba besar, dulcemente, con sus ojos de larguísimas pestañas cerrados, para parecer la vera imagen de la castidad. Con Fela hubo otros juegos cada vez más íntimos. No sé cómo yo encontraba lugar —y hablo no sólo de tiempo sino de espacio en la reducida cuartería, vigilada como estaba ella no sólo por su madre sino también por Emilia. Pero encontramos momento y lugar. Una de las ocasiones el juego se hizo más serio, cuando junto con Fela fui a buscar alcohol lejos de la casa, pues ya había empezado la guerra y el alcohol estaba racionado. Fela y yo avanzamos por calles lejanas, algunas cerca del Salón Regio, pero laterales a Monte, cerca de Cristina, calles oscuras, hostiles, yo temeroso de encontrarme alguna pandilla (¿pueden los sueños convertirse en pesadillas con el tiempo? En seis meses las pandillas, a una de las cuales había pertenecido, si bien brevemente, habían pasado a ser de una asociación amistosa a una amenaza. Todas parecían tener su hábitat —que era en realidad su territorio— en los suburbios y las más peligrosas eran, no sé por qué, las del barrio de Luyanó, terreno vedado para mí hasta el día que más por bravear que por necesidad, con todo el miedo del mundo, lo atravesé de parte a parte con un compañero de escuela: anticlimáticamente, no pasó absolutamente nada, sobreviviendo a la aventura no sólo sin un rasguño sino siquiera con un gesto amenazante) en las búsquedas afanosas de alcohol (que no era una poción para beber mi padre abstemio sino combustible para cocinar: alimentaba una invención habanera llamada reverbero, que no reflejaba luz sino que producía calor: era una cocinita en miniatura, sumamente peligrosa, que se nutría de alcohol y tenía tendencia a estallar, más cóctel Molotov que hornilla: en un reverbero estuvo cocinando mi madre hasta que mi padre compró un anafe, pronunciado anafre, alimentado al carbón) siempre me acompañó Fela y tenía la costumbre de meter una de sus manos (en realidad manitas) en uno de mis bolsillos, no refugiándola del frío sino entrometiéndola en mi intimidad, y protegidos por la oscuridad (no sé por qué esta búsqueda continua de combustible se hacía por la noche o tarde en la tarde cuando ya era oscuro, cuando tan propicio era para nosotros partir hacia la tierra del alcohol y del amor) ella me tocaba a bulto, tratando de acariciar mi pequeño pene, que ya estaba erecto —solamente meter ella su mano en mi bolsillo me producía una erección. Creo que la sola salida de la casa juntos ya era objetivo erótico. Como los viajes en busca de alcohol eran repetidos (los reverberos son como los borrachos: no sólo peligrosos sino ávidos de alcohol) tuve la maña de abrir un hueco al fondo del bolsillo y así pudo Fela meter su manita y encontrar mi penecito. No recuerdo ninguna eyaculación pero sí recorrer las calles paralelas a Monte, desde Rastro donde estaba una de las fuentes de alcohol, hasta Cuatro Caminos (el crucero de calles no el pueblo del mismo nombre a muchos kilómetros de allí) que era una esquina no sólo peligrosa sino muy frecuentada y lo que es peor (nunca pensé antes que podía llegar a detestar la profusión de luces en la noche habanera) muy alumbrado, recorrido que hacía en un embeleso, completamente entregado al sexo todavía incipiente pero ya poderoso, embrujante, envolvente —un halo invisible pero no menos radiante que la fosforescencia de la ciudad. La culminación de la relación con Fela (que los dos nos arreglábamos muy bien para disimular con maña de adultos) ocurrió un día que me estaba bañando en el minúsculo cuarto de baño, que tenía una ventana lateral, siempre cerrada, y abierto por arriba, con la pared de la puerta terminando por encima de ella, a una altura como de dos metros. Me estaba duchando cuando oí una voz que me llamó. Todo lo que se me ocurrió fue buscar su fuente en la ventana tapiada. La voz dijo entonces: «Aquí encima», y miré para arriba y era Fela, mirándome, riendo, precariamente sostenida al borde de la pared. No supe qué decir, acostumbrado ya hacía años a bañarme solo, resuelto a no dejarme ver desnudo. Tal vez hasta tratara de cubrirme y cubrirme de ridículo. Fela, muy contenta de su acción audaz, se reía, se reía. Luego, como colofón, me propuso que yo hiciera lo mismo cuando ella se estuviera bañando. «No me voy a tapar», me animó, pero yo nunca me atreví a imitarla, tal vez aprensivo ante su feroz padre, tal vez temeroso del cuerpo desnudo.

Tengo que recordar que yo era el único muchacho en aquella cuartería. Así tal vez no resulte raro lo que ocurrió poco después, sin tener que posar de irresistible. Fela y Ester debían de estar en la escuela pero Emilia, que se ocupaba de su madre, estaba cocinando algo en la cocina. No sé por qué yo no estaba también en la escuela, pero sucedió que acerté a pasar por la cocina (no tenía nada que hacer en esa parte de la casa: nuestro cuarto quedaba lejos de la cocina: tal vez yo estuviera buscando, como tantas otras veces, el sonido del radio del cuarto de Nila, que quedaba frente a la cocina) y de pronto me encontré dentro de la cocina, hablando con Emilia. La conversación era trivial: no teníamos mucho que decirnos, hasta le tenía cierto respeto por ser una muchacha mayor, casi una mujer, cuando de pronto me dijo: «¿Por qué te gustan Ester y Fela?», pero ahí no terminaba la pregunta sino que hizo una pausa: «¿Y no te gusto yo?». Me quedé pasmado: no supe qué decirle, qué contestarle, cómo enfrentar aquella pregunta tan directa. «¿Es porque ellas son más prietas?» Me sorprendió pero no por mucho tiempo: la explicación estaba a la vista: Emilia, al contrario de sus hermanas, salida más a su madre que a su padre, era casi blanca, y el suyo era una clase de racismo inverso que me encontraría muchas veces en el futuro: ella resentía no ser tan oscura como sus hermanas. Es verdad que había en Cuba un culto a la mulata, sobre todo en su aspecto sexual, pero esta era una actitud masculina. Aunque por otra parte una mujer trigueña, de piel morena y ojos negros (había una variedad: la prieta de ojos verdes que pertenecía a cierta mitología popular, cantada en muchas canciones, forma folklórica del poema) era muy admirada pero por lo regular se refería a la mujer blanca de raza y de piel oscura. Ahora me encontraba esa admiración masculina expresada por una mujer y lo hacía todo muy complicado. Emilia era una muchacha complicada, no con las complicaciones de Ester debidas a su cojera, más bien era una complejidad nutrida por la neurosis de su madre complicada por la tuberculosis, mal neurótico. Era demasiado complicado para mis doce años, aunque yo estuviera acostumbrado a las conversaciones adultas por la educación que me había dado mi madre (terminé, para horror póstumo de mi tío Matías, siendo educado por el corazón de mi madre no por el cerebro de mi padre), por las asociaciones políticas de mi padre, por los argumentos de mi tío Pepe, por las conversaciones oídas a las amigas de mi madre, reunidas en torno a ella mientras bordaba en su eterna máquina Singer. Pero era verdaderamente complicado. No supe decirle a Emilia que ella me gustaba mucho (en realidad no me gustaba: había algo de monja en ella, tan devota a su madre, tan seria) y no pude hacer nada. Emilia debió adivinarlo porque me dijo: «Pera», que es la forma habanera de decir espera, y salió rápida de la cocina y, antes de que me pudiera dar cuenta de que me abandonó, había regresado. Después pensé que ella fue a ver a su madre, pero no tuve tiempo de pensar mucho más. Emilia de vuelta a la cocina como había salido, disparada, su cuerpo largo y flaco escurriéndose por la puerta siempre abierta (la cocina no tenía puerta sino un mero marco de acceso) y vino a mí silente. Sin decir nada me cogió por el brazo y me llevó hasta la zona libre de la pared, donde terminaba el fogón (que era en realidad una barbacoa de cemento para poner los reverberos o los anafes encima, centro de la cocina ómnibus: curioso: la pobreza pueblerina era más bien individual o familiar, mientras que la pobreza urbana me había hecho conocer primero en Zulueta 408 los baños colectivos y los inodoros colectivos, y ahora en Monte 822, la cocina colectiva: puedo decir que el resto de mi adolescencia estuvo dominada por entre tantos deseos, por el anhelo de regresar a la individualidad pueblerina, no por volver al pueblo, que fue un ansia pasajera, más bien una querencia, sino por, entre otras cosas, recobrar la privacidad: puertas que cerraran excluyendo la intrusión vecina, un inodoro propio, un baño propio, una cocina propia, volver a ser particular, pero otra de las ansias, que ya formaba parte de mis deseos, me la iba a colmar Emilia ahora, siendo propicia) y en el rincón se me encimó, arrinconándome contra la pared, pegando sus labios sobre los míos en el primer beso adulto que me daban en mi vida. No abrí la boca (no sabía cómo), tampoco la abrió ella, pero no era un beso adolescente: más que una muchacha Emilia era una mujer. Pero en vez de sentir alborozo lo que sentí fue confusión. No sabía por qué estaba haciendo ella lo que hacía: todo sucedió en silencio, sin preámbulo, sin motivo. Verdad que nos veíamos a menudo, que jugábamos (junto con sus hermanas, juegos domésticos, no todavía juegos de salón pero tampoco los juegos infantiles del pueblo), que conversábamos, que convivíamos en la cuartería, pero ella siempre se mantuvo distante y fría. No era como Ester que en su infantilismo podía jugar un juego más, el juego de los noviecitos. Ni como Fela, con sus ojos pícaros y sus grandes dientes blancos presentes en su sonrisa de labios gordos, sonriendo cómplice, insinuándose siempre. Emilia era muy reservada: hasta tenía los labios finos de los reservados, heredados de su madre que se callaba hasta su enfermedad, sin permitirse nunca ser delatada por la tos. Ester y Fela tenían las bocas gordas de su padre y habían heredado su temperamento, atenuados en Ester por la niñez pero a punto de desatarse en Fela que ya casi era lo que popularmente se conocía como una mulata caliente, criatura de la mitología sexual habanera. Emilia, delgada y pálida, era tan reservada como su madre, pero ahora me estaba besando como no lo había hecho ninguna de sus hermanas. En realidad, solamente Ester me había besado, besos de niña, mientras que Fela no estaba interesada más que en mi sexo: ponerlo en erección, tocarlo, verlo. Emilia me abrazaba pero sus manos no se dirigían nunca por debajo del pecho, mostrando una pasión (no voy a ser tan vanidoso que me crea que su pasión, tan súbita, era por mí: era una pasión antigua, universal, expresada en mi dirección porque yo era el único muchacho que vivía en la cuartería, ya que la otra persona joven era mi tío el Niño y ella debía sospechar que había algo entre el Niño y Nila o tal vez lo consideraba demasiado mayor) que años después yo podía calificar de romántica. Ahora apenas atendía a lo que ella me decía entre los besos o el largo beso sostenido, hablando ella ese Esperanto del amor, el idioma que siempre espera más que expresa, sordo yo porque estaba más interesado en el beso en sí que en su literatura —en otra época podría haber dicho que atendía más a su lengua que a su lenguaje. En realidad trataba de tocarle sus senos, de bajar mi mano entre sus piernas, de acariciar las nalgas —acciones todas que ella impedía, controlando mis brazos con su abrazo, besándome, susurrando entre los besos palabras que yo no entendía. Cuando noté que pasaban los segundos con esa calidad que tienen ciertos segundos decisivos de parecer minutos y ella no se separaba de mí comencé a preocuparme de que alguien viniera a la cocina: tal vez su callada madre entrando silenciosa. O lo que era peor, que regresara a deshora, en mala hora ahora, ese atropellado chofer errático que era su padre, peligroso. Cuando más pensaba en estas acechanzas del enemigo, debí trasmitir mi temor a Emilia —el miedo mayor que el amor— porque dejó de besarme con idéntica acción súbita a la que comenzó: se separó de mí y salió del abrazo y de la cocina como una sola sombra sólida. Yo me quedé allí, sin aliento, incapaz de moverme, absolutamente sorprendido, atónito ante el ataque (sí, había sido un ataque, una violación de besos) de Emilia. Pero también aguardaba: yo deseaba que ella volviera, esperaba que volviera, anhelaba que volviera —pero no volvió. Al cabo del rato (minutos con carga de horas por la espera) dejé la cocina y traté de buscar a Emilia por la casa pero no la encontré. (Claro que no la busqué allí donde la habría encontrado: en su cuarto, contradicciones del que se mueve entre el amor y el miedo.) Esa fue la primera y última vez que tuve relaciones íntimas con Emilia. Después hasta llegó a mostrarse distante, aunque ella no estuvo nunca muy cercana pero era accesible si uno se dirigía a ella. Luego, más tarde, cuando nos mudamos a Zulueta 408 de nuevo y vinieron a visitarnos las hermanas sólo lo hicieron Ester y Fela. Ester era la misma, infantil y como enfadada por su leve prognatismo —tal vez resintiera su pierna lisiada— pero Fela había cambiado: al hacerse más mujer se había hecho consciente de una falta particular y parecía como acomplejada racial. Recuerdo que cuando nos reunimos en la azotea con algunos muchachos del edificio, me dio la impresión de que temía que yo hubiera contado nuestras escapadas en busca de alcohol aparentemente pero en realidad a practicar actos furtivos, pero antes esas aventuras sexuales no sólo no le importaban sino que le gustaba que se supiesen. Llegó, no me olvido, a preguntarme una vez, sonriente, dientes grandes, boca gorda: «¿No se lo dijiste a tu tío?», pero en realidad diciendo: «¿Por qué no se lo dijiste a tu tío?». En esta visita única (no volvieron más por la casa y luego supe que su madre había muerto) no vino Emilia y más nunca la volví a ver.

ELLA CANTABA BOLEROS

Yo conocí a La Estrella cuando se llamaba Estrella Rodríguez y no era famosa y nadie pensaba que se iba a morir y ninguno de los que la conocían la iba a llorar si se moría. Yo soy fotógrafo y mi trabajo por esa época era de tiraplanchas de los cantantes y la gente de la farándula y la vida nocturna, y yo andaba siempre por los cabarets y nite-clubs y eso, haciendo fotografías. Me pasaba toda la noche en eso, toda la noche y toda la madrugada y también toda la mañana. A veces no tenía nada que hacer, había terminado mi guardia en el periódico y, a las tres o las cuatro de la mañana, me iba para El Sierra o para Las Vegas o al Nacional y por ahí, a conversar con un animador amigo mío o a mirar a las coristas o a oír las cantantes y a envenenarme con el humo y el olor rancio del aire acondicionado y la bebida. Así que así era yo y no había quien me cambiara, porque pasaba el tiempo y me ponía viejo y los días pasaban y se convertían en fecha y los años se convertían en efemérides y yo seguía así quedándome con las noches, metiéndolas en un vaso con hielo o en un negativo o en el recuerdo.

Una de estas noches yo llegué a Las Vegas y me encontré con toda esa gente que no había quien las cambiara y una voz zambullida en la oscuridad me dijo, Fotógrafo, siéntate aquí y toma algo, que yo pago, y era nada menos que Vítor Perla. Vítor tiene una revista que se dedica a poner muchachitas medio en cueros y a decir: Una modelo con un futuro que salta a la vista o las poderosas razones de Tania Talporcual o La BB cubana dice que es Brigitte la que se parece a ella y cosas parecidas, que no sé de dónde sacan porque deben de tener un almacén de mierda en el cerebro para poder decir tantas cosas de una chiquita que ayer nada más era manejadora o criadita o trabajaba en Muralla y hoy está luchando con todo lo que tiene para destacarse. Ya ven, ya estoy hablando como ellos. Pero por alguna razón misteriosa (y si yo fuera un redactor de chismes en vez de las eses de misterioso pondría dos signos de peso) Vítor había caído en desgracia, fue por eso que me asombré de que todavía tuviera tan buen humor. Mentira, lo primero que me asombró es que todavía estuviera suelto y me dije, Este mierda todavía flota, y se lo dije. Bueno, quiero decir que le dije, Gallego, eres un corcho español, y él sin perder la calma me contestó muerto de risa. Sí, pero tengo que tener algún plomo clavao adentro, porque ando medio escorao. Y nos pusimos a hablar y él me contó muchas cosas, me contó casi todas sus desgracias, pero no las voy a repetir aquí porque él me las contó en confidencia y yo soy un hombre y no voy a andar chismeando. Además, los problemas de Vítor son sus problemas y si él los resuelve, mejor para él y si no pues, Uruguay, Vítor Perla. La cuestión es que me cansé de oírle contar sus desgracias y como ponía su cara torcida y no tenía ganas de ver una boca fea, cambié de conversación y empezamos a hablar de otras cosas, como mujeres y eso, y de pronto me dijo, Te voy a presentar a Irena y no sé de dónde sacó una rubita chiquitica, preciosa, que se parecía a Marilyn Monroe si a Marilyn Monroe la hubieran cogido los indios jíbaros y hubieran perdido su tiempo poniéndole chiquitica no la cabeza sino el cuerpo y todo lo demás, y cuando digo todo lo demás quiero decir *todo* lo demás. Así que sacó a Irena por un brazo como si la pescara del mar de la oscuridad y me dijo, mejor dicho, le dijo, Irena te presento al mejor fotógrafo del mundo, pero lo dijo queriendo decir que yo trabajaba en el periódico El Mundo, y la rubita se rió con ganas levantando los labios y enseñando los dientes como si se levantara el vestido y enseñara los muslos y tenía los dientes más bonitos que yo he visto en la oscuridad: unos dientes parejos, bien formados, perfectos y sensuales como unos muslos, y nos pusimos a hablar y a cada rato ella enseñaba sus dientes sin ningún pudor y me gustaban tanto que por poco le pido que me dejara tocarle los dientes, y nos sentamos a hablar en una mesa y eso y Vítor llamó al camarero y nos pusimos a beber, y al poco rato yo le había pisado con mucha delicadeza, como sin querer, un pie a la rubita y casi no me di cuenta que se lo había pisado por lo chiquito que lo tenía, pero ella se sonrió cuando yo le pedí perdón y al poco rato le había cogido una mano, que se viera que era con querer y la mano se me perdió en mi mano y la estuve buscando como una hora por entre las manchas amarillas del hipo que yo muy charlesboyerescamente hacía pasar por manchas de nicotina y eso, y ya después cuando encontré su mano y la acaricié sin pedirle perdón yo la estaba llamando Irenita que era el nombre que más le pegaba y nos besamos y eso, y cuando vine a ver, ya Vítor se había levantado, muy discreto él y así estuvimos allí un rato tocándonos, apretados, allí sumergidos en la oscuridad besándonos, olvidados de todo, de que el show se había acabado, de que la orquesta estaba tocando para bailar y de que los músicos empaquetaban sus instrumentos y se iban y de que nosotros nos quedábamos solos allí, ahora profundamente en la oscuridad, no ya en la penumbra profunda, en la oscuridad cincuenta, cien, ciento cincuenta metros por debajo de la superficie de la luz nadando en la oscuridad, mojados, besándonos, olvidados, besos y besos y besos, olvidándonos, sin cuerpo, solamente con bocas y con dientes y con lengua solamente, perdidos entre la baba de los besos, ahora silentes, silenciosos, húmedos, oliendo a saliva sin siquiera sentirlo, hinchados, besándonos, besándonos, chico, idos del mundo, absolutamente en órbita. De pronto, ya nos íbamos. Fue entonces cuando la vi por primera vez.

Era una mulata enorme, gorda gorda, de brazos como muslos y de muslos que parecían dos troncos sosteniendo el tanque del agua que era su cuerpo. Le dije a Irenita, le pregunté a Irenita, le dije, Quién es la gorda, porque la mujer parecía dominar absolutamente el chowcito —y ahora tengo que explicar qué es el chowcito. El chowcito era el grupo de gente que se reunía a descargar en la barra, pegados a la victrola, después que terminaba el último show y que descargando se negaban a reconocer que afuera era de día y que todo el mundo estaba ya trabajando hace rato o entrando al trabajo ahora mismo, todo el mundo menos este mundo de la gente que se sumergía en las noches y nadaba en cualquier hueco oscuro, aunque fuera artificial, en este mundo de los hombres rana de la noche. Pues allá en el centro del chowcito estaba ahora la gorda vestida con un vestido barato, de una tela carmelita cobarde que se confundía con el chocolate de su piel chocolate y unas sandalias viejas, malucas, y un vaso en la mano, moviéndose al compás de la música, moviendo las caderas, todo su cuerpo de una manera bella, no obscena pero sí sexual y bellamente, meneándose a ritmo, canturreando por entre los labios aporreados, sus labios gordos y morados, a ritmo, agitando el vaso a ritmo, rítmicamente, bellamente, artísticamente ahora y el efecto total era de una belleza tan distinta, tan horrible, tan nueva que lamenté no haber llevado la cámara para haber retratado aquel elefante que bailaba ballet, aquel hipopótamo en punta, aquel edificio movido por la música y le dije a Irenita, antes de preguntarle el nombre, interrumpiéndome cuando preguntaba el nombre, al preguntarle el nombre, Es la salvaje belleza de la vida, sin que me oyera naturalmente, sin que me entendiera si me había oído, naturalmente y le dije, le pregunté, le dije, Quién es, tú. Ella me dijo con un tono muy desagradable, Es la caguama que canta, la única tortuga que canta boleros, y se rió y Vítor pasó entonces por mi lado y del lado de la oscuridad y me dijo bajito al oído, Ten cuidado que es la prima de Moby Dick, La Ballena Negra, y me alegré de estar alegre, de haber tomado dos o tres tragos, porque pude agarrar a Vítor por su brazo de dril cien y decirle, Gallego de mierda, eres un discriminador de mierda, eres un racista de mierda, culo: eres un culo, y él me dijo, Te lo paso porque estás borracho, no me dijo más que eso y se metió como quien pasa entre unas cortinas en la oscuridad del fondo. Me acerqué y le pregunté que quién era ella y me dijo, La Estrella, y yo le dije, No, no, su nombre, y ella me dijo, La Estrella, yo soy La Estrella, niño, y soltó una carcajada profunda de barítono o como se llame la voz de mujer que corresponde al bajo pero que suena a barítono, contralto o cosa así, y me dijo sonriendo, Me llamo Estrella, Estrella Rodríguez para servirle, me dijo y me dije, Es negra, negra, negra, totalmente negra, y empezamos a hablar y pensé que qué país más aburrido sería este si no hubiera existido el padre Las Casas y le dije, Te bendigo, cura, por haber traído negros del África como esclavos para aliviar la esclavitud de los indios que de todas maneras ya se estaban acabando, y le dije, Cura te bendigo, has salvado este país, y le dije otra vez a Estrella, La Estrella yo la amo a usted, y ella se rió a carcajadas y me dijo, Estás completamente borracho, yo protesté y le dije, No, borracho no estoy, le dije, estoy sobrio, y ella me interrumpió, Estás borracho como carajo, me dijo y yo le dije, Usted es una dama y las damas no dicen malas palabras y ella me dijo, Yo no soy una dama, yo soy una artista coño, y yo la interrumpí y le dije, Usted es La Estrella, bromeando le dije y ella me dijo, Pero estás borracho y yo le dije, Estoy como una botella, le dije, estoy lleno de alcohol, pero no borracho, y le pregunté, Están borrachas las botellas, y ella dijo, No, qué va, y se rió de nuevo, y yo le dije, Pero por sobre todas las cosas, la amo La Estrella, me gusta usted más que todos los demás aparatos juntos, prefiero La Estrella a la montaña rusa, al avión del mar, a los caballitos, y ella se rió de nuevo a carcajadas, se bamboleó y finalmente se golpeó uno de los muslos infinitos con una de sus manos interminables y el chasquido rebotó en las paredes como si el cañonazo de las nueve se disparara, por la mañana, en aquel bar, y entonces ella me preguntó, Con la pasión, y yo le dije, Con pasión y con locura y con amor, y ella me dijo, No, no, yo decía que si con mi pasión si con la pasa, y se llevó las manos a la cabeza queriendo decir con su pelo, y yo le dije, A usted entera, y pareció de pronto la criatura más feliz sobre la tierra. Fue entonces que yo le hice la gran, única, imposible proposición a La Estrella. Me acerqué y muy bajito, al oído, le dije, La Estrella quiero hacerle una proposición deshonesta, le dije. La Estrella vamos a tomar algo, y me dijo, En-can-ta-da, y se bebió de un trago, el trago que tenía en la mano, tiró dos pasillos de chachachá para llegar al mostrador y le dijo al cantinero, Muñecón, de lo mío, y yo le pregunté, Qué es de lo mismo, y ella me respondió, No, de lo mismo no, *de lo mío,* que no es lo mismo que de lo mismo, y se rió y dijo, Lo mío es lo que toma La Estrella y nadie más puede tomarlo, te enteraste, y se volvió a reír a carcajadas que sacudían sus enormes senos como un motor sacude cancaneando los guardafangos de un camión viejo.

Entonces una manita me agarró por un brazo y era Irenita, Te vas a quedar toda la noche, me preguntó, ahí con la gorda, y yo no le contesté y volvió a preguntarme, Te quedas con la gorda, y le dije, Sí, nada más que sí, y no dijo nada pero me clavó las uñas en la mano y entonces La Estrella se rió a carcajadas, muy superior, segura de ella misma y me cogió la mano y me dijo, Déjala, las gatas están mejor en el tejado, y le dijo a Irenita, Esta niña, vamos súbete en una silla, y todo el mundo se rió, hasta Irenita, que se rió por compromiso, por no quedar mal por no hacer el ridículo, y que enseñó dos huecos de las muelas que le faltaban detrás de los colmillos de arriba cuando se reía.

En el chowcito siempre había show después que se acababa el show y ahora había una rumbera bailando al son de la victrola y se paró ahora y le dijo a un camarero que pasaba, Papi, ponle reflectores y estamos campana, y el camarero fue y quitó el chucho una vez y otra y otra más, pero como la música se iba cada vez que se apagaba la victrola, la rumbera se quedaba en el aire y daba unos pasillos raros, largos, con su cuerpo tremendo y alargaba una pierna sepia, tierra ahora, chocolate ahora, tabaco ahora, azúcar, prieta ahora, canela ahora, café ahora, café con leche ahora, miel ahora, brillante por el sudor, tersa por el baile, en este momento dejando que la falda subiese por las rodillas redondas y pulidas y sepia y canela y tabaco y café y miel, sobre los muslos largos, llenos, elásticos y perfectos y su cara se echaba hacia atrás, arriba, a un lado, al otro, izquierda y derecha, atrás de nuevo, atrás siempre, atrás golpeando en la nuca, en la espalda escotada y radiante y tabaco, atrás y alante, moviendo las manos, los brazos, los hombros de una piel de increíble erotismo, increíblemente sensual, increíble siempre, moviéndolos por sobre los senos, al frente, sobre los senos llenos y duros, sueltos evidentemente, parados evidentemente, evidentemente suaves: la rumbera sin nada debajo, Olivia, se llamaba, se llama todavía por Brasil, ya sin pareja, suelta, libre ahora, con la cara de una niña terriblemente pervertida increíblemente inocente también, inventando el movimiento, el baile, la rumba ahora frente a mis ojos: todo el movimiento, toda África, todas las hembras, todo el baile, toda la vida, frente a mis ojos y yo sin una maldita cámara, y detrás de mí La Estrella que lo veía todo y decía, Te gusta, te gusta, y se levantó del trono de su banqueta y cuando la rumbera no había acabado todavía, fue hasta el tocadiscos, hasta el chucho, diciendo, Tanta novelería, lo apagó, lo arrancó casi con furia, como echando espuma de malas palabras por la boca y dijo, Se acabó, ahora viene la música. Y sin música, quiero decir sin orquesta, sin acompañante, comenzó a cantar una canción desconocida, nueva, que salía de su pecho, de sus dos enormes tetas, de su barriga de barril, de aquel cuerpo monstruoso, y apenas me dejó acordarme del cuento de la ballena que cantó en la ópera, porque ponía algo más que el falso, azucarado, sentimental, fingido sentimiento comercialmente fabricado del feeling, sino verdadero sentimiento y su voz salía suave, pastosa, líquida, con aceite ahora, una voz coloidal que fluía de todo su cuerpo como el plasma de su voz y de pronto me estremecí. Hacía tiempo que algo no me conmovía así y comencé a sonreírme en alta voz, porque acababa de reconocer la canción, a reírme, a soltar carcajadas porque era Noche de ronda y pensé, Agustín no has inventado nada, no has compuesto nada, esta mujer te está inventando tu canción ahora: ven mañana y recógela y cópiala y ponla a tu nombre de nuevo: Noche de ronda está naciendo esta noche.

La Estrella cantó más. Parecía incansable. Una vez le pidieron que cantara la Pachanga y ella, detenida, un pie delante del otro, los rollos sucesivos de sus brazos sobre el gran oleaje de rollos de su cadera, golpeando el suelo con una sandalia que era una lancha naufragando debajo del océano de rollos de sus piernas, golpeando, haciendo sonar el bote contra el suelo, repetidamente, echando la cara sudada, la jeta de animal salvaje, de jabalí pelón, los bigotes goteando sudor, echando por delante toda la fealdad de su cara, los ojos ahora más pequeños, más malvados, más ocultos bajo las cejas que no existían más que como dos viseras de grasa donde se dibuja con un chocolate más oscuro las líneas de las cejas de maquillaje, toda su cara por delante del cuerpo infinito, respondió, La Estrella no canta más que boleros, dijo y añadió, Canciones dulces, con sentimiento, del corazón a los labios y de la boca a tu oreja, nena, para que lo sepas, y comenzó a cantar. Nosotros, inventando al Malogrado Pedrito Junco, convirtiendo su canción plañidera en una verdadera canción, en una canción vigorosa, llena de nostalgia poderosa y verdadera. Cantó más La Estrella, cantó hasta las ocho de la mañana, sin que nosotros supiéramos que eran las ocho de la mañana hasta que los camareros empezaron a recogerlo todo y uno de ellos, el cajero, dijo, Lo sentimos, familia, y quería decir de veras, familia, no decía la palabra por decirla, decir familia y decir otra cosa bien diferente de familia, sino que quería decir familia de verdad, dijo: Familia, tenemos que cerrar. Pero antes, un poco antes, antes de eso, un guitarrista, un buen guitarrista, un tipo flaquito, chupado, un mulatico sencillo y noble que no tenía trabajo porque era muy modesto y muy natural y muy bueno, pero un gran guitarrista, que sabía cómo sacar melodías extrañas de una canción de moda por barata y comercial que fuera, que sabía pescar sentimiento del fondo de la guitarra, que de entre las cuerdas podía extraerle la semilla a cualquier canción, a cualquier melodía, a cualquier ritmo, a ese que le falta una pierna y tiene una pata de palo y una gardenia en el ojal, siempre, al que decíamos, cariñosamente, en broma, el Niño Nené, imitando a los niños cantaores de flamenco, el Niño Sabicas o el Niño de Utrera o el Niño de Parma, el Niño Nené, dijo, pidió, Déjame acompañarte en un bolero, Estrella, y La Estrella le respondió muy altanera, llevándose la mano al pecho y dándose dos o tres palmadas sobre las tetas enormes, No, Niñito, no, le dijo, La Estrella canta siempre sola: a ella le sobra la música. Después fue que cantó Mala noche, haciendo su luego famosa parodia de Cuba Venegas, en que todos nos moríamos de risa y después fue que cantó noche y día y después fue que el cajero nos pidió que nos fuéramos. Y como ya la noche se había acabado, nos fuimos.

La Estrella me pidió que la llevara a su casa. Me dijo que la esperara un momento que iba a buscar una cosa y lo que hizo fue recoger un paquete, y cuando salimos que montamos en mi máquina que es un carrito de esos deportivos, inglés, ella que aún no había podido acomodarse bien, manteniendo sus trescientas libras en el asiento en que no cabía uno de sus muslos solo, me dijo, dejando el paquete en el medio. Son unos zapatos que me regalaron, y la miré y me di cuenta de que era pobre como carajo, y arrancamos. Ella vivía con un matrimonio de actores, quiero decir con un actor que se llamaba Alex Bayer. El tipo este no se llama así realmente, sino Alberto Pérez o Juan García o cosa así, pero él se puso eso de Alex Bayer, porque Alex es un nombre que esta gente siempre usa y el Bayer lo sacó de la casa Bayer, esa que fabrica calmantes, el caso es que a este tipo no le decían, alguna gente, la gente de la cafetería Radiocentro, por ejemplo, sus amigos no le decían Alex Bayer de la manera que él pronunciaba A-leks Bay-er cuando terminaba un programa, sino que le decían, como le dicen todavía, le decían Alex Aspirina, Alex OK, Alex Mejoral y cosas por el estilo, y todo el mundo sabía que es maricón, de manera que vivía con un médico, en su casa como un matrimonio reconocido y salían a todas partes juntos, a toditas partes junticos, y allí en su casa ella, La Estrella, vivía en su casa, era su cocinera, su criada y les hacía la comidita y les tendía la camita y les preparaba el bañito, etceterita, y si ella cantaba era por gusto, por el puro placer de cantar, y ella cantaba porque le daba la gana, por el gusto de hacerlo en Las Vegas y en el Bar Celeste o en el Café Ñico o por cualquiera de los cafés o los bares o los clubes que hay alrededor de La Rampa. De manera que yo la llevaba a ella en mi carro, yo muy orondo en la mañana por las mismas razones pero al revés que otras gentes se hubieran sentido muy apenadas o muy molestas o simplemente incómodas de llevar aquella negra enorme allí en el carrito, exhibiéndola en la mañana con toda la gente a tu alrededor, con todo el mundo yendo al trabajo, trabajando, caminando, cogiendo las guaguas, llenando las calles, inundándolo todo: las avenidas, las calzadas, las calles, los callejones, abejeando por entre los edificios como zunzunes constantes, así. Yo la llevaba hasta la casa de ellos, donde ella trabajaba, ella, La Estrella, que era allí la cocinera, la criada, la sirvienta de este matrimonio particular. Llegamos.

Era en una calle apartada del Vedado, con la gente durmiendo todavía, soñando todavía y todavía roncando, y estaba apagando el motor, dejando una velocidad puesta, sacando un pie del cloche, mirando las agujas nerviosas cómo regresaban al punto muerto de descanso, viendo el reflejo de mi cara gastada en los cristales de los relojes matutinamente envejecida, vencido por la noche, cuando sentí su mano sobre mi muslo: ella puso sus cinco chorizos sobre mi muslo, casi sus cinco salamis que adornan un jamón sobre mi muslo, su mano sobre mi muslo y vi que me cubría todo el muslo y pensé, La bella y la bestia, y pensando en la bella y la bestia me sonreí y fue entonces que ella me dijo, Sube, que estoy sola, me dijo, Alex y su médico de cabecera, me dijo y se rió con su risa que parecía capaz de sacar del sueño, de las pesadillas o de la muerte o de lo que fuese a todo el vecindario, me dijo, no están: se fueron a la playa, de wikén, sube que vamos a estar solos, me dijo. No vi nada en eso, no vi ninguna alusión a nada, nada sexual, nada de nada, pero le dije igualmente, No, tengo que irme, le dije. Tengo que trabajar, tengo que dormir, y ella no dijo nada, nada más que dijo, Está bien, y se bajó del carro, mejor dicho, inició la operación de salir del carro y media hora más tarde, saliendo yo de un pestañazo, oí que me dijo, ya en la acera, poniendo el otro pie en la acera (al agacharse amenazadoramente sobre el carrito a recoger su paquete con zapatos, se le cayó uno de los zapatos y no eran zapatos de mujer, sino unos zapatos viejos de muchacho, al recogerlos de nuevo) me dijo, Tú sabes, yo tengo un hijo, no como una excusa, ni como una explicación, sino como información simplemente, me dijo, Tú sabes, El bobo, tú sabes, pero lo quiero más, me dijo y se fue.

El hombre (era un mulato largo, de manos largas y flacas y piernas tan largas que cuando se paraba realmente se ponía en pie: parecía desdoblarse, desenrollarse como un acordeón de huesos y armarse sobre sí mismo en el aire, componer los miembros infinitos, echar adelante el pecho delgado y estrecho y también largo, y finalmente ganar el equilibrio, no pararse, que ahora tenía puesto un sombrero de paja blanca o amarilla, pálida, que llevaba con las alas vueltas hacia arriba, como lo llevan los negros de la ciudad, que no creen en el sol, su cara era huesuda y flaca y también impenetrable, no por los espejuelos oscuros que usaba, sino por sí misma, hermética excepto cuando se reía y mostraba uno o dos dientes de oro, y era que su risa era su comunicación cierta, su risa y la guitarra que entre sus manos extensas, entre sus brazos de mantis atea parecía un violín, una mandolina, una bandurria: la atravesaba al pecho, amarilla contra la camiseta blanca que la camisa de rayas negras y blancas dejaba ver, impoluta, abotonada con esmero, decorada por la gran medalla de oro de la Caridad, abierta la camisa con el propósito de mostrar el inmaculado interior, como los dientes blancos sobre el pecho y la doble imagen dorada) se reía mientras tocaba no sé qué Longina o Santa Cecilia o En el sendero de mi vida triste o algo así y dejó que las notas se alargaran, alcanzaran el semitono, se detuvieran como en un melisma infinito, en un definido gorjeo y se extendieran más allá de las palmas, de las copetúas en flor, por sobre el incendio vegetal de los flamboyanes, reproducido en la puesta de sol, en el fuego cósmico que estallaba, se integraba y volvía a reventar tras las grandes lomas moradas, azules, negras —en un espectáculo increíble y único y gratuito, y que a nadie interesaba.

La vida amigo es como esa vaca muerta, dijo cuando acabó de tocar y puso sus manos cruzadas sobre la guitarra, tapándola. Ve la vaca muerta: nadie puede echarlo a usté patrás, dijo al muchacho, ni el yip darle marchatrás ni retrasar el reló de aquí del correo, porque ná deso va salvar la vaca. De manera que lo mejor es seguir su camino ca uno: la vaca pal matadero a completar el matarife lo que ustedes empesaron, dijo mirando para el muchacho, que era un recluta, pero también para el cabo y el otro soldado que venían en el jeep y que bajaron por la insistencia del muchacho, del chofer, a dar excusas por la vaca atropellada, ustedes pa dónde iban tan apuraditos, la gente aquí pa su casa a seguir haciendo lo que estaban, acás, dijo, así con esa ese de más, mirando para el compungido campesino que tenía detrás, pa su miseria menos en tiempo muerto, y yo, que voy a seguir tocando hasta que la máquina invisible nos alcance un día sin ruido a mí y a mi guitarra... O que una cansionsita desas o un discursito tuyo se te atraviese como boniato sin grasa y te atragante, oíste, dijo el cabo mirándolo fijo. Puede ser cabo, dijo el negro. Puede ser. Es como digo yo: en la vida todo sale. El cabo plantó su bota con ruido sobre el piso de madera de la bodega-ofici-na-de-correos-alcaldía-bar-club-y-centro-de-veteranos del pueblo y sacudió una mano con el índice torcido que señalaba al músico. Oye lo que te voy a decir, dijo, negroemierda. Negro, dijo el negro. No, negro no, negro de mierda, dijo el cabo ame-nazador. Como usté diga cabo; usté es la ley y la palabra de Dió y el cabo, dijo el ne-gro sin mover un dedo de la guitarra, sin echarse atrás ni delante, sin dejar de mirar al cabo, a los tres soldados. Bueno, dijo el cabo, tú eres un negroemierda y un bocón y ya te tenemos fichado. Así que vas a ir yendo con la música a otra parte. Cuando regrese-mo, no te quiero ver por aquí. Es un consejo. Recuérdate de la vaca. No me olvido de la vaca cabo, dijo el negro. Grasia por el consejo. Asétalo en lo que vale chico, dijo el otro soldado. Recuérdate de la vaca, repitió el cabo moviendo su dedo. Vámonos cabo, dijo el muchacho, el chofer, el recluta, por favor que nos va a coger la noche en la ca-rretera todavía. ¿Qué? ¿Tienes miedo? No cabo, miedo no, pero estamos sin luces: la vaca hiso trisas los focos. ¿La vaca? La vaca no, tú chocaste con ella. Yo seguí sus ór-denes cabo, dijo el muchacho. Sí, yo te dije que corriera pero no que chocara, dijo el cabo, final, y se volvió para el negro: Recuérdalo: ni tú ni tu guitarrita ni tus chansitas de música o de palabra, a la vuelta, oíste. Dijo el negro: Como usté diga cabo.

Se fueron. Cuando el jeep no había arrancado todavía después de haber sido ins-peccionado de nuevo, y ya el sol, solo, se ocultaba en la indiferencia de los que esta-ban en el portal mirando nada más para los tres soldados, el negro resbaló una mano casual sobre las cuerdas, que sonó como un acorde, pero que fue más bien el punto fi-nal al incidente —y cuando se fueron de veras, cuando se metieron en la curva protecto-ra y tras la última casa del pueblo, el negro volvió a tocar y volvió a cantar y volvió a reírse como tocó, cantó, rió antes de que llegaran los soldados, cuando mataron la vaca, cuando bajaron del jeep todavía atontados por el golpe o la sorpresa, cuando vinieron hacia la casa, hacia el grupo, cuando buscaban al dueño y encontraron su música y su risa y su sorna, que seguiría allí, sin la menor duda, después del último soldado, después del último animal (o hombre) muerto y después del último jeep apurado o con miedo o con las dos cosas a la vez, que sucedía.

Cantaba María Bonita, con música de Agustín Lara y letra del cabo:

Recuérdate de la vaca,
María Bonita, María del Alma,
recuérdate de sus ojos
tan dormiditos y tan en calma...

Es curioso que de todos los países de América sólo tres —Estados Unidos, Cuba y Brasil— hayan mantenido desde el siglo pasado una creación constante de música popular tan poderosa que ha sido capaz de alcanzar cálida a Europa, más tibia que la Corriente del Golfo. Pero ese Gulf Stream de música ha llegado a continentes lejanos como Asia y Oceanía y ha regresado al África ahora. ¿Regresado? Sí, de regreso a la tierra de que vino. En los Estados Unidos con los blues y el jazz, en Cuba con su siglo y medio de recurrentes ritmos tropicales, en Brasil con un folklore que es fuente de creación tan perenne como el verde del Amazonas; en esos países han sido el negro y el mulato los generadores de esta música nueva del Nuevo Mundo, que no se originó entre sus aborígenes sino al contacto con sus emigrantes voluntarios y sus emigrados forzosos: amos europeos, esclavos negros. Con la cercana vecindad del Brasil toda esta música nació en el Caribe, si se puede extender ese mar de colonos y caníbales a los confines del Golfo.

Pero, ¿por qué el comercio de negros esclavos y emigrantes europeos, antes y después de la Trata, que ocurrió también en otras tierras del mismo Golfo como México, Colombia y Venezuela y aun al otro lado, en el Pacífico, la misma Colombia y Perú, no produjo una música de igual o parecida potencia? Tal vez fuera que al negro lo apagara el profundo hastío vital y apatía musical indígena, toda flautas y caramillos y tamborcitos. Tal vez. Y al otro lado del Caribe, donde apenas quedaron indios como en Santo Domingo y Puerto Rico, ¿qué ocurrió musicalmente? Poco en verdad. El misterio se espesa si se menciona esa nueva nación negra del Caribe, Haití, que sólo dio el discutible merengue, discutido con Santo Domingo. ¿Por qué no ocurrió nada allí, entre tambores y tumbas? Tal vez hubiera demasiados negros, pocos blancos y ningún contacto entre las dos culturas. Perdón, pero eso no es exacto. La conjunción del catolicismo y las religiones africanas en Haití creó el vodú, fuente de mitos y misterios poderosos, verdadera creación sacra. Además la cultura francesa, refinada aún en ultramar, y la exuberancia negra produjeron la cocina haitiana, a un tiempo autóctona y sofisticada y tal vez la mejor de América. La mezcla del francés y las lenguas bantús originaron el único lenguaje de América que no es una lengua aborigen ni un dialecto sino un verdadero idioma: el creole. No hay creación mayor que la del habla nacional y ese *patois* que asciende a lengua es la mejor prueba de la cultura haitiana. Sin embargo la música haitiana no es más que un ruido de tambores, ronco rumor ritual.

Entonces, ¿qué pasó? Misterios del sincretismo cultural o tal vez el producto azaroso de la tierra y el cultivo, como el tabaco en Cuba. Pero, ¿cómo nació entonces el tango en Argentina, el país más europeo —es decir, blanco— al sur del Río Grande? Hubo negros también en el Río de la Plata, absorbidos después por Uruguay y Argentina. Además el tango —nombre, ritmo y atmósfera sonora—, si no de Cuba, originado entre los negros de La Habana, de donde pasó a Cádiz y después se hizo el ritmo de Buenos Aires. *Volver* es el título del más famoso tango argentino. Complicado periplo, ¿no le parece? ¿Qué quiere? Fue así como la pavana pasó de Italia a España y de allí a Francia, con un nombre italiano pero con ritmo español. No otra cosa ocurrió con el bolero cubano, que no tiene nada que ver con España ni con Ravel, excepto, claro, por el nombre. La vuelta del tango a América es un verdadero viaje y Natalio Galán, músico cubano exiliado ahora en Nueva Orleans, que vivió en Nueva York y en Puerto Rico durante años, traza esa ruta con sus conocimientos teóricos en música, su erudición viva y una infatigable ansia de investigación que lo llevó en su búsqueda hasta Europa: a la Biblioteca Nacional de Madrid, a la Biliotheque Nationale de París y al British Museum, rastreando los orígenes, raíces rítmicas, de la música negra de América —música mulata, mejor—, volviendo Galán a su base del delta del Mississippi en el Golfo para prestarle, darle toda su atención al descubrimiento de las fuentes del más viejo, vigoroso y vital afluente a esa corriente sonora, una verdadera corriente ella misma: la música cubana.

Como el jazz nacido en Nueva Orleans, una ciudad sin consecuencia, la música cubana, surgida en una isla pequeña y poco poblada, puerto de escala casi, no tiene ciertamente una explicación lógica o coherente. La música, como el espíritu, sopla donde quiere. Mucho antes de que uno de los antecedentes del jazz, el ragtime, apareciera en el sur de los Estados Unidos, una danza cubana, la habanera, ya había dado la vuelta al mundo y se había convertido (en la *Carmen* de Bizet) de danza popular en aria y en aire para orquesta, como habían hecho antes tan ilustres antecedentes como la pavana, la gallarda, la giga, la pasacaglia, la chacona y la zarabanda —todas europeas, aunque la chacona y la zarabanda parezcan tener un origen indiano. Además, en América, la habanera pareció, según Borges, ser también «madre del tango». Efectivamente, en el tango se oye una habanera distante. La habanera fue el primer ritmo cubano (el chachachá parece ser el último: curiosamente Galán acerca el chachachá al lejano chotis, ¡pero los *raggers* más viejos aseguraban que el ragtime venía del schotische!) que se bailó en otras tierras americanas. Fue así cultivado por los compositores populares de Ciudad México a Buenos Aires. Tuvo cultores notables en México, con la inmortal *La Paloma* y la pieza mexicana favorita de la mortal emperatriz Carlota, *La Golondrina*. (¿Ornitofilia aparente en los temas y títulos mexicanos o una vez más casualidad?) La habanera, esta *«slow Cuban dance in duple time»*, como la define el diccionario Webster, llegó a sonar su bajo obsesivo en los primeros ragtimes —los que, como quería su máximo exponente Scott Joplin, «debían tocarse lentos»—. Se puede oír una habanera al fondo aún en ciertas piezas morosas de Jelly Roll Morton, cuyo piano creole —teclas blancas, manos negras— fue un vínculo entre el ragtime y el jazz. ¡Pero —y esto es importante señalarlo— entre el nacimiento de la habanera y el apogeo del ragtime median cincuenta años musicales! Mientras Jelly Roll todavía sonaba un bajo de habanera con su enjoyada mano izquierda, ya entrados los años 20, la explosión del jazz sonando alrededor suyo como un silencio sincopado: la campana neumática a sus aires de pianola.

Resulta de veras insólito que Cuba tan propicia al ritmo como a las revoluciones, que exportó siempre sonidos más dulces que su azúcar, que echaba al aire volutas sonoras sugerentes como el humo de un habano y cuya capital daba nombre a danzas españolas y francesas, que esta mina musical no tuviera todavía una adecuada historia de su música es inaudito. Tal ausencia se debe a ciertas anomalías personales, a idiosincrasias crasas. Uno de los primeros historiadores musicales en Cuba, Eduardo Sánchez de Fuentes, no era tal. Era músico, sí, y era, claro, cubano, pero no era historiador. En uno de sus mejores ensayos, *El folklore y la música cubana,* Sánchez de Fuentes, autor de la mundialmente conocida habanera *Tú,* sucumbía a una de las más viejas obsesiones cubanas: negar el elemento negro que completa pero complica la compleja composición racial de la isla. Para Sánchez de Fuentes los negros, si bien habían sido importados de África como esclavos (lo que parecía comprobable a simple vista), no habían aportado nada a la cultura, entendiéndose siempre por cultura la música, ya que es obvio que no hay negros pintores ni arquitectos ni escritores de valor. El África primitiva no podía haber ofrecido nada a la compleja riqueza de la música criolla —y el acento estaba siempre en criollo, entendiéndolo como el nombre propio del cubano blanco. Aunque el *Pichardo Novísimo* («Diccionario Casi Razonado de Vozes Cubanas»), ya en el siglo pasado, declaraba que un negro nacido en Cuba, aunque de padres africanos, también era criollo. (Criollo, como se podrá observar, por sus distintas y diferentes acepciones en Cuba, la Luisiana, Haití y el resto del Caribe, es una palabra que, como metafísica, puede significar más de una cosa a la vez.) Pero para Sánchez de Fuentes lo que no era español en la música cubana ¡era indio! Todo resulta obviamente ridículo si se aclara que los indios cubanos no eran aztecas o mayas, con sus ricas culturas precolombinas. Estaban, al contrario, entre los más primitivos de América en el momento del descubrimiento. Había dos grandes grupos étnicos en el banquete aborigen (Cuba fue siempre como una cornucopia), para no incluir a los guanahatabeyes, parientes pobres de los siboneyes, ni a los caribes, visitantes no invitados en busca de un buen bocado. Unos indios, los siboneyes, estaban reducidos a la etapa colectora en el occidente de la isla. Los otros, los taínos, eran, al oriente, menos capaces de dominar su cultura neolítica que los habitantes de la vecina isla Hispaniola, de donde habían llegado a Cuba hacía poco. O que sus remotos antecesores arahuacos en el continente sudamericano. Así se comprenderá a dónde podía alcanzar el desarrollo musical del indio cubano («sentado sobre una roca/ con un tabaco en la mano», como lo describió Cucalambé, poeta popular del siglo XIX), aun en ese elemento más primario de la música que es el ritmo: dos palmadas bueno, pero una palmada mejor. ¡Ahh!

Para Sánchez de Fuentes, más obseso aborigen que racista, toda música cubana se originaba en un rito indio más bien mítico llamado areíto, especialmente en su obra maestra *El areíto de Anacaona.* Pero según todas las referencias históricas este rito, jamás oído, no era más complejo que las danzas rituales de los aborígenes de Papúa hoy día. Los papúas, creyéndose ganadores de una beca musical, se comieron a uno de los

Rockefellers de visita, creyéndolo un Guggenheim. «Saben igual», declararon a la policía colonial inglesa, y fueron puestos en libertad por ausencia del cuerpo del delito. (Para rizar el pelo rizo, llamado en Cuba pasa, un grupo cultural del exilio cubano, pero afecto al régimen de Castro, publica en USA una revista que lleva el nombre del grupo: *Areíto,* y su fundadora es una mulata. Lo cubano es la locura.) Tal vez baste decir que la música cubana, a partir del ritmo de habanera, sea danza o tango, con sus danzones, danzonetes, guarachas, rumbas, guagancós y congas y sus sones y boleros, hasta llegar a los ritmos cruzados del mambo y sus derivaciones actuales en que el son se hace salsa, es la de mayor riqueza rítmica de América. Sólo así se comprenderá cuánto podía ser el aporte de los sosos siboneyes o los tullidos taínos, portadores del tripanosoma del amor. Además todos fueron eliminados de la isla y de la vida muy pronto por las enfermedades europeas en el trato y en el maltrato de los españoles contra los indios y su mestizaje con las indias, verdadero contrato sexual: la mujer ha nacido Libra, pero en todas partes la encontramos Virgo intacta. Pero Sánchez de Fuentes, hijo de emigrantes españoles, temía otro contagio mayor que la sífilis aborigen. Lo obsedía ese ritmo negro que percute desde la sangre en cada piel del cuerpo cubano que baila y se agita y toca y canta y que, por supuesto, compone canciones, ya sea en ritmo de habanera o de bolero. Todo el que hace música en Cuba, aun si es rubio, lo hace al son de África y al canto de España. Muchas veces, son y canto (y contracanto) vienen de África, como en el son. No hay nada que hacer: esos gritos son de negrito no de areítos.

El otro historiador insigne de la música cubana después de Sánchez de Fuentes no temía al «rumor de tambores en la noche antillana». Al contrario, Alejo Carpentier era un «negrista» *a la mode.* Aunque hijo de padre francés y madre rusa, Carpentier había nacido en La Habana, esa «ciudad de columnas enfermas», y pertenecía a la llamada Generación de *Avance,* la que había descubierto a Cuba por tercera vez. Antes la isla había sido descubierta siempre por europeos. Primero fue el incierto Cristóbal Colón: ¿italiano, español, judío? Después fue el decidido barón Alexander von Humboldt, como su tocayo un equívoco aventurero pero también alemán, noble y notable científico que dio nombre a la flora y la fauna de Cuba. Ahora los descubridores eran cubanos nativos, criollos y rellollos. Pero los miembros de esta generación creadora tenían sus ojos y oídos puestos en París y, a veces, como Carpentier, no sólo los ojos y los oídos sino también la boca: Alejo Carpentier había aprendido a hablar el español con un fuerte acento francés. Pero Carpentier no sólo era un «negrista», era también cultista —y esta vez las comillas salen sobrando.

Al regreso a Cuba en 1940, después de una larga estancia en la que debía ser si no su madre patria por lo menos su Ciudad Madre, París, Alejo Carpentier, que aspiró a ser músico como antes había aspirado a ser arquitecto y tal vez pintor, es ya un escritor decidido y combinando sus dos ambiciones frustradas con una pasión europea, escribe y publica en 1946 la que es en verdad la primera (breve, esquemática y arbitraria a veces pero de veras la primera) historia de la música cubana. Pero, a propósito, Carpentier tituló su libro *La música en Cuba.* No la música de Cuba, sino la música en Cuba, queriendo significar que no había ni podía haber música autóctona en Cuba, como la había en Francia, Italia o Alemania: toda la música posible en Cuba había venido de afuera. De cierta manera la historia de Carpentier es la contrapartida de la historia de Sánchez de Fuentes y ambas deben recibirse siempre entre comillas —o aceptarlas con un grano de sal en los labios que cantan con voz de cubano.

Pero Alejo Carpentier no era un advenedizo. Hombre culto a la europea, no sólo podía leer música sino que sabía escribirla también. En La Habana y en París había sido libretista, entre otros, de los cubanos Roldán y Caturla y del vanguardista francés Edgar Varese y llegó a componer piezas orquestales, aunque casi a escondidas. Pero Carpentier fue víctima de las supersticiones culturales de su época: creía firmemente en la existencia de una alta cultura y de su correspondiente baja cultura, la cultura popular. Sabemos ahora que la cultura es por supuesto una sola. No hay altas ni bajas culturas, sólo hay modos de expresarlas, de apresarlas, de apreciarlas. El ballet no puede perdonarle la vida a la danza ni la sinfonía a la pieza de jazz, ni el teatro y la pintura al cine. En cuanto a la literatura, su género más prestigioso, la novela, nació ya popular. Pero una de las últimas novelas de Carpentier se titula *La consagración de la primavera* —libro convenientemente apoyado por el «préstamo» pedido a Stravinsky o a su agente. (Igual podía haberse titulado *La última rumba.*) Asimismo en su historia Carpentier apostaba por la posible existencia de una música en Cuba que fuera a la vez culta y autóctona, sin darse cuenta, por prejuicios esta vez culturales, que esa música ya existía, que era autóctona (y original por tanto), sólo que no era sinfónica, de cámara o coral. En una palabra: que no era, según el concepto cultista europeo, «seria». Stravinsky podía dar categoría culta al ragtime o al tango o pedir préstamos para cultivar el jazz (como en su *Ebony Concerto,* en que hasta «permitió» a la banda de Woody Herman tocar su música, bajo su dirección: «A cute concert», fue como lo describió el propio compositor), pero el jazz, el tango y la música cubana sólo eran válidos como creación artística (como arte) si se acercaban a un rigor que les era ajeno. Este rigor no era una pericia musical porque ésta sobra entre los mejores músicos populares: no hay más que oír a un Louis Armstrong en los años 20, a Duke Ellington en los 40 y a Paquito de Rivera ahora para saberlo enseguida. Este rigor culto no interesaba a estos músicos y sencillamente le daban de lado. (¿Qué puede interesar a Dave Brubeck, discípulo de Milhaud y maestro del jazz, mostrar su sentido musical o su técnica jazzista al piano, suficiente para tocar partitas y fugas de jazz, pero insuficiente, por cuadrada, para lograr el swing? Lo mismo se puede decir de Benny Goodman, aunque este sucumbió a la vanidad de estrenar un concierto para clarinete y orquesta sinfónica que Aaron Copland le dedicó.)

Si se puede decir que a lo largo del siglo —blues, jazz, rhythm and blues, rock'n'roll, y rock, samba y bossa nova, música cubana y su vástago vago la salsa— que el mundo se ha africanizado, no menos cierta es la reflexión de que a través de la música, más que de la colonización anterior, África se ha occidentalizado. Los colonizadores no son ahora ni soldados ni misioneros ni mercaderes ni cazadores blancos ni médicos que tocan Bach al órgano. No son ellos los que han blanqueado el continente africano sino la importación forzosa de negros a América: esos esclavos han vuelto al sitio en que nacieron liberados como fantasmas sonoros y en todas partes de África se oyen de regreso los viejos ritmos negros, amulatados ahora, que vienen a cautivar a los negros oídos nativos, a mover sus miembros y a agitar sus cuerpos en una verdadera revolución musical. África baila a los ritmos de América.

La riqueza rítmica africana se hizo en América caudal sonoro y los tambores que hablan yoruba se convirtieron en Cuba en tambores que cantan cubano con diferentes voces: los bongós, la tumbadora y la conga son tambores que están en todas las orquestas modernas: de jazz, de baile de salón y de salón de baile, de música de película, de música sinfónica y aun en la música de cámara —como en las «Rítmicas» de Roldán, compuestas en 1929 y grabadas por el experimentalista John Cage en los años 60. Los broncos tambores de la selva africana suenan dulces y domésticos en la noche de la jungla de concreto americana y cantan pecados urbanos: bálsamos como un bolero, rápidos como una rumba, sonoros como un son. Esos tambores cubanos resuenan en toda disco music ahora y un hit mundial de hace poco tenía un ritornello ruidoso de un grupo pop que clamaba en mal español: «Cuba, ¡quiero bailar la salsa!», sin saber que la salsa se bailaba ya hace rato en ese mismo Harlem de donde son los cantantes. Al otro lado del océano una bailarina negra cubana viajaba de Suecia, donde vive, a Nigeria para una visita rápida a la raíz yoruba, sus aparentes antepasados, por motivos que ella declaraba «religiosos y folklóricos». A su regreso de Lagos pasó por Londres con su marido antropólogo sueco para declarar: «Es como la santería sin santos. Pero los nativos han adelantado demasiado. ¡Muchacho, esos negros no oyen más que música cubana!» Es que el siglo, rumbera, se ha cubanizado —al menos musicalmente. Ese esplendor se ha producido no en la sala de conciertos ni en el teatro de cámara ni en la iglesia, como quería Carpentier, sino allí donde se toca, se oye y se baila la única música cubana posible: la música popular, que era popular antes del pop y que seguirá siendo popular después de la salsa de salón. Otro grupo en el *Top Ten* entonará entonces: «Cuba, ¡quiero bailar la rumba!» —que según Umberto Valverde, en Colombia, es la reina del ritmo. Mientras que Janheinz Jahn, en Alemania, profetiza en *Muntu* que «en todo el mundo bailará la hija de Yemayá, diosa africana, a través de la rumba», ritmo rajado. Hasta Hitler —y Wagner por supuesto— se agitaría en su tumba al acorde de una rumba.

Nuestro Natalio hizo el viaje al revés: del descubrimiento de la música popular hacia la composición formal y de vuelta a la música popular. De clase media y de provincias (la de Camagüey, en la zona ganadera de Cuba) Galán emigró a La Habana y vivió en la miseria pero no en la duda y conoció ese infierno en invierno guiado por Virgilio Piñera, que era una vocación viva. Una nueva emigración lo llevó a Nueva York, donde trabajó como mecanógrafo, vivió en la mayor modestia y completó su educación: pese a su sofisticación actual Galán fue casi un autodidacta musical. Vivió y compuso callado en Manhattan, fabricando febril y silente sus construcciones sonoras, tan inauditas como su historia. Al triunfo de la Revolución regresó a Cuba entre otros amigos, fue crítico musical del periódico semioficial *Revolución*, estrenó varias composiciones (ópera, danza, orquesta), vivió humilde y desilusionado moral y musicalmente, escogió el exilio como otro compás de espera o de silencio. Residió luego en París, Madrid y San Juan al margen de la sociedad pero no de la vida. Un accidente misterioso y casi mortal lo devolvió al continente, esta vez a Nueva Orleans, esa ciudad latina de USA donde dos músicos populares cubanos, a comienzos del siglo, contribuyeron al nacimiento del jazz, y dejaron sus nombres sonoros como una estela musical: Manuel Pérez y Lorenzo Tió. Ambos fueron, hasta las resonancias afrocubanas de Chano Pozo en los años 40, los únicos músicos cubanos reconocidos entre los instrumentistas anónimos que llevaron el ragtime al jazz con su dejo de vieja habanera.

Galán es, además de músico y escritor, uno de los bailadores cubanos mejor dotados que he tenido el privilegio de conocer y su estilo está entre Alberto Garrido y Julio Richards: entre el cómico bufo que rumbea y el rumbero profesional. Esta habilidad natural (mezcla de sentido del ritmo, coordinación de movimientos y gusto por la música) ha guiado también su libro. Al mismo tiempo ha inyectado cada página con rica dosis de su sentido del humor, mientras que su rigor técnico de músico le ha facilitado hacer los más acuciosos análisis de estructuras rítmicas. Al mismo tiempo sus conocimientos de armonía clásica, romántica y moderna le han permitido la escolaridad más rigurosa. Galán ha sabido ir siempre a buscar las causas (o los antecedentes históricos, si quieren) inmediatas o remotas que produjeron los efectos musicales que el lego, como yo, sólo oye o siente y reacciona ante ellos con deleite. Pero el compositor sabe que las raíces de una expresión artística, vieja o nueva, están siempre en el arte y no en la historia ni en la sociedad o la economía. Así su investigación, como sus deducciones o inferencias, es siempre musical: *music for music's sake* o el arte por el arte. Nunca la música como objeto de investigación científica o, peor aún, de manipulación política: el tiempo del metrónomo, no el oportunismo, la perfecta afinación de su instrumento, nunca la demagogia.

Por azar (o por esos golpes de suerte que no abolirán el azar) Natalio Galán fue, muy joven, el principal investigador que empleó Carpentier para hacer las pesquisas musicales necesarias a su libro. También transcribió todas las partituras de Salas «injuriadas por el tiempo», como agradece en el prólogo de su libro de 1945 el musicógrafo a nuestro músico. Con muchos más conocimientos musicales y mayor aplicación que Carpentier, Galán ya en esa fecha estaba haciendo una obra de rescate cultural que iba más allá de recobrar por la notación el pasado musical. Hay que decir que toda esta labor de ahora —años de investigación, recopilación y escritura que forman su libro— la hizo Galán con sus escasos medios de jubilado civil en USA, sin tener una beca americana o del exilio cubano, que malgasta tantos recursos en recompensar falsos valores por realizaciones mediocres o las más veces inexistentes. La misma labor la podría haber hecho también el Gobierno de Cuba (que gasta por ejemplo fortunas en hacer diccionarios especiales compilados para la revancha mezquina contra los exiliados[1], o para la exaltación de burócratas de la cultura en Cuba), con sus cuadros de encuesta folklórica, sus investigaciones colectivas y sus escritores pagados por el Estado cubano y a cuenta de la propaganda política. No lo han hecho ellos porque la historia de

---

[1]   En un reciente *Diccionario de la Música Cubana* editado en La Habana no aparecen ni Galán ni Julián Orbón ni Aurelio de la Vega: los más importantes músicos cubanos vivos. Ni muchos de la muchedumbre de intérpretes que han escogido el exilio.

la música (la más necesaria a la felicidad, la más exportable y la más popular de las artes de Cuba) ha terminado, como la historia misma, con el poder totalitario y la fuga de casi todos los músicos creadores al extranjero. Es ahí, fuera de Cuba, donde los ha encontrado Galán de nuevo para siempre.

Con entero dominio de las técnicas contemporáneas, adicto al hallazgo aleatorio y un indudable talento creador, más la acuciosidad del investigador más avanzado, Natalio Galán se dio cuenta, por ello mismo, de que no era posible hacer una historia de la música cubana si se la pensaba en términos europeos. La única historia de la música en Cuba era la historia de la música de Cuba y la única música de Cuba era la música popular. Partiendo de los orígenes en el remoto pasado de la primera y más primitiva colonización de la isla con el encuentro de la mítica Ma Teodora (¿qué fue: cubana, dominicana, africana?) que sonaba sus Ursones a mediados del siglo XVI (es decir, cuando Norteamérica toda y buena parte de Sudamérica aún no habían sido descubiertas o colonizadas), a apenas cincuenta años del primer desembarco de Colón en el Nuevo Mundo, desde el «Son de la Ma Teodora» hasta la salsa: esa música cubana en el exilio que hacen puertorriqueños y cubanos en la tercera isla de Manhattan, *orbis tertius,* y que a los ajenos suena a nueva y a los cubanos todos nos parece un *eco in lontano:* de esos polvos de oro musicales a estos modos actuales, con cartas de navegación llenas de fusas y semifusas, con una brújula que tiene una aguja de imantar ritmos, con su bitácora sonora ha trazado Galán un preciso mapa cultural que tiene, al acabarlo, la forma de una partitura y contiene el sonido de un son, tal vez la más cubana de las sonoridades inventadas en la isla. La notación es europea pero la música es criolla. O mejor, mestiza —música mulata. Es decir, cubana, que es envenenarle el apellido a Sánchez de Fuentes. Esa historia y esa música se llaman ahora *Cuba y sus sones.*

A principios de 1948 se podía oír por la radio cubana, insistente, un comercial político al que su absurdo impensado hace memorable todavía. Decía así el anuncio: «Anda recorriendo la provincia de Las Villas con el senador Emilio Núñez Portuondo un joven candidato a representante a la Cámara. Se llama Ulises Carbó. ¡Vota por él! *Tiene música adentro.»* De este libro, como de su autor, sí se puede decir sin ser risible que tiene música adentro. Lee, lector. O mejor, oye.

Londres, otoño de 1982.

No hay música en América antes del Descubrimiento. ¿Por qué? Es bien simple: no había América antes de Cristóbal Colón y sin América no hay americanos, mucho menos músicos americanos. No me refiero a aztecas ni a incas con sus zampoñas, chirimías y tamborcitos, todo en la escala pentatónica. (De haber inventado estos músicos indígenas el piano tendría sólo teclas negras.) Escribo de esa América donde nació la música moderna. Stravinsky, a pesar de su altiva displicencia y de su esnobismo eslavo, terminó por vivir y morir en América: vivió en Los Ángeles, hija de Hollywood, y murió en Nueva York, con sus torrentes de música estruendosa del rag al rock. Ese compositor era de cierta manera un compendio musical y una de sus primeras composiciones inauditas, *Histoire du soldat,* no sólo contiene un ragtime sino que tiene un tango que no es más que una habanera sin hache muda.

¿Qué tienen en común el ragtime, la habanera y el tango? Qué tienen de negro, aunque los dos últimos ritmos hayan tratado de negarlo siempre. Un dicho cubano pregunta al nieto de piel rosada, «¿Y tu abuela dónde está?». La abuela de la habanera (nombre indígena) y del tango (nombre negro) está en ese golpe de bajo que los caracteriza a ambos y los hace, como un ritmo de primavera, música para bailar. Se llamó en Cuba antes que en la Argentina tango africano, y su bajo, que aparece en la habanera y en el tango como un acento exótico (oír a Bizet), se originó en África pero se adaptó muy bien a América. La habanera y el tango se oirán blancos pero tienen, como dicen en el Deep South para denigrar, justo verbo, a un aparente blanco, *a bit of tar,* una pizca de alquitrán. Ese alquitrán, no pizca sino alud, vino todo del África Occidental, traído, junto con los esclavos, por los más crueles negreros. Lo curioso en toda la música cubana es que ese dejo de África se iba a pronunciar en el compás de dos por cuatro, que es desconocido en África. La música, como el Señor, no sólo sopla, espíritu santo, dondequiera sino que sopla (y percute y canta) por los caminos más oscuros —y no me refiero solamente al color de la piel del músico.

Cuando Colón llegó a Cuba, dice Las Casas (que lo convirtió en personaje de ficción al copiar el diario colombino en tercera persona del singular, que es la persona favorita de la novela) que Colón oyó areítos y vio danzas indias como antecedentes musicales que no son más que leyenda. *El areíto de Anacaona,* a pesar del bello título apenas indio que convoca el nombre de una reina taína y la belleza inmortal de Anacaona, es una beldad sospechosa —tanto como lo es el rito del areíto. Nadie lo vio bailar, no hay un indio legendario que aprendiera su canto: sólo queda el encanto de un nombre. Pero hay una regla de ficción que dice que si hay que escoger entre la verdad y la leyenda siempre debe imprimirse la leyenda. América antes de ser América era una novela sin novelistas, pero todos los cronistas de Indias no escriben más que ficción, son ellos mismos ficción: la ficción total.

Pero la verdad está hecha de corcho y flota en las aguas más oscuras. La dura verdad es que hasta que Las Casas no vio a los indios no bailando hasta el cansancio sino extenuados por el trabajo en las minas de oro allí donde no había oro y escribió al emperador Carlos V lamentándose de cómo sufrían los indígenas —para proponer, humanitario, que sufrieran los indígenas de África en lugar de los indios. Hasta esa amarga llegada recogida en los libros más áridos (allí donde no se puede sembrar siquiera una idea) no hubo música en la América que podía llamarse América. Es decir, en el Caribe. Con los negros llegó el tambor y los «gordos gongos sordos», como versa Nicolás Guillén en su *Balada de los dos abuelos,* en que bien puede estar cantando un bolero, y la música cubana toda: armonía blanca, ritmo negro, un criollo en medio, una melodía española, un ritmo afrocubano y un baile cubano ya que la música cubana se ha tocado siempre para bailar. Es ese mismo Guillén que cuando lo llamaban negro aclaraba, «Negro no, mulato», quien exclama:

Traemos
nuestros rasgos al perfil definitivo de América.

Pero Guillén ha escrito un poema a las maracas, ese único instrumento indio en la música cubana, al que ha cantado también Miguel Matamoros en su son a su elaboración:

Se coge la güira,
se pone a secar,
se le abre un huequito,
se le mete un palito...

Las maracas fueron tan necesarias al son como las claves. Ambas han desaparecido de la orquesta cubana pero el músico moderno oye en su cabeza los cinco golpes rítmicos y el bailador tiene en sus piernas las maracas en ese paso de baile, tan negro, en que los pies calzados ahora, descalzos antes, frotan el suelo, el piso: son su son, rascarrás, cha-chachá. Todavía están presentes la tumbadora y el bongó, elaboraciones cubanas de un tema percusivo africano, y las pailas, esos timbales que son como una degeneración de los atabales árabes que resonaron en el África Negra con la furia musulmana del negro. No hace falta más que la voz humana para cantar un bolero.

Desde el principio (es decir desde el principio de la nacionalidad cubana), tal vez antes, aun antes de que los ingleses tomaran La Habana y de paso pudieran hacerse en cambio —en un trato del esqueleto, como decía el difunto Natalio Galán, músico y musicólogo, a quien este trabajo de amor ganado por la música popular debe tanto— con la inmensa Florida (desde la antigüedad no valía una ciudad más que todo un territorio), la música cubana viajó a España.

Quien primero cruzó el mar no fue exactamente un ritmo sino un modo melódico y la manera de tocarlo. Era el punto de guitarra (en Cuba un tres) luego llamado punto guajiro y que ahora con un ritmo negroide se llama guajira. De donde viene la famosa *Guantanamera* con letra tomada de los *Versos sencillos* de José Martí, simbiosis sonora hecha posible por Julián Orbón, compositor de música seria pero no serial. Lo que ignoran sus cultores es que la *Guantanamera* fue antes, por los años cuarenta, la melodía de unas décimas cantadas por Joseíto Fernández, al que se ha otorgado en Cuba el título oficial de «creador de Guantanamera». El pobre Joseíto, músico de una cuerda sola, no creó ni la música ni la letra para acompañar, cada tarde a las tres la escenificación radial de la «crónica roja» del día: El caso cantado. Pero un antepasado de ese ritmo de guajira vino a España con el nombre de danza cubana y hasta Manuel de Falla, siempre honesto, la incluyó equivocado como andaluza en su suite *Piezas españolas*. No es la primera vez que un ritmo cubano aparece en España como nativo. Ocurrió también con la habanera, con el tango (gaditano) y con la rumba apodada flamenca. Ahora pasa igual con el bolero, que es el ritmo cubano que ha sido adoptado como propio por países tan exóticos como el Japón. ¿Se lo quiere más lejano?

Mientras tanto, en la España clásica, Lope de Vega en *La dama boba* cantaba un fandango (que rima con tango) con un estribillo que puede ser de un son, como el que compusiera Lorca en La Habana siglos más tarde. Lorca lo llamó «Son de negros en Cuba». Canta Lorca de segundo y Lope que le hace el primo:

> *Me voy a Panamá*

Pero Lope estaba interesado, como Lezama Lima, en los orígenes:

> *¿De do viene, de do viene?*
> *Viene claro del Caribe oscuro.*

Julián Orbón que, a pesar de su cerrado acento asturiano, vive ahora como exiliado cubano en Nueva York, una noche de Manhattan muerta a la que dio el verso de la vida con sus acordes de teclas negras y blancas en su piano de pronto mulato, sonando el *Son de la loma,* del siempre vivo Miguel Matamoros, demostró de pronto, precisamente en un *impromptu,* que ese son oriental de los años treinta podía servir de cuadratura armónica y de apoyo rítmico al cantar claro de Lope:

> *¿De do viene el caballero?*
> *Viene de Panamá,*
> *Trincelín en el sombrero,*
> *Viene de Panamá.*

(Permiso para una interpolación: el caballero, es obvio, lleva un jipijapa, sombrero de Panamá.)

> *Cadenita de oro al cuello.*

(Y en la medalla que cuelga la imagen de la Virgen de la Caridad del Cobre: otra interpolación.)

Viene de Panamá
Zapatos al uso nuevo.

(De dos tonos, sin duda: era un chuchero no un caballero: interpolación última.)

El istmo existía en tiempos de Lope como un tránsito, no un destino. Atento al gusto popular, al vulgo que paga y a la moda, Lope había usado para sonar su son de indianos un nombre exótico y sonoro, Panamá, para un ritmo ya familiar al duro oído castellano. Pero ese oído tenía voz y cantaba ya de oído lo que un poeta italiano, Giambattista Marino, de visita, celebró en la música española:

Llama a este juego profano
Zarabanda y chacona el nuevo hispano.

¿Quién era el nuevo hispano? Un americano sin duda.

Lo que en tiempos del mambo (circa 1946) se proclamó «nuevo ritmo en el ambiente/ para guarachar» como si se tratara de un exorcismo lo condenó Cervantes llamándolo «el diabólico sonido de la zarabanda». Esa zarabanda del diablo fue bailada en España «a partir de 1595 con castañuelas». ¿Por qué las castizas castañuelas? «Para avivar su profundo y melancólico sonido.» Esta tristeza del trópico está siempre presente en la habanera, en múltiples danzones y por supuesto en el bolero. A otra danza española, la chacona, que tenía tantos ritmos sus vasos comunicantes en América, Cervantes llamó «indiana amulatada» y Quevedo, más franco o menos cauto, dijo de ella que era «chacona mulata». ¿De dónde son los mulatos? Habrá que recordar que un mulato es un hijo de blanco y de negra. Dice Juan Benet, «la mejor invención cubana es la mulata». Lo que parece incluir la chacona, aunque Benet no sea nada musical. Lope de Vega al contrario, siempre musical, siempre atento al rumor rumboso, versaba sin regresar a la región:

De las Indias a Sevilla
Ha venido por la posta.

Entonces, hay que decirlo, el correo español funcionaba mejor y donde Lope dice Panamá, un itsmo sin ritmo, léase debajo del timbre Isla de Cuba y donde dijo Indias lea el cartero La Habana, la más vana. Juntas la zarabanda y la chacona en su frote lesbiano dan lugar a un vástago, el pasacalle, que Bach conoció y apreció como *passacaglia,* como si fuera italiana y a Bach, vana La Habana, lo convirtió Cuba en pasa*callo*. Ese pasacalle que en España dio lugar al bolero con castañuelas y pandero fue como pasacallo en Cuba el origen de otro bolero, menos árabe pero más africano. Usaba el compás favorito de la música cubana, el dos por cuatro. Menos europeo que el tres por cuatro, ritmo del vals, o su equivalente rítmico en la rumba, el seis por ocho, pero también, ay, «más triste y pesaroso», como dice una de sus letras que ya son música. La seguidilla, en tiempo triple y hermana del bolero español, fue el modelo para componer y cantar los *ur*-boleros.

La habanera, otra danza lenta, insolente, tuvo más prestigio que el bolero tiene ahora y llegó a la ópera con *Carmen* y su Bizet, a la orquesta sonora de Chabrier y al piano con el rebelde Ravel. La danza habanera, dice el musicólogo alemán Fritz Friedenthal, «es un baile afrocubano domesticado ya en su propia patria y que ahora no es bailado solamente por los criollos civilizados, sino también, en las Indias Occidentales, por el vulgo de color». ¿De qué color, Herr Hans? Pero la danza «navegará por otros mares de locura» y llegará «desotra parte en la ribera» del Río de la Plata. Dice Borges con más oído que visión, «la habanera, madre del tango». En realidad la habanera y el tango son hermanos siameses divididos por un continente musical. El tango no es más que una habanera con acento argentino. El doctor Friedenthal anota así la llegada de la mulata habanera al borde de la pampa blanca: «Para honra del gran Estado a orillas del Plata diremos que en aquellos lares la habanera se ha bailado siempre en su forma más decente». ¿Cuál es su forma más decente, Fritz? El tango mismo ha sido acusado a menudo de indecente, dejando ver que la decencia de un baile no está en los bailarines (la música, por supuesto, no es decente ni indecente) sino en el ojo del espectador de turno: mirón del ritmo o vigilante de costumbres. Como la rumba el tango en un principio sólo lo bailaban los hombres no por malevos sino por machos —y, muy importante, porque es una tradición africana.

Abbott y Costello, cómicos cósmicos, están sentados a la sombra de una pista de baile donde múltiples parejas de hombres y mujeres bailan el *slow* más lento. Costello se ve melancólico y Abbott, su pareja, quiere animarlo. «¿Por qué no bailas?», le pregunta a Costello, que responde metafísico que está: «¿Qué es el baile?». Para responderse: «Un hombre y una mujer, abrazados a media luz, las mejillas y las caderas juntas, moviéndose los dos al compás de la música.» «¿Y qué tiene eso de malo?», quiere saber Abbott. Responde Costello: «La música». Evidentemente Costello quería decir la melodía no el ritmo, porque las parejas bailaban un *slow*, ¿recuerdan?, no un bolero. Pero algunos boleros, como Costello, parecen rechazar la música. Tal es su carga erótica literaria.

El bolero es técnicamente y aun para el oído sordo de Costello, Beethoven de la comedia, una canción con ritmo, que se puede cantar, que se puede bailar, que ha cambiado de medida a lo largo de su historia, desechando compases igual que una serpiente la piel o se ha adaptado al color local como un camaleón de la música y que tiene que ver menos con el bolero español que lo que tiene que ver esta danza andaluza con el más famoso de los boleros, *El bolero* de Ravel.

Dice a su vez una máxima autoridad musical, el diccionario de la música de Oxford: «El bolero cubano probablemente se originó como un derivado de la versión española en compás de dos por cuatro con un elemento africano de añadido.» En realidad el bolero no es más una canción con ritmo. Es decir una canción que se puede bailar. Sin embargo no todos los boleros se bailan y todos se cantan y presentan a veces un triunfo de la letra sobre la melodía. Curiosa canción el bolero.

El bolero de Ravel es un extendido *ostinato* que repite un tema que Ravel llamaba «bolero moruno» por no decir africano. Ravel declaró: «Lo confieso, me gusta más el jazz que la ópera». ¿Hablaba de Wagner? En todo caso su *Bolero* no tiene nada de jazz y sí tiene más de Wagner de lo que Ravel, anti-Wagner, habría admitido, con su relación entre la armonía que sugiere una cadencia sexual a la manera de «La muerte de amor» de *Tristán e Isolda*. Su coda es un exabrupto sonoro y es un orgasmo de la danza no de la muerte wagneriana. Aparente asexual, Ravel sabía bien lo que es un clímax musical —y amoroso. Ravel estaba aquí más cerca del bolero cubano que del bolero español. Lo que justificaba la metida de pata musical del amado Trinidad, tan cubano de los años cuarenta.

Cantando los cuarenta vieron el mayor auge del bolero en Cuba. Las mujeres no sólo cantaban boleros —hasta los llevaban como corpiños demasiado cerca del corazón—. En La Habana había una rubia. En La Habana había una rubia de pelo ondeado, de ojos ondeados, de boca ondeada y hasta de cuerpo ondeado que ondulaba por las calles más céntricas, especialmente por Galiano y Neptuno, llamada la Esquina del Pecado. Era, señores, Toty La Vernia, «La Reina del Bolero». La oí muchas veces con su voz más cálida que la noche habanera, pero, ay!, la vi una vez nada más. («Una vez nada más / amé en la vida», decía un bolero de moda como La Vernia). A Toty la vine a ver cuando era demasiado tarde. O demasiado temprano. Yo tenía doce años y ella era una rubia ondulante que tenía más de veinte pero menos de cuarenta. Salía ella del hotel Royal Palm, aquel que en su tautología inequívoca tenía palmas enanas en el vestíbulo urbano. Eran arecas pero yo no lo sabía y miré arecas en vez de palmas. Toty (¿puedo llamarla Toty todavía?) descendió del umbral del hotel que era su pedestal, Venus de las ondas hertzianas, y al salir entró en mi vida. Juré que jamás la olvidaría y para no olvidarla anoté su nombre en mi libreta de lecciones de Anatomía, Fisiología e Higiene del bachillerato olvidable. Perdí la libreta pero no perdí la libertad de verla y La Vernia (¿puedo llamarla la La?) canta todavía en el oído del recuerdo sus boleros tan pegajosos como su vestido negro con lunares blancos, que se apegaba a su cuerpo como la tarde o como un bolero. Toty, Toty, ¿por qué me persigues?

Toty La Vernia (¿era ese su verdadero nombre?, qué importa, el que tenía le pegaba como la música al cuerpo), ella cantaba boleros en la RHC Cadena Azul, propiedad (la emisora, no Toty que era libre y sin compromiso o su solo compromiso era el bolero: *chanteuse engagée avant la lettre d'une chanson*) de Amado Trinidad Belasco, bien amado y bien llamado el Guajiro porque venía del campo aunque no era guantanamero sino de Ranchuelo. Allí los tres Trinidad, cerca de Trinidad, tenían una famosa fábrica, niebla de Ranchuelo, de cigarrillos, de cigarros, llamada, para disipar el humo de la duda, Trinidad y Hermanos. Amado era uno de los hermanos herederos de la firma. Pero antes de heredar pidió su parte para el arte y compró la RHC, donde Toty La Vernia tuvo su reinado de fama efímera, aunque duró más de quince minutos.

Amado amaba sólo dos cosas, los boleros y los trajes a cuadros. Compraba los géneros, el musical y el sartorial, por gruesas. Vestía siempre, siempre, a cuadros y llegó a componer boleros, pero nunca pudo hacerse a sí mismo un traje. (Ya se sabe, «El sastre de sí mismo es un desastre».) Un día (o tal vez una tarde, una de esas dulces tardes habaneras que parecían estar hechas de miel y blea), Amado Trinidad oyó una conversación confusa (eran músicos los que conversaban) entre los componentes de la Orquesta Gigante de RHC Cadena Azul.

Todo era gigante en la RHC. El locutor favorito de Amado Trinidad era Gabriel Tremble, a quien nunca le temblaba la voz, que se hizo famoso por su afición desmedida a la hipérbole, aunque ni Amado ni su ángel terrible supieron nunca qué cosa es una hipérbole. ¿Es el ojo de un huracán, una hélice sencilla, una parábola? Ejemplo de hipérbole de Tremble: «Hay treinta mil personas, señoras y señores, congregadas esta noche en este estudio GIGANTE de RHC Cadena Azul!» En el estudio gigante en su abarrote no cabían siquiera trescientas personas. Las exageraciones se hicieron luego política de estado y estado de la política. Decía un cintillo del diario oficial *Granma:* «Más un millón de personas se congregaron ayer en la Plaza de la Revolución». La gramática sería parda pero la exageración era roja. Pero Amado era amante de esas exageraciones fáciles y Gabriel Tremble era un maestro en el arte de exagerar. Tuvo empleo hiperbólico hasta que san Pedro lo llamó a contar nubes.

Ahora, es decir ayer, hablaban un músico y un locutor de una composición que estrenaría por radio el maestro Leonardo Timor esa noche. Era esa Némesis, *El bolero* de Ravel. Cuando Amado, que tenía grandes ojeras y aún más grandes orejas, oyó la palabra bolero paró una de sus orejas y cuando oyó el nombre de Ravel paró la otra. «¿Quién es ese Ravel?» «El autor del *Bolero*», repuso Timor. «¿Uno sólo?», preguntó interesado Amado. «Tendrá más.» «¿Más qué?», preguntó su otro locutor favorito Ibrahim Urbino, el hombre que hablaba más rápido que nadie en la radio de Cuba. «Boleros», dijo Timor. «¿Vive cerca?», y antes de que Timor, timorato, dijera que el autor de *La Pavana para una infanta difunta* estaba tan difunto como la infanta y la pavana, Urbino, que no podía resistir un chiste, señaló: «Aquí mismo en el Paseo del Prado.» Amado hizo facto y encargó a Ravel cinco boleros lindos —y que los tuviera para el sábado. Nadie se atrevió a decirle cara a cara para no hacerle perder cara a Amado Trinidad que Ravel no vivía en el Prado ni en ninguna parte ya y que no era un compositor de boleros. No en dos por cuatro en todo caso. Pero —pero— es curioso que haya un bolero cantado por Lucho Gatica circa 1957, *Y ahora qué,* que recuerda a Ravel más de lo que Ravel recordaba a un bolero. Es que la música es una esfera de influencias. También es música de las esferas. Y es una esfera ideal.

En el bolero la letra con sangre entra, pero esa sangre es un parentesco de consanguinidad: los vasos comunicantes son siempre sanguíneos. Así la alianza más que la unión de la poesía modernista y del bolero fue momentánea —no ocurrió antes, no ocurrirá después— pero dejó un rastro de sangre nostálgica. No era la primera vez, por supuesto, que la música y la poesía se unían en una canción y esta fusión (o transfusión) no es una invención moderna. Se sabe que Homero el ciego, antecedente por igual de Bach y de Arsenio Rodríguez, se acompañaba tal vez del pífano o de una lira sola para cantar más que contar las gestas de Aquiles y de Ulises. En la *Odisea* el mismo Ulises, tan duro de pelear, se ve movido, conmovido por una canción en que un menestral de la corte de Alcinoo canta el tema del exilio y cuenta el cuento de su vida. No sin que antes el rey, orgulloso como un Amado Trinidad griego, pida a su huésped «que diga a los suyos de nuestra excelencia en danzas y canciones». Casi es el relato del nacimiento del bolero de entre las ondas y las arpas. Al partir, Ulises podría entonar como un Lucho Gatica errante a una Nausicaa caribe:

> *Voy a navegar por otros mares de locura,*
> *Cuida que no naufrague mi vivir.*

Pero es en la Edad Media que la canción se une al verso para cantar, como el bolero, penas de amor y de olvido. La *chanson,* que floreció en Francia en los siglos XIV, XV y XVI, no es más que entonar melodías polifónicas (Polifemo fue cantado por Homero en la sola escala posible a los griegos, la pentatónica) para servir a los versos de moda. Todavía existen estas canciones transcritas en la reciente invención entonces de la notación musical y se puede ver que la línea rítmica, como un golpe de bongo que no abolirá al bajo, es independiente de la medida del verso y es a veces su anverso. No en balde el bolero adoptó los temas de la poesía modernista con lo que el *chansonnier* Adam de la Halle llamaría, indudable *sans facon,* con acento en su francés medieval.

En el bolero el ritmo puede contaminarse del son, de la beguina y hasta del tango pero su rima es absolutamente intrasmisible (aunque el bolero parece una enfermedad venérea), como ocurre con toda la poesía modernista, americana o no. ¿Quién, por ejemplo, aparte del dominio del español, puede conocer que un poeta verdaderamente grande —y popular— como Rubén Darío está a la altura de un Swinburne o de un Verlaine? Los últimos por cierto nunca cantaron boleros. Pero el Darío diario sí pudo si quisiera. Declama Darío:

> *En la tranquila noche, mis nostalgias sufría.*

O todavía:

> *Yo soy aquel que ayer no más decía*
> *el verso azul y la canción profana.*

Esa «canción profana» bien pudo ser un bolero que ya iba de boca en boca. El modernismo, movimiento creado en América (entre otros por José Martí), tuvo su último refugio en el bolero. Canta así una de sus obras maestras:

> *En el tronco de un árbol una niña*
> *grabó su nombre henchida de placer*
> *y el árbol conmovido allá en su seno*
> *a la niña una flor dejó caer.*

(Hay por cierto una interpretación obscena de esta canción conmovida.)

Pero Sienna, modernista maduro, ha compuesto un bolero sin música que podría cantar Daniel Santos:

> *Trasnochar hasta el alba,*
> *creer en la promesa de una boca pintada*
> *que muerde cuando besa.*

¿Que parece la letra de un tango a los que ponía música mientras cantaba Carlos Gardel? Precisamente, el bolero y el tango, con semejantes orígenes negros, han podido incorporar la más blanca poesía modernista a su repertorio romántico. Sienna trasnochaba en Santiago de Chile no en el Boca bonaerense. Basterra, su estricto contemporáneo, cantó «a los grandes ritmos del Pirineo». Bien pudo decir, decir mejor, los grandes ritmos de América, boleros que cantan con voz de mujer.

Una característica peculiar del bolero, tal vez debida a su intensidad emotiva que sólo iguala el tango (no es extraño entonces que en la radio argentina hubiera encuentros de tangos contra boleros, pugilatos cantados) es que los intérpretes parecen apropiarse enseguida de su música y sobre todo de su letra para convertir la creación ajena en canción personal. Así se oyen los boleros de Olga Guillot, indudable reina del bolero, como ella lo proclama, pero dueña más aún de su emotividad y de su atmósfera afectiva. Es que el bolero es un aura anímica. Otro cantante admirable, Vicentico Valdés, se mueve en un orbe del que casi nunca sale, es del bolero angustioso. Mientras que el bolero metafísico de Miguel Matamoros *Por qué pasaron* revela a un Manrique tropical:

> *... las glorias de este mundo*
> *pasan fugaces, rápidas,*
> *y dejan en el alma*
> *la esencia y la dulzura*
> *y los retoños verdes...*

Matamoros, ese genio musical que prácticamente inventó él solo el son, ha sido lamentablemente poco conocido fuera de Cuba. Es decir, han sido conocidos sus sones como canciones, que no es lo mismo, y el autor quedó desterrado a un limbo extraño. El mayor (y mejor) intento de rescate fue el de Severo Sarduy, quien en *De dónde son los cantantes* (título y ámbito de Matamoros y su son que es un *pun* perfecto ya desde el título, *Son de la loma)* novelizó su verso, su universo. Pero no es bastante. Dos poetas, Nicolás Guillén y Lorca, deben a Matamoros más que un título. Una muletilla hecha famosa por Guillén, «Sí señor, cómo no!», se originó en Matamoros y sus sones.

Algunos al gozar *Por qué pasaron* (una suerte de *A la recherche de son perdu),* obra maestra de la poesía en música, oirán tal vez un vals en las voces y un bolero en el ritmo. Es que el bolero al principio estaba en compás de tres por cuatro, pero pronto pasó al tiempo preferido de la música cubana, el dos por cuatro que como las cinco notas sucesivas que llevan del cinquillo, con que es posible resolver todos los problemas de composición siempre penetrada por esa música y ese cuerpo divino tendido al sol era, como quería Lezama, un poseso penetrado por un hacha suavo. Ese cuerpo es el *corpus* de la música y al mismo tiempo una musa que es una mujer dormida al sol.

Una cantante de boleros puede traer una canción sin más ritmo que su letra a la órbita del bolero. Fue lo que hizo Olga Guillot con *La otra tarde vi llover* de Armando Manzanero. Cuando Olga Guillot canta:

Siempre fui llevada por la mala

hace un himno no sólo al amor (renuncia romántica recibida) sino a un masoquismo del alma que ella sabe invocar con su canto. La Guillot es el espíritu del bolero como Billie Holliday fue el espíritu del *blues.* Cuando Olga Guillot canta una canción primera del *feeling, La gloria eres tú,* en un ritmo que está entre la beguina y el *disco sound,* sigue siendo un bolero. La Gran Guillot, Olga a secas, es también afecta a la sonoridad suelta del bolero, pero siempre cae en el acento natural de dos por cuatro, que es la rítmica ideal del bolero. Pero el bolero, en último término, no es un ritmo sino una atmósfera sonora que se quiere antes que nada arte poética.

Cuando vuelva a tu lado, de la fecunda feminista María Grever, por ejemplo, se ha adaptado perfectamente a un *tempo* acelerado y con el título de *What a Difference a Day Makes* se ha convertido en *standard* de jazz. Mientras Manzanero, mexicano también, es un compositor casi cubano y con sólo dos obras maestras, *La otra tarde vi llover* y *Adoro,* se colocó a la altura de Agustín Lara o de Alberto Domínguez, el autor de *Frenesí* y, sobre todo, de *Perfidia.*

Perfidia, bolero mundial, tuvo una curiosa carrera en el cine, más asombrosa que la estancia entre *jazzmen* de *Cuando vuelva a tu lado. Perfidia* (ese es también su nombre en inglés, aunque alguno, como Cliff Richard, pronuncia el título como si pronosticara una enfermedad incurable, «Porfiria») es la segunda melodía nemotécnica en *Casablanca.* Hasta los conocedores del cine más nostálgicos no recuerdan más que esa *As Time Goes By,* que tocaba Sam demasiadas veces, como *encore* enconado. *Perfidia* la tocan, afectiva y fugaz, en el momento que Humphrey Bogart recuerda cómo bailaban Ilsa y Rick en París. Bogey, Proust prosaico, declara que lo recuerda todo: «Tú ibas de azul y los nazis iban de gris.» Pero no siente encono por *Perfidia* sino por la otra del juicio, ya vieja, que le da más dolor que una muela del juicio extraviada. *Perfidia* fue comprada a Domínguez (o a su agente) por Warner Brothers, para usarla como «melodía brazileña» en *Extraña viajera* y así acompañar a Bette Davis, la extraña viajera del título, en su excursión a Río; en *La máscara de Demetrio,* hungarizaba al cimbalón de un cabaret para desaparecer como un fado de desenfado en El Estoril de *Los conspiradores,* versión barata de Demetrio y medio.

No en balde el pianista de los almacenes Barker's de Kensington, humo blanco de smoking ante un piano blando, me dijo cuando mi extraña petición (que he repetido de Australia a Austria con igual éxito). «¿Conoce *Perfidia?*», moviendo la cabeza de la memoria al compás no de un bolero sino casi de un *cakewalk, I've heard it.* Claro que la había oído y no sólo la oyó sino que la tocó, blancas manos sobre el teclado blanco y negro, *Perfidia* a lo Londres, sin su letra adoradora:

> *Mujer,*
> *si puedes tú con Dios hablar,*
> *pregúntale si yo alguna vez*
> *te he dejado de adorar.*

El bolero no sólo desafía en su letra (que es su canción) lo divino sino que lo humano aquí es a menudo trivial y bordea cuando no borda lo cursi. Compone José Dolores Quiñones:

> *Los aretes que le faltan a la luna*
> *los llevo en el alma*
> *para hacerte un collar.*

La comicidad, lo garantizo, es totalmente involuntaria. Hay también en el bolero como sentimiento lo que puede ser una falacia patética desmesurada:

> *... tengo envidia de los valles,*
> *tengo envidia de los montes,*
> *de los ríos y de las calles...*

Con castañuelas y pandereta sería un verdadero bolero español, todo envidia. Agustín Lara, en franco arrebato modernista, canta sin sonrojo:

> *Cuando vuelvas*
> *arderán los pebeteros*
> *y una lluvia de luceros*
> *a tus pies se tenderán.*

(Esto hay que oírlo en la voz de Pedro Vargas, mexicano, para apreciarlo.)

Lara, para mí un gran compositor de boleros, era un músico de un extendido mimetismo creador. Lo mismo componía una última rumba *(La cumbancha)* que un tango perfecto *(Arráncame la vida)* que un vals *(María Bonita)* que un pasodoble torero *(Silverio)* que un chotis *(Madrid)*, y compuso docenas de boleros nada adocenados. Tuberculoso, morfinómano y mujeriego Lara componía la perfecta figura decadente del bolero —aunque cantaba como un tanguista trasnochado.

Gonzalo Curiel fue otro bolerista de enorme talento. No hay más que oír su *Incertidumbre* —o leer su letra:

> *¡Ay! cómo es cruel la incertidumbre.*
> *No sé si tus besos son de amor*
> *o sólo son para engañar.*
> *¡Ay! esta amarga pesadumbre.*

Pero el bolero *no* es mexicano. Mi énfasis viene de una confusión española. No sólo los oyentes olvidan al genuino Antonio Machín, de larga residencia en España, sino que supuestos especialistas en música popular creen (y hacen creer, que es lo indeseable) que el bolero es de origen mexicano. Esta desinformación se ha extendido a Inglaterra. Hace poco una novela mexicana titulada *Arráncame la vida* (que es el título de un tango de Agustín Lara) fue retitulada en inglés *¡Mexican Bolero!* La confusión, según Shakespeare, hizo su obra maestra. Quien tenga oídos que oiga y donde dije oídos yo diría oído sin odio.

Un momento musical. Hernando Avilés, tan mexicano, cifró casi todo su repertorio al bolero, que cantó no sólo con la exacta letra, sino que respetó el ritmo como un rumbo. En sus boleros, en que canta lo tradicional (hay un bolero del *feeling* titulado *Canta lo sentimental)*, confía la melodía a la voz y a la guitarra, y sostiene el compás en estricto dos por cuatro, mientras el apoyo rítmico está confinado a los bongos y, muy importante, a las pailas que repican como en una réplica cubana. Avilés, como Agustín Lara, no tiene miedo al mimetismo.

Cuando intervine en el Tercer Congreso de Valencia fue para poner un poco de metafísica en tanta infelicidad política. Bastó citar a Lucho Gatica y a su frase favorita:

> *Dicen que la distancia es el olvido.*

para terminar a dúo:

> *Pero yo no concibo esta razón.*

y no hacer más que repetirme repitiendo lo que escribí en mi *O* (que también puede llamarse *Cero)* de 1975, aunque citarse sea recitarse:

> *Siempre me interesó más la poesía popular que cualquiera otra de sus formas cultas porque sé que en su principio siempre fueron populares. Para mí el poeta chileno a citar no es Neruda ni Nicanor Parra sino Lucho Gatica. Por supuesto que Lucho*

Gatica no es el compositor de los boleros que canta, ¿pero acaso no descansa toda la tradición literaria de Occidente en atribuir su primer poema, su primera novela y la fuente original de la tragedia al seguro cantor y no al posible autor de la Ilíada *y la* Odisea?

Para paliar lo positivo sin negar lo negativo, el más conocido de los boleros de Agustín Lara, *Noche de ronda,* no es un bolero sino una canción lenta y calma sin ritmo ni acentos.

Pero oiría esta melodía y esta letra hasta el infinito musical con su melancolía mexicana:

> *que las rondas no son buenas*
> *y se acaba por llorar.*

Otra vuelta de tuerca musical. Quien mejor cantó *Noche de ronda,* para hacerla una noche redonda, fue Fredy y ella cantaba boleros en la larga noche musical de La Habana circa 1958 y era negra y no tenía nada de México excepto que allí murió en mi ficción. El bolero siempre viaja de ida y vuelta: España, Cuba, Cuba, México, Cuba, Argentina, Cuba, España ahora.

La letra, como en literatura, es todo. Así cuando se quiso dañar el prestigio del asombro que fue Lara se dijo en México que compraba canciones como otro Amado Trinidad. Pero Lara no compraba melodías, que siempre le sobraron, sino la letra de sus canciones. Ni Verdi («que te quiero Verdi» diría Lara) ni Puccini, de quienes Lara recibió su lira, como una suerte de heredero bastardo de la *canzonetta* que cantó en la ópera, ni el Caruso que cantaba *O sole mio* no como un aria sino como una *canzo,* se habrían alarmado. Pero si hubiera acusado a Lara de comprar melodías, Verdi, de haberlo sabido, lo habría puesto verde. No es extraño que una dolida multitud acompañara el féretro de Agustín Lara, «El músico y poeta mexicano», hasta el cementerio sin comentario que no fueran lágrimas y ayes de dolor. Parecían exclamar, «Regresa, Agustín, todo está perdonado» —pero no olvidado. No su música en todo caso. El mexicano, que rinde culto a la muerte, también cultiva boleros —la mayor parte compuestos por Agustín Lara, el dandy doloroso.

Tal vez para distinguir la melancolía artística de la profunda tristeza del bolero, que comparte con su contemporánea la habanera (aunque la más famosa habanera, *L'amour est un oiseau libre,* de *Carmen* de Bizet viene de una habanera jocosa, *El arreglito,* de Yradier), hay que recordar el origen de ese bolero de título calderoniano, *La vida es sueño.* Su autor es Arsenio Rodríguez, también llamado, a lo Bach, «el ciego maravilloso», un compositor que uno asocia siempre a sones sabrosos y a guarachas guasonas. Arsenio, como lo conocía en Cuba todo el mundo, fue a Nueva York a sufrir una operación para recobrar la vista. La operación fue, como todos temían, un fracaso visible. A su regreso a Cuba, desahuciado de la vista pero nunca defraudado del oído, compuso un bolero que no es un canto de cisne pero dice:

La vida es un sueño
y todo se va.
La realidad es nacer y morir.

No hay otro bolero, tal vez, más metafísico.
Canta Fray Luis de León en su «Oda» al canto:

El aire se serena
y viste de hermosura y luz no usada,
Salinas, cuando suena
tu música extremada.

Salinas, «que traspasa el aire», podía haber sido compositor de un bolero de éxito que «suene de contino» en victrolas y bandas y en charangas a la moda, y fue en su tiempo maestro de la melodía y del ritmo del folklore. ¿Habrá que recordar que Salinas también era ciego?

Vasos y veleros son la misma palabra en inglés, *vessel,* que viene del latín *vascellum,* vaso, y vasija, según el Diccionario de la Real (que no es ideal), es «un conjunto de cubas». Es decir, varias Cubas, islas rodeadas de tambores y melodías y de música de las palabras. Los vasos son veleros y los veleros son vasos comunicantes de un país a otro, de una cultura a sus descendientes ascendentes y la música es el «rastro que deja en el aire un cuerpo luminoso en movimiento». ¿Quiere alguien una mejor definición del baile? (La de Costello aparte). La danza no son los cuerpos sino el vacío que dejan en su movimiento los cuerpos. Ravel llamó a su bolero eterno «paroxismo del ritmo». La música cubana podría ser el ritmo de un paroxismo. O en su defecto:

el parorritmo
el popopulismo
el popurritmo
y el parangón y la paragonia de un bolero.

Declara Lezama, gordo, sordo a los ayes de la melisma, diciendo adiós:

Ah, que tú escapes en el instante
que habías alcanzado tu definición mejor.

Londres, enero de 1991.

89

«*El bolero es una balada con un plato de frijoles negros y arroz blanco al lado.*» *La definición es de Paquito D' Rivera, ese músico de jazz que también toca boleros. Cuando a raíz de su exilio en Nueva York grabó un bolero, del muy habanero Adolfo Guzmán, los productores americanos decían que no entendían nada. «¿Qué cosa es esa?», preguntaban porque no habían oído nunca un bolero, aunque parezca increíble. Hoy, por supuesto, no hacen esa pregunta. La respuesta técnica es que el bolero es una canción con ritmo. Pero el bolero es un aura, un ámbito y el lugar donde se encuentran la poesía y la música. El verso se apoya en el ritmo. Es lo opuesto al ideal musical romántico, una romanza con palabras.*

Tú me acostumbraste

El bolero del cubano Frank Rodríguez, amigo personal de Cabrera Infante y personaje de *TTT,* con nombre y apellido en *La Habana para un Infante Difunto,* cuenta una historia de amor iniciático, y tiene una enorme fuerza erótica y transgresora cuya comprensión debo a mi amigo el hispanista José Olivio Jiménez, que lo tarareó alguna vez por el Sardinero, y que gana toda su fuerza en la voz de Olga Guillot. Y algo de transgresor y de iniciático tiene este «bolero», que contiene, además del fragmento de *La Habana...* y la viñeta *Segunda,* un texto de *O,* uno de los libros más raros de Cabrera Infante (Seix Barral, 1975), titulado «Otro inocente pornógrafo», cuya inclusión merece una explicación: en este libro fundamentalmente londinense, Cabrera Infante incluyó su divertido y minucioso ensayo sobre Corín Tellado, «La inocente pornógrafa». En otra parte del libro aparecerá Corín tratada por GCI en un género poco común: la entrevista. Sin embargo, la presencia del interés pornográfico, y la rareza del tratadillo médico higiénico a que se refiere este artículo, me parecieron suficientes para su inclusión. Hay además un fragmento de *TTT,* y «El camino del calvario», la crítica firmada por G. Caín en *Carteles,* que hizo popular la película *La Strada* en Cuba y que es el único texto antologado de *Un oficio del Siglo 20* —es decir, de la Twenty Century Fox, y otras— (Seix Barral, 1973, Alfaguara-Canal Plus, 1993). R. M. P.

II

Beba y yo crecimos juntos pero separados: inevitablemente mientras ella se hacía mujer yo entraba más en la adolescencia. Era familiar su camino a lavarse los dientes deleitosos, cantando en su marcha fúnebre, con su voz que se hacía cada día más bronca, su paso lento, entre majestuoso y cansado, como al compás de su canto desmayado, en adagio eterno, las faldas cubriendo y revelando al mismo tiempo sus muslos combados adelante, dejando ver las piernas que eran rectas y llenas, su cuerpo de perfil mostrando sus senos escasos pero prominentes, ya soportados por ajustadores, los refajos idos con el tiempo y con la moda: ya estábamos en plenos años cuarenta, cuando me interesé en observar a esa sirena cuya canción no me había encantado —pero sí su cuerpo. No puedo decir cómo nos hicimos amigos Beba y yo —a pesar de la sorna sororal de Trini, que había desarrollado hacia mí una aversión ya abierta— cuando ni siquiera compartíamos el deleite dibujado de los cómics que se habían hecho tragics entre Trini y yo. El expreso desprecio de Trini se mostraba en que apretaba su boca y levantaba las ventanas de la nariz, inflándolas más de lo que la naturaleza la dotaba, y dejando el cuarto cuando yo lo visitaba, salía silbando, súbita sierpe. Ahora yo me pasaba las tardes, después de regresar del Instituto, si las clases eran por la tarde o mucho más tiempo si las clases eran por la mañana y no tenía educación física en que ejecutar las estúpidas contorsiones de la gimnasia sueca, las horas vivas hasta que me reclamaban las clases de inglés en el cuarto de Beba, ya que se convertía efectivamente en su cuarto al abandonarlo Trini por completo ante mi llegada, y hablábamos de esas cosas escasas que le interesaban a ella (tanto Trini como Beba no habían hecho más que la enseñanza primaria primera, por lo que no había mucho que hablar con ellas, pero yo me había acostumbrado desde niño, siempre cerca de mi madre, a la cháchara de muchachas y hasta el día de hoy prefiero conversar con una mujer idiota que con un hombre inteligente: las mujeres oyen mejor y además siempre está presente por debajo de la conversación la corriente oculta del sexo, subrayando —y buscando Beba y yo encontramos un tema en común): como las canciones.

Siempre me ha fascinado la música popular y puedo todavía cantar las canciones, los valses no vieneses, las canciones que estaban en boga cuando tenía cuatro o cinco años. De esa edad sólo puedo recordar con idéntica intensidad ciertas películas y los muñequitos diarios y la voz de la vida. Cuando niño me encantaban las serenatas que se solían dar en el pueblo, al son de tres, las guitarras criollas y las voces viriles o las retretas en el parque principal los domingos por la noche, y uno de los recuerdos más gratos que conservo (tendría entonces cinco años, calculando por la casa en que vivíamos) fue despertarme una mañana y oír una orquesta popular, tal vez un septeto de sones, que tocaba *Virgen del Cobre,* que no es una canción particularmente bonita pero ese día me sonó celestial, música de esferas, son de sirena. Luego vino el radio (el del ecino de arriba de la casa de mis abuelos, que tenía el memorable nombre de Santos Quesada, que fue de los primeros en tener radio en el pueblo) trasmitiendo las melodías de moda. Había también las películas musicales. Entre las que recuerdo mejor están las de Carlos Gardel en que pululaban los tangos, muchos de ellos tan deprimentes que me producían una tristeza incoercible, sentimiento inolvidable. Por supuesto que veía muchos musicales americanos pero no guardo recuerdo de sus melodías, con excepción de la temprana tonada *La carioca,* entre los pies parlantes de Fred Astaire y las piernas que cantan de Ginger Rogers.

Vine a descubrir la música americana ya adolescente en Zulueta 408 (hubo un avance de lo que vendría en una película vista en el cine Actualidades, *Sun Valley Serenade,* que caminé desde la muy alejada cuartería de Monte 822 para verla —y, sobre todo, oírla), no sólo en las películas sino en las victrolas automáticas, como la radiante, multicolor, cromada Wurlitzer, que era como una metáfora de la ciudad, centrada en el vestíbulo del teatro Martí, entre innumerables pinballs, con sus guiños eléctricos, sus figuras iluminadas y su combinación de deporte y juego de azar, que debían haberme atraído más, pero según entraba en aquella cápsula cautivante, otro trompo del tiempo como el cine, me pegaba, virtualmente me adhería a la gramola, fonógrafo robot cuyo sistema de selección y cambios de discos me hechizó, movimientos mecánicos que preludiaban más que precedían el sonido sensual, cautivador, pero antes debía esperar que alguien con dinero (yo no tenía ninguno) seleccionara uno de mis discos preferidos y si tenía suerte salía, como en un sorteo, mi favorito entre los favoritos, *At Last,* al fin al principio. Me hice un fanático de la orquesta de Glenn Miller (la culpa inicial la tuvo *Sun Valley Serenade,* pecadora originaria) y por un momento que dura más de un momento pareció que la música cubana o sus imitadoras mexicanas o puertorriqueñas iban a quedar definitivamente desplazadas en mi memoria (recordándolas, que es el mejor almacén para los récords, grabándolas en mi mente, tarareándolas con voz silente para todos, menos para mí) por el swing, nuevo sonido. Pero llegó triunfador por mucho tiempo el mambo. En la era de los primeros mambos no teníamos radio en casa todavía, pero cuando se convirtió en fiebre nacional primero y luego en moda internacional, mambomanía, ya los podía oír sincopando sus sones en nuestro radio, aparato mágico alrededor del que vivíamos, junto al cual me convertí definitivamente (ya había comenzado a serlo en el pueblo y después lo fui intermitentemente en los radios vecinos al alcance de mi oído oportuno: el de Nila en Monte 822, el de Isabel Escribá en Zulueta 408) en oyente de los romances radiales (no sólo de las series de aventuras sino hasta de los novelones que prefería mi madre y, uniendo dos formas de arte popular, fui asiduo escucha visual del programa «Pantalla sonora» que trasmitía, radializados, los argumentos de los últimos estrenos del cine), en un melómano y así la música marcó muchos momentos de mi vida, antes y entonces y también en el futuro mediato. Los mambos fueron sustituidos, justa justicia, por el bolero, de regreso triunfal en la voz arcaica de Panchito Riset, volviendo desde el extranjero y del pasado con sus alargados plañidos en falsete —uno de los cuales yo iba a utilizar, bolero barato, en un cuento sobre el amor adolescente y el fracaso, nada menos. Después vino el descubrimiento (que tuvo avanzadas inesperadas y rápidas en la música incidental de los episodios de la radio) de un nuevo mundo sonoro: la música clásica, es decir de la música sinfónica europea y más tarde de sus imitaciones americanas y limitaciones cubanas. Pero ya de esta música no pude hablar con Beba.

Beba y yo llegamos a gozar de una idílica intimidad, a pesar de las innúmeras interrupciones de Trini (que ya había dejado detrás los jugueteos juveniles con Pepito y se había hecho novia en serio de un hombre —que debe permanecer en el anónimo porque era insignificante— que trabajaba en el Palacio Presidencial, a lo que ella y su madre daban gran importancia aunque él no era más que una especie de camarero glorificado, un mozo en Palacio: «Pero ve al Presidente», era la excitante razón de ser de ese novio y de paso de Trini y de su madre, no de Beba: ella era diferente —pese al acto de doblez que cometió conmigo siguió siendo distinta a su familia), en su cuarto, primero, a veces en el nuestro jugando algún juego de salón, de cuarto, damas chinas, damasquina daga amorosa, pretextos para proximidades. Un día, una tarde (lo sé precisamente por la sombra que proyectaba el sol, implacable ahora vencido, sobre el borde de la alta tapia) estábamos en la azotea, que cubría todo el edificio: era tan extensa que podíamos jugar allí a la pelota, deporte que de hecho practicamos muchas veces los muchachos vecinos, pero donde también había estudiado sólo textos difíciles y en ocasiones acompañado por Pepe Peña mi condiscípulo (que viene a cuento porque él siempre alardeaba de su vasta memoria, que era «mejor que la de nadie», aunque hacía una concesión a la precisión de la mía y para probar ambas citó el título de un libro por el que se proponía preguntarme años más tarde diciendo solamente «El libro»: no llegó a someterme a esta prueba porque nos separaron los intereses comunes que eran diversos: a él le interesaba el estudio (de hecho era un excelente estudiante y llegó a ser un matemático notable), a mí me interesaba más la vida y después la literatura, pero ahora, treinta y cinco años después, puedo recordar su nombre nemotécnico: *A través de la naturaleza:* prueba ante la letra) y fue en ese rincón abierto donde establecimos nuestra intimidad Beba y yo muchas veces. Pero hay una ocasión particular en que paulatinamente dejamos de hablar y yo miraba su nariz, la única imperfección de su cara: era una de esas narices que parecen partidas por la naturaleza pero es que tienen el puente quebrado y ese defecto único le daba todo el carácter a su cara perfecta, con su óvalo largo, sus orejas pequeñas, su frente alta. Recuerdo que ella bajó la vista, mostrando sus párpados gruesos terminados en profusas pestañas (apenas si usaba maquillaje entonces) y arriba sus cejas sin depilar, curvadas naturalmente, y en ese momento, la contemplación pasiva se hizo acción activa y mi timidez, mi motor, me hizo acercar mi cara a la suya y rozar con mi boca sus largos labios carnosos —y ella no se movió: no devolvió mi beso pero se dejó besar y esto fue para mí un triunfo, la recompensa de años imaginando cómo besar su boca, viéndola desde pequeña hasta ahora que era una mujer, sus labios eternos porque no habían cambiado, y si antes eran enormes en su cara de niña, ahora completaban su belleza adulta.

OTRO INOCENTE PORNÓGRAFO

Ya dije (o creo que dije) en otra parte para qué me servía *El satiricón* a los doce años —mis doce años, no los del *Satiricón*. Estoy seguro de que Petronio habría aprobado ese uso: es un trabajo de amor ganado. Pero no habrían tenido igual reacción algunos contemporáneos al saberse leídos como pornógrafos. Me refiero a Kraft-Ebbing, a Wilhelm Stekel, a Freud, pero debía decir mejor a sus libros: cuando hablo de contemporáneos hablo de libros que habitan, al mismo tiempo, esa historia universal de un solo hombre, esa geografía del tiempo que es una biblioteca, cuyos ríos navegaba hasta lagos emponzoñados o descendía por ellos a océanos de evanescente hondura entre olas sensuales, atravesaba desiertos de arena erótica o me internaba en ferales selvas instintivas. Conozco, desde niño, mis textos de sexología, leídos minuciosamente, expurgados para separar el oro del sexo de la ganga del logos. Puedo recordar mejor trozos de una *Enciclopedia del conocimiento sexual* (detrás de ella, detrás del pseudónimo de «Costler», su coautor junto con Willys, se esconde doblemente un escritor convertido por el hombre y el exilio en apresurado sexógrafo, Arthur Koestler) que *Memorias de una princesa rusa, Dos noches de placer* o *Las aventuras de Sonia,* los manuales de erotismo entonces en boga. Puedo relatar («con pelos y señales», como se dice) ese cuento stekeliano que irónicamente es uno de los más poderosos aliados de la continencia, o al menos de cierto orden imponible al desorden del sentido. Es aquel que cuenta el «caso» de un desaforado masturbador que vagaba por los placeres (oportuna forma, ¿eh?, de hablar de los solares yermos) y se auxiliaba con latas vacías, botellas, envases, etc., y que un día desdichado seleccionó un pomo particularmente estrecho, donde, para colmo, dormía la siesta una rata. *(Stories my mother never told me* es el título de una antología firmada por Alfred Hitchcock.)

Puedo continuar los ejemplos, pero esto sería hacer montones, redundar. Sin embargo, no estaría completa la relación si no mencionara una ausencia: nunca lamentaré bastante no haberme encontrado cuando niño esa obra maestra titulada, con modestia y distanciamiento clínicos, *Extravíos secretos u Onanismo en los dos sexos,* del doctor Antonio San de Velilla, director de la Biblioteca de Educación Sexual que publicaba en Barcelona Carlos Ameller, obra leída ya de adulto, ¡helas! ¡Qué no habría dado ese niño que se llamaba como yo por esta torre de Nesle patológica! Sé lo que habría hecho: leer el libro con apasionado método, ejercicio que, como los trabajos de amor perdidos, se corta exactamente en el clímax. No hay mejor metáfora para el *coitus interruptus* que esta narración:

Durante las largas escalas que hacíamos en Calcutta, acostumbraba pasar el día y gran parte de la noche en la residencia de verano que mi buen amigo el capitán Witkins poseía a unos quince kilómetros de la ciudad, en las inmediaciones de la costa.

Entre la servidumbre indígena del militar británico, jefe de un escuadrón de cipayos, me llamó la atención una muchacha tamil de unos veinticinco años de edad, alta, robusta y no mal formada, pese a su continente ligeramente varonil.

Era activa en el trabajo y sus buenas cualidades morales constituían el motivo del sincero cariño que le profesaba la señora Witkins, quien no cesaba de elogiar las excelentes cualidades de la fiel Bathuga.

La indígena disfrutaba de una confianza ilimitada en la mansión de mis amigos, y era algo así como el ama de llaves y la encargada del resto de la servidumbre, compuesta por dos asistentes soldados del escuadrón, una vieja lavandera china, que por cierto me inspiró siempre una antipatía inexplicable.

Cierto día que tomábamos el café en la veranda del *bungalow,* vimos llegar a Bathuga completamente desnuda y tratando de ocultarse a nuestras miradas, mejor dicho, a las mías, puesto que tanto Witkins como su esposa y el resto de los habitantes de la casa ya estaban acostumbrados a ver la muchacha de tal guisa, sobre todo a la hora de sus baños, generalmente a media tarde.

El capitán quiso tranquilizarla, diciéndole que yo era como de la familia, a lo que ella replicó que jamás habría osado aparecerse de tal guisa, mas aconteció que mientras tomaba su baño, el mar le había arrebatado las vestiduras.

—Es hermosa, capitán —dije a mi amigo.

—Y salvaje. Un día, si no llego a intervenir a tiempo, mata a uno de mis asistentes, y todo porque se permitió decirle que estaba enamorado de ella, advirtiéndole que el muchacho es de lo mejorcito que he tenido a mis órdenes: trabajador, educado y hasta dueño de unas huertas situadas muy cerca del río, que le producían muy saneados ingresos. Y ya había advertido la inclinación del soldado por Bathuga, a la que siempre hacía objeto de regalos y otras delicadas atenciones. A mi esposa le agradó aquello, pues de haberse casado es seguro que hubiera podido contar con los dos servidores más fieles.

»Un día —prosiguió Witkins— mi mujer la reprendió cariñosamente por lo que había hecho con el enamorado galán, diciéndole que desperdiciaba la mejor ocasión que acaso se le presentase en su vida. Hasta el extremo llegó mi esposa en sus recomendaciones, que le habló de las delicias del matrimonio, del placer de los hijos, de las caricias de un marido amante...

¿Y sabe usted cuál fue la contestación de Bathuga? Pues, sencillamente, que su deleite mayor consistía en servir a sus amos y sobre todo en bañarse en la pequeña ensenada donde hemos establecido la playa familiar. Y no hubo medio de hacerla cambiar de opinión.

—Es extraño —repliqué—, porque, a sus años y en este clima, tal vez experimente ciertas inquietudes muy naturales.

—No lo sé, doctor. Pero lo que sí puedo asegurarle de una manera cierta es que, en los seis años que la muchacha lleva a nuestro servicio, no ha desdeñado ocasión de mostrar su repugnancia o al menos una franca antipatía por los hombres de su raza y creo que por los de todas.

—¿Se trata de una invertida?

—Menos aún. No pensará usted que la vieja china... —replicó mi amigo.

Tan maldita como las sexualidades indias debe ser la culpable costumbre de comprar libros de viejo: mi ejemplar salta de este último fragmento, casi al final de la página cincuenta y cuatro, hasta mediados de la página cincuenta y nueve, donde dice:

En las prácticas del tribadismo a que son tan aficionadas las damas de la celeste república, la imitación fálica desempeña un papel muy importante.

Pero debe de haber un dios de los pornógrafos. Juan Goytisolo conocía el cuento y recordaba el final. La indígena, efectivamente, no repudiaba sólo a su raza, sino a todo el orbe masculino, y no es una lesbiana, por lo que debemos pedir tantas disculpas a la vieja china, que es una pista deliberadamente falsa, como a la señora de Witkins, también inocente. El culpable no es el mayordomo, sino el domo del mar. El narrador consigue un día seguirla hasta la playa cercana y la sorprende en una rada oculta. Allí estaba la razón de su sinrazón. La bella salvaje, con tecnología que envidiaría un ingeniero civil, aprovechaba las mareas, el flujo de la resaca y una caña-bambú ingeniosa y calculadamente dirigida para producirse los más espasmódicos orgasmos solitarios auxiliada por las aguas territoriales. ¿Quién necesita a los hombres cuando dispone de la naturaleza? Arquímedes, con su punto de apoyo ideal, habría entendido a la muchacha tamil, y para superarla habrá que crear el coito cósmico.

El autor del trozo escogido por el doctor San de Velilla no es Somerset Maugham. Ni Earl der Biggers, inolvidable inventor de Charlie Chan. Ni tampoco Kipling después de leer a D. H. Lawrence. Ni siquiera S. J. Perelman, el Robinson del pobre. Era otro sexógrafo, Martin de Lucenan, que lo recogió en su libro titulado, inevitablemente, *La sexualidad maldita*.

Pero si ni Gamiani o Mlle. O superaron nunca a Bathuga, el doctor San de Velilla da una lección a Lucenan y a cualquier otro competidor en ese arte dialéctico de la profilaxis sexual. Un ejemplo temprano —y decisivo— en su libro es esta escalada médico-descriptiva que es un verdadero camino de toda carne. Comienza por el comienzo. He aquí el primer párrafo del capítulo primero, intitulado, justamente, «Peligros de la lujuria»:

El abuso de los placeres sexuales degrada y arruina en poco tiempo el organismo: de todos los excesos, el de los goces venéreos es el que tiene un castigo más pronto y doloroso.

Pero el doctor San de Velilla no se queda en el editorial. Sigue una impresionante enumeración de las calamidades que aguardan como obstáculos merecidos al progreso del libertino:

> He aquí el terrible cuadro de las penas que pasa el hombre lujurioso: debilidad de los órganos genitales, flaccidez incorregible y acentuada del pene, pérdidas seminales involuntarias, atrofia de los testículos, parálisis de la vejiga, etc., etc., etc.

Las agoreras etcéteras pertenecen al doctor, de quien es esta acción moralmente niveladora: lo que es castigo para el hombre es pecado (original) en la mujer:

> Pero entre todas las dolencias que el abuso venéreo puede originar en la mujer, ninguna más tristemente horrible que la *ninfomanía o furor uterino.*

Si no el subrayado, los mismos adjetivos habrían originado una estruendosa carcajada eslava en Catalina la Grande, famosa ninfómana, que, por otra parte, al vivir en la blanca Rusia, vería sus males atenuados por la profusa nieve:

> Los climas cálidos, donde las pasiones fermentan; los manjares suculentos; el abuso de los licores alcohólicos y aromáticos; el exceso de los placeres; los desarreglos de la menstruación; las relaciones peligrosas; los espectáculos; las danzas y las imágenes y lecturas lascivas, son también otras tantas causas que pueden predisponer a la *ninfomanía.* O producirla.

El buen doctor De Velilla, además de aterir o sellar el trópico al vacío para que no fermenten las pasiones, totalizar el vegetarianismo, reimplantar la ley seca, controlar las amistades mediante una ubicua policía del sexo y suprimir de paso la vida moderna para evitar la *ninfomanía* (quiero conservar el tenue misterio de sus signos: subrayo donde el doctor lo hace), tendría que comenzar por escoger la nada, y al no escribir *Extravíos secretos* eliminaría al menos uno de los ejemplares de la biblioteca lasciva.

Pero el buen doctor parece más preocupado con la enumeración exhaustiva de los efectos que interesado en suprimir las causas, el síndrome del sexógrafo. ¿O se trata del conocido caso del doctor San y el señor Velilla?

> El espíritu vese asediado por las más obscenas ideas; piérdese el apetito; huyen el sueño y el reposo; el cuerpo se enardece; los órganos genitales hácense sitio de un escozor, de un prurito, de una picazón insoportable; la lascivia es extrema; los deseos venéreos imperan cual amo absoluto, y sólo contienen a la víctima un resto de pudor y de vergüenza.

Como todo sexógrafo, el doctor San, a la menor provocación, pasa de la generalización más vaga a una galopante particularización:

> A veces la ninfómana lleva su delirio hasta el extremo de arrojarse a los brazos del primer advenedizo; le acosa y le solicita, y si encuentra una negativa o alguna resistencia, estalla en amenazas y vomita injurias.

Tanta pasión inútil no se ve más que en los films interpretados por el inolvidable Bela Lugosi o en las leyendas de vampiros, y solamente lamento no haberme tropezado nunca con una ninfómana en busca del consorte perdido y ser para ella, si no el primero, al menos el último advenedizo. Pero es mejor atenerse a la literatura, que nos hace compartir esa lujuria al convertir la personalización en asunto privado, casi íntimo:

> Entonces entran en acción los órganos genitales; la vulva, en sus desordenados movimientos, se contrae con violencia o se dilata desmedidamente; el clítoris se entumece y todos los folículos de la vagina y de los grandes y pequeños labios segregan abundante líquido mucoso.

Luego de describir a esta espeluznante criatura del espacio interior que lleva nombre venusino, De Velilla regresa a los (in)felices poseedores de semejante pieza de convicción fetichista:

> Las infelices, llegadas a este grado de embrutecimiento y de furor, rasgan sus vestiduras, se magullan el pecho, se arrancan los cabellos y, en la impotencia de saciar sus horribles deseos, se masturban en público.

(¿Ante la indiferencia o la injerencia pública?)

Pero apenas hay tiempo para responder, porque el sexólogo deviene psicólogo en otra vuelta de párrafo:

> Ora sueltan inmoderadas carcajadas, como en la embriaguez de la alegría, ora su abundante llanto y sus profundos suspiros parecen atestiguar la más violenta tristeza, concurriendo a veces a aumentar el horror del cuadro los más obscenos dichos y las más indecentes posturas.

Finalmente el médico se confunde con el predicador para que el estilo alcance su última perfección, en una apoteosis barroca que es a la vez un contenido delirio. Y el lector adulto piensa en Quevedo y en Buñuel o en Juan de Patmos, porque la escatología se hace escatología.

> En estado tan atroz y, sin embargo, tan digno de piedad, el pulso está agitado; la irritación general se encuentra en su último período, y los órganos genitales, enrojecidos, tumefactos, segregan un líquido acre y purulento;

hay insomnio, pérdida del apetito; la orina es rara, espesa; el vientre está duro y constipado; finalmente coronan tan mísera existencia la consumición, el marasmo y la muerte.

Pero el lector temprano que no conoce a Dante y ha olvidado a los hermanos Grimm, el adolescente que tropiece con el tomo tendrá tiempo y prosa para encontrar, capítulos más adelante, no a moribundas que despiden un humo verde apocalíptico de entre volcánicos montes de Venus o que afectan risas sardónicas en los grandes labios, sino otros ejemplares. Ese cazador solitario conocerá a criaturas más sanas, que invocadas quizá con la clínica intención de evitar la masturbación metódica o desenfrenada, son un espléndido aliciente para el onanismo en los dos sexos.

Así, la literatura médica, como la novelita rosa, en el caso de Corín Tellado, completan el ciclo masculino-femenino de inocentes celestinas a un erotismo siempre en flor, que es una de las pocas definiciones en esa edad confusa que es la adolescencia, y entre sexógrafos y polígrafos crecen blancos y verdes y rosados los pornógrafos, benditos, previstos por Cupido porque

Omnia vincit amor.

Estuvimos un rato hablando de ciudades, que es un tema favorito de Cué, con su idea de que la ciudad no fue creada por el hombre, sino todo lo contrario y comunicando esa suerte de nostalgia arqueológica con que habla de los edificios como si fueran seres humanos, donde las casas se construyen con una gran esperanza, en la novedad, una Navidad y luego crecen con la gente que las habita y decaen y finalmente son olvidadas o derruidas o se caen de viejas y en su lugar se levanta otro edificio que recomienza el ciclo. ¿Linda, verdad, esa saga arquitectónica? Le recordé que parecía el comienzo de La Montaña Mágica, en que Hans Castorp entra en escena con lo que Cué llamó «el ímpetu confiado de la vida», llega al sanatorio, petulante, seguro de su salud evidente, de alegre visita de vacaciones al infierno blanco —para saber días más tarde que él también está tísico. «Me alegra —me dijo Arsenio Cué—, me alegra esa analogía. Ese momento es como una alegoría de la vida. Uno entra en ella con la prepotencia de la joven inmaculada concepción de la vida pura, sana y al poco tiempo comprueba que es también otro enfermo, que todas las porquerías me manchan, que está podrido de vivir: Dorian Gray y su retrato.»

Yo venía a este parque cuando niño. Jugaba ahí mismo y más allá me sentaba en el muro, a ver entrar y salir los barcos de guerra como ahora veo la lancha del práctico navegando rumbo al alto y aquí, ahí, junto al Castillito que es más que la ruina de una garita de la vieja muralla, estaba un día enseñando a mi hermano a montar bicicleta y lo empujé, fuerte, y salió disparado y chocó contra un banco y se clavó el manubrio en el pecho y se desmayó y vomitó sangre, estuvo como muerto una media hora o tal vez diez minutos no sé, pero sí sé que lo hice yo y después, un año o dos después, cuando mi hermano se tuberculizó seguí pensando que lo hice yo. Se lo conté a Cué, entonces. Quiero decir, ahora.

—¿Tú no eres de aquí, Silvestre, de La Habana?
—No, yo soy del campo.
—¿De dónde?
—De Virana.
—Curioso, caray. Yo soy de Samas.
—Está muy cerca.
—Sí, ahí al lado, al cantío de un gallo como quien dice.
—A treinta y dos kilómetros y ciento seis curvas de carretera de segunda tirando a tercera.
—Yo iba mucho a Virana, caray, de veraneo.
—¿Sí?

—Debimos habernos encontrado por allá.

—¿Por qué época tú ibas?

—Durante la guerra. Cuarenta y cuatro, cuarenta y cinco, creo.

—Ah no. Ya yo vivía en La Habana. Aunque, te digo, iba a veces de vacaciones, cuando había dinero. Pero nosotros éramos realmente pobres.

Vino el camarero y trajo camarones fritos y nos interrumpió, y me alegré. Bebimos. Noté las máculas en la visión que me han aparecido últimamente. Moscas volantes. Son probablemente otro sarro de la nicotina, manchas tóxicas. O un precipitado crítico. Ahí deben estar concentradas todas las malas películas que he visto, que sería un mal metafpisuco —así es como mi máquina escribe metafísico—. O quemaduras cósmicas en la retina. O marcianos que solamente yo detecto. No me preocupan, pero a veces pienso que pueden ser el comienzo de un fade-out y que algún día mi pantalla se ilumine con luz negra. Cosa que ocurrirá tarde o temprano, pero hablo de la ceguera no de la muerte. Este cierre-en-negro total será la peor condena para mis ojos del cine —pero no para mis ojos del recuerdo.

—¿Tú tienes buena memoria?

Casi di un salto. Arsenio Cué tiene, a veces, estas raras dotes deductivas. Digo raras en un actor. Es Shylock Holmes.

—Bastante —le dije.

—¿Cuánto bastante?

—Mucha. Es más, muy buena. Recuerdo casi todo y además a veces recuerdo las veces que lo recuerdo.

—Debieras llamarte Funes.

Me reí. Pero pensé mirando al puerto que hay alguna relación sin duda entre el mar y el recuerdo. No solamente que es vasto y profundo y eterno, sino que viene en olas sucesivas, idénticas y también incesantes. Ahora estaba sentado en la terraza tomando una cerveza y llegó un golpe de brisa, ese viento que viene del mar, cálido, que comienza a soplar al caer la tarde y en asaltos repetidos me llegó el recuerdo de este aire de la tarde, pero fue el recuerdo total porque en uno o dos segundos recordé todas las tardes de mi vida (por supuesto que no las voy a enumerar, lector) en que sentado en un parque leyendo levantaba la vista para sentir la tarde o en que me recostaba a una casa de madera y oía el viento entre los árboles o en la playa comiendo un mango que manchaba mis manos de jugo amarillo o sentado junto a una ventana oyendo una clase de inglés o visitando a mis tíos sentado en una mecedora con los pies sin llegar al suelo y los zapatos nuevos que me pesaban cada vez más, y donde siempre batía esta brisa suave y tibia y salobre. Pensé que yo era el Malecón del recuerdo.

—¿Por qué lo preguntaste?

—Por nada. No tiene importancia.

—No, dime por qué. A lo mejor pensamos lo mismo.

Ese es mi pecado, tratar de pensar lo mismo que los demás. Arsenio me miró. Sus ojos bizqueaban a veces al mirar, pero no era un defecto sino más bien un efecto que conseguía con su mirada. Pensé en Códac que dice que en cada actor hay escondido una actriz. Habló ahora, segundos después de haber abierto la boca en forma de una vocal conocida. La escuela de Marlon Brando.

—Oye ¿tú recuerdas bien a una mujer?

—¿A qué mujer? —me sorprendí. ¿Otro golpe de presciencia que no abolirá el futuro?

—A una mujer cualquiera. Escoge tú. Pero tienes que haber estado enamorado de ella. ¿Tú estuviste enamorado alguna vez, realmente?

—Sí, claro. Como todo el mundo.

Debía decirle que más que todo el mundo. Traté de recordar varias mujeres y no pude pensar en ninguna y cuando me iba a dar por vencido, pensé no en una mujer sino en una muchacha. Recordé su pelo rubio, su frente alta y sus ojos claros, casi amarillos, y su boca gruesa y larga y su barbilla partida y sus piernas largas y sus pies en zandalias y su andar y recordé estarla esperando en un parque mientras recordaba su risa que era una sonrisa de dientes perfectos. Se la describí a Cué.

—¿Estuviste enamorado de ella?

—Sí. Creo. Sí.

Debí haberle dicho que mucho, que perdida/encontradamente, como nunca antes ni después. Pero no dije nada.

—No estuviste enamorado, mi viejo —me dijo.

—¿Qué tú dices?

—Que no estuviste enamorado, nunca, que esa mujer no existe, que la acabas de inventar.

Debo enfurecerme, pero yo ni siquiera puedo ponerme bravo donde todo el mundo echa espuma por la boca.

—¿Por qué tú dices eso?

—Porque lo sé.

—Pero te digo que estaba enamorado, bastante.

—No, no, te creías, pensabas, imaginaste que estabas. Pero no.

—¿Sí?

—Sí.

Hizo una pausa para beber y secarse con el pañuelo gotas de sudor y cerveza que tenía sobre el labio. Pareció un gesto estudiado.

Aquella espalda (esta espalda porque la veo ahí o, en el decir de la gente, la tengo ahí como si la estuviera viendo), esa/esta espalda, aquelleste espalda de la mujer, de la muchacha que fue el amor fugaz, inútil —¿no volverá?— no creo creo que vuelva. No hace falta. Volverán otras, pero aquel momento (la espalda descubierta por el escote negro, el vestido de satén de noche, pegado al cuerpo y abierto abajo como la bata de una bailarina española, de una rumbera, las piernas perfectas de tobillos que no acababan nunca y enteramente inolvidables, el traje descotado al frente y el cuello largo que todavía se continuaba entre sus senos, y su cara y su pelo rubio/lacio/suelto, y la sonrisa de tímida picardía en los labios gruesos que fumaban lentamente y hablaban y reían a carcajadas a veces para mostrar en la boca grande los dientes también grandes y parejos y casi co-

mestibles, y sus ojos sus ojos sus ojos siempre indescriptibles, imposibles de describir
aquella noche y la/su mirada como otra carcajada: la mirada eterna) no volverá
y es eso exactamente lo que hacen preciosos momento y recuerdo. Esta imagen me
asalta ahora con violencia, casi sin provocación y pienso que mejor que la memoria involuntaria para atrapar el tiempo perdido, es la memoria violenta, incoercible, que no
necesita ni madalenitas en el té ni fragancias del pasado ni un tropezón idéntico a sí mismo, sino que viene abrupta, alevosa y nocturna y nos fractura la ventana del presente
con un recuerdo ladrón. No deja de ser singular que este recuerdo dé vértigo: esa sensación de caída inminente, ese viaje brusco, inseguro, esa aproximación de dos planos
por la posible caída violenta (los planos reales por una caída física, vertical y el plano de la realidad y el del recuerdo por la horizontal caída imaginaria) permite saber que
el tiempo, como el espacio, tiene también su ley de gravedad. Quiero casar a Proust con
Isaac Newton.

EL CAMINO DEL CALVARIO [1]

> Una novela es un espejo que se
> pasea a lo largo de un camino.
>
> STENDHAL

La Strada es lo que muchos intentan y pocos logran: un poema. Y un poema en el cine es tanto como un milagro. *La Strada* es un milagro.

La Strada es un camino; los italianos dicen que es una carretera, pero se sabe que es un camino; un camino real, el mismo por el que Tennessee Williams pasea a su ubicuo Kilroy. Pero a veces un camino no conduce a ningún lado. O a otro camino y este a su vez a un callejón sin salida. Kilroy nació en un retrete y llegó hasta el Partenón: en ambas paredes se lee: *Kilroy, was here. La Strada* es un camino que nació en un alto en el camino. Federico Fellini se detuvo un día en una carretera y penetró en el bosque. Caminó y entre los pinos escuálidos divisó una carreta y junto a ella una pareja de gitanos. Detrás del pinar vio la tienda de un circo, plegada. Al lado de la carreta había un fogón de tres piedras y de entre las piedras todavía salía humo. Arrimados al fuego, los gitanos tomaban sopa de una abollada, sucia escudilla. La mujer sostenía la vasija con una mano y comía con la otra; el hombre comía con una mano y mantenía el equilibrio precario de unas cuclillas con la otra mano. Ambos comían en silencio y Fellini contuvo la respiración. Continuaron comiendo, siempre en silencio. Terminaron de comer y la mujer guardó la vasija en la maltrecha carreta. En todo el tiempo no habían hablado palabra. Así nació *La Strada.*

La Strada es la historia de una comunión animal entre un hombre y una mujer. Son dos seres humanos, pero su entendimiento es primitivo, pre-humano. Entre ellos corre una oculta corriente de silencio, una neolítica empatía que les une como un fosilizado cordón umbilical. La mujer lo sabe: el hombre es ignorante. El hombre se llama Zampanó, pero se podía llamar de otra manera, incluso Adán. La mujer se llama Gelsomina y es como su nombre: un jazmín. Es simple y maravillosamente complicada como su nombre de flor, y aunque no puede ver la abeja, la presiente. El hombre es hosco, turbio: a través de él no se ve nada: está hecho de noche. Un día, muchos años después, cuando Gelsomina ha muerto, ella le amanecerá y el hombre dejará su primera huella humana: una lágrima.

Zampanó es un atleta de circo, sin circo. Va de pueblo en pueblo, de una plaza a otra haciendo el único número que sabe: romper el eslabón de una cadena expandiendo el pecho. Como todo hombre de circo, necesita una compañera: como todo macho ne-

---

[1] Esta crítica tuvo tanto éxito como el film: el éxito de *La Strada* en Cuba se debió al éxito de la crónica: esto es algo que escapa a mi comprensión. *(Nota del autor.)*

cesita una hembra. La anterior ha muerto y regresa a donde la encontró y repite la operación: por $15 le compra a la vieja aldeana su otra hija, Gelsomina. Esta es una boba, amiga de los animales, tiene una enorme sensibilidad. Zampanó la introduce en su *trailer* antidiluviano —un carro de dos ruedas tirado por una moto, que es a la vez casa, almacén y transporte— y la hace su mujer: a golpes de vara, le enseña a tocar la trompeta y anunciar su número de circo con una prestada pomposidad teatral: «N'é arrivato Zampanó.»

Zampanó es duro, Zampanó es cruel, Zampanó es Zampanó. Pero Gelsomina comienza a amarlo. Al principio, lo aborreció. No le tuvo odio, porque los idiotas no odian: simplemente, aborrecen, hacen asco de lo que les molesta. Ahora, sin embargo, lo ama. Sufre, empero, la soledad de dos en compañía: Zampanó es indiferente a su existencia, le importa menos que uno de los eslabones de su cadena que rompe noche a noche. Zampanó, como siempre, se equivoca: Gelsomina es su eslabón perdido, aquel que al romperlo apretará la cadena y le aprisionará al género humano.

Gelsomina es un poeta. Llegan a un pueblo y planta a la orilla de la carretera unos tomates. Se irán mañana, pero allí quedará la obra de creación de Gelsomina: una planta de tomates: un poema. Gelsomina escucha el zumbido de los alambres telefónicos; le canta a Zampanó dormido su canción preferida, tarde en la noche, en la imperfecta trompeta; habla con los niños; intenta divertir con bufonadas a un niño enfermo de hidrocefalia; se aturde en una procesión y se embriaga en la iglesia, a la vista de la magnificencia litúrgica; escucha los aires alegres de tres músicos de ninguna parte que pasan a su lado hacia ninguna parte. Una noche bebe con Zampanó y se siente complacida de que este invite a su mesa a una rijosa prostituta: ella es feliz cuando alguien a su lado es feliz: por eso es siempre infeliz al lado de Zampanó: Zampanó no es feliz. Pero Zampanó se marcha con la prostituta y deja a Gelsomina esperando sentada en la acera. Pasa una hora, dos y pasa una yegua preñada por su lado, lenta, cansada. Al otro día Gelsomina está todavía en la acera y por la tarde halla a Zampanó tumbado en una cuneta, borracho. Parten.

Gelsomina encuentra gente simpática en su camino, a pesar de Zampanó. Un día conoce a una monja de un convento cercano, donde ambos pasan la noche. Zampanó aprovecha la noche para robar imágenes de plata del convento y Gelsomina reaparece ante las monjas llorosa, afligida. La monjita le confiesa: «No estamos nunca mucho tiempo en un sitio. Es para que no nos apeguemos demasiado a las cosas del mundo.»

En una feria Gelsomina conoce a un trapecista. Se hace llamar el «Loco». Para Gelsomina se trata de un ángel, no exento de algo diabólico. Por coincidencia, Gelsomina y Zampanó y el «Loco» trabajan en el mismo circo. El «Loco» molesta constantemente a Zampanó. Le arruina su trabajo. Una noche Zampanó está en su pretendida labor ardua de romper el eslabón y cuando ya casi lo logra, irrumpe el «Loco» en la arena y le dice: «Zampanó, te llaman por teléfono». Es la eterna lucha del hombre que se arrastra contra el hombre que vuela, del hombre apegado a la tierra contra el hombre pegado al cielo. Zampanó no puede más y persigue al «Loco» con un cuchillo. Da con su duro pellejo en la cárcel.

Mientras, el «Loco» habla con Gelsomina y le hace comprender que ella es un ser humano, que complementa al género como los demás la completan a ella: las campanas doblan y repican por uno y por todos. Gelsomina se cree inútil, innecesaria y el «Loco» le enseña que todo es útil: un árbol, una nube, una piedra. Es aquí donde aparece más claro el mensaje del film. Preguntado si la cinta era católica, Fellini dijo lo acertado: «Solamente franciscana». El mensaje de hermandad, de fácil panteísmo —Dios está en todo, aun donde no está— conmueve a Gelsomina y le hace comprender que ella es parte de Zampanó como Zampanó es parte de ella. Le espera a la salida de la cárcel y parten.

En el camino Zampanó encuentra al «Loco» que ha sufrido una avería y le ataca: le pega, le hace trizas el reloj, le rompe el cráneo. Al marcharse, le grita: «Deja que te vuelva a coger, ¡ya verás!» Y el «Loco», en su última respuesta ingeniosa, musita: «¿Todavía hay más?» Mira con infinita tristeza su reloj destrozado y comprende que su tiempo ha terminado. Muere. Zampanó disfraza el crimen casual, mientras Gelsomina aúlla de dolor y de miedo, como un animal ante el evidente misterio de la muerte. Parten.

Gelsomina enloquece definitivamente y al hacerlo, se convierte en la conciencia de Zampanó. Recuerda la melodía del «Loco» y le llama a gritos. Zampanó no puede más y la deja abandonada en un camino, con su vieja trompeta al lado.

Los años pasan y un día Zampanó, más viejo, más miserable, ridículo en su pobre acto de fuerza, escucha la canción que Gelsomina cantaba y pregunta por ella. «Ha muerto, señor», le dice una muchachita. Esa noche, Zampanó es arrojado igual que la basura de la cantina que visitaba. Como todos los desechos, va a dar al mar. Allí, en la playa, en el cielo de la noche, escucha la ensordecedora voz del silencio y siente la presencia pesada, de plomo de la soledad. Llora: por primera vez en su vida demuestra que es un ser humano.

Como se ve, el film es también un mensaje de redención. Recuerda, vagamente, la temática de *Nido de ratas:* la conversión de un renegado, de un bruto a la fe humana: todos los hombres son hermanos: «Ama a tu prójimo como a ti mismo.» Es aquí donde aparece la falla de un film hermoso, amargo y perfecto. Sus personajes son pobres de solemnidad, casi parias. Este ser subhumano padece una vida dura, antipática: para hacerle frente ha de hacerse duro, antipático. Su pobreza, su miseria —moral y física— no es una condición humana, es una imposición social: el pobre no es pobre porque quiere, el bruto es bruto a pesar suyo. ¿Podrá una simple conversión en términos casi divinos redimirlo de su angustiosa situación de derrelicto? Y los que le han arrojado allí, los que le han forzado a esa vida, ¿serán a su vez tocados por la gracia y le libertarán del yugo físico, como él ha sabido liberarse de la cadena espiritual? Esas son preguntas que Fellini y la mayoría de los cristianos —«Mi reino no es de este mundo»— no sólo no contestan, sino que apenas se las plantean.

No obstante, *La Strada* es una de las más hermosas y perfectas oraciones de caridad desde que se enunció el Sermón de la Montaña y tardará mucho en venir, si es que viene, otro film tan humano, tan rico de ventura.

Federico Fellini ha construido su cinta como una catedral: firme, monolítica, dirigida al cielo. Tardó más de dos años en prepararla y su concepción la maduró por espacio de diez años: buscó infatigablemente a los intérpretes, las locaciones y la atmósfera; dibujó los planos y aprovechó su habilidad de caricaturista para trazar un borrador gráfico de las características físicas de los personajes. Desde la música —compuesta por Nino Rota, en lo que es no sólo el tuétano del film, sino una de las mejores partituras cinematográficas de la posguerra europea— hasta el atuendo, pasando por la interpretación, todo ha sido vigilado con el ojo sabio de un maestro: el más nuevo maestro del cine italiano.

Zampanó está interpretado por Anthony Quinn con una comprensión y un fervor propios de un gran actor. Dice Fellini, después de señalar la elegancia de Quinn, su atractivo latino y su bondad exterior, que le hacían demasiado simpático al público desde el inicio, estropeando el contraste con la conversión final: «...Pero si debía hacer una selección entre actores profesionales, debo reconocer que Quinn, ciertamente, es el mejor adaptado al nada fácil rol.» El «Loco» ha sido entendido por Richard Basehart —otro inteligente actor americano— con una diabólica ambigüedad, que se acerca más a un homosexual sublimado que a un ángel extraviado en una misión terrena. Pero la sorpresa dentro de la sorpresa es Giulietta Masina, la esposa de Fellini, la madre prolífica de *Europa 51,* quien de un redoble de tambor se convierte junto con María Schell e Ingrid Bergman en la tercera del trío de grandes actrices europeas. Su ridículo atuendo, su peluca amarilla y su juego de ojos saltones la asemejan a un cruce de Charlie Chaplin con Harpo Marx: es decir, a Harry Langdon. Del primero tiene la sensible delicadeza, del segundo la comunicabilidad fácil y la simpatía por el prójimo; del tercero, su mímica con déficit en el cociente mental. De todos, la genuina fibra de ese *nylon* histriónico: el gran actor de cine. Es ella la que sostiene el film en sus manos femeninas y le confiere la gracia, la humanidad y la infinita melancolía, que es lo que la mujer ha venido a traer al mundo.

La Strada ha sido considerada un apéndice del neorrealismo. No hay tal. No hay más relación de este film con la realidad inmediata —que es a lo que aspira el neorrealismo, con el último término de su ecuación, el film-encuesta, donde el director es una especie de reportero policíaco-sociológico-económico y el actor, un hombre que acertó a pasar a la hora del *survey*— que la que pueda tener, por ejemplo, *La quimera del oro* con la realidad del Klondike y los *prospectors* del Yukon. Si a algo se acerca *La Strada* es a un neosurrealismo cristiano en que las viejas imágenes sorprendentes, el aura de sueño, el realismo mágico y absurdo cotidiano, están puestos al servicio del amor. Pero no del amor total, como querían Aragon, Éluard y Breton, lleno de la lujuria y la violencia del amor carnal con la espiritualidad del amor divino. *La Strada* casi ha olvidado el primero en aras del segundo. De ahí que Zampanó y Gelsomina parezcan los dos términos de una idea, como si el Quijote fuese una sola persona compuesta de él mismo, Sancho Panza y Dulcinea.

11 de noviembre de 1956.

*M*i iniciación al sexo nada tuvo que ver con las palabras. La novela rosa fue un gaje de mi oficio de corrector de pruebas, cuando me encontraba preso en las galeras. Mi iniciación sexual fue física, gracias a una primita adelantadita cuando yo tenía siete años y ella ocho. Mi despertar a la sexualidad se originó en el cine, en un cine, y tuvo más que ver Barbara Stanwyck en Double Indemnity, que no es doble ignominia, que la muchacha en tres dimensiones que tenía al lado. Mi escuela de amor tuvo su sede en el cine, los cines.

Desvelo de amor

Reconozco que la elección de este bolero de Rafael Hernández, para titular esta parte ha sido, más que por la letra o por la música, por el título mismo, porque este capítulo trata fundamentalmente del «amor rosa», del amor sentimental, de sus géneros favoritos, de cómo conforman la manera en que, además, sentimos y expresamos eso que llamamos amor. Además de la introducción del fragmento III de *La Habana,* y del cierre, *Tercera,* contiene «En busca del amor ganado» *(El País,* 8-I-1978), artículo en el que el mito Tristán e Isolda se vuelve expresamente historia de amor romántico; «Corín Tellado: visita, ¿o misión cumplida?» *(El País,* 23-8-1981), una de las pocas entrevistas de GCI en los últimos tiempos, en la que cuenta una visita a Corín en su casa de Gijón; y por fin, «Introducción y Allegro», un texto sobre los géneros del sentimiento (novela rosa y culebrón televisivo), publicado en la revista *Letra Internacional* (enero, 1995), sobre el que basó su comunicación de clausura del curso sobre novela rosa que dirigió en la Universidad de Verano de El Escorial. Y es que los géneros populares y particularmente la novela rosa, han interesado de siempre a Cabrera Infante, que, en este terreno como en otros, ha sido un pionero. Aquí hay una muestra. R. M. P.

III

Era rubia (teñida) y llevaba el pelo corto no porque siguiera la moda sino porque su pelo crespo, tal vez endurecido por demasiados tintes baratos, no favorecía la melena. Se lo peinaba hacia arriba y hacia atrás, por detrás de las orejas que eran, como las de muchas mujeres en La Habana, pequeñas y pegadas al cráneo. A pesar del pelo corto no tenía mucho cuello. Es más, no era esbelta: como tantas criaditas era más bien gorda, lo que ayudaba al parangón. Tenía grandes tetas que ella dejaba descubrir en descotes (o al menos descubrió la única noche que salimos) y no era nada fea. Tampoco era linda, si mi canon de criadita era Magaly Fe, pero para la criadita por antonomasia era atractiva. Tenía una nariz respingada y su boca era de labios demasiado finos para mi gusto. Sus ojos eran castaños claro, más bien pequeños y, sobre ellos, sus cejas afeitadas y pintadas de nuevo descubrían unos arcos superciliares redondos, bien cubiertos. Con todo era muy llamativa, y todavía falta una característica a su favor: sus piernas, que casi descubrí demasiado tarde.

Lo bueno que ocurría con las criaditas era que no había que perder mucho tiempo en preámbulos: nada de masacres de Eliot en un inglés que es un cuchillo romo, ni de letras latinoamericanas que oír alabar como si fueran cultura clásica. No había night-clubs a que llevarlas ni cine a que invitarlas ni conversación culta que iniciar: ellas sabían para qué era la salida, a dónde se iba y cuál era su motivo único —y aceptaban de entrada. Así cargué con esta criadita —que se llamaba con un nombre que todavía no tenía ninguna connotación ulterior: Lolita: además ella no era una niña y yo no era Humble Humble— para la posada más a mano. Es decir, debía haber ido a la de 2 y 31 que estaba ahí apenas a unas cuadras, pero como nuestra reunión tuvo lugar en la parte baja de Paseo, llegando a Línea, decidí no subir la cuesta sino caminar con ella por toda Línea, hasta que la calle se encontrara con el río, y muy tranquilamente recorrer la escasa media cuadra que nos separaría entonces de la posada de 11 y 24. En realidad esta era más cara y, de haber tenido que escoger, habría ido a La Habana, a visitar de nuevo los predios del Capitolio, adversos pero diversos.

Debí notarlo antes pero ni siquiera lo advertí cuando cerré la puerta a mis espaldas y ella se volvió hacia mí, rápida y me pregunto:

—¿Has cerrado la puerta debidamente?

Todo lo que hice, de estúpido, fue responderle:

—Claro que sí.

Avancé hacia ella para hacer lo que no había hecho antes, cosa curiosa: darle un beso: excepto en Dulce y en mi mujer no me había encontrado con esos labios asombrosamente finos en un país como Cuba donde abundan, doble herencia andaluza y africana, los labios gordos, donde hasta tienen un nombre particular, únicos en español, cuando son de veras gruesos, de llamarse bemba la boca, palabra que el Diccionario de la Real Academia ha cogido por su sonoridad, no su sentido, y la limita a los labios de los negros solamente: mucha mulata, mucha blanca (Magaly es un ejemplo inmediato: su gloriosa boca era una bemba blanca), hasta rubias he visto desplegando sus bembas rojas al ojo avizor, mucho antes de que Marilyn Monroe pusiera el *pout* de moda en todo el mundo. Pero esta compañera de Paseo mía hasta hace poco, compañera de cuarto ahora y compañera de cama en un momento (espero), tiene los labios finos que deben venir de antepasados gallegos, de celtas en que el bezo no se hizo para el beso, los labios recogidos hasta convertirlos en dos horizontes paralelos. Es en este paisaje imposible que la cojo entre mis brazos y la beso, pegando mis labios gruesos a los suyos finos, frotando mi boca contra la suya, abriendo más esas dos rayas que son toda su boca, metiendo mi lengua hasta tropezar con su lengua que viene a buscar a la mía y en el beso largo, que desparrama más sobre su cara la pintura que no llevaba en los labios que no tenía sino en la zona nada erógena que rodea la abertura antes alimenticia, formando un falso borde que no por rojo vivo llega a ser labios, y se retira un momento para murmurar dentro de mi boca:

—¡Ay, chino!

He sentido su olor pero no es esencia sino perfume de talco, el mismo talco boratado que compraba mi madre en Monte 822 para atenuar el olor extraño que se adhirió a nuestra ropa, a nuestro pelo y, sobre todo, a nuestro cuerpo en el cuarto prestado de Zulueta 408: ese talco barato es el perfume de La Habana pobre. Pero ha sido un viaje momentáneo porque estoy en transporte amoroso y con una mano le he cogido a esta Lolita descomunal la mayor cantidad de teta posible (que basta con cogerle una sola) mientras con la otra mano, bajando el brazo, le agarró las nalgas gordas (estos son sus labios traseros: una bemba vertical), mientras la empujo hacia mí por debajo, pegándola contra mi elevación frontal, frotándola contra su bajo vientre (que queda realmente debajo de su vientre, abultado, haciendo pareja con su nalgatoria prominente), moviendo mis caderas contra las suyas también en movimiento casi circular —y de pronto ella consigue zafarse de este doble abrazo, separar mi mano de sus tetas, quitar la otra mano de su culo y, echándose hacia atrás, me mira y me dice:

—Júrame que me amas con todas las fuerzas de tu corazón.

Me quedé completamente pasmado: no sólo por la declaración, hecha con una pasión falsa, sino por la enunciación clara, distinta, ella que hasta hace muy poco, por Paseo, en el camino, hablaba con la ausencia de ese habanera y además de un dejo popular que no sólo convenía a su tipo sino a su oficio. Casi iba a decir: «¿Cómo?», cuando ella volvió a hablar:

—Tienes que jurarme amor eterno o no conseguirás seducirme, Rodolfo.

¡Era el colmo! Dejé de mirarla, de tocarla (imposible hacerlo ahora con la doble separación semántica y física), de desearla casi para admirar su metamorfosis. Entonces fue que dio dos pasos hacia atrás, con la misma manera de caminar contoneándose que recordaba una versión vulgar de Julieta Estévez, para volver a hablar:

—¡Ah! Tal como lo sospechaba. No puedes pronunciar palabra. Eres un falso y un vil. Sí, un vil.

Y caminó un paso más, se volvió y se echó sobre la cama, bocabajo —y rompió a llorar. No, a sollozar sin mover apenas el cuerpo pero haciendo un ruido extraño con la boca y tal vez con la garganta, tan profundo era. En ese momento, entre mi asombro absoluto —¿qué le había hecho yo para causar tal desconsuelo?— pude ver sus piernas, el vestido recogido mucho más arriba de la rodilla, las sayuelas o la sayuela doble revelando el nacimiento de sus muslos y haciendo más largas sus piernas, que se mostraban gordas, lo que no me sorprendió, pero delicadamente torneadas, insospechadamente construidas con esmero, en una mujer, más bien una muchacha, que no tenía nada delicado en su cuerpo. Sentiría la misma sorpresa muchos años más tarde al ver una foto de Mae West mostrando sus piernas perfectas. Me acerqué a ella, a la dueña de aquellos miembros bien formados, absolutamente fuera de contexto, inclinándome sobre la cama, tratando de saber cuál era el origen de que se sintiera tan miserable.

—¿Qué es lo que pasa?

No dijo nada pero dejó de llorar.

—¿Qué he hecho?

Se volvió hacia mí y pude ver su cara: no había el menor asomo de llanto. Pero fue más asombroso lo que dijo:

—Dice mami que cuando un hombre nada más que desea a una mujer no puede haber amor entre ellos.

Las palabras seguían a medias el discurso anterior, pero la enunciación había cambiado, el tono no era el mismo.

—Pero si yo te quiero —le dije, mintiendo obviamente: la acababa de conocer, había hablado nada más que otra vez con ella antes de concertar esta cita que era obviamente (tan obvio para mí como para ella) sólo para meternos en la cama.

—Mi marido, quiero decir mi ex esposo, no me amaba lo suficiente, por eso tuvimos que romper definitivamente.

—Sí, me doy cuenta —no me daba mucha cuenta. La vez anterior ella había hablado de que se había fugado con alguien y ahora estaba sola. En este momento ese amante se convertía no sólo en su marido sino en su esposo.

—¿De veras que comprendes?

—Sí, amor, te lo juro —algo de su tono se había contagiado al mío porque se sentó en la cama y me echó los brazos al cuello y me besó, no sin decir después, en otro tono, en el suyo:

—¡Ay, mi chino! —y agregar enseguida— ¡Te quiero más que el carajo!

Cuando me besó y salí de mi asombro pasando mi mano por una de sus piernas y subiendo enseguida más arriba hasta los muslos, llegando a los pantalones. Ahora ella dijo:

—¿Mi chino me quiere ver encuerá? —que era el colmo de la expresión popular habanera, pero no perdí tiempo en decirle que sí. Mi asentimiento mudo —bajar la cabeza— fue para ella como apretar un botón y comenzó a quitarse la ropa con tal velocidad que yo no pude seguirla con la mía, a pesar de que no llevaba mucha ropa esa

119

noche calurosa. Enseguida estuvo desnuda. Aparte de las piernas largas y bien torneadas y los muslos que repetían el dibujo de sus piernas —que hacía su torso aún más breve— todo lo demás era grasa, las grandes tetas contribuyendo al aspecto de gordura, y aunque su vientre era demasiado amplio para mi gusto, había en ella una belleza cruda que de inmediato acerté de qué naturaleza era, a qué recordaba. No, de quién era calco: de Bola de Sebo: el original había desaparecido en la literatura pero esta era una copia fiel: era mi bola de sebo. Ya desnudo, dejando caer pantalones, calzoncillos y camisa (no se lleva chaqueta a la caza de criaditas) en cualquier parte sin tener, como el Duque de Windsor, alguien que los recogiera para mí, los ordenara y los planchara después de quitarle el polvo del piso de la posada, me metí en la cama. Ni siquiera había apagado la luz (ella no había sido innecesariamente púdica) y ahora veía toda esa carne pálida (no era tan lívida como Dulce (nada Rosa) Espina, o dorada como Julieta Estévez, pero sí era más clara que mi mujer) que aumentaba en espesor desde los muslos, con un monte de Venus que era un promontorio que se continuaba sin solución en la montaña de su barriga (aun en posición horizontal era prominente y nada fláccida), y el estómago abultado daba paso a las dos tetas que ni siquiera el escote anterior hacía prever su enormidad, su descomunal tamaño, una rivalizando con la otra por ganar la eminencia de masa en su pecho, las dos dirigidas al frente todavía, sin dejarse caer por la fuerza de la gravedad a los lados. ¡Dios mío, nunca había visto tanta cantidad de carne viva! Hundí mi cabeza (no podía decir que fuera mi boca solamente la que se engolfara en tanta obesidad obsesiva) entre los senos, dirigiéndome del uno al otro, para tratar de mamar lo más posible, mientras le penetré con extrema facilidad, mi miembro avanzando apenas por entre desfiladeros blandos hasta su cueva anegada. Ella había comenzado a moverse con fuerza rotatoria, cada vez mayor ahora, en giros amplios, en convulsiones cóncavas, haciendo que se me saliera casi en cada rotación, al tiempo que decía las obscenidades más minuciosas. No gritaba como Julieta, mujer en celo, ni exclamaba como Dulce, pseudopoéticamente (tal vez buscando todavía equivalencias literarias entre la selva y singar) pero sí se refería ella a mi pene, a su vagina, a la unión de los dos, a la cópula con una variedad de nombres suficientes para componer un diccionario de malas palabras —si no fuera que luego, al tratar de enumerar lo que había dicho exactamente, me encontré que eran solamente una o dos palabras repetidas, (pinga, bollo, métemela más: sobre todo esta última frase dicha como una sola palabra) y que la variedad era una mera ilusión producida por su pronunciación, por el tono de su voz, por los quejidos con que acompañaba cada eyaculación (y no le doy el sentido genital, por supuesto, sino gramatical) y que era otro triunfo de su enunciación: la carne hecha verbo.

Cuando terminamos, aun sin terminar casi, comenzamos de nuevo y lo hicimos tres veces. No puedo decir cuántos orgasmos tuvo ella pero por sus nombres los conoceréis y sus apelativos fueron constantes, mientras se movía sin cesar en rotación recurrente. Fue al final que ella me concedió:

—¡Unca gosé así con mi marío!

Estaba descifrando su mensaje cuando me dijo, me preguntó:

—¿Qué hora es?

En esa época —exigencias del oficio— ya usaba reloj y le pude decir:

—Las diez y cuarto.

—¡Mierda! —exclamó ella—. Se me hizo tarde, coño —y yo creí que tenía alguna otra cita y ya iba a dejarme ganar por unos celos que no por absurdos eran menos verdes, cuando añadió—: ¡Se me pasó la Novela del Aire!

La Novela del Aire comenzaba su radiación con un lema meloso declamado por el locutor que era a la vez el narrador, que decía: «Ábrense las páginas sonoras de la Novela del Aire para brindar a ustedes la emoción y el romance en cada capítulo», y al venirme automáticamente a la mente este introito ad altare Dea descifré enseguida el enigma de mi interlocutora, esta que me había enviado el incomprensible mensaje en clave de sol:

—¡Serás en mi vida un amante único porque has logrado tocar las fibras más íntimas de mi corazón!

¡Era de ahí de donde ella sacaba su vocabulario extraordinario y más aún su enunciación perfecta, inusitadamente culta! Todo su diálogo (es decir, su parte alícuota) estaba tomado de la Novela del Aire, de la Novela de la Una y hasta tal vez de la memorable Pantalla Sonora: el cine del ciego radial. No me quedó duda: mi amante actual, ese montón de carne y extrañas declaraciones de ahí al lado, pedía prestado a la radio no sólo su lenguaje sino sus sentimientos —o mejor, subordinaba sus sentimientos aparentes a un lenguaje que era para ella ideal. Solamente me extrañó que lo obtuviera, casi clandestinamente, de la radio y no de la televisión ubicua. Pero no duró mucho mi asombro al comprender que eran las palabras las que ella tomaba prestadas para acomodarlas a las situaciones de su vida y la televisión, al ser un medio visual, interfería con su necesidad verbal. Me volví a ella para mirarla con otros ojos, para admirarla, y fue entonces que pronunció su declaración más contundente:

—Tú singas bien, chino —me dijo, como el colmo de un cumplido—, ¿pero tú sabes cuál es tu dilema?— y antes de permitirme preguntarle cuál era mi dilema sexual, siguió con su último veredicto—: La tienes muy chiquita.

Los profesores suizos recorren cada verano las tierras de Cornuales, cateando minuciosamente los alrededores de Fowley. Llevan un detector de metales, pero su exploración es espiritual: tratan de localizar la tumba de Tristán y dentro esperan encontrarlo en compañía de su eterna Isolda la rubia. Pasada la extrañeza anacrónica del magnetómetro (¿qué metales creen poder hallar junto a Tristán, tal vez la espada legendaria, con la mella reveladora, que mató al gigante Morholt, hermano de Isolda?) se hace evidente que la búsqueda es tan romántica y casi tan religiosa como la que impulsó a otro mítico caballero celta tras la pista del santo Grial.

La busca se centra alrededor de una columna cercana a Fowley en la que John Leland, anticuario del rey Enrique VIII, encontró una inscripción en latín que decía: «Aquí yace Drustan, hijo de Cunoworus.» El epitafio ha desaparecido, pero el pilar está todavía ahí en Cornuales. Hay que aclarar que Drustan o Drystan es una de las formas celtas del nombre de Tristán.

El Tristán de la vida real parece haber vivido entre los años 622 y 650 de nuestra era. Pero esto apenas interesa: lo interesante es ver cómo la historia se convierte en leyenda (en aquellos tiempos favorables historia y leyenda se funden, se confunden) y los amores clandestinos se convierten en el amor, ese sentimiento avasallador, todopoderoso, que dura más allá de la muerte y que es otra religión. Hay por supuesto historias, leyendas de amor anteriores a la del príncipe Tristán y la reina Isolda, pero ninguna de ellas se puede comparar a esta pasión mutua, conseguida por un filtro amoroso (hay también antecedentes del uso de un filtro, el más eminente más que filtro de amor es de desprecio: el de Circe, cuyo filtro transforma a sus amantes en cerdos), pero la poción de Tristán e Isolda será una forma de destino: desde el momento en que inadvertidamente Tristán bebe el filtro, destinado por la madre de Isolda al rey Marcos, y luego pasa negligente la copa a Isolda, ese *medicamento magistral* los unirá más allá de las convenciones cortesanas, de los obstáculos imposibles, de las penurias, del tiempo y de la muerte.

No hay datos ciertos de cómo pasó la leyenda celta a la corte francesa y de aquí a la literatura, a la inmortalidad y de nuevo al folklore. Algunos autores señalan que la unión del *amour courtois* (esa invención literaria provenzal que no tiene antecedentes en ninguna otra literatura) y las leyendas celtas se produce en el *Lancelot* de Chretien de Troyes. Pero ciertamente la leyenda de Tristán e Isolda es anterior al ciclo de Arturo y los amores clandestinos del caballero Lanzarote y la reina Ginebra parecen estar tomados del modelo de Tristán e Isolda.

Por otra parte, el rey Arturo se eleva por encima de la doble traición y es más grande en la leyenda y en la literatura que los amantes justamente llamados arturianos. Toda la Edad Media se embriaga con la leyenda de Tristán e Isolda y surgen múltiples poemas (uno del mismo Chretien de Troyes, lamentablemente perdido) en francés, en holandés, en alemán, en inglés y obras en prosa contemporáneas, para aparecer en los albores del Renacimiento en la *Morte Darthur,* de sir Thomas Malory. Corre oculto durante el Renacimiento y en los siglos XVII y XVIII para reaparecer, multiplicado, con los románticos. A mediados del siglo pasado, como cumbre del romanticismo musical, Richard Wagner compuso su ópera *Tristan und Isolde* (que culmina en su maravillosa *Muerte de amor).* Después un joven filólogo francés compila los poemas existentes en francés medieval y los traduce. Asombrosamente escribe también una *Novela de Tristán e Isolda* (que es a la vez un compendio, un *potpourri* y una creación independiente) y revela al gran público la existencia de un poeta medieval mítico: el mito celebrando al mito. Este autor, Beroul (ni siquiera este nombre es ciertamente su nombre) compuso el poema en el siglo XII y la versión que existe es incompleta.

Para muchos eruditos, este es el más antiguo de los diversos poemas (de Tomás de Inglaterra, de Eilhardo de Oberga, de Godofredo de Estrasburgo) cantados al amor de Tristán por Isolda. Bedier insiste que hay otras versiones anteriores desaparecidas y sostiene que existió un arquetipo al que todos los demás poemas remiten. Bedier, que escribe antes de Jung, se refiere a un arquetipo literario.

Contrariamente a Bedier, con osadía de inexperto, me atrevo a declarar que no existe un poema único en el que se creó la leyenda, sino que versiones orales de esa leyenda existían en Cornuales mucho antes de su aparición en la literatura anglonormanda o francesa: esas leyendas a su vez remiten a un arquetipo humano: la encarnación del amor que vence a la muerte. Por eso no me extraña que esos dos profesores que recorren Cornuales esperen encontrar a Isolda junto a Tristán.

El poema de Beroul, del que nos ha llegado una tercera parte, es, posiblemente, como alegan los estudiosos, más crudo que el poema contemporáneo de Tomás de Inglaterra (todavía más incompleto) y menos perfecto que la versión de Godofredo de Estrasburgo (que sirvió de modelo a Wagner). Pero es con todo una obra emocionante, a pesar del tiempo y de las convenciones literarias. Falta el principio (suplido por Bedier, con la simbólica escena de la bebida del filtro durante una partida de ajedrez en el barco que trae a Isolda de su nativa Irlanda, con el error francés de que Tristán vino a llamarse así por la tristeza de que al nacer murió su madre Blancaflor, pero que permite la ingeniosa inversión onomástica de Tristán al decir que se llama Tantris, en la corte irlandesa, disfrazándose con su nombre). Y falta también el final (con la otra Isolda —Tristán se ha casado con lo más cercano que hay a Isolda: otra mujer llamada igual—, esa Isolda de las Blancas Manos que a propósito cambia el color de las velas de la barca en que viene hacia Tristán moribundo la verdadera Isolda, matándolo) de la narración. De todos modos, no tiene nada que envidiarles a los posibles modelos anteriores y se lee como un cuento de aventuras de amor.

Si no fuera verdadera esta invención del amor (si fuera otra invención), Tristán e Isolda inspiraron por lo menos tres obras maestras: *El romance de Tristán,* de Beroul, en el siglo XII; *Tristan und Isolde,* de Wagner, en el siglo XIX (Wagner sabiamente dicta que sus amantes prescindan del filtro amoroso al principio; Beroul, más sabio todavía, hace que el filtro no dure más que tres años, pero el amor dura más que los filtros: es imperecedero), y *La novela de Tristán e Isolda,* de Bedier, como culminación, justo al nacer el siglo XX. Resultaría engorroso citar extensamente a Beroul, no tengo notación musical que posibilite dar una muestra escrita del arte de Wagner, pero puedo terminar con el inicio en que Bedier convoca a estos amantes inmortales: «Señores, ¿os gustaría escuchar / una hermosa historia de amor y de muerte?»

Hace casi quince años que reclamé por primera vez a Corín Tellado para la literatura. Hasta entonces, la prolífica novelista vivía reducida a un gueto rosa. Por mi parte, yo habitaba el oscuro sótano al doblar de la tenebrosa estación de *metro* de Earl's Court, en Londres. Curiosamente, a una cuadra americana más abajo, en la misma acera, en igual miseria, vino a vivir Mario Vargas Llosa. Recuerdo que siempre le ganaba a Vargas cuando salíamos los dos a buscar la entrada al *underground:* yo estaba más cerca del *tube.* Ahora, Vargas me ha ganado y visitó primero la casa de Corín Tellado en un luminoso suburbio de Gijón: él está hoy más cerca de ella.

Mi descubrimiento de la autora de *Deliciosa locura* (título que me tocó en suerte escoger al arbitrio: el azar es rosa), tuvo lugar en el verano de 1967, cuando E. R. Monegal, que entonces dirigía *Mundo Nuevo* (la revista literaria latinoamericana mejor de toda la década, que se editaba en París), me pidió una colaboración especial para un número futuro dedicado al erotismo. Fue Miriam Gómez quien me sugirió escribir sobre Corín Tellado. «Sus novelas son inocentes, pero pueden ser muy eróticas», me dijo Miriam dándome tema y título a la vez. Había conocido a Corín Tellado antes de conocer a Miriam, cerca de 1952 en La Habana, cuando yo era corrector de pruebas de *Vanidades* («la revista de la mujer cubana que se lee en toda América»), y ya era un esclavo de esas galeras rosa. «No es nada novela rosa, —me aseguró Miriam Gómez—. Además, ¿qué importa si una novela es blanca o es rosa si se lee?» *Nada* y *Las noches blancas* daban lo mismo. Por mi parte no veía nada malo en el género rosa, como no veo nada siniestro en la apelación controlada de *novela negra.*

Escribí el artículo, que se convirtió en ensayo en mis manos torpes: yo quería ser leído, pero fui sólo impreso. El artículo se publicó en *Mundo Nuevo* y recorrió el nuevo mundo —o, al menos, varias revistas escritas en español de América— como colaboración no pagada, y muchas veces, anónima. Españoles de ambos mundos se sintieron humillados y ofendidos porque, en mi ensayo enemigo, yo decía que Corín Tellado, mera estadística, era la escritora más leída en español de todos los tiempos, más aún que Cervantes. Algunos cervantistas pidieron mi cabeza; otros, más mortales, pidieron el premio Cervantes. ¿Alguien ahora se siente molesto o decepcionado todavía porque Corín Tellado sea no sólo más leída que Cervantes, sino que Quevedo? Que no lo esté, por favor. (Otro golpe de estadísticas.) En el Reino Unido, donde no sólo tienen a Shakespeare, sino a Swif, y a Dickens, y a Conan Doyle, y a Wells (por no mencionar a Graham Greene, novelista rojo cardenal) por éxitos de venta, una señora de cierta edad (ya tiene ochenta años cumplidos), llamada Barbara Cartland, ha vendido hasta ahora ochocientos *millones* de ejemplares de sus breves novelas rosa, y el rosa es su color, su divisa y su marca de fábrica. En Londres hasta han bautizado un color rosa flamenco con su nombre, Barbara Cartland Pink. Además, esta autora que escribe rosa sobre blanco es abuela (postiza) de la recién estrenada princesa de Gales. Este parentesco real es el colmo del auge de la novela rosa: Cartland dará tés en Buckingham Palace un día. El equivalente español sería visitar a Corín Tellado en la Zarzuela los domingos. Aunque, después de todo, como lo demuestra la autora Tellado cada semana, la realeza, como la realidad, es mera coincidencia.

Fue Miriam Gómez también quien propuso, ahora que ya estábamos de paso por Asturias, que visitáramos a Corín Tellado. Había ido a Gijón buscando datos sobre la vida y muerte del escritor gijonés Antonio Ortega, doble exiliado en Cuba y asturiano olvidado, para volver a ver a su viuda, vieja amiga. No visitamos la Zarzuela, pero para ver a Corín Tellado —como en toda visita de cumplido— tuvimos que pedir audiencia. El introductor de visitantes sería Juan Cueto, culto platónico que se mueve entre Gijón y su oasis en las afueras, como un moderno Avicena plotinando sobre su motocicleta color de camello pálido, a velocidades que dan alas a su nombre. El oasis de Cueto es un *night-club* extravagante llamado casualmente *Oasis* y que queda frente por frente a su casa, la *Quinta Ketty,* célebre en Gijón por estar decorada en un estilo Gestapo tan tardío que Cueto lo llama neonazi. Afortunadamente, el decorador tomó por asalto el baño por el cuarto Reich y allí se quedó paralizado. Así, su biblioteca no recuerda ni a Rosenberg ni a Goebbels, sino a ese antepasado de Cueto, Goethe.

Las apariencias no engañan

Ahora Cueto, alado, llamó en seguida a Corín Tellado. Antes me había advertido Cueto, cauto, que mi escrito había alcanzado a la novelista con un mal título y peores intenciones. Me pregunté cuáles serían. Pero Cueto, cuestor, anunció, sin embargo, que todo estaba resuelto. Corín Tellado bajaría el puente levadizo. «Ha puesto una sola condición —confesó Cueto—. Dice que no tiene tiempo de arreglarse ni nada que ponerse; que no se ocupen de su aspecto.» Iba a decirle a Cueto que el aspecto es lo esencial, que las apariencias no engañan, que siempre atiendo al atuendo; pero Miriam Gómez estuvo de acuerdo con Corín. Una novelista es, antes que nada, una mujer. No había más que hablar. Partimos rumbo a la villa Tellado —en un taxi, afortunadamente, no en su moto con sidecar, como insistía Cueto, cuitado. La velocidad es la forma de amor perfecta para este platónico: toda violación es lenta, aunque no sea violenta. Solo el amor es raudo. Platón es un filósofo rosa. Pero el taxista, también dado a la velocidad, se redimió por el conocimiento: sabía quién era Corín Tellado. Además impartió un dato duro: «Todo el mundo la conoce. —Innecesariamente añadió—: En Gijón.»

La entrada a la quinta de Corín Tellado es de decorado eficaz y formidable (nunca vi su nombre, pero me habría gustado que se llamara *Koti* y no *Ketty).* No hay puente de hierro, sino una parrilla corrediza del mismo metal, pintada de blanco. Cuando

Cueto, conocedor, toca el timbre, ya se ven en la distancia que media entre el portón y la casa una mujer cautelosa, varios jóvenes quietos y unos perros inquietos. Son sólo dos: un chihuahua, o salchicha, y un lanudo pastor escocés o irlandés —nunca sé distinguirlos por el acento. En todo caso, era un perro chico y un perro grande en un coloquio amistoso. Son en realidad dos canes de improbable ferocidad, inútiles cerberos de sólo dos cabezas.

Más cerca puedo observar a una mujer baja, pero de aspecto formidable o de fuerte carácter, que viste pantalones negros, blusa o camisa roja y un sombrero de pajilla ubicado entre Panamá y el Tirol que le cubre la cabeza del aire de la efusión cuetense: los cohetes de Cueto son verbales todos. La dueña del atuendo, por su parte, parece declarar: «Estoy como quiera»; pero, en realidad, después vería que esta misma vestimenta, como al descuido, la llevaba para una cuidadosa fotografía que adornaba un artículo más sobre una escritora que se ha vuelto, como diría Barbara Cartland, *the toast of Spain* (*toast* no quiere decir aquí tostada, sino la favorita, casi la *prima donna*). Pero Corín, cosa curiosa, está tostada al sol, muy morena, casi color de yodo. También está muy cortada, como si no estuviera acostumbrada a las visitas, en general, o a esta visita, en particular. Mía y de Miriam, que Cueto es cuate.

Después de las presentaciones (las mujeres, primero): saludar a sus hijos —dos: una hija muy mona y un hijo que se me confunde con su mejor amigo de visita—, entramos en la casa (las mujeres primero). Decididamente, el mundo de Corín Tellado es un mundo femenino. La sala de estar es un salón con bar al fondo. Aunque Corín se queja de haber ganado muy poco en su ya larga carrera de novelista con éxito perenne, su casa es grande: con dos amplios pisos, afuera hay una piscina, jardín, huerta y garaje. En Londres, cualquier escritor de nombre deduciría en su visita que esta escritora vive muy bien, que ha ganado mucho y conservado más. Cualquier escritor inglés, menos —claro— Barbara Cartland. Esa dichosa rival, con mucho menos talento que Corín Tellado, es varias veces millonaria en libras —y abuela de la reina que viene. *Royalties* y realeza, como aquel que dice.

Corín brinda tragos

Corín nos brinda tragos a todos. Miriam Gómez quiere un cubalibre; Cueto, un quieto whisky con soda; yo, una coca-cola. Se va ella al bar —decorado como en una novela rosa de los años cincuenta: a la última moda pues; porque la moda se fue y volvió, pero Corín permanece— y regresa con la bebida pedida —servida al descuido: ginebra con tónica para Miriam Gómez, ron con agua para Cueto, y a mí me trae una coca-cola caliente como sidra. Le pido hielo y se encoge de hombros: «Si le parece —es ella la que habla—. Ya sabrá usted de eso. ¿Coca-cola con hielo? Psst.» Al sonido de la soda se sienta a conversar, olvidando el hielo. Es obvio que el hielo no entra en el orbe rosa de Corín Tellado, novelista tórrida. Conversamos y se ve que Corín Tellado y yo somos de otra generación. Todavía creemos en las virtudes sociales del usted, que tanto une (contigo en la distancia); usted, que frecuentamos los dos en verdadera intimidad, y evitamos ese tú que puede llegar, como el tute, a la degeneración y al vicio. Sin embargo, en minutos de conversación estamos jugando al tú —como Cueto.

La conversación de Corín Tellado es relajada y tensa a la vez. Con movimiento reflejo se arregla el sombrero de paja como si fuera un moño. Con él dice ocultar un pelo en desarreglo, pero lo que consigue es casi quitarse el sombrero —para mostrar mechas de un peinado impecable. Coqueterías de la creadora de tanta coqueta. Después de todo, la novelista española más leída de todos los tiempos no tiene por qué mostrar una pata tuerta, como Quevedo, o un brazo manco, como Cervantes, por credencial literaria. La Tellado, con su boca de labios finos, su nariz imperfecta y sus ojos pequeños que achica a voluntad, muestra una clase de belleza que no desentonaría en una Koti Santistejo madura. Después de todo, calculando por mi condena a galeras, vanidad de *Vanidades,* Corín Tellado debe de tener más de cincuenta años. No le pregunto la edad porque, en este caso, mi represión es otra forma de homenaje.

Corín, además, está muy a la defensiva. Inquieta en su butaca o paseando alrededor nuestro, muy señora a veces, y otras muy señorita, me dice a quemarropa: «Me dicen que usted escribió algo sobre mí.» «Le dicen bien», le digo. «Pero —insiste ella—, me llamaba usted algo muy feo. Aunque, se lo confieso, yo no he leído lo que escribió.» Naturalmente. No hay un solo escritor que admita haber leído algo de otro escritor sobre otro —es decir, sobre uno mismo. «Usted dijo que yo era porno. —Y añade, astuta—: Digo, eso me han dicho». «Pues le han dicho mal —le dije franco—. Ese escrito se llamó siempre *Corín Tellado, una inocente pornógrafa;* nunca usé la palabra porno, entre otras cosas la palabra porno, abominable, aún no se había acuñado en falso. Era, por supuesto, un ensayo lo que escribí.»

—Te pareces a María Feliz, ¿sabes? —interpuso a tiempo Miriam Gómez, dulce diplomática. (Corín Tellado hace un gesto que quiere decir que no lo sabe o no le importa ambas cosas.)— Quiero decir —añade Miriam—, en los gestos, en la actitud, en el temperamento. Una mujer de carácter, más que una actriz.

—Es que sabes, hija —aclara Corín con todos sus gestos—, es que a una le han hecho muchas cosas feas, malas, muchas marranadas, y hay que saber defenderse: eso también se aprende.

Sin embargo, Corín Tellado, aunque está a la defensiva, no parece saber defenderse. Precisamente por estar a la defensiva. Por otra parte, ¿de quién tiene que defenderse ahora, tan establecida?: ¿de los editores?, ¿de los libreros?, ¿de los lectores? O tal vez...

—De los admiradores como nosotros, ¿no? —puntualiza Miriam Gómez, mientras Cueto, cuerdo, calla.

—No, mujer; qué va; no. No tiene nada que ver con ustedes. ¡Por Dios! Son esa gente de Oviedo.

¿De Oviedo? ¿Dijo ese nombre?, ¿realmente, ese? ¿Oviedo?

—No me reconocerán ellos nunca. ¡Jamás! Primero, muertos.

Con esta nota fúnebre, Corín Tellado se sume en una melancolía de orvallo. ¿Cae el orvallo en Oviedo?

—Oviedo no es el fin del mundo —le digo—. Queda el resto de España, de América, del mundo —porque sé que hasta en Japón han aprendido a pronunciar su nombre, Korin Terraddo.

—En Oviedo hay gente que le hacen la vida imposible a una.

—Si va a América —insisto— verá que allá la reciben como a ningún otro escritor español vivo. ¿Y quién quiere ser un escritor español muerto?

—En Oviedo hay gente que me niega hasta el agua.

—Allí nació, y vivió y murió *Clarín* —dice Cueto, claro. *Clarín,* me imagino, debe de ser una institución en Oviedo, como Corín Tellado en Gijón. Tal vez hasta lo conozcan los taxistas. Extranjero en dos ciudades de Asturias, trato de explicarme esta rivalidad. Es un choque de eminencias literarias. Pero no sigo. Ante la clarinada de Cueto recuerdo que no hemos hablado todavía de literatura, de la literatura de Corín Tellado. Aprovecho el espacio escueto:

—¿Usted sabe, Corín, que yo soy el único escritor de dos mundos que sabe quién es Koti Santistejo?

Ella me mira entre incrédula y crédula. No sé para quién son ambas miradas. ¿Sabrá ella quién es Koti Santistejo? Finalmente, me dice.

—¿Y usted sabe quién es Koti Santistejo?

—Yo sí sé quién es Koti. Cueto, no. Y usted sabe que yo sé. Koti es aquella muchacha.

—Sí, lo sé.

Ahora sé que los dos lo sabemos.

—Miriam Gómez, su mejor lectora, también lo sabe —añado. Corín, como Koti, suspira y parece decir: «Corín fue Koti un día.» Pero no dice más.

La nueva generación

Cueto, quieto, anuncia que es hora de partir y dejar detrás a la autora de miles —de veras— de páginas que leen ávidamente —de veras— millones —de veras— de lectores de todo el mundo cada semana. Ahora también lectores —de veras. Pero Corín Tellado ya no es la autora de sueños de películas («No las veo; nunca voy al cine»), sino una escritora, al revés de tantos maestros, que ha viajado del sueño a la realidad rosa («Aprendo con mis hijos y sus amigos. La nueva generación me enseña nuevas cosas. De ellos vienen mis personajes ahora»), pero sigue siendo una trabajadora infatigable («Para mí no es un trabajo, sino siempre un placer»), que escribe una novela cada 48 horas: una constante fábrica de amor y de odio, y —de nuevo: son inevitables en ella— sueños al despertar.

—¿Andan sueltos los perros, Corín? —preguntó Cueto con cuidado.

—No, están bien amarrados.

—¿Son feroces? —pregunté, casi en broma, recordando esos canes casi cerberos, y Corín contesta, seria:

—Uno sí, el otro no —dice Corín casi como si dijera, uno ladra, el otro sólo muerde.

129

—¿Entonces dura todavía el misterio? —pregunta Cueto con tacto.

—Dura, sí —dice Corín enfática, y un temblor casi imperceptible recorre a nuestra anfitriona. Nadie explica este enigma espeso con que nos despide. Tal vez porque nadie pregunta.

A la salida, la hija de Corín, más linda ahora que a la entrada —juego de luces cantábricas— insiste en llevarnos en auto de regreso a Gijón. Antes de irnos, ella pregunta a su madre si quiere algo, y Corín responde que no, que nada, que no quiere nada. Otra mujer, otra escritora, en otro país, dijo que un escritor no necesita más que tres cosas para vivir: «Elogio, elogio y elogio.» Esa novelista prosa se llamó Gertrude Stein. Creo que nuestra novelista rosa estaría de acuerdo. Pero me parece, por esta visita, que Corín Tellado cambiará ese aprecio por triplicado de todo el mundo (sé que la leen hasta en Japón) por el reconocimiento de un Oviedo que aceptara que en Gijón vive la respuesta femenina a *Clarín*. No sé por qué pienso que Juan Cueto, aunque lleva Alas al final de su apellido, acordaría. Cueto, cojito, vive también en Gijón. ¿Volveremos a la región?

Permiso para una frase final, Sigmund Freud, en su lecho de muerte, casi con un último aliento, confesó que no sabía qué querían las mujeres. Menos sabio, conozco mucho mejor a las mujeres que Freud y sé lo que quieren las mujeres. No quieren sexo, no quieren seso, quieren romance. Una forma de romance es la novela rosa. Es, créanlo o no, uno de los modos más antiguos del arte de novelar.

Los griegos, que lo inventaron casi todo menos la pólvora y los baños turcos, inventaron también la novela rosa. Una novelita rosa, *Dafnis y Cloe,* escrita por un tal Longo, que debiera estar más tiempo entre nosotros si no fuera porque no se sabe nada de su vida —excepto su nombre y esta breve novela que a veces se confunde con la primera novela pastoril. Pero fue traducida al inglés en 1657 como «un manual amoroso para disfrute de las damas». ¿Qué mejor definición para una novela rosa? Como ocurre con otras novelas del segundo siglo después de Cristo (por ejemplo *El satiricón,* dada a las costumbres romanas, es decir humor y pederastía), *Dafnis y Cloe* habla solamente de amor y es mucho más franca en su carnalidad que casi todos los ejemplos posteriores.

Lamentablemente no ocurrieron estas muestras maestras en tiempos clásicos sino en la era de Victoria, la reina que, después de muerto su príncipe consorte, separó el amor del sexo en una operación no muy diferente a la que desligó a Abelardo de Eloísa. No más adulterio. La Iglesia católica o protestante objeta el adulterio aun entre personajes, es decir seres de ficción. La novelista a lo Longo quedó así condenada a proponer a Abelardo y Eloísa como amantes platónicos. La castración era sólo literaria.

La primera novela rosa tomada como modelo de ese género que cautivó al Renacimiento, la novela bucólica (considerada un modelo aun por Cervantes después de haber publicado el *Quijote),* no volvió a reaparecer hasta lo que se llamó la novela de la sensibilidad o novela sentimental a mediados del siglo XVIII. De ahí surgió el término sentimentalismo, al que se le dio un sentido peyorativo entre los escritores hombres. Sólo las mujeres adoptaron y cultivaron el sentimentalismo. Aunque a principios del siglo XIX, una autora, Jane Austen, en su *Sentido y sensibilidad,* con su agudo sentido del humor, se burló de las mujeres sensibles (las que nosotros llamamos hoy sensibleras) y mostró como otras veces que la palabra propiedad para ella significaba no sólo amor propio o buenas maneras, sino también la tenencia de dinero o de propiedades. Pero Jane Austen es también, junto con Shakespeare y Dickens, el mayor talento literario inglés. Su humor, al revés del sentimentalismo de Dickens, es devastador. El otro tema que es el motor de sus libros es el amor y en *Sentido y sen-*

sibilidad hay compromisos sociales, económicos y cómicos y, como en cualquier novela rosa, por amor, esa relación a veces devastadora entre mujeres y hombres (o entre hombres y hombres y entre mujeres y mujeres) en que las heroínas y los héroes sufren pero también gozan. Porque como dijo Virgilio hace dos mil años y lo han repetido Shakespeare y Lope y Calderón y Christopher Marlowe en la escena y sobre la página, todos los novelistas que en el mundo han sido, «El amor lo vence todo». Hasta la edad. Si no ¿cómo leer *Lolita* sino como una novela rosa y rusa y de risa?

Pero —y esta clasificación es decisiva— fue el poeta Schiller quien declaró a los autores divididos en dos clases: ingenuos y sentimentales. Las innumerables autoras de novelas rosas han logrado ser las dos cosas a la vez y han mandado a Schiller bien lejos. Tan lejos como la enciclopedia a que el tema de hoy me ha mandado a buscar mi erudición. Como siempre la erudición ha sido derrotada por la lectura como goce de una persona sola. Es, ante tantas mujeres, una suerte de masturbación.

Pero Jane Austen fue considerada una realista porque jamás escribió de lo que no sabía. Se cita como ejemplo de realismo que en sus diálogos nunca haya una conversación entre hombres solos. Solamente cuando interviene una mujer es que la autora se siente a gusto. Esto no es nada desusado. Jane Austen, una de las mujeres más sabias de la literatura inglesa, sabía que la conversación entre hombres solos es monótona y por tanto aburrida. Sólo las mujeres solas saben hablar entre ellas de cosas interesantes. En las novelas de la señorita Austen el tema más interesante queda oculto como un submarino con el periscopio alerta. Ese tema es la dote o cuánto van a dar por ella. Así, la novela más famosa de Austen, *Orgullo y prejuicio,* comienza con una introducción célebre: «Es una verdad universalmente aceptada que un hombre soltero en posesión de una fortuna considerable, lo que necesita es una esposa.» Ahí está toda la novela, todo el credo del comercio entre hombres solteros y mujeres a la caza de marido. Como Jane Austen nunca se casó y ni siquiera estuvo comprometida, ese alarde de sabiduría social forma parte de su equipo de escritora. Miss Austen sabía ser astuta. Enferma y tímida, su vida no fue una novela rosa, pero supo hacer de la novela rosa una forma imperecedera de la comedia de costumbres. Muchas (y muchos) la imitaron pero ella se llevó el secreto de su arte a la tumba. Jane Austen murió un año antes de nacer Emily Brontë.

Una de las pocas peregrinaciones literarias de Manuel Puig fue ir con su madre a la casa de las Brontë y Manuel escribió la más notable novela rosa argentina, *Boquitas pintadas*. El título viene de un tango célebre que comienza: «Deliciosas criaturas perfumadas / con el beso de sus boquitas pintadas.» Su compatriota Borges fue su más duro crítico. «Imagínense —sentenció— una novela que comienza con un anuncio de creyón de labios.» Manuel siempre dijo que ese viejo era malo. «No es por nada —decía— que celebra a los cuchilleros.» Lo cierto es que sus mutuas admiraciones eran excluyentes: Borges admiraba a los hombres y Manuel Puig a las mujeres.

La novela rosa y la novela en general avanzaron de la mano de las técnicas de impresión. Si la imprenta según Gutenberg permitió el auge de la novela en el Renacimiento como una diosa salida de una máquina, reconocida por el propio Cervantes, que hace a Don Quijote y a Sancho visitar una imprenta en Barcelona, que es una fábrica de libros. Si esto ocurría en el siglo XVII, en el siglo XIX el salto cuantitativo es de veras asombroso. La enorme tirada de los periódicos a comienzos del siglo XIX permite la creación de suplementos llamados folletón. El más antiguo data de 1800 y consistía en páginas separables en una popularización de la *separata*. Siguieron la moda otros periódicos con suplementos literarios y dramáticos y, muy pronto, la novela folletón que se inicia en 1836 como suplemento del periódico francés *El Siglo*. (Curiosamente el primer folletón es una traducción de *El lazarillo de Tormes*.) El folletón, al principio, escoge la novela picaresca como favorita del lector francés. Pronto los lectores se hacen lectoras, y el escritor favorito, aunque tenga nombre de hombre, es una mujer, George Sand. La característica del folletón es una novela por entregas, escrita día a día, sin plan preconcebido, amontonando las intrigas, y rompiendo la narración en el momento de mayor interés, inventando un recurso que ha aprovechado el cine, el suspense.

El éxito de las novelas por entregas ha llegado hasta nuestros días, pero con otras formas de reproducción que no son la imprenta que originó el folletón, sino la fotografía, con los *fumetti* o fotonovelas, exaltadas por Fellini en su *Cheik blanco* o de la voz humana en la radio, como se ve con deleite en la crónica de Woody Allen *Días de radio*.

Finalmente, en una astuta mezcla de las fotonovelas, la radio y las imágenes, la televisión ha hecho suya esa técnica narrativa venida de la radio.

En Estados Unidos se llaman *soap operas* (óperas de jabón, de lavar pero sobre todo de fregar), en España ahora se llaman, con cierto desconcierto entre zoólogos y sociólogos (según el Diccionario de la Real, la palabra designa a una mujer con designios deletéreos, «intrigante» y de mala reputación»), culebrones, y en Cuba, donde se originó la variante sudamericana, se llamaron novelones, que, de acuerdo de nuevo con la que limpia (¿con jabón?), fija y da esplendor, es una «novela extensa, muy dramática y mal escrita», y se mueve, culebra que baila boleros, entre el folletín y el folletón.

La *soap opera* como ficción oral en serie se originó (alguna vez fue original) en los Estados Unidos en los años veinte. O tan pronto como la famosa patente 7777, impuesta por Guglielmo Marconi, dio legalidad al marconigrama, antecedente de nuestros cables. De ahí vino la transición de la recepción radial mediante la piedra (galena que casi se hizo) filosofal. De las transmisiones de Marconi desde su yate *Elektra* a la radio comercial fue cosa de hablar y cantar.

Así nació, con la radio, la novela radial, desde el principio escrita y producida por mujeres para «la mujer y el hogar». Las emisiones diurnas, llamadas también «novelas del aire» pronto demostraron ser capaces de vender más jabón (y luego detergentes) que cualquier vendedor ambulante por muy perfeccionada que tuviera la técnica de la llamada perentoria, el pie para trabar la puerta y la labia del más gárrulo de los oficios después del político. Desde un principio el novelón fue novedoso en su transmisión, pero acentuaba lo positivo gracias a un énfasis en las relaciones humanas con un punto de vista femenino, el sentimentalismo, hasta conseguir la lágrima que limpia el ojo como un plato y ofrecer ese trozo de vida que embargaba a Zola convenientmente pasado por agua y el jabón que limpiaba y daba esplendor a las emociones más primarias. Luego, la televisión (que no es más que la radio ilustrada) dio nueva vida a la vieja fórmula con que toda doctora Jekyll podía convertirse, por media hora, por una hora, en la señora Hyde sin moverse de su sala y, preferentemente, de su cocina, donde al lado de la lavadora y del refrigerador habría un televisor que sería, que es, un Polifemo entre los pucheros. Luego los programas diurnos (y diarios) como, en Estados Unidos, *Todos mis hijos* (apodado *Todas mis cebollas)* serían sustituidos por suntuosos programas nocturnos como *Dallas* y *Dinastía,* sin dejar detrás a ese nido de víboras que fue, en los años cincuenta y sesenta, *Peyton Place.* De allí saldría una sierpe de imitaciones llamadas *Falcon Crest* y *Los Colbys* y los *clones* sudamericanos o ingleses capaces de conmover, mover y promover las relaciones humanas más torcidas entre personajes nada rectos o correctos. Más importante todavía para las televidentes es el mundo coloreado que ofrece la televisión ahora.

Para los que sólo se ríen ante una visión fugaz de estas emisiones (nocturnas) hay que decirles que las *soap operas* atraen, sobre todo en Estados Unidos, una seria atención crítica, sobre todo de las teóricas feministas de la televisión, «interesadas en comprender», como escribe *Modern Thought (El pensamiento moderno),* «el especial atractivo del género para la audiencia femenina». Las analistas han hecho hasta un análisis que se puede llamar estructural (antes las estructuras eran, para las mujeres, sólo las dimensiones femeninas de busto, cintura y cadera) en el que se estudia la «significación cultural» de la *calidad interminable* (lo que se conoce, casi anatómicamente, como la «mitad indefinidamente expandida») de la narrativa *soap* (la ópera queda eliminada por la ausencia casi virtual de la música) y sus códigos. Hay teóricas que insisten en que existe una clase de «competencia cultural» que permite «leer» cada episodio con referencia a lo que pasó y al desarrollo dramático por venir. Existe también un análisis acerca de la manera de mirar (y ver) estos novelones en medio del trabajo del hogar y como influencia en las relaciones sociales en la casa y la familia. Hay hasta un sesudo ensayo que se llama *Viendo Dallas: la «soap opera» y la imaginación melodramática* y se entiende que todo (la visión, las imaginaciones) pertenece a la mujer.

Se ve claro que la novela radial precedió como forma y como contenido al novelón televisado. Pero resulta extremadamente curioso conocer cómo Cuba, una isla, estuvo a la cabeza, desde el principio, en la producción y emisión de novelas radiales, primero, y televisadas, después. Hay una razón poderosa: Cuba está a noventa millas del territorio americano y La Habana es la ciudad más cercana de la América hispana a las grandes ciudades del Este americano. Así fue como Cuba fue la primera en tener radio comercial en América después de los Estados Unidos y fue Cuba donde primero se vio televisión (y televisión en colores) en todo el continente, si se exceptúa, de nuevo, los Estados Unidos. Hay más. Uno de los pioneros de la radio, el inventor Lee De Forest cuyo *tríodo* o tubo de electrón con tres electrones, invención que permitió la expansión de la radio, hizo parte de sus descubrimientos en Cuba. Protegido por el presidente Machado, que le ofreció todo el castillo de La Fuerza en La Habana para sus instalaciones, De Forest es tan importante inventor para la radio como Marconi. De muchacho, cuando el castillo de La Fuerza alojaba a la Biblioteca Nacional, pude ver en los sótanos que fueron una vez calabozos y bartolinas, entre el moho y la desidia, los restos de la invención de De Forest como la huella de una civilización perdida pero inolvidable. Eran ciencia y ficción... como la radio misma. Como otro recuerdo evanescente o la memoria que nunca tuve puedo recordar que Lee De Forest estuvo presente cuando en La Habana, el 10 de octubre de 1922, a las cuatro de la tarde, la estación PWX lanzó al aire su primera emisión y su primera señal, que fue, casi no hay que decirlo, las notas del himno nacional. Pero hubo un espontáneo. Tres meses antes un radioaficionado llamado Humberto Giquel había hecho transmisiones de prueba con su pequeña planta experimental. Así nació la radio en Cuba entre profesionales emprendedores y aficionados aventureros.

El primer novelón fue la *radio serial* de mediados los años veinte, pero había un antecedente más ilustre. Charles Dickens en el siglo pasado dramatizaba sus novelas ante un público ca vez más creciente al leerlas «con diferentes voces». Mark Twain, con sus cuentos humorísticos declamados con acento sureño, fue su equivalente americano. En Cuba, otro antecedente por esta misma época, cuando se empezó a usar al «lector de tabaquería» para que leyera a los torcedores las novelas más famosas de entonces, escritas por Hugo y por Dumas (su *Conde de Montecristo* dio nombre al más famoso puro de todos los tiempos), y mientras el lector leía, los tabaqueros torcían, torcían. Esta curiosa costumbre se extendió a las mujeres que entonces no torcían pero separaban y despalillaban las hojas del tabaco. Las separadoras exigían de su lector (y a veces lectora) novelas románticas más breves, como las de George Sand o de Carolina Invernizzio, y más picantes, las de Vargas Vila, entonces el gran *bestseller* colombiano.

La novela radial, en imitación de la americana, surgió primero en Cuba y, cosa curiosa, su primer cultivador de éxito, Félix B. Caignet, propició como nadie el auge de la telenovela. Caignet, que se había hecho famoso con su bolero *Te odio*, inició en su natal Santiago de Cuba una serie de radial que traspasó las fronteras locales y comenzó a hacerse de nuevo en La Habana para convertirse en un programa nacional. Curiosamente, era una serie de episodios de misterio y su héroe era un chino llamado Chan Li-po. Pero habida la influencia de los inmigrantes chinos en la cultura cubana, tal vez la elección no resultara tan exótica. La serie comenzó en época tan audaz para la radio en español como 1928. Todavía se podía oír en 1939.

Chan Li-po fue tremendamente popular y su popularidad llegó al cine con *La serpiente roja*. Todavía estaba en mis oídos más que en vista, cuando conocí a Caignet (que se decía descendiente de colonos franceses establecidos en Santiago de Cuba, pero parecía un elegante guachinango) en 1957 y mencioné a Chan Li-po. «Ah —me dijo exclamatorio—, pero ¿te acuerdas?» Le dije que no se podía olvidar lo inolvidable y de seguidas le pregunté cómo se le había ocurrido el nombre del detective chino que compartía su profesión, su raza y su eufonía con Charlie Chan y aún con el remoto Mr. Moto. «Fue muy fácil —me explicó—. Tenía yo tres sobrinas y buscando un nombre para tan sagaz asiático le pedí a cada una de ellas que me dijera un nombre chino. Una dijo "Chan", otra dijo "Li" y la otra "Po". Chan Li-po, ya está.» La felicidad de Félix fue también la mía, pero Caignet es memorable por haber producido, años después, la más exitosa novela radial de todos los tiempos, con versiones al portugués de Brasil y hasta el japonés. Se llamó *El derecho de nacer* y simplemente levantó de sus pies a los radioyentes cubanos para alzarlos en vilo con su drama y melodrama. Luego pasó a la televisión (de ahí su importancia como precursora total de la telenovela) y al cine en México.

El argumento era tan simple como el de la película *Imitación de la vida* (basada en la novela de Fanny Hurst, primera versión de 1934, segunda versión de 1959) en que una muchacha lo suficientemente clara como para pasar por blanca y que decide rechazar a su madre negra es lo que origina todo el drama y el melodrama. En *El derecho de nacer* hay un hijo blanco que llega a ser médico eminente gracias a su madre negra, a la que quiere una enormidad. Caignet, hábilmente, había producido un lazo que se vuelve, al desenvolverse y envolverse de nuevo, en una cinta de Moebius argumental. Mamá Dolores, la madre negra, no es la verdadera madre del médico de moda, sólo su madre de crianza. Este simple nudo en el complejo tema de las relaciones raciales en Cuba. Caignet estuvo años anudándolo y desanudándolo con verdadera maestría. Emitido a las ocho, después de la cena cubana, era posible caminar por las calles calladas en la noche tropical, aguzar el oído y seguir la trama de puerta en puerta abierta. Todos oían *El derecho de nacer*. Todo el mundo. Recuerdo a un sesudo compositor de música seria, cuando estuve de visita en su casa en mala hora, pedir permiso para ir a tomar agua, tantas veces como un camello en cada oasis. Hasta que su esposa, sonriente, nos iluminó la noche: «Es que Edgardo no quiere perderse este episodio del *Derecho de nacer*. Es crucial.» Todos eran cruciales. Esa era la clave del éxito de Félix B. Caignet, el más feliz de los ingenios radiales.

Me lo explicó mejor Caignet en mi visita a su casa de la playa de Tarará (nombre musical para el autor que era también compositor), a esa casa que él insistía, al preguntarle de quién era su arquitectura singular: «No la hizo un arquitecto. Me la hizo un sastre a mi medida». Caignet opinaba que escribía comedias para llorar. «Muchas veces escuché —decía— decir a la gente: "No me gustó ese capítulo porque no me hizo llorar."» Caignet tenía un método al que llamaba «radiografía social». Decía: «La radiografía viene de la radio.» Además de su método tenía un criado («casi analfabeto») que leía cada capítulo y «con franqueza me lanzaba sus críticas: "Oiga, señor Félix, este personaje era rubio antes y hoy lo pinta con el pelo negro", y yo volaba a corregir el error.» Caignet escribió *El derecho de nacer* en 314 episodios, todos diarios, de 20 minutos cada uno.

El método en la fábrica Caignet era simple pero astuto. «Según mi técnica habitual nunca hice más de dos capítulos a la vez. Esperaba a que cada capítulo fuera radiado para sondear las reacciones de los radioescuchas y proseguir con el capítulo siguiente. Siempre atento, al final de cada emisión apagaba el receptor y corría a la calle. En los mercados, en los solares (ponga quinto-patios de México, ponga conventillos en Argentina), en las cuarterías llamadas por mis antepasados falansterios y en los comercios, escuchaba los comentarios de la gente sencilla —y regresaba a mi casa a escribir cada capítulo.» Caignet añadió con su acostumbrada inmodesta modestia: «¿Sabe usted que en Brasil me llamaron el Shakespeare de las ondas?» No lo sabía pero lo creí.

136

Después de todo, ¿no es *Otelo* la relación de un negro noble y de una rubia, su esposa, inocente por ignorante, el argumento de una ópera? Antes había habido otros novelones felices (y esta es la clave del *soap:* no importa cuán infelices sean sus episodios, el final debe ser siempre feliz: lo que hace del *culebrón* lo opuesto de la vida, esa felicidad que siempre termina con la muerte, que la convierte en tragedia) como *El collar de lágrimas* (con 925 episodios) o *La novela del aire,* de la experta Caridad Bravo Adams, que siguió escribiendo novelones en su exilio mexicano y murió entre dos episodios. *La novela del aire* tenía una introducción que era su lema: «Ábrense las páginas de *La novela del aire* para brindar a ustedes la emoción y el romance en cada capítulo.» Era el programa del programa.

La novela del aire contó con un excelente reparto. El galán era Ernesto Galindo, para quien parecía haberse creado la frase «voz de terciopelo» y María Valero que era, curiosamente, española y llegó a ser la más popular de las estrellas de la radio de Cuba. Cuando murió (trágicamente, como no convenía a una estrella: precisamente cuando fue con unos amigos, una madrugada que se prometía estelar y resultó macabra, a ver un cometa raro en el cielo tropical) su velorio fue una verdadera demostración de duelo popular: la Valero era la ilusión.

Uno de los antecedentes de la telenovela fue el *foto-romanzo* creado en Italia. Pronto se copió en Argentina y se adaptó en México. Eran novelas breves (no muy lejanas de la novelita rosa que hace tan bien Corín Tellado), narradas con fotos pero también con un auxilio pedido al *comic strip:* los balones inflados con diálogos. A veces, también como en los *comics,* la acción (es un decir) era relatada por un narrador visible sólo para los que sabían leer. Como los *comics,* la fotonovela podía ser un auxilio a la alfabetización. Comencé a leer con los *comics,* una prima llegó a leer ayudada por los *foto-romanzi,* derivados de los *fumetti.* Es decir, *comics.*

Pero la telenovela ha creado un estilo dramático y narrativo que no viene de la televisión americana ni de los *soap operas.* Al principio, primeros años cincuenta, la eufonía radial fue sustituida por la fotogenia, y así los novelones se poblaron de caras bellas (casi siempre en *close-up)* y de cuerpos esculturales. Estas recienvenidas no eran profesionales o no tenían el entrenamiento de las actrices de la radio, que a menudo, por su escasa fotogenia, hacían retocar sus fotos hasta desfigurarlas.

Las nuevas caras apenas si sabían leer sus libretos o memorizar los diálogos. Como no existía el *tele-prompter* se utilizaba siempre un subterfugio y cada parlamento era escrito en un papel con letras mayúsculas y pegado en rincones discretos del estudio. Algunas de estas bellas tespianas (¿miopes?, tenían dificultad en leer las líneas y hacían extrañas pausas en los diálogos, que crearon un nuevo estilo histriónico, por llamarlo así. Esta mala manera se hizo común y es lo que ha dado al *culebrón* su torso y sus contorsiones que hacen la telenovela, para el espectador novato, un mundo raro, mucho más gráfico que la fotonovela.

La radio, primero, y luego la televisión atrajeron a muchos escritores cubanos que habían comenzado como poetas, cuentistas y dramaturgos. El más antiguo fue Félix Pita Rodríguez, viajero y poeta surrealista, que en una emisora comunista (sí, ellos también hacen óperas) proponía su evidente exotismo (¿era Escocia, era Australia?) con una frase introductoria: «En un desierto hosco de cardos y peñascales, la familia Barret vive su vida extraña.» Recuerdo el lema que oía cada noche como si lo oyera anoche. Había otros: Silvano Suárez, compañero del bachillerato que prometía un talento único para el cuento corto, Onelio Jorge Cardoso, cuentista establecido, y, última pero nunca la última ¡Delia Fiallo! Delia Fiallo había ganado un concurso de cuentos de primera prominencia en La Habana, al que yo, con 19 años, había concurrido también. No me gustó cuando lo supe, pero me gustó cuando la vi. Alta, rubia y de ojos azules, que escondía detrás de gruesas gafas (toda la vida, aun antes de haber visto cómo Hitchcock definía por imágenes perturbadoras el *sex-appeal* de una mujer miope, me han fascinado las mujeres bellas que esconden sus ojos siempre sutiles detrás de cristales como ventanas discretas). Delia decidió, después del premio, que su talento estaba en otra parte y comenzó a escribir para la radio. Inmediatamente, desde el primer programa casi, la Fiallo fue un éxito. Hay novelistas populares así y siempre que recuerdo a Delia pienso en otra mujer novelista de éxito y extraño talento narrativo, Corín Tellado. Delia, fue al principio, la Tellado de la telenovela, medio en que repitió su éxito de la radio. Fue, después de Caignet, primero una potencia en potencia, después una estrella solitaria. No porque no hubiera otras mujeres escribiendo para la televisión cubana, sino, precisamente porque había otras, otros.

No me extrañó, cuando Delia decidió irse al exilio, que repitiera sus éxitos cubanos como logros continentales (mundiales) y los superará. La televisión se había apoderado ya del continente y Delia se apoderó fácilmente del contenido: el novelón era su terreno privado. Delia Fiallo ha llegado ahora al Pirineo de su popularidad con *Cristal,* novela hispana (se escribe en Miami, se produce en Caracas, con actores de todas partes) que llegó a España para convertir su visita en un acto cesáreo: vino, la vieron y venció.

Sentado en un vestíbulo de Televisión Española, esperando mi entrevista junto a varios actores y hasta un director de escena que protestaban («pues es muy mala», «ese acento es insoportable», «a mí que me cuenten las cosas en cristiano»), el atildado actor Escribá, el único español que podría ser un John Barrymore de Madrid, declaró con su perfecta dicción y su cultivado acento castizo: «Pero, señores, eso es parte de su encanto.» Eso es, efectivamente, parte del encanto de los novelones venezolanos, mexicanos, argentinos y hasta brasileños: van *ad astra per exotica.* Lo exótico hasta las estrellas. Es decir, hasta un cielo imaginario.

*F*ui el primer escritor que consideró a Corín Tellado como una novelista seria. Después vinieron Andrés Amorós y Mario Vargas Llosa, pero ya estaba todo en el ensayo que publiqué en Mundo Nuevo *(París, 1967) titulado «Una inocente pornógrafa».* Para adelantarme a mis seguidores, tuve la suerte, entonces desgracia, de ser corrector de pruebas de una revista, Vanidades, *de modas y modos femeninos. Cada semana tenía que corregir las pruebas de las novelitas de Corín Tellado. Gracias a Juan Cueto fui a conocerla en su casa de Gijón. Me encontré con una mujer de edad media, morena y muy atractiva. Fue una excitante experiencia conocer a la autora de los textos de las innúmeras galeras de las que era esclavo cada semana. De más está decir que la señora Tellado era, para mí, mucho más escritor que muchos escritores a los que, por supuesto, nunca visitaría. ¿Dónde viven si es que viven?*

Contigo aprendí

Este bolero tiene un tono amargo y de iniciación: y amargo e iniciático —sin olvidar la parodia, central siempre en GCI— es este capítulo que se vertebra en torno a la iniciación a la prostitución. A diferencia de los anteriores, este sector es predominantemente narrativo, y contiene, además del fragmento IV de *La Habana...* con que se abre, y la viñeta *Cuarta,* dos cuentos de *Así en la paz como en la guerra:* «Un rato de tenmeallá», en el que cuenta con la mirada de una niña, la iniciación a la prostitución de una joven, y «Josefina, atiende a los señores», tal vez uno de los relatos más amargos que Cabrera Infante haya escrito nunca. Está además el monólogo que comienza «La dejé hablal así na ma...» de *TTT,* en el que se cumple ese intento de captar la voz en vivo que manifestaba en toda la novela, y en la que el ejercicio de escritura tuerce la grafía —la ortografía— por la oralidad, y sirve, además, como un dato importantísimo, al tema, iniciático, del que trata el discurso de esta mujer. R. M. P.

IV

La primera persona que conocí [en Zulueta 408] fue inevitablemente el vecino más próximo, en este caso la vecina de al lado. Se llamaba Isabel Escribá, quien sin el acento cumplía en su apellido mi futura condena. Es muy probable que Isabel Escribá descendiera de catalanes (muchos cubanos llevaban nombres catalanes) pero tenía las suficientes gotas de sangre negra en sus venas para que su piel tuviera ese color yodado que yo asocio con ciertas bellezas jóvenes que van mucho a la playa o tienen la misma mezcla negra y que no he visto en su plenitud más que en muchas muchachas cubanas entonces y décadas después en varias bellezas brasileñas. Para mí Isabel Escribá era casi una anciana (debía tener unos 45 años) vista desde mis doce, casi trece, años, pero hoy sé que había en su compañía la promesa retrospectiva de una mujer que fue muy bella, que sin duda gozó su plenitud y, lo que es más importante, fue muy gozada. Ella dejaba saber, con el legítimo orgullo de una esposa, que había sido la querida (es decir la amante oficial) de Domingo Rosillo —y lo hacía con la seguridad de que todos sabíamos quién era Domingo Rosillo. Yo, por supuesto, no tenía ni idea. Debió de ser mi padre quien me adelantó la información de que Domingo Rosillo, entonces un hombre «ya mayor», era héroe y pionero de la aviación cubana: había atravesado, volando solo, el estrecho de Florida en 1913. Luego supe que Rosillo había estudiado aviación en Francia, cuando nadie lo hacía en América, y que su vuelo de sólo 90 millas pero plagado de peligrosas corrientes de aire, había sido un acto heroico, una hazaña. Por la época en que conocí a Isabel Escribá, Rosillo era un antiguo amante, ella tal vez en su recuerdo (el de Rosillo) sólo una medalla más. Isabel Escribá (a quien comencé por llamar, siguiendo la costumbre del pueblo, doña Isabel, para su contrariedad: ella me prohibió tajante un día que la siguiera llamando doña) es importante para mí no sólo porque me sentía atraído por los restos de su belleza, algo similar a contemplar ruinas, sino porque conocía a una verdadera querida. Había oído hablar a mi madre de las queridas (que se diferenciaban de las mujeres del pueblo que tenían amantes en que eran meras mantenidas), recogiendo la información al vuelo indiscreto mientras hacía como que jugaba o más tarde pretendiendo estudiar, en sus conversaciones alrededor de la máquina de coser con sus amigas. También Isabel Escribá me proporcionó el acceso a una fuente de conocimiento: las revistas americanas. Ella tenía entonces (mejor debía decir todavía) un amigo que la visitaba, tal vez un amante, aunque a mí se me antojaba que era un eterno aspirante, un enamorado bobo, un novio perpetuo, que trabajaba de camarero en el hotel Plaza, entonces un obligado paradero de turistas americanos. Como regalo, el visitante de Isabel Escribá le traía las revistas que dejaban olvidadas los huéspedes en las habitaciones. Ya yo había conocido en el periódico *Hoy* la revista *Life,* que era como una película fija, pero a través de Isabel Escribá, que me regalaba las revistas después, conocí *Saturday Evening, Post, Look, Collier's, Pageant* y *Coronet.* Entre estas revistas, años después, encontré mi primera bañista en bikini, asalto visual que se convirtió en motivo amoroso, en objeto erótico y estímulo de incontables masturbaciones. La beldad más extraña que la ficción: una muchacha morena (la fotografía no era en colores y para mis propósitos preferí que ella no tuviera los ojos azules), sentada en una suerte de barra, las dos piezas de baño dejando ver el ombligo surgiendo entre la separación como el botón prohibido que era, la pieza inferior haciendo los muslos más largos, incrustada la tela en el sexo al tiempo que lo desvelaba, la pieza superior aplastando un poco los senos para sobresalir las medias mamas visibles por sobre las breves tiras negras, ella sonriendo, satisfecha de mostrar su cuerpo espléndido, deleitable, yo contento de poder escrutar toda esa carne detenida, de mirarla una y otra vez, de tenerla siempre al alcance de una mano. Hablé de bellezas y de frotes pero cuando Isabel Escribá comenzó a regalarme revistas que traían fotos de mujeres fáciles a la vista (olvidé mencionar la revista más reveladora: *Esquire* y sus mujeres dibujadas por Vargas, para vergas) yo no sabía nada de masturbaciones: lo iba a aprender todo ese verano en mi pueblo sin embargo. Fue la ida de vacaciones fuera de La Habana lo que me impidió continuar mi conocimiento de Zulueta 408. Emprendería ese estudio a mi regreso, ya de una manera aplicada. Me tomaría tiempo: el infierno y el paraíso no se conocen en un día.

Y entonces el hombre dice que ellos dicen que le diga que no pueden esperar mas y entonces y entonces y entonces mama le dijo que eran unos esto y lo otro y que primero la sacaban a ella por delante y el hombre le dice que no la coja con el que no tiene que ver nada y que el hace lo que le mandan y que para eso le pagaban y mama le dijo que estaba bien que ella comprendia todo pero que si no podian esperar un mes mas y el hombre dice que ni un dia y que mañana vendrían a sacar los muebles y que no oponga resistencia porque seria peor porque traerian a la policia y entonces los sacarian a la fuerza y los meterian en la carcel y que entonces y señalo para mi y para julita en la cuna nos quedariamos sin nadie que nos cuidara y que lo pensara bien y entonces mama le dijo que parecia mentira que ellos que eran pobres como nosotros se unieran a los ricos y el hombre dice que el tenia que darle de comer a sus hijos y que si a ella no se le habia muerto ninguno de hambre a el si y mama todo lo que hizo fue levantar la mano y enseñarle tres dedos y el hombre se quedo callado y luego mama miro para nosotros y dijo que nosotros no nos habiamos muerto porque quizas morir fuera demasiado bueno para nosotros y le dijo que le diera un dia mas y el hombre cambio la cara que se habia puesto cuando mama le enseño los dedos por la que trajo y entonces mama dijo que en vez de cobrar debian pagar por vivir en aquella y dijo una palabra dificil seguida de una mala palabra y el hombre respondio que a el no le interesaba y antes de irse le dice que mejor iba empaquetando las cosas y que no fuera a dañar el piso o las puertas o los cristales de la luceta porque tendriamos que pagarlo y lo que mama hizo fue tirarle la puerta en la cara y el tipo dijo que eso no lo decia el sino el dueño y que no fuera tan injusta pero al golpear la puerta contra el marco una de las bisagras de arriba se zafo y la hoja casi se cayo y mama comenzo a maldecir y decir cosas malas y luego comenzo a halarse los pelos y darse golpes en la cabeza hasta que cayo al suelo y se puso a llorar recostada contra la hoja que se mecia cada vez que sollozaba y mariantonieta se arrimo a ella y le dijo que no llorara que todo se arreglaria y que quiza papa trajera dinero pero mama siguio llorando y mariantonieta se puso a darme de comer como antes de que llegara el hombre y me golpeo en la mano porque yo me meti los dedos en la nariz y luego hice una bolita y entonces yo cogi y empece a llorar y cuando ella trato de seguirme dando la comida le pegue en la cuchara y la bote al suelo y entonces ella me levanto por un brazo con fuerza pero no me dolio porque mas me dolian las nalgadas que me estaba dando y dice que yo soy una vejiga de mierda y cogio la tabla de encender la candela pero entonces mama la aguanto y le dijo que me dejara que bastante teniamos ya para que nos fueran a estar agolpeando tambien y entonces mariantonieta dice que ya yo tengo seis años para comprender bien lo que hago y lo que pase y me levanto otra vez pero por el otro brazo y senti como la tabla hacia fresco por arriba de mi cabeza y entonces mama le grito que hiciera lo que ella decia y que que clase de hermana era ella y que que pasaria si ella faltara y nos dejara a su cuidado y mariantonieta me dejo y se fue a comer y no debe de haber estado muy buena porque un nudo subia y bajaba en su garganta y entonces fue que llego papa que venia arrastrando los pies con la cabeza como si la tuviese directamente sobre el pecho y no sobre los hombros y mama dijo que no tenia que preguntarle para saber que no habia conseguido nada y que si no hubiera sido por ella que logro que le fiaran los platanos no hubieramos comido y que que pensaba el que si creia que asi se podia seguir y papa dijo que nadie queria prestarle y que cuando lo veian venir se iban antes de que llegara y era muy duro para un hombre ver como los que el creia sus amigos le viraban la espalda ahora que estaba cesante y que si acaso alguno se quedaba para oirlo no era por mucho rato y que invariablemente le decia que el estaba muy chivado ahora para echarse mas problemas encima pero que veria a ver si podia hacer algo por el pero que no lo estuviera apurando y cayendole arriba y velandolo como si fuera un muerto y salandolo y que el tuviera que aguantar callado dijo y hasta sonreir porque el maldito hambre le obligaba y dio un puñetazo en la mesa y luego hizo una mueca y se paso una mano por la otra mano y siguio que los unicos que lo buscaban eran los garroteros y a esos si no queria encontrarselos pues ya uno lo habia amenazado dijo y lo habia zarandeado como si fuera un trapo y que el habia tenido que soportarlo porque penso que si lo mataba iba a parar a la carcel y nos vio a mi y a julita mendigando y a mariantonieta haciendo algo peor y a mama muerta de vergüenza y hambre dijo y que mas valia que un tranvia lo matara pero que ni para ayudar a eso tenia el ya valor fue lo que dijo y entonces mama le repitio que que iba a hacer que que iba a hacer que que iba a hacer cada vez mas fuerte hasta que las venas del cuello se le pusieron como si por debajo de la piel tuviera una mano que empujaba con los dedos luego le conto que ya habian venido los de la casa aunque solo fue uno solo pero fue eso lo que ella conto y que la demanda la iban a cumplir mañana y entonces papa dijo que lo dejara descansar para pensar un momento y que si ella se iba a poner contra el tambien que le avisara y la mano de mama se fue atras poco a poco y cuando hablo la voz la tenia algo ronca y dijo que estaba bien que estaba bien y que la comida la tenia en el fogon y que no debia estar caliente porque se habia apagado la candela y ella no queria volverla a juntar porque no quedaba mas que una tabla y quedaba por hacer la comida si aparecia algo y entonces papa le pregunto que si ella habia comido y mama respondio que ya pero mariantonieta dice que mentira que no habia comido y entonces dice que habia tomado un buche de cafe y que no tenia ganas de comer mas nada que tenia el estomago lleno y papa dijo que de aire y que viniera a comer que hiciera el favor y la cogio por un brazo que si no el no comia y mama dijo que no sin soltarse que era muy poco y que a el le hacia mas falta que estaba caminando y papa dijo que donde comia uno comian dos y que se dejara de boberias y mama se sento en el otro cajon que el habia puesto junto a la mesa y empezaron a comer y a mama casi se le aguaron los ojos y hasta beso a papa y todo y como ya no habia mas nada que oir sali y cogi mi caballo que estaba tirado en el piso descansando y sali por el portillo al placer y me subi la saya y me baje los pantalones y cuando la tierra estuvo bien mojada puse todo en su lugar y me agache y comence a remover el fango bien para que las torticas me salieran bien y no pasara lo que ayer cuando no alcanzo para hacer un buen cocinado y se desmoronaban en las manos y pense que que queque hubiera hecho y hice unas cuantas y las puse a secar bien al sol para que estuvieran listas cuando llegaran los demas chiquitos del colegio yo no iba porque no tenia ropa ni dinero para la merienda y porque mama tampoco me podia llevar y era muy lejos para ir sola y poderlas vender bien por dos botones cada una y regrese a casa porque el aireplano tenia el motor roto y no pude ir hasta mejico a mi finca en mejico y volvi en mi entemovil y frene justo en la coqueta con la defensa rayando el espejo y que lio porque hacia seis meses que no pagabamos un plazo y mañana venian a llevarsela junto con los otros muebles y mama estaba alli aguantando la hoja mientras papa clavaba bien la bisagra y cuando la puerta estuvo lista papa le dijo a mama que hiciera el favor de darselo que tenia que irse y mama dijo que no que no que no que no que no que no y entonces papa le grito que no se pusiera asi y mama respondio tambien gritando que no que eso traia mala suerte que los viculnos se rompian y que el bien sabia lo que le habia pasado a su hermana y entonces papa le dijo que no fuera tan sanaca y que se dejara de tonterias y que si se iba a poner con supersticiones y que no fuera a creer esas papas rusas y que mas mal no podiamos estar y que si su hermana se habia tenido que divorciar no habia sido porque lo empeñara sino porque ella bien sabia con quien la habia cogido tio jorge bueno tio no no tio sino esposo de tiamalia y mama le grito que si el también se iba a poner a regar esas calumnias y que parecia mentira que el conocia bien a su hermana ama nadie se pona de acuerdo con el nombre pues mama decia ama y papa amalita y abuela hija y nosotros tiamalia como para saber que era una santa incapaz del menor acto impuquido asi dijo y que aquello habia sido una confusion lamentable y entonces papa se quedo callado trago algo aunque yo no vi que estuviera comiendo y dijo que estaba bien que estaba bien que no queria volver a empezar a discutir y que le diera el anillo porque ella sabia bien que era el unico objeto de valor que nos quedaba y que si el suyo estaba alla ya no veia por que no iba a estar el otro que la superticion o la llegada de un mal cierto lo mismo alcanzaba a uno que a otro y que de todas maneras una desgracia mas no se iba a echar de ver y que ademas el le prometia que tan pronto se nivelara seguro que se referia al piso que esta todo escachado lo primero que sacaba del empeño eran los anillos los dos y entonces mama se lo fue a sacar pero no salia y le dijo que viera que el mismo anillo se negaba a irse pero papa le dijo que eso se debia a que las manos hinchadas y maltratadas no eran seguramente las mismas finas manecitas de hace veinte años y desde que se lo puso no se lo habia quitado y que eso salia con jabon y mama fue y metio la mano en el cubo y se enjabono bien el dedo y papa le dijo que no lo gastara todo que era lo unico que quedaba y que nadie se habia bañado todavia y mama saco el anillo del agua espumoso y lo tiro al suelo papa lo recogio y se fue y mama se quedo maldiciendo pero enseguida se callo y dijo que le dolia la cabeza y le pregunto a mariantonieta que si quedaba alguna pastilla y mariantonieta se puso a registrar en la gaveta y dijo que si con la cabeza y le dije a mama porque estaba de espaldas dice que si y mama dijo que la pusiera sobre la mesa tan pronto como acabara de fregar se la iba a tomar y recostarse un rato a ver si se le pasaba y mariantonieta dijo que ella se iba a bañar y mama le dijo que le podia hacer daño acababa de comer y ella respondio que para lo que habia comido y mama se puso a fregar y mariantonieta a recoger agua en el cubo y yo sali corriendo por entre las sabanas y toallas tendidas en medio del patio y a cada sabana le deje un vano prieto al pasarle la mano a ver como estaban las torticas y entonces me acorde que negrita estaba enterrada cerca del basurero hace tanto tiempo que casi se me olvido y fui alla y arranque yerbitas y arregle la cruz que estaba media caida y me acorde mucho de ella mas que nunca antes como si hubiera muerto mientras arreglaba la cruz y llore y no pude comprender por que se muere la gente precisamente cuando uno mas la quiere y por que hay que morirse y me acorde tambien de como orinaba y levanta la pata igual que ella sobre la cruz y me rei y tumbe la cruz y vine corriendo para aca y en el camino cogi un palo y cuando pase junto al gato de la encargada le di un palo en el cocote pero siguio durmiendo como si nada aunque luego yo creo que no siguio durmiendo

cuando volvi mama ya estaba terminando y mariantonieta estaba secandose el pelo al sol y cuando iba a entrar su cuerpo se puso entre mama que salia y el sol en el suelo y mama dijo que que claro estaba el dia sin siquiera mirar al cielo y que se pusiera algo mas debajo y ella contesto que nadie la iba a ver ni nadie iba a venir y que ella no iba a salir y que ademas habia que ahorrar ropa interior y mama dijo que hiciera lo que le diera la gana y se fue a botar la enjabonadura luego lavo el platon de fregar y le dijo que hiciera el favor de secar la loza aunque todos los cacharros eran de lata y que ella se iba a tomar la aspirina y lo hizo y se acosto y mariantonieta se sento junto a la mesa y tambien lo hizo y cuando termino ya mama estaba metiendo ruido con los ronquidos y entonces comprendi por que papa de mañana tenia cara de sueño y ojeras por la mañana y fue cuando el caballo habia regresado solo y aproveche para montarlo aunque papa dijo una vez que las niñas no debian montar a caballo y volvi a ir a buscar las tortas y las traje porque ya estaban y me pare en la puerta y me puse a pregonar y entonces vi como salia del cuarto y venia para aca pero antes de llegar se paro en la puerta del cuarto de moises y le pregunte mi hermanita donde vas pero ella no me respondio y yo volvi donde vas mi hermana donde vas y ella me dijo que siguiera vendiendo que se me iban a ir los clientes y casi vi una sonrisa en su cara triste y seria y entonces cuando yo volvi a preguntar el abrio y ella le dijo algo y debia tener mucho calor por que se desaboto la blusa y yo me puse mas cerca y debia haber alguna lamina en su pecho porque el no dejaba de mirar aunque a veces si dejaba y miraba a todos lados pero no como miraba a mi hermana yo no se como ella se atrevia a estar alli pues bien sabia lo que habia dicho mama que no nos arrimaramos al cuarto de ese cochino polaco porque ella lo habia sorprendido mirando por el tragaluz del baño mientras mariantonieta se bañaba y que ella le habia gritado que se bajara y que el no se habia bajado y que ella lo habia amenazado con darle un palo o llamar al guardia y que el se habia aprovechado de que sabia que pepe papa no estaba en casa y le dijo que se bajaba si le daba la gana y que no lo apurara y antes de bajarse le dijo algo a mariantonieta que mama no pudo oir y que ella no quiso decir que era cuando salio y no le dijo nada a papa para no buscarle problemas porque sabia el genio que tenia pepe y que iba a haber una tragedia y yo no se como ella se atrevia y ahora debia tener algun bicho entre los senos porque el seguia mirando como si quisiese poner los ojos donde la mano ahora quiza para matar el bicho pero ella no queria matarlo y le quito la mano y le dijo que adentro y parece que el queria hacerle algun regalo porque le pregunto que cuando cumplia los dieciseis y ella dijo que el mes que viene y el dijo que estaba bien que entonces no habia problema y que entrara y mama dijo un dia que no entraramos ahi nunca asi nos ofreciera el un mundo colorado y cuando yo le pregunte que por que ella me dijo que porque el era un hombre asqueroso que hacia cosas asquerosas y cuando le pregunte como era una mundo colorado me mando bien lejos pero yo creo que ella se refirió a que no limpiaba el cuarto y no tendia las camas y que habia mucho polvo y suciedad sobre todo porque mi hermana cuando entro hizo una mueca como cuando le dan a uno un purgante y yo vi que fue hasta la cama y comenzo a quitar las sabanas y ahora sabia que seguro que el la habia llamado para que le hiciera la limpieza y que eso fue lo que le dijo antes de bajarse del tragaluz y entonces el cerro la puerta y yo fui porque vi que estaba abierta hasta la ventana y me agache por debajo de la cortina para mirar no fuera ser que a mariantonieta le hiciera mucho daño el polvo y la vi pero ella dibio haber trabajado mucho mientras el cerro la puerta y yo fui hasta la ventana y debia sentirse muy cansada porque se había acostado en la cama y habia mucho calor alli dentro entre las cajas grandes apiladas y las pilas de trastos viejos amontonados y los montones de telas y de cosas y de y de porque aunque no faltaba mucho para nochebuena ella comenzo a quitarse toda la blusa y cuando acabo seguia quitandose cosas pero entonces la cara de moises se asomo por debajo de la cortina y me dijo que fuera una niña buena y una niña linda y me fuera a jugar y metio la mano en el bolsillo y la extendió por entre los barrotes y me dijo que cogiera ese kilo y que fuera a vender la mercancia y yo le pregunte que que cosa iba a hacer mi hermana y el cambio la cara como el cobrador y me dijo un negocio juntos un negocio y que cuando saldria le pregunte y me respondio que orita y que cogiera el kilo entonces fue que me acorde que me acorde que el tenia el kilo en la mano y me dijo que le dijera a mama que me diera un rato de tenmealla y cogi el kilo que estaba embarrado de sudor y el entro la mano y yo me levante y el cerro la ventana y yo sali corriendo y apretaba el kilo y corria repitiendo un rato de tenmealla para que no se me olvidara y entonces cuando llegue mama estaba todavia dormida y la desperte y le dije que decia que decia que me diera un rato de tenmealla y ella se levanto con la cara marcada por el alambre y los ojos hinchados y me tomo en los brazos y me apreto contra su cara y la senti fria y rugosa como si hubiese sido el propio alambre del bastidor y me pregunto que quien lo decia y yo le dije que el dulcero y me dijo con una voz agradable y suave casi sin mover los labios que por el amor de dios dejara a la gente trabajar en paz que ese hombre se estaba ganando la vida en su negocio y por poco le pregunto que como lo habia adivinado porque estaba hablando casi en el mismo tono que moises aunque las caras no se parecian y me dijo como el que me fuera a vender mi mercancia tranquilamente y no supe como ella supo que yo estaba vendiendo y volvi a mis tortas y segui pregonando mientras en el cuarto cerrado los ruidos de la limpieza apenas llegaban a mis oidos y parece que mi hermana se habia dado un golpe porque a menudo gemia y entonces fue cuando llego papa igual que la otra vez y me dijo que recogiera las cosas y entrara al cuarto porque alli no debia seguir pues en el solar vivian gentes sinvergüenzas y me dijo que recordara siempre que a la pobreza y la miseria siempre sigue la desonra y aunque no comprendí mucho lo que dijo si entendi como lo dijo y recogi el tablero con la mercancia y entre con el y ya mama estaba en pie cosiendo una bata toda llena de remiendos y le pregunto a papa que que hubo y papa dijo no le dijo negra o mi vida como siempre sino julia que solo le habian dado unoquince y mama dijo que si por esa y repitio la mala palabra que siempre decia habia empeñado el último lazo que la ataba a el que bien la podia meter y dijo otra mala palabra mas mala y cobrar cincuenta centavos por cada uno que consiguiera y papa le grito que no fuera tan animal y que se fijara ante quien hablaba esas cosas y a mama se le volvio a ver la mano bajo la piel del pescuezo y papa siguio gritando cosas y le dijo que bien podia ella haber hecho otra cosa que no fuera parir hembras que no eran mas que rompederos de cabeza y apenas podian ayudar mientras no tenian quince y que a esa edad se iban con cualquier desarrapado y no se ocupaban de quienes las habian traido al mundo y mama le dijo que la culpa la tuvo el que era quien las habia hecho y el le grito que no le faltara el respeto delante de las niñas aunque yo era la unica que puede oir en ese momento y como si hubiese leido lo que yo pensaba se lo dijo asi a papa mama y le dice tambien que esa es una manera facil de salir del paso y la bronca sigue y yo me asomo al oir que una puerta se abre y como pense era la de moises y salgo y corro al tiempo que ella sale y parece que el polvo la ha hecho daño porque cuando sale tiene los ojos inritados y escupia a menudo y fue a la pila y se lavo la cara y la boca varias veces y me dio un niquel y me dijo que fuera y trajera alcol sin que se enterara mama y cuando se agacho a coger el pedacito de jabon que vio en el fondo de la pila se le cayo un rollito de billetes del seno y yo lo vi y se lo dije yo vi el rollito yo lo vi vi el rollito de billetes yo lo vi y empece a saltar cantando yo lo vi yo lo vi yo lo vi el rollito el rollito rollito y parece que no le gusto porque grito con los dientes apretados que me callara la boca y yo le pregunte que de donde lo habia sacado y que si era que moises le habia pagado por limpiarle y tambien le pregunte te lo regalo mi hermanita te lo regalo te lo regalo y ella me dijo que no que acababa de vender algo que nunca recobraria y yo la interrumpi y le dije que el que y ella siguio como si no hubiera oido pero que es necesario pues habia que evitar el desasio dijo o algo parecido y que si ese habia sido el precio que que se iba a hacer y que ahora sabia donde encontrar la plata a fin de mes y que quizas si hasta pudiera comprarnos alguna ropa y comprarse ella tambien dijo y acabo de lavarse y parece que el jabon le cayo en los ojos o le duele alguna tripa porque fue al ultimo servicio en el fondo y estuvo llorando y cuando yo abri la puerta y entre y le pregunte que que pasaba me boto y me dijo que me fuera a jugar y que la dejara tranquila que no tenia ganas de ver a nadie ahora ni nunca mas si fuera posible y le pregunte que si le habia hecho algo malo o dicho algo que no estaba bien y me dijo que no y me dijo mi vida y mi amor por primera vez hacia tiempo y me beso varias veces como hacia tiempo que no lo hacia y ese fue el dia mas feliz para mi porque casi nadie me regaño y todo el mundo me beso y acaricio y hasta me regalaron un kilo y le pregunte que si nos ibamos y me dijo que ya no que ya no y ya no teniamos que volver al campo como dijo papa a comer lo que sembraramos si nos dejaban sembrar y comer aunque fuera en los rejendones de la sierra o donde el jejen parece que se rie puso el huevo y me acorde del kilo porque me pico el oido porque me acorde de los mosquitos porque cuando me fui a rascar lo encontre aunque creia que estaba perdido y lo cogi y entonces me fui a enterrarlo para que me diera una mata y poder comprar chambelonas y globos sin tener que revolver los basureros en busca de botellas y mientras corro con el kilo en la boca canto

La dejé hablal así na ma que pa dale coldel y cuando se cansó de metel su descalga yo le dije no qué va vieja, tú etás muy equivocada de la vida (así mimo), pero muy equivocada: yo rialmente lo que quiero e divestisme y dígole, no me voy a pasal la vida como una momia aquí metía en una tumba désas en que cerraban lo farallone y esa gente, que por fin e que yo no soy una antigua, y por mi madre santa te lo juro que no me queo vestía y sin bailal, qué va: primero vilgen, y entonse ella que me dise, tú, me dise así, moviendo su manito parriba y pabajo, de lo más picúa ella, díseme, tú te puede-dil-aonde-te-de-la-gana, que yo no te voy paral ni ponel freno: por finés que yo no soy tu madre, me oíte, me dice poniéndose su manito así al revés sobre la bemba de negra que tiene y gritándome en el mimo oído que por poco que me rompe el tímpano, y dígole lo que pasa señora (sí sí de señoreo y to, que yo sé cuándo botarme de fisna) e que uté no sabe vivil el momento y la vida se le hase dificilísima o séase que ya etá muy antañona pa compren-del-me, y me replica con su dalequedale: si tú te puedil cuando te de la rial gana, eta niña, que a mi no me impolta nada de nada de tu vida ni de lo que haga con lo que tiene entre la pierna que eso e asunto tuyo y del otro y no llevo papeleta en esa rifa, así que arranca pallá cuando quiera que paluego e talde, y dígole, digo, pero mijita que confundía, pero que confundía etás tú: quien te dijo, dígole, que el casnaval e un hombre, además bailal no e delito, dígole y me dise, bueno enún final yo no te tengo amarrá ni con pendón de cantidá y ay me miba subiendo con tanto insulto, casi con mi nueve punto, y le digo, dígole, nada ma que se vive una ve, miamiga, y hay que sabelo hasel que eso e también una siensia te enterate?, y ella va y me dise, cucha, cucha ahí tiene tu musiquita y tu bailoteo y tu revolvimiento: vete cuanto tú quiera, ahora, o-y-e-l-o bien, te va y no vuelve má, en eta casa tú no vuelva polque tevasencontlal la puelta trancá y con candao y si te queda nel pasillo traigo la encargá pa que te bote de la asesoría mira como e la cosa, me oite, y ya yo que toy metía en la piña de a mil y que oigo que, fetivamente, la música viene con su rimmo y su sandunganga y su bombobombo, casi como polequina, le digo ay hija pero qué apurativa tú ere: cálmate cálmate mi vida o toma pasiflorina y que e lo que hase eta hija de, mira déjame callame, coje así y no dise ma nada nada nada pero nada y me da lepalda y yo cojo así, con la mima, miestola y mi carterita y doy un paso, e, y otro paso, e, y otro paso, ey, y ya etoy en la puelta y cojo y me viro, así, rápida, como Betedavi y le digo, dígole, óyeme bien lo que te voy adesil: nada más que se vive una ve, me oíte, dígole, así gritando al paltil un pulmón: nada má que se vive una ve, dígole, y cuando me muera se murió el casnaval y se murió la música y se murió la alegría y e polque se murió la vida, me entendite, le digo dígole, polque éta que etá aquí, Magalena Crús, vastar del otro lao y de allí pacá si que no se ve nada ni se oye nada y entonse, mivida, se acabó el acabóse, me oíte, le digo y entonse ella hase así, muy dinna, que se me vira de medio lao y se me queda de pesfil y va y me dise muchachita, que tú ere la abogá del casnaval, me dise. Acabate dil de una ve, díjome.

Bueno, la cosa es que cuando uno tiene una casa no puede dejarse pasar la mota, porque ya se sabe que camalión que no muerde. Porque, mire, por ejemplo, esa muchacha Josefina. Es de lo mejorsito. Limpia, asiadita, no arma bronca nunca y vive aquí, con lo que uno la tiene siempre a mano, y nunca anda regatiando que si le ha quedado poco, que si el tanto por siento de la casa, que si es mucho que si esto que si lo otro y lo de más allá. Por ese lado no tiene un defegtico. Bueno, pero sin embargo, no hay quien la haga moverse de la cama. Mire que yo le digo: Josefina, has esto, Josefina, has lo otro. Josefina, esta niña, muévete. Sé más viva. Pues ni con eso. Y le ando atrás todo el bendito día. Porque a deligente sí que no me gana nadie. Si no ¿cómo cree usté que yo hubiera llegado a montar este localsito? No crea que me he ganado esto con el sudor de mi sintura nada más. Qué va. De eso nada. A fuersa de espabilarme y de trabajar muy pero que muy duro. Y no sólo orisontal. Porque, el difunto, que en pas descanse, no me dejó más que deudas. Y ya usté sabe lo que era esto: yo aquí, una mujer sola para atenderlo todo y llevarlo alante. Pero yo ni dormía. (Bueno, igualito ahora.) A las cuatro o las sinco cuando se iba el último cliente, yo cogía y me ponía a contar el dinero y a repartir lo de cada una (porque eso sí: a repartir parejo lo que con justicia le toca a cada una, no hay quien me gane). Pues después que repartía el dinero, levantaba al chiquito que me limpia y lo hasía ponerse a trabajar a esa hora. Bueno y para no cansarlo, me acostaba dos o tres horas nada más y a las ocho ya estaba yo despertando a las muchachas que tienen el turno de por la mañana para que se arreglaran y resibieran limpias y compuestas a los clientes mañaneros. Porque usté sabe que hay gentes que tienen sus manías y vienen por aquí al ser de día para coger a las muchachas frescas y descansadas, y otros para evitar lo de las enfermedades. Vea, ¡cómo si una noche pudiera borrar las cruses! Pero bueno, hijo, hay que complaserlos a todos —porque eso sí: si una fama tengo yo es la de ser complasiente, porque para mí siempre el cliente, como es el que paga, tiene la rasón y no porque este sea un negosio de andar en cueros, no vaya a pensar que no hay que darle a cada uno lo que pida. Bueno, pero para no cansarlo, le diré... ¿por dónde iba yo? Ah sí.

Pues mire usté, después de las ocho ya no paraba yo: vaya a la plasa a haser los mandados, caígale arriba a la cosinera, después de comer, a resibir a las que duermen fuera y ponerlas pronto a trabajar (porque usté sabe que si una fama tiene mi casa es la de tener siempre muchachas a disposición del que venga: a cualquier hora del día que venga, hasta las dos o las tres de la madrugada), bueno, pues después de eso, me pongo a sacar lo que hayan ganado las vitrolas de los tres pisos, reviso cómo anda el baresito y mando al chiquito a la bodega, si hase falta cualquier bobería, y luego como ya es hora de la comida, pues a comer; y al acabar ya es de noche y bueno, para no cansarlo, que ya es la hora de empesar el ajetreo de a verdá verdá. Bueno, pues en todo ese tiempo ¿qué cre que ha estado hasiendo Josefina? ¡Dormiendo! Yo la he dejado porque ella lo único que pide es que la dejen dormir y ni siquiera anda peliando por la comida, que si es poco que si es mala, como algunas que yo conosco, y claro, yo la dejo dormir porque tengo que tenerla contenta; porque ella es muy solisitada por la clientela buena, pero rialmente esa muchacha es un dolor de cabesa contante. Yo comprendo que ella tiene proglemias de a verdá, pero ¡por favor! Quién no los tiene. Bueno, y usté me ve a mí detrás de ella: Josefina, vieja, baja que te buscan. Esta niña, ¿por qué no estás en el resibidor, atendiendo a la gente y no aquí tirada en la cama? Pues ella ni caso que me hase y entonses no me queda más remedio que mandar a buscsar a Bebo, su marido, y únicamente así es como ella se levanta, se arregla y está dispuesta a trabajar. Yo creo que ella no se da cuenta de cómo la trato, con qué considerasión. Porque bueno, vamos a ver: si ella estuviera en uno de esos guachinches de entra que te conviene, y no en una casa como esta, de las grandes, respetada, autorisada por la polisía y sin un proglemia nunca, donde no se arresiben menores y hay que tocar para entrar y no entra todo el que quiere; ¡y en la calle que está! Porque usté sabe que eso de tener una calle seria no lo consigue todo el mundo. Pero bueno, para no cansarlo, voy a terminar de contarle lo de Josefina.

Claro que ella no se llama Josefina. Ese es el nombre para el negosio, pero todo el mundo cre que es el de a verdá, y yo creo que le conviene esa crensia. Yo no voy a cogerme las glorias de habérselo puesto. Fue ella misma la que lo escogió, porque no le gustaban nada los de siempre, de Berta, de Siomara, de Margó, y los demás. Así que se quedó Josefina. Claro que tampoco es de por aquí. Es de Pinar. Ella vino de allá a trabajar en una casa particular, por Almendares. Y aunque ganaba poco, estaba contenta porque le daban cuarto y comida y sus ventisinco. Y entonse llegó este Bebo (que tampoco se llama Bebo), que entonse tenía uniforme. Y la enamoró y a la semana se metía en su cuarto de ensima del garaje. Y ya usté se puede imaginar el resto. Bueno, total: que él dejó de ser soldado y ella dejó de ser criada. Ella al prinsipio se resistió y cuando me la trajeron aquí la primera ves, mordía. No hablaba con nadie. Hasta trató de matarse. ¿Usté no ha visto las marcas que tiene en la muñeca? Pero se acostumbró, como se acostumbra uno a todo. Yo al prinsipio era igual y ya ve usté. Ahora, que yo después de todo he tenido suerte. Ella no.

Ella se le fue a Bebo un día con un chulo medio alocado, bien paresido él, Cheo, que vino de Caimanera: un verdadero pico de oro. Figúrese que le disen Cheo Labia. Pues no duró mucho. Entonse fue cuando ella se metió en aquello de las carrosas de carnaval y usté recuerda lo del fuego. Bueno, total: que tuvieron que cortarle el braso y el otro la dejó. Entonse yo por pena la fui a visitar al hospital y al salir fue ella la que me pidió que la trajera de nuevo. Luego volvió con Bebo. Y para que vea usté lo que es la gente, en vez de perjudicarla lo del braso, la benefisió. Y con su defegto y todo, es la que más hase. Porque oiga, hay gente para todo. Dígamelo a mí que a lo largo de mi carrera me he topado con cada uno. Conosí un tipo que no quería acostarse más que con mujeres con barriga y siempre andaba cayéndole atrás a las en estado. Había otro tipo que se privaba por las cojas ¡y cómo las pagaba! Podrá creer que ese tipo no las quería para acostarse, sino que las desnudaba a las pobres y se ponía acarisiarle la pierna mala, hasta que le ocurría y se iba, sin haberse quitado ni el sombrero. Y allá en Caimanera conosí un yoni, marinero él, que no quería más que biscas. Decía *cokay, cokay,* y de ahí no había quien lo sacara. ¡Hay cada uno!

Bueno para no cansarlo, esta muchachita, Josefina (porque como usté habrá visto es linda sin cuento), se volvió la perla de mi casa. Y es claro, en esas condisiones hay que complaserla y por eso es que yo la tengo como la tengo, que le doy lo que pida. Si no.

¿Esigente? ¿Ella? Si no pide ni agua. Ahora que desde que volvió, después del su-sedido, tengo que guardarle de su parte para que se compre pastillas pa dormir. Sin que se entere Bebo, claro. Porque parese que ella se acostumbró en el hospital, pa dormir y aguantar los dolores y eso, pienso yo, a tomar esas píldoras y ahora no hay quien se las quite. Entonse es cuando único molesta, cuando le falta su *sedonal* y no viene rá-pido el chiquito de la botica con el mandado. Oiga y que eso es como la mariguana y la cocaína. Un visio. Yo digo que con visios sí que no se puede ni trabajar ni vivir tampoco. Porque, diga, bastante tiene uno ya con estar esclavisada a un hombre para que también tenga que estar gobernada por unos frijolitos de esos. Pero bueno, ese es el único alivio y como a mí no me cuesta mi dinero ni trabajo guardarle su parte y en-cargarle con el chiquito las píldoras, pues lo hago. Ahora que es una lástima: una ni-ña tan bonita como ella. Porque eso sí: ella es un cromo. Un cromito. Pero bueno, re-sinnasión. Ella nasió con mala pata. Primero lo del camión y ahora lo del niño, no es jarana. Porque eso último sí que no lo quiero ni pa mi peor enemigo. Porque hay que ver cómo se esperansa uno con una barriga. Ya cre usté que va a salir de todos los apuros y que el hombre se va a regenerar y a portarse como persona desente de ahí pa-lante. Aunque luego uno se disilusione, como me pasó a mí. Aunque a Dios grasias, mi hija me salió buena. Está mucho mejor que yo. Porque oiga, ahí en Panamá está ga-nando lo que quiere y es la envidia de todas las que hasen el Canal: desde negras jamaiquinas hasta fransesas. Bueno, para no cansarlo, como le iba disiendo: eso del niño sí que fue un jaquimaso. Porque perder un braso, bueno todavía queda otro para acari-risiar y si no, la boca: mientras no se pierda lo que está entre las piernas. Pero ella pasó una. Las de Caíñas, sí señor. Ella que como le dije estaba tan esperansada y va, y la criatura le nase muertesita. Ahora mejor así: porque era un femómemo, un verda-dero mostro. Oiga, un femómemo completo. Hasta podía haberlo enseñado en un sir-co, que Dios me perdone. Es claro eso la acabó de arrebatar. Estaba como boba, hubo días que ni salió del cuarto. Pero bueno se le pasó. Es claro, que si no hubiera sío por las pastillas. Usté ve, ahí sí que la ayudaron mucho.

Bueno, para no cansarlo: que si esa muchacha no estuviera conmigo que soy con-siderada y hasta me he encariñado con ella, la pasaría muy mal, porque yo sí que no la molesto y con tal que ella me cumpla. Porque si algo tengo yo es que soy com-prensible, yo entiendo los proglemias de cada cual y repeto el dolor ajeno, claro mien-tras no me afette. Ni a mí ni a mi negosio. Porque como disen los americanos bisne si es bisne. Pero esa muchacha Josefina, como le he contado, le tengo afego de madre de a verdá. Sin motivo, porque mi hija es mucho más joven (y así y todo quién va a de-sir que yo tenga ya una hija de vente años, eh), es más joven y es más bonita; además que mi hija tiene su apreparasión. Porque eso sí: yo siempre me dije... Usté perdone, con permiso, me va a disculpar un momentico porque por ahí entra el Senador con su gente, siempre bien acompañado el Senador. Quiay Senador. Cómo le va. Enseguida estoy con usté. (Aquí entrenós: el Senador está metido con Josefina, dise que no hay quien se mueva como ella, además dise que ese mocho de braso lo ersita como ninguna cosa: me dise el Senador: Esa manquita tuya vale un tesoro, cará, dise. Si no fuera tan dormilona, dise. Ahora que hasta dormida se mueve, dise. Se mueve. Es una anguila la chiquita, dise él. ¡Ese Senador es el demonio!) Bueno perdóneme. Que tengo que lla-mar a esa muchacha antes que el Senador se me impasiente. ¡Josefina! ¡Josefina!

Josefina, atiende a los señores.

«CUARTA»

Conviví (en Zulueta 408) con putas cuya única tarea era tratar de hacerme feliz. Lo impidió mi madre y el miedo a las enfermedades venéreas (entonces La Enfermedad tenía nombre griego, sífilis) que me inculcó. Ya de adulto iba a pasar las tardes a un bayú (mítico nombre habanero para el burdel) cercano a Carteles. Pero eran ocasiones sociales: un patio, un mojito y una o dos pupilas coritas frente a mis ojos. A la mayoría de las putas, descubrí, no les interesaban los hombres. Todas daban su sexo al cliente pero entregaban su amor a otras mujeres. Algunas eran interesantes como personas y otras eran versadas en historia antigua, moderna y contemporánea. Valía más la pena conversar con ellas que hablar con un profesor universitario. Eran, además, graduadas de la universidad de la vida y se daban aires de hetairas.

Usted es la culpable

La elección de este bolero de Gabriel Ruiz responde a dos razones: una, su contenido de acusación tópica —en el sentido de los topoi de Curtius— a las mujeres «de todas mis desgracias», y otra, personal mía, como homenaje a Chabela Vargas, a su voz
quebrada y felizmente recuperada después de tantos años de ausencia de los escena-
rios y las casas grabadoras. Chabela lleva este bolero en su valiente repertorio, y lo canta como nadie. Sin embargo no son culpables estas mujeres de Cabrera Infante, ni inocentes: aquí son más bien estrellas, mitos, leyendas, desde ese fragmento de *La Habana...*, «La visión del mirón miope» (V) al igualmente paródico «Si el diccionario...»
de *Ejercicios de esti(l)o,* que las feministas deben leer como una broma. Hay mitos cinematográficos: «Danzas y diosas del musical» *(El País,* 4-7-1981), «Por siempre
Rita», Hayworth, naturalmente, la que traicionó a Manuel Puig *(El País),* pero también
musicales, como La Lupe *(Diario 16,* 30-1-1993) o Celia Cruz *(Diario 16,* 8-7-1984).
Hay también mitos literarios que marcan el tiempo, como el dedicado al cumpleaños
de esa niña perversa y sin edad que fue, que es, Lolita *(El País,* 21-11-1982), pero sobre todo hay un texto en la realidad, «Mi mujer favorita», aparecido en la revista *Wo-
man* —verano 1995—, sobre Miriam Gómez. Como se ha dicho más arriba, como
dice Cabrera Infante, Miriam tiene que ver con él y sus libros «mucho más de lo que
parece». R. M. P.

V.

Viviendo en El Vedado, por azar o por designio de dioses irónicos, nos habíamos mudado justamente en la cima de la loma (otra colina habanera) en que culmina la Avenida de los Presidentes, junto al momumento que domina los jardines centrales, a cuya augusta altura habíamos ascendido un día para recordar el gibareño Gildo Castro y yo, escalando el pórtico pretencioso, académico, híbrido: clásico en su arcada pero rococó en los detalles. Mi primo Gildo, de visita del pueblo a comprar soldadores para su taller, recorrió conmigo los barrios de La Habana y nada le pareció tan inaccesible como este sepulcro blanqueado a la memoria de todos los presidentes muertos. Mi primo Gildo, que era un mago mecánico, había traído consigo una cámara de cine que él mismo había construido y encuadró tomas que nunca vi reveladas. Mi primo Gildo Castro, como todo inventor un ingenuo, dijo del monumento fijado en film: «Es de mármol macizo», aunque añadió al darse vuelta para admirar la avenida que bajaba hasta el mar a lo lejos, a sus adornos arbóreos: «Todo esto está hecho por el hombre, caray!» —que era el más alto cumplido que podía hacer a la vista, habiendo heredado de Pepe Castro, su padre naturista y mi mejor influencia infantil, el genio para la mecánica y su admiración mayor por la obra del hombre que para la naturaleza. En esta misma área vivió, vivía todavía Catia Bencomo, vivía Olga Andreu, en el Palace y frente, en el edificio Chibás, vivía Tomás Alea, conocido como Titón y a quien yo llamaba Tomás Alea Jacta aunque era lo contrario de jactancioso: era gris a fuerza de ser modesto. Fue Néstor Almendros, ya fotógrafo, quien me presentó a Titón y por este había conocido a Olga Andreu y, en cadena de conocidas, a Catia. Titón —a quien yo visitaba a menudo en su apartamento amplio, ordenado y burgués— era ahora un amigo que pronto daría un viaje doblemente deseado a estudiar cine en Roma. Todo eso —las visitas del pasado, lo viajes al futuro— hacía la zona gratamente glamorosa y aquí habíamos venido a vivir del solar de Zulueta 408 (difícil de abandonar, imposible de olvidar porque había sido no una temporada ni una turné sino una vida entre círculos concéntricos) gracias a un milagro menor propiciado por mi mentor: se iba para Puerto Rico un paisano suyo y nos cedía el apartamento.

Pero seguíamos siendo tan pobres como antes y pronto, con mi padre sin trabajo, seríamos todavía más pobres. Mi hermano continuaba estando, siendo tuberculoso y se pondría peor, con la tisis extendida a los dos pulmones y casi se muere. Así resultaba yo el protagonista de la película de un joven pobre. Después de la aparición de mi abuela, habíamos dejado detrás otro residente del increíblemente elástico cuarto (prácticamente habíamos resuelto el insoluble problema metafísico del número de ángeles que se pueden parar al unísono en la cabeza de un alfiler, al probar que seis personas lograban vivir al mismo tiempo en un cuarto) de Zulueta 408. Mi prima había cautivado con sus ojos verdes a un vecino bueno y (casados, ambos aventureros) se había ido a vivir al extranjero. Nuestra mudanza fue una fuga y gracias al auxilio (siempre dependiente de la caridad de los amigos) de Carlos Franqui y a una furgoneta del periódico *Mañana* y un camión que no sé de dónde sacó mi padre (tal vez ayuda de Eloy Santos, motorizado todavía, siempre conspirador) nos mudamos furtivamente de noche, como contrabandistas que cruzan una frontera. Con todos los azares del viaje estábamos en un apartamento amueblado, con teléfono y, sobre todo, baño propio, lo que después del colectivismo forzado del solar era un lujo aseado: un baño para nosotros solos. «Y con bidé», completó mi madre el anuncio, añadiendo la palabra bidet a mi vocabulario habanero, aunque no especificó nunca la naturaleza o la historia de su uso. El apartamento todo olía a rosas y era que su antiguo inquilino, químico aficionado, fabricaba perfumes en casa, la que dejó envuelta en esencias. Mi madre se veía más joven ahora, no sólo por el nuevo hábitat sino porque pasó de usar el tinte negro barato que la hacía lucir sombría con tanta negrura alrededor y sus canas prematuras eran un marco adecuado a su cara dura y recta y su cutis oliva. Completó su retrato oval no un Poe del pobre sino nuestro Cocteau, Germán Puig, esteta como siempre, halagador como siempre, que le dijo: «Zoila, ahora eres una rubia platino, como Harlow, mejor que Harlow», y aunque el ideal femenino de mi madre era Joan Crawford y no Jean Harlow, aceptó agradecida que Germán la bautizara La Platinada.

Fue en este nuevo medio, disfrutando la privacidad y la comunicación al mismo tiempo, con una puerta cerrada, raro privilegio, en este edificio —al que se entraba por una alta puerta de madera y cristales y se subía por una escalera de mármol sencilla, con pasamanos de hierro— aunque no tenía más que cuatro pisos (nuestro apartamento quedaba en el último) estaba en la cumbre de la colina del Alto Vedado y dominábamos todos los edificios de la zona y la vista del mar lejano, acariciados por la brisa marina en la mañana, golpeados por el sol directo por las tardes, poniente pero poderoso: nuestro cielo era nuestro infierno. En esa atalaya amorosa por la noche descubrí el arte de mirar.

Debo decir que no fue un verdadero descubrimiento sino que se hizo arte lo que antes era mera afición. Me inicié en su cultivo, en su culto, ya en el segundo año del bachillerato, cuando apenas tenía trece años, gracias a la displicencia (me resisto a creer que fuera un descuido y debo decir que parecía una gracia natural no manía deliberada) de nuestra profesora de anatomía. Era la maestra más joven del plantel. Se llamaba (ojalá que se llame todavía, aunque sea ahora una anciana: siempre tendrá mi mirada) Isabel Miranda. En el Instituto los profesores montaban a un estrado (lo que era para mí, viniendo de la informal escuela primaria, de un asombro y de un respeto que dura todavía) que los mantenía a una elevación de más de medio metro por sobre el nivel intelectual de sus alumnos. En el estrado había una mesa y una silla, que aumentaban las distancias, pero la doctora Miranda, disintiendo de sus colegas, se separaba siempre de la mesa y se mantenía sentada a un costado. Allí solía cruzar las piernas y dejar que la falda se le subiera al azar, mostrando no sólo sus piernas y completas sino zonas de sus muslos macizos, como el mármol del monumento. Debía tener entonces unos treinta años, lo que era para todos nosotros una edad abismal, pero ella hacía un puente de carne entre sus años y los nuestros. Ese curso me tocó el aula 2 y, doble suerte, la primera fila, muy temida por todos los alumnos en la clase de álgebra (de allí se subía a la pizarra como al patíbulo matemático), pero deseada por los varones durante la lección de anatomía gracias a la generosidad —¿con su anatomía?— de la doctora Miranda. Ella solía, como las mujeres de su generación, no llevar debajo más que un refajo. A veces los vestidos eran lo suficientemente escotados como para dejar ver algo más que el nacimiento de sus senos, que eran pequeños pero se veían insólitos y sólidos, y cuando tocaba trabajar con el microscopio (que se colocaba en la mesa sobre la que la doctora Miranda, didáctica, se inclinaba para enseñarnos mejor su manejo) atendíamos naturalmente más a la contemplación de sus senos magníficos que a la visión de la vida microbiana magnificada. Entonces sus senos perdían el carácter mítico que tenían desde el pupitre para hacerse asequibles, al alcance de la mano impaciente casi. Pero pronto recobraban su distancia profesoral y la doctora Miranda (con sus espejuelos verdes que ocultaban sus ojos miopes, desde entonces asociados por mí con una sexualidad femenina controlada pero peligrosa por ser capaz de desatarse en cualquier momento: ya los había conocido en el solar de Zulueta 408, en Edith, la muchacha miope que se había enamorado locamente de Arturo Rodríguez, que era de la familia que nos prestó el cuarto cuando vinimos para La Habana, a la que su racista madre mudó del solar, opuesta a su relación con Arturo, Edith jurando que se suicidaría: lo que tranquilamente procedió a hacer a los pocos días de mudada, dándose fuego encerrada en el baño de su nueva casa, cuarto, muerte que Arturo tomó con calma como para que fuera la tragedia de Julieta sola) volvía a hacerse de la materia de los mitos, nombrada en los grupos que hacíamos en los pasillos del plantel, algunos de los estudiantes de anatomía comparada llegando a jurar que la profesora, que sabíamos soltera, era fácil —cuando en realidad era bien difícil. Ninguno de nosotros acertó entonces con su verdadera naturaleza: Isabel Miranda, la doctora Miranda era admiranda, lo sé ahora, una exhibicionista extraordinaria.

El segundo encuentro con la manía de mirar fue más bien el primero y ocurrió aquel día que subía achacoso a la azotea de Zulueta 408 y mirando aburrido hacia el hotel Pasaje, fachada de cuartos vacíos, descubrí a la muchacha durmiendo desnuda, toda yodo y algo oxígeno, y su sola visión me devolvió la vida. Ella se ve como a través de anteojos invertidos, alejada por el tiempo pero también por la distancia a que dormía desnuda: esa fue la verdadera lección de anatomía amorosa y no las de la doctora Miranda, mirada de cerca. Paradójicamente, mientras más lejano el cuerpo, más próxima está a la revelación de la carne. En La Habana, donde el voyeurismo era una suerte de pasión nativa, como el canibalismo entre los caribes, no había una palabra local para describir esta ocupación que a veces se hacía arte popular. En La Habana Vieja, con su profusión de balcones abiertos, protegidos solamente por una baranda de hierro forjado, solía haber fijada a la altura de las piernas una tabla —conocida como la tablita— que guardaba los muslos codiciados de la aguda mirada de los mirones, halcones a ras del suelo. Esta protección llegaba al colmo de extenderse hasta la altura de tres y cuatro pisos, donde la visión era si no imposible ciertamente difícil aun para las vistas más certeras. ¿No sería tal vez que las habitantes de esos apartamentos, las visitantes de esos balcones estaban provocando más que evitando el golpe de ojo avizor? Había en el dialecto habanero una palabra para los tocadores, los exploradores carnales tácticos, rascabucheador (una etimología risible la hacía derivar de rascar y de buche, pero prefiero conservar su tenue misterio local que se hace espeso en el extranjero) y esta voz se extendía al mirón, pero era una aplicación inadecuada. La palabra mirón señalaba al que miraba mucho o insistentemente, pero nunca al *voyeur*, eso que en inglés tiene el cómico nombre dos veces legendario de *peepingtom*, y en los manuales de sexología se llama escoptofílico. Pero bajo cualquier nombre existe esa actividad amorosa y fue en el apartamento de la calle 27 y Avenida de los Presidentes que me volví un mirón minucioso, activo en mi pasividad.

El edificio de apartamentos justamente enfrente quedaba debajo del nuestro porque estaba en la pendiente y era llamado Santeiro, donde iba a vivir un día y que he descrito en otra parte antes pero no en esta crónica de amores. Muchos balcones se abrían a la parte trasera del edificio que daba a nuestro apartamento del fondo. Ambos edificios, el nuestro y el ajeno, estaban separados por apenas veinte metros de casas de un solo piso. La visión de los apartamentos del Santeiro, aunque inclinada, era completa. De noche solía sentarme en nuestro balcón, como cogiendo fresco, las puertaventanas de la sala cerradas, solo en mi acecho. Curiosamente esto era lo más excitante de la caza visual: aguardar a que se produjera un desnudo, no importaba si parcial o total, ofrecido a la vista, era más excitante que la presencia del cuerpo desnudo. Era esta espera el arte a aprender. Antes los cuerpos desnudos que se me habían hecho propicios —el de Etelvina enfermo, el de la puta negra invisible en la oscuridad, las breves visiones blancas de Xiomara, la más repetida contemplación dorada de Julieta en que yo no me demoraba urgido por la fuerza de la fornicación— y el cuerpo anónimo exhibido inocentemente en su desnudez: no eran un fin sino un principio. Pero ahora yo buscaba expresamente esa exhibición que era, por supuesto, ignorada por esas mujeres, esas muchachas que yo iba a sorprender en su intimidad sin siquiera sospecharlo, víctimas de la violación visual de un voyeur. Creo que de haberse exhibido cualquiera de ellas ex profeso, la visión habría perdido ipso facto todo su encanto. Esas eran las reglas del juego —mejor dicho, los preceptos del arte de la mirada.

Había fijado mi atención, que era como decir toda mi conciencia, aun mi físico, mi cuerpo, mis ojos en el edificio Santeiro. En el apartamento frente al nuestro vivía una mujer (no puedo decir su edad pero era evidente que no era una muchacha) que a menudo ofrecía grandes griterías, sonatas para la voz sola. Yo esperaba que estos escándalos se produjeran, digamos, en Zulueta 408 pero no en El Vedado, en uno de sus edificios aparentemente más decentes. (En realidad estoy sugiriendo que el edificio no estaba habitado por gente decente cuando sí lo estaba: pude comprobarlo en el tiempo que viví allí años después. También les pido que olviden la frase edificio decente porque es una personificación torpe, pura prosopopeya.) Pero esta mujer hablaba en alta voz, voceaba, daba gritos espantosos en las discusiones de un solo lado que tenía con un hombre siempre silente. Después supe que este marido mudo no era su esposo sino su amante y que era un cómico famoso por su garrulería radial. También se supo que la mujer era una drogómana dura y que muchos de sus ataques de furia se producían cuando le faltaba no mariguana que fumar sino morfina que inyectar. Es curiosa la cantidad de cosas que uno se podía enterar salidas de esos compartimentos aparentemente estancos que eran los grandes edificios del barrio: Santeiro, Palace, Chibás, tan elegantes de arquitectura, tan herméticos de aspecto, tan buenos burgueses de apariencia sin inquilinos. Tal vez influyera el clima, el hecho de que en estos apartamentos se vivía si no con las puertas sí con las ventanas abiertas para mitigar el calor —todavía no se había generalizado el uso del aire acondicionado, aislante. Pero la explicación quizá fuera más histórica que geográfica: no era el trópico sino el carácter cubano que hacía que la gente se explayara, real y metafóricamente. Los mexicanos, por ejemplo, que viven en el mismo clima son mucho más reservados: es que el indio es inescrutable mientras el negro es siempre expansivo, y aunque todas las familias del barrio eran blancas, tenían más de andaluces parleros que de parcos castellanos. Debo señalar que la vecina del frente era tan exhibida físicamente como exhibicionista de sus emociones. No faltaba más que aprovechar el momento adecuado, aunque fuera una presa fácil (es inevitable, creo, usar el lenguaje del cazador), y pronto tendría que aparecer más o menos desvestida, tal vez desnuda. Pero tuve que esperar varias veladas, en que no bien anochecía, después de comer, me disponía a mi apostadero en el balcón. Esto sucedía, por supuesto, solamente los sábados y los domingos, ya que el resto de la semana seguía trabajando como secretario privado y nocturno y cuando regresaba del trabajo era ya demasiado tarde. Pero en estos dos breves días de fiesta febril el tiempo se estiraba por la espera, mientras que el acecho se convertía en una obsesión, dejados a un lado el cine, las muchachas, los amigos, los congresos culturales, la literatura misma por esta vigilia, palabra que con ironía impensada el diccionario define como labor intelectual que se ejecuta de noche —no a otra hora ejecutaba yo estos trabajos de amor y no podía decir que no fueran intelectuales pues toda mi actividad era puramente mental.

Una noche —no se puede medir la duración del tiempo para el mirón— vi salir a esta mujer del cuarto (entonces creía que cada apartamento del Santeiro tenía muchos cuartos: mi hábito cogido en Zulueta 408 de otorgar más comodidad doméstica al prójimo que a uno mismo —la casa ajena en el ojo propio—, pero cuando me mudé para allí, ya casado, mi apartamento sólo tenía un dormitorio) y entras a la sala. No llevaba más que una corta bata de casa —lo que se llamaba entonces bobito— transparente, y lo que no pude ver lo adiviné debajo de la gasa (era tal vez una tela menos antigua, el odioso y recienvenido nylon) y así sus tetas me parecieron paradas, los muslos lisos, la espalda dividida por la canal que es la única ausencia de carne que es más erotizante que la carne misma. Fue nada más que un paseo pero justificó mis horas gastadas observando su casa, aguardando su aparición, deseando su desnudez: no había aparecido desnuda pero para mí fue como si hubiera bailado la danza de los siete velos, Salomé salaz, Herodiándome, y le habría dado no sólo la cabeza del Bautista sino las dos mías. Era mi primera pieza cobrada como mirón dedicado: no había intervenido el azar como cuando la aparición de la muchacha dormida químicamente (tres cuartos yodo, un cuarto oxígeno) en el hotel Pasaje y ella no dejó nunca lugar al mirón —que yo no era todavía. Ahora sí, con este desfile desvestido o a medio vestir de esta noche, me había hecho un adicto incurable de su vicio.

Esperé pacientemente otro momento parecido. (Sabía que no se daría una ocasión idéntica: no hay dos miradas a una mujer desnuda iguales, no hay dos desnudeces exactas, como no existe la misma ave a cazar, aunque haya sido cazada antes, escapada y vuelta a cazar en el mismo sitio, el momento las hace diferentes.) Ocurrió un fin de semana más tarde (o varios fines de semana después), cuando yo menos lo esperaba. La sala estaba encendida (la vez anterior toda la luz venía del cuarto y después hubo otra fuente de luz en la cocina) y desordenada y vacía. Yo esperaba en el balcón, agachado lo bastante como para no ser visto por mi presa, no tan acurrucado como para despertar sospechas en los vecinos contiguos que solían salir al balcón a coger el fresco. De pronto esta mujer salió del cuarto —completamente desnuda. Mi primera reacción fue de asombro, al producirse lo que había esperado tanto tiempo (o ninguno), también tuve un movimiento reflejo (como lo había tenido años atrás cazando en el monte cercano al pueblo) y me aplasté contra el borde del balcón, que era mi parapeto y mi protección, tratando de hacerme invisible —es decir, inexistente. Pero mis ojos estaban por encima del borde, mirando, mirando. Lo que vi fue una mujer que era muy mayor (para mi edad), con las carnes desbordantes que tanto gustan a los habaneros en la calle pero aquí desprovistas de la contención del vestido, con caderas enormes que se movían de un lado y otro al andar, formando una doble cadera en la terminación de los muslos, y estos estaban lamentablemente capitonés. (Es esta una útil palabra que debo a Juan Blanco y designa esas carnes que forman olas, adiposidades que se hacen rajaduras nada visibles, con las divisiones que abultan como un acolchado.) Sus piernas, que había visto antes con medias, se me revelaron como botellitas (mejor dicho, botellones) varicosas y la espalda carecía de canal por la excesiva gordura y al final las nalgas tendían a caer sobre el comienzo de los muslos, como medios asientos de inodoro hecho de carne grasa. Fue hasta sabe Dios dónde en la casa y regresó, mostrando su vientre que era una barriga y las tetas que caían flácidas hasta cerca del ombligo hondo. Era un espectáculo absolutamente anafrodisíaco, antierótico, y no me expliqué por qué el cómico amante soportaba las rabietas rugientes de aquella mujer que era todo menos mi idea de una querida. Hacía tiempo que no sufría tal decepción.

Pero este fracaso del arte de mirar ante su modelo no me curó del hábito del mirón. Al contrario, no contento con mirar a través de espejuelos oscuros, conseguí con Pino Zitto, que vivía en la calle F, al doblar, que me prestara unos anteojos, poderosos binoculares militares que pasaron a mi poder por tenencia tenaz. Estos anteojos me permitieron acercar a los vecinos en una proporción de ocho a uno. Así el edificio Palace, que estaba a unos buenos cien metros al otro lado del parque, quedaba ahora a una distancia visual de apenas doce metros —más cerca que el Santeiro con la vista desnuda. Para conformar la topografía que me rodeaba había a la izquierda (cerrando un cuadrado de edificios alrededor de las casas particulares que quedaban debajo, dejando un espacio abierto arriba, que por la derecha limitaba el edificio Chibás —inexplicablemente lejano aunque quedaba frente por frente al Palace—, y en el extremo del campo visual, el deprimente hospital Calixto García, al que nunca se me habría ocurrido examinar con el telescopio) un edificio de tal vez de cuatro pisos, por cuyas ventanas no se veían más que sombras, mujeres escurridizas que empezaban a disponerse para ir a la cama a media luz y que invariablemente las apagaban del todo al llegar el momento de desvestirse. Por el parpadeo parecería que se alumbraban con velas. Todo daba al edificio, aunque estaba compuesto por muchos apartamentos diferentes, el aspecto de un convento seglar, donde idénticas monjas o internadas completaban su mismo tocado (o mejor, su ausencia de tocado) para la cama invariablemente a oscuras. (Un examen más prolijo de la situación inmediatamente previa a acostarse, mostró que no todas las mujeres habitantes de este edificio apagaban las luces en el momento de desvestirse, otras simplemente cerraban las ventanas, pero la oscuridad reinante en aquel encierro de fondos de edificios —porque nuestro apartamento, a pesar de su vista al océano y a lo largo de la avenida, era un apartamento interior y el balcón no era otra cosa que la parte trasera del edificio— no permitía ver bien claro lo que pasaba. Hay que considerar también que para observar estos edificios tan próximos había que adoptar la postura de francotirador a que me referí antes.) No quedaba otra alternativa exploratoria que el edificio Palace. Al principio me concentré en los pisos bajos evitando sobre todo las ventanas del séptimo piso porque ahí vivía Olga Andreu y no iba yo a fisgonear el dormitorio de una amiga a quien veía en su sala casi todos los días. También vivía a esa altura Catia Bencomo, al menos vivió todavía ahí por un tiempo y aunque estaba en el piso seis, asequible, nunca me dio por mirar para su apartamento (tal vez para no descubrir al maligno Jacobsen), aunque yo sabía que ella, como Olga, dormía en el cuarto que daba al parque —es decir el que quedaba precisamente a mi alcance visual. (No me pregunten cómo supe en qué cuarto dormía Catia, a quien nunca siquiera visité en su sala. Tal vez lo oyera decir a Olga Andreu, dándome direcciones, pero lo más probable es que fuera una deducción: Olga dormía en el cuarto que daba a la calle y al parque, es decir, el mejor dormitorio del apartamento, y no era difícil inferir que los padres de Catia —buenos padres habaneros— cedieran a su hija única el mejor cuarto para dormir refrescado por la brisa del golfo. Este hábito o política doméstica me permitió tener la más memorable visión de ese tiempo —y de todos los tiempos.) Concentré mis binoculares en el extremo cercano del edificio, en las ventanas bajas, lo que me permitía dominar perfectamente el interior de los apartamentos. Descubrí varias escenas caseras (ninguna tan interesante como las que se revelaron a James Stewart, inválido con un ojo único de largo alcance, en *La ventana indiscreta,* pero tampoco tenía yo una Queen Kelly, Grace under pressure, que viniera a darme un blondo beso lento para distraerme de los diversos espectáculos vistos por las ventanas, y así me pasaba las noches libres ejerciendo mi solitaria afición voyeurista) que podían ser patéticas o dramáticas pero que a esa distancia, sin el auxilio del sonido, resultaban terriblemente aburridas. Aun de haberlas podido oír con oído telescópico, sé que habrían sido diálogos como estos: «¿Trajiste el pan?» «No, mi amor. Se me olvidó, perdona.» «¡Comemierda! ¿Cuántas veces voy a decirte que debes apuntar los mandados?» «Ya lo sé, mi vida, pero es que con tantas cosas en la cabeza» —que serían otra tanta basura en mi cabeza: neorrealismos, mientras yo buscaba lo extraordinario en la vida cotidiana.

En el mismo borde sur del edificio (cuyas ventanas no daban al parque sino al patio del hospital pero que por la disposición del Palace eran perfectamente visibles desde mi balcón) descubrí, por azar o voluntad, una mujer que volvió a recordarme a Madame de Marelle. Ahora (olvidada la rubia Rosita, rosa de papel pintado) tenía una verdadera versión de Clotilde ahí, ante mi vista, casi al alcance de la mano, cada noche. Consumí muchas veladas observando las idas y venidas de esta Clotilde. A veces estaba mirando por sus ventanas hasta las dos de la mañana: mi Clotilde se acostaba tarde. No me importaba: por ese tiempo no había clases que me obligaran a levantarme temprano, las horas de la Escuela de Periodismo eran de dos a seis de la tarde: bien civilizadas, de hecho, lo único civilizado en aquella escuela de cretinos, para cretinos, por cretinos: verdadera memocracia. Pero ahora es hora de escribir mi versión de Clotilde. Nada más que había que olvidarse de la moda *fin de siècle* (la que nunca reconstruí porque hubiera sido necesario invocar más a Renoir que recordar a Maupassant) y de la perla que vio Georges Duroy colgando de su oreja con un hilo de oro deslizarse en su cuello como una gota de agua sobre la piel —y ya esa primera visión de la carne es promisoria: *la chair etait fraîche, hélas, quand j'ai lu ce livre!* Está la ropa de los finales de los años cuarenta (estábamos ya en 1950, pero esta Clotilde todavía viste atrasada: se ve que no le concede mucha importancia a la moda, es decir, al vestido, debe pues darle primacía al desvestido: es una promesa de que la veré desvestida, sin vestido, desnuda y su andar nervioso, también propio de la otra Clotilde. No sé si está casada o no, pues a menudo se ve un hombre menudo en el apartamento que desaparece tarde en la noche. Tal vez sea un marido cansado, que se retira antes que la incansable Clotilde. Ella lleva el pelo a la moda de los años cuarenta, no peinado hacia arriba descubriendo el cuello como Clotilde, sino a la manera de las estrellas del cine mexicano, lo que la acerca a Elvira, la vampiresa vestida de Zulueta 408. La observé durante noches enteras, iluminada como con luz de gas, sentada en su *fauteuil* favorecido o caminando arriba y abajo de la sala (esa debía ser su forma favorita de ejercicio) o detenida por la conversación con ese hombre que parece visitar más que habitar el apartamento. Intenté verla de cerca (violando las leyes estrictas del voyeurismo, violentando mis propias convicciones de que aquellas mujeres, las que descubriera desde el balcón —como Rodrigo de Triana del palo de mesana o de la cofa— debieran permanecer vírgenes, quedar siempre lejanas, verdaderas horizontales, como la muchacha dormida del hotel Pasaje: este intento de acercamiento hacía inútil mi precioso instrumento casi científico: mi macroscopio) y muchas veces me fui hasta la entrada del Palace cuando veía que su luz de gas se apagaba, pensando encontrarla al azar forzado. Rondaba las inmediaciones del edificio, arriesgando la especie de peña, más bien roca, de los ruidosos muchachones del barrio que se sentaban y congregaban alrededor del primer banco de la penúltima sección del paseo, el que quedaba a la derecha para quien como yo bajaba de lo alto de la avenida. Comía redundantes queques en el Bakery, que era en realidad una reducida cafetería en los bajos de Clotilde, contagiada (la cafetería, no Clotilde) con la epidemia de nombres en inglés que comenzaba a infectar los establecimientos de La Habana y que se hizo verdadera pandemia en los años cincuenta. Pero nunca la vi, quiero decir de cerca, ya que todas las noches estaba a plena vista gracias a mis binoculares. Entonces sufrí una frustración por no haberla visto en primer plano, pero ahora tiendo a pensar que fue mejor así y Clotilde, la reflejada en los prismas de mis anteojos, es tan real como su doble literario.

Si mis espejuelos eran una extensión de mis ojos, los anteojos se volvieron una proyección de mi cuerpo, haciendo la mirada táctil. Podía tocar a las prisioneras de mi mirada y al desnudarse ellas era yo quien les quitaba con mis dedos extendidos la prenda cuya ausencia las convertiría en preciosas. Pero tuve mi merecido en un proceso inverso del intentado con la cuasi Clotilde. Vivía en el edificio Palace un hombre de mediana edad, rubianco, de facciones borrosas, de aspecto nada inteligente, al que para colmo llamaban Comemoco. Pocos sabían su verdadero nombre y nadie lo usaba. Comemoco tenía una mujer que debió ser bella alguna vez pero ahora la medianía de edad, tal vez la menopausia, había opacado su lustre. La familia se singularizaba por su hija única, que era de una belleza deslumbrante: alta, delgada (pero no como para que los inevitables habaneros que la rodeaban la tildaran de flaca, un insulto nacional), tenía un pelo (al hablar de ella hay que decir inevitablemente cabellera) rubio, que le llegaba más abajo de los hombros, casi a media espalda, que llevaba radiantemente suelto, volando al viento que siempre soplaba en lo alto de la avenida, haciendo de ella su monumento vivo. Ella había heredado algo de la idiotez del padre o tal vez fuera la lejanía a que le daba derecho su belleza. Lo cierto es que ninguno de los muchachones, todos tan atrevidos de palabras con las mujeres que cruzaban por su zona, osaban acercarse siquiera a ese altivo iceberg en el trópico. Para colmo ella tenía el apropiado nombre de Helana, con su cara capaz de echar al mar mil buques, iniciar una guerra mítica y hacer inmortal a cualquiera de nosotros (aquí tengo que unirme a los muchachones admirantes) con un beso. Conmigo pienso que consiguió ese efecto eterno sin siquiera tener que acercarse a más de cien metros: esa es la distancia que nos separó a partir de una noche fausta. Es evidente que mis anteojos (que se habían convertido en lorgnettes de teatro, permitiendo observar el comportamiento humano dramatizado) me concedían una cercanía al Palace, una suerte de intimidad que pocos podían gozar. Así no me sorprendí (aunque sí mi corazón dio un vuelco) descubrir que el apartamento de Helena estaba en el octavo piso, enfrentando la avenida: es decir, casi de frente a mi observatorio. La vi conversando con sus padres (estaba en realidad hablando con su padre y presumo que no hablaba mucho con su madre), ella levantándose de su asiento (que yo no alcanzaba a ver) en el justo momento que escrutaba esas ventanas abiertas, su padre ya de pie, los dos casi de la misma estatura. De momento no lo reconocí como el cómico Comemoco, pero cuando ella se puso de espaldas a la ventana, a la noche y a mí, su cabellera (esta palabra no la usa nadie en serio desde los tiempos clásicos, cuando, singularmente, las mujeres solían ser animales maravillosos, preciosos, unicornios de marfil: es precisamente por esto que la uso, que la he usado, que la usaré al hablar de ella) brilló a la luz de la sala y el reconocimiento fue instantáneo: había dado con la casa de Helena: allí fue Troya. Calculando que los padres de ella seguirían la costumbre habanera que había visto originada en casa de Olga Andreu y presumida con Catia, era seguro que la perla de esta ostra casera tuviera el mejor estuche, aquel cuarto cuya ventana daba al aire libre, a la avenida y a la vista del barrio, de la costa y del océano, convertido por ella en mero mar Mediterráneo.

Esa misma noche vi encenderse la luz del dormitorio y luego apareció ella, recorriendo varias veces el recinto, desapareciendo, reapareciendo. Luego debió de ir al baño porque regresó vestida con una bata de noche, que presumo larga, helénica. Debió colocarse frente al espejo pues comenzó a peinar su memorable cabellera rubia. La peinaba una y otra vez, a todo lo largo, con la mano detrás sobre su espalda, arriba con el cepillo frotando la cabeza, a los lados recorriendo las guedejas que no eran exactamente amarillas sino de un color más claro que la arena pero más oscuro que el trigo, como de miel hiblea: esa rara avis en La Habana, una rubia natural. La cabeza de Helena brillaba bajo la luz a cada golpe de su evidente aunque invisible cepillo, un punto focal en la noche, repitiendo los pases encantatorios una y otra vez y luego se peinaba al revés, bajando la cabeza, dejando que el cabello le cubriera la cara, la cabeza toda cabellera, para erguirse y comenzar a cepillarse de nuevo. Cuando terminó la operación, que debió durar muchos minutos (pero que a mí me parecieron sólo segundos), ella se miró bien al espejo y aun a la distancia se veía que estaba contenta con su cabellera, que admiraba su cara, que le gustaba el conjunto, mirándose, regodeándose en la mirada, con un narcisismo que resultaba encantador porque ella era realmente bella y además inocente. Lo que no le había perdonado a Beba lo celebraba en ella porque no era objeto de mi amor sino sujeto de mi mirada. Luego procedió a bajar la persiana veneciana (esa ciega invención americana —Venetian blinds— que habían adoptado tantos habaneros para dejar entrar el aire en sus habitaciones, guardándose del sol pero también, tal vez, de miradas indiscretas —otra tablita, esta en La Habana Nueva) y desapareció de mi vista su visión encantadora.

Muchas noches esperé la aparición de Helena, futuro fantasma, aunque a veces ella bajaba las persianas antes de acostarse. Otras ocasiones bajaba las persianas antes del tocado pero no las cerraba y a través de las varillas —barras amarillas para aprisionar este animal mitológico— podía verla frente al espejo, cepillándose incesante, haciéndome componer un verso plagiando a un maestro: «Peinaba al sol Helena sus cabellos», aunque el sol fuera esa bombilla colgando del cielorraso que era de seguro la sola fuente de luz en su habitación. Seguí observando a Helena muchas noches cuanto ella me permitiera ver de su tocado de medianoche, su ritual para embellecer aún más su cabello, punto focal de mi mirada, y las noches se hicieron semanas y las semanas meses, esperando pacientemente un milagro revelador, que me hiciera adorarla. Hubo una noche, una medianoche en que ella dejó las persianas bajas pero permitiendo la visión (después de todo, se preguntaría ella, ¿quién iba a verla a tal altura?) y luego de haberse peinado, cepillado, tratado el pelo hasta transformarlo en su maravillosa cabellera rubia, mientras miraba su cara rodeada por el cabello que le corría a los lados, como un marco dorado, bajó uno de los tirantes de la bata de dormir y dejó el hombro libre, luego repitió la operación en el otro hombro y la bata le cayó a los pies invisibles. Ella, Narciso de noche, se contempló en el espejo desnuda. Su desnudez tenía que imaginarla pues siempre me dio la espalda cuando estuvo frente al espejo, viendo su canal dorsal larga, sus hombros modernos (quiero decir que no eran redondeados como los de la falsa Clotilde sino más bien cuadrados, delgados y rectos) y la punta del seno izquierdo, cuya perfección impedía imaginar que el otro que ocultaba su cuerpo fuera idéntico: tan singular era. Cuando terminó de examinarse (sin duda aprobando: yo hubiera aplaudido de no habérmelo impedido mis anteojos espectaculares) en el espejo, desapareció de mi vista y la luz se apagó casi inmediatamente. Puedo imaginar que esa noche la legendaria Helena (por el barrio corrían las más diversas leyendas sobre ella, algunas absurdas, como esa de que su padre estaba locamente enamorado de ella y sufría celos incoercibles: su lejanía de los muchachos no era natural sino impuesta) durmió desnuda.

Sin embargo me quedé a la espera, no contento con una única aparición, observando, en mis manos el telescopio que alcanzaba cuerpos celestes. Cerré los ojos fatigados un momento y los volví a abrir enseguida. Quiero creer que todo fue imaginación o una invención del recuerdo, pero la luz se volvió a encender y me llevé los anteojos a los espejuelos. Helena apareció en el campo visual. Estaba en el extremo opuesto del cuarto y ahora la podía ver entera (menos las piernas), de frente, ocupada en un trajín extraño. No pude notar su seno segundo porque estaba fascinado por la parte inferior de su cuerpo: no usaba pantaloncitos para dormir (lo que era lógico) y sin embargo no podía ver su sexo: llevaba desde más abajo del ombligo un aparato ortopédico, aparentemente de cuero por su color pardo, atado con correas alrededor del talle, que se continuaba hasta cubrirle el monte de Venus como una caparazón, desapareciendo en la entrepierna, protegiendo —¿de qué? ¿de quién?— su vagina como una costra. Ella lo ajustaba, tirando por los bordes superiores, como una faja, tratando de levantarlo y en un momento que se dio vuelta pude ver que la armazón cubría su culo para terminar poco más arriba de sus nalgas largas. Ahora ella afirmaba las correas, también de cuero, sobre su espalda, como si se ajustara un corset oscuro y demasiado bajo: en su conjunto era una máquina malvada. Después de estas operaciones de ajuste apagó otra vez la luz y de nuevo se fue a la cama, supongo, a dormir de seguro. Pero yo apenas pude hacerlo esa noche pensando en el aparato arcaico que acababa de ver cubriendo y al mismo tiempo mancillando esa versión de la virgen. Tarde en la madrugada soñé que veía a Helena cubierta por una armadura atroz que le llegaba de la barba blanca a la vulva velluda, con correas, amarres y ataduras que impedían cualquier movimiento hasta su carne, aun los propios, no hablemos de los impropios, y, lo que era peor, eclipsaban la contemplación de su desnudez espléndida. Fue entonces que comprendí lo que era este objeto obsoleto contrario al deseo: ¡era el cinturón de castidad diseñado por Goya! No volví nunca más al balcón con mi instrumento fabricado para la guerra, que yo había utilizado para acercar el sueño del amor del mirón y sólo había servido para crear pesadillas. Poco después lo heredó mi padre.

SI EL *DICCIONARIO MANUAL E ILUSTRADO DE LA LENGUA ESPAÑOLA,* DE LA REAL ACADEMIA, LIMPIARA, FIJARA Y DIERA ESPLENDOR A LA MUJER TAL COMO DEFINE AL PERRO, EN LA EDICIÓN DE ESPASA-CALPE DE MIL NOVECIENTOS CINCUENTA, EN LA PÁGINA MIL CIENTO SETENTA Y TRES...

MUJER. f. Mamífero omnívoro doméstico, de tamaño, forma y piel muy diversos, según las razas, pero siempre con las mamas más pequeñas que las nalgas, las cuales suele asentar la hembra para orinar. Tiene oído muy fino y es inteligente y muy leal al hombre. //

LA LUPE CANTABA CON EL DIABLO EN EL CUERPO
Y UN ÁNGEL EN LA VOZ

La Lupe no fue una cantante, La Lupe *es* una leyenda. Comenzó en La Habana de finales de los cincuenta, cuando por un momento que duró más de un momento convivieron la construcción y la destrucción. La Lupe era, musicalmente, la destrucción y la construcción al mismo tiempo. No la vi llegar, la vio Rafael Casalins, columnista de espectáculos de *El País* de La Habana. «Debes ir a La Red —me dijo—. Hay algo que puede interesarte.» La Red era un nuevo cabaret. Menos que eso, una *boite* y en La Habana de entonces, una caja de música. Estaba decorada sólo con redes que envolvían y atrapaban al cliente mientras anunciaban una pesca promisoria. Había un escenario minúsculo, con un piano y tal vez una batería. De pronto, desprendida de un ala, salía una mulata que daba la impresión de ser a la vez fornida y delicada, según se mirara a las grandes tetas o a los gráciles brazos y cantando, bailando, interpretando (ese es el verbo adecuado), *Con el diablo en el cuerpo,* un calipso de Adolfo Guzmán, compositor de finas fruslerías. Pero se convertía de pronto en un temblor demente, en una incursión trepidante, en un verdadero ataque. La cantante misma primero, parecía poseída por el demonio del ritmo y su miedo escénico se convertía en una forma de terror. «Hoy tengo el diablo en el cuerpo / y me abrasa la fiebre de tu ardor. / Este delirio por ti me consume. / ¡Hoy tengo el diablo!»

La cantante ahora se golpeaba, se arañaba y finalmente se mordía: las manos, los brazos. No contenta con este exorcismo musical, se arrojaba contra la pared del fondo, dándole trompadas con los puños y con uno o dos cabezazos se soltaba, literal y metafóricamente, el moño negro. No contenta con aporrear el decorado, atacaba al piano y agredía al pianista con una furia nueva. Todo ello, es milagroso, sin dejar de cantar ni perder el ritmo de cálido calipso que ella convertía en una zona tórrida musical.

La Lupe en Cero

«Se llama *La Lupe* —me dijo Casalins casi confidencialmente—: Te puede interesar.» Claro que me podía, que me interesó, que me interesaba todavía en 1975 cuando pude escribir así de La Lupe en *O* que también se llama *Cero:*

LA LUPE RESCATADA EN EL ÚLTIMO ENSAYO

Lo sorprendente de *Notas sobre el camp* es que en una lista particularmente larga y arbitraria, Sontag enumera notorios fenómenos *camp* de nuestra época. Allí, entre las mencionadas lámparas Tiffany's, los grabados de Aubrey Beardsley, *El lago de los cisnes, King Kong* y las óperas de Bellini, aparecía nada más y nada menos que «la popular cantante cubana La Lupe»: La Lupe es una cantante de boleros descubierta por el escritor René Jordan en los inolvidables aires libres de La Habana de 1959. Ella cantaba antes en un cuarteto indiferente y comenzó a cantar sola en un nuevo *night club* llamado La Red. A pesar del decorado submarino más que marino, La Lupe hizo una carrera real y metafóricamente vertiginosa, y a finales de 1959 era la primera cantante de Cuba, frente a una competencia que solamente los testigos presenciales pueden decir lo dura que fue. Dos o tres veces cada noche, La Lupe no cantaba ni actuaba, sino que daba una demostración demasiado frecuente de sadismo, masoquismo y sentido del ritmo que mantenía a los espectadores —la mayoría viéndola de pie, el local de «bote en bote en un final», como lo describía la propia cantante— presa de una fascinación casi malsana. Recuerdo que la fui a ver una noche y no me sorprendió tanto su estilo (ya la conocía desde 1958, entonces cantando con su cuarteto de El Rocco) como la indivisa atención del público. Escribí o creo que escribí entonces que más que un acontecimiento artístico, La Lupe era un fenómeno fenomenológico. Pero, en fin, aquello fue otra ciudad y hoy La Lupe está muerta para muchos cubanos porque está exiliada en USA y tiene éxito. Es bueno que la cauta Susana Sontag la haya recobrado, en el último ensayo del libro, para la cultura. (Aunque sea *camp.*) Y para el siglo.

Del punk al camp

Ahora que La Lupe está de veras muerta se puede imprimir la leyenda que la declaraba, según Susan Sontag, un fenómeno *camp* y una *punk avant la lettre et la melodie,* la precursora de Aretha Franklyn (que no me lo parece) y de Janis Joplin (que es indudable), que tuvo que irse de Cuba por una actuación desmesurada (al comenzar un *strip-tease* por los zapatos), que completara su desnudo en la televisión de Puerto Rico (que parece ser cierto), que la había destruido la brujería (que es verdad a medias: ella se entregó a la santería con una devoción malsana y no era raro verla por las calles de Nueva York vestida toda de blanco desde los zapatos al turbador turbante), que se salvó por ser nueva cristiana (que es verdad: fue «nacida de nuevo» hasta su muerte), que tuvo malos encuentros con malevos (que es verdad), que se casó, que tuvo hijos (que es cierto), que terminó en la indigencia como *bag lady* (que no es verdad: por ponerles tantas velas a los santos incendió su casa y no tenía donde vivir), que había escapado de la muerte por ataque al corazón (que es verdad primero, pero su corazón la mató finalmente), que murió, como un poeta moderno, en un taxi (que no es verdad: murió en un hospital de Manhattan), que vivirá siempre (no en la religión sino en la música: en el oído que la oiga siempre), que es verdad.

¿Qué queda de La Lupe? Quedan los discos. Queda la coda de *Mujeres al borde de un ataque de nervios* (título en que cabe toda la vida de La Lupe) en que Pedro Almodóvar, astuto y sentimental, nos deja con los nombres numerosos y la sola voz de La Lupe que canta *Puro teatro,* ese bolero de Curet Alonso que nadie ha cantado como ella, que nadie cantará así, en ese tono entre doloroso y dulzón: «Igual que en un escenario / finges tu dolor barato.»

El dolor no es barato

Lo irónico es que en la película o en el disco el dolor de La Lupe no es barato: la antigua sadista de La Red es ahora toda una congoja de dolida masoquista y en una típica salida la cantante que siempre interpolaba comentarios diversos y adversos dice: «Y acuérdate —la amante ella— que según tu punto de vista yo soy la mala», y la interpolación termina con un conmovedor acento en la frase «la mala».

En *Fiebre* (la primera versión que es la genuina) la carcajada de mujer mecánica de feria, entre divertida y diabólica, es tal vez una respuesta a una broma que la historia le gastó a la cantante. Cuando ya estaba en franca disensión y futuro exilio, el número tuvo un éxito inesperado, de entre todos los lugares del mundo, en Praga. Sucedió que los checos al oír a La Lupe decir *Fever* en su inglés criollo oían otra fiebre, creían que ella cantaba a Fidel Castro. En las noches de Praga los fanáticos, de la música o de la política, pedían «Fidel» a la victrola o al tocadiscos, siempre a La Lupe. Cuando lo supo la cantante rió su carcajada mecánica y se fue al exilio.

Permiso para un salto. La interpretación que hace La Lupe de «La guantanamera» (no la versión martiana de Julián Orbón popularizada por Pete Seeger, sino los versos negros de Abelardo Barroso) es la mejor de todas las que he oído, acercando la guajira a un son sabroso, al tiempo que resuena dolorosa cuando ella dice: «A Cuba —o tal vez «¡Ah, Cuba!»—, qué dolor, qué pena. ¡Tanto que te quise, chica, y nunca fuiste buena!». Se sabe, claro, que no es una versión de la isla a la que invoca, sino a su perversión. Pero para la cuarta cuarteta, La Lupe suelta como en las noches de La Red, su moño negro en la grabación y el estribillo es un súbito montuno que es un canto y el encanto de una fiesta: «¡Ay na ma! ¡Ay na ma! ¡Ay na ma!».

En La Red estábamos entonces Miriam Gómez, Rafael Casalins, René Jordan y yo atrapados en la red del duro estilo nuevo de La Lupe. Dice René que le dije entonces que esta exhibición era una ruptura del bolero doloroso de la gran Guillot (La Lupe, en efecto, había comenzado ganando un concurso de imitadoras de «Olga de Cuba») y el suyo era un arte más esquizoide que exquisito. No recuerdo esa frase. Sólo recuerdo que Casalins me corrigió el recuerdo: «Y ella no comenzó en El Rocco, sino con Los Tropicales.» ¡Ah, esas noches de La Habana, en que el aire era un agua de Leteo en que se ahogaba la memoria!

Casalins cayó fulminado luego por un derrame cerebral en la misma plaza del Sol, buscando un Madrid que nunca existió. La Red fue clausurada poco después que La Lupe dejara La Habana y la misma Lupe ha muerto. Cosa curiosa, René Jordan comió con ella y con la actriz Antonia Rey y su marido, el teatrista Andrés Castro, sus mejores amigos, dos días antes de morir. La Lupe tenía a Jordan por su descubridor literario (le puso por él René a su hijo) y poco antes de irse de Cuba los Castro le habían dado a ella un homenaje en su sala de Malecon y Paseo. La Lupe cantó a teatro lleno,

179

pero hizo un intermedio para cumplir su contrato con el cabaret. Bacardí sirvió mojitos y daiquirís y el público invadió la escena, reclamando, puro teatro, el regreso para siempre de la cantante a la que habían adoptado como la voz del futuro.

Fin de una época

Ocurrió cuando 1959 parecía el comienzo de una era y era sólo el fin de una década decadente que, como toda decadencia, hizo posible convertir la vida en arte. (En el caso de La Lupe en música para un fin de siglo.) La noche fue tan inolvidable que, para no olvidarla, tomé notas y cubalibres.

Hace un año que Guadalupe Victoria Yoli Raimond, nacida en el barrio de San Pedrito, de Santiago de Cuba, murió en Nueva York.

Hace un año que La Lupe alcanzó la inmortalidad y la leyenda, esa leyenda que quiere que Picasso viniera expresamente de París a ver los movimientos de una epilepsia para el baile, que Sartre y su carnal Simone de Beauvoir admiraran su busto, que Hemingway, ya con un pie en el estribo, declarara que su canto de cisne mulato era *the art of frenzy*. Nada de esto ocurrió en la vida, por supuesto.

Pero ocurrió en la leyenda y, ante la muerte, no hay que reducir la vida, sino exaltar la leyenda. El cuerpo poseído por diversos diablos no existe ya. Sólo queda la voz. Esa, espero, quedará para siempre.

Un fantasma recorre América de norte a sur. Es el fantasma del son, sonido y frenesí creados en Cuba alrededor de 1920. («Cuando llegue la luna llena / iré a Santiago de Cuba.»)

Ese verso feliz no pertenece a una canción que estuvo de moda una vez, sino a un poema de Lorca, que con acento perfecto, con acierto, se llamaba *Son de negros en Cuba*. Lorca lo compuso en La Habana en 1930, pero ya hacía rato que el son tenía resonancias lorquianas.

(«Mamá, yo quiero saber/ de dónde son los cantantes.»)

Ese otro verso es del más famoso de los sones de Cuba, son de negros y mulatos y blancos que, como Lorca, tenían oído musical. Lo compuso (y lo cantó admirablemente) Miguel Matamoros, que llevaba la voz cantante de su *Trío Matamoros*. Sus sones para cubanos se cantaron por todas partes (aun en España, donde Antonio Machín, más negro que Matamoros, era un pálido reflejo), a veces hasta olvidando de dónde venían los cantantes. Pero Lorca localizó el origen nada más llegar a La Habana: «Iré a Santiago de Cuba.»

> *Iré a Santiago.*
> *(En un coche de aguas negras.)*

Luego el poeta, yendo al corazón del son, declamaba: «¡Oh, Cuba! ¡Oh, ritmo de semillas secas!»

Gota de madera

Lorca, lúdico pero no lúdrico, habla también en el poema de la «cintura caliente» y la «gota de madera». Estas imágenes son otras tantas menciones musicales: las maracas y las claves son instrumentos de la orquesta y la cintura caliente es de esa mulata de Oriente que bailaba siempre un son.

El son surgió en Santiago, pero culminó en La Habana, donde lo oyó Lorca, para emprender en seguida su viaje metafórico: «Iré a Santiago.» Se llamaba entonces son oriental, pero es casi seguro que Lorca oyó un son de Ignacio Piñeiro habanero:

> *Salí de casa una noche aventurera*
> *Buscando ambiente de placer y de alegría.*

181

¡Ay, mi Dios, cuánto gocé!
En un sopor la noche pasé.
Paseaba alegre nuestros lares luminosos
Y llegué al bacanal.

Piñeiro tenía el mismo método de composición que Lorca, que ya era el de Orfeo. Siempre escribía los versos primero. Luego, cuando morían las palabras, nacía la música. Con orgullo me enseñó Piñeiro su *Sonero* entero. Era una vieja libreta escolar llena de versos ante el anverso. Pero también estaba orgulloso de su música. «Tú sabes —me dijo en una visita— que Gershwin me robó una melodía.» No lo sabía. «Es en su *Obertura cubana*. Pero Gershwin no sabía que me estaba robando. El pobre. Creía que mi melodía *Échale salsita* era música folklórica.» También, Ignacio, lo creen ahora salseros súbitos. ¡Ah, ser siempre del dominio público!

Ahora, salsa sal. Veneno para mi oído. ¿O es odio?

En el peor de los casos la salsa es una copia de viejos sones cubanos y hasta su nombre viene de un son. En ese son citado de Ignacio Piñeiro de los años veinte que se titulaba precisamente *Échale salsita*. En el mejor de los casos se trata de una reproducción retro. Pero, ¿no es el arte del siglo desde Picasso hasta Stravinsky, reproducción, recreación? Andy Warhol convirtió, por un momento, la reproducción en arte. No era gran arte, pero fue tremendamente popular. Durante quince minutos exactos.

La salsa es a veces el arte de antes más la ciencia de ahora. Es cierto que no ha habido en Cuba un trombonista de la perfección técnica de Willie Colón. Pero no es menos cierto que Colón ha descubierto Cuba varias veces: en el son, en la rumba, en la guaracha. El Grupo Folklórico y Experimental de Nueva York, sin embargo, hace la mejor música cubana fuera de Cuba y tal vez dentro. Más que experimentales resultan verdaderos tradicionales. Pero el carácter imitativo de los músicos de salsa es tal que en el grupo Charanga76 la flauta la toca una mujer, americana por más señas y suena exactamente igual que el fabuloso flautista Richard Egües de los años cincuenta en La Habana. Toda la orquesta es una clara copia del sonido de Aragón, maestro del chachachá. Charanga 76 toma su nombre de la palabra charanga, que en Cuba denomina una orquesta popular y no tiene nada que ver con la palabra española que habla de marchas y música militar.

Los salseros saben qué es un *montuno* en el son y qué era el *mambo* del danzón y hasta saben que el *guaguancó* es una rumba cantada, en seis por ocho, en vez del dos por cuatro habitual de la rumba de salón. Pero todo eso lo sabe también el metrónomo, y el metrónomo, pese a los deseos de Maelzel, no puede tocar un instrumento y componer música. El metrónomo, además, no crea ritmo. Entre saber y crear hay un peligroso abismo. Salsa puedes, pero no son.

La tradición de la salsa comenzó, aunque parezca increíble, con un hombre solo. Se llamaba Luciano Pozo y González, pero todo el mundo lo conoció, lo conoce todavía, como Chano Pozo. Chano era ya en Cuba el legendario compositor de *Blen, blen, blen* (ese era el nombre de su rumba, esa era toda su letra), como bailarín y líder de la comparsa de carnaval *Los Dandys* y como bongosero. Sobre todo como bongosero, aunque era más que nada timbero mayor, tocador de tumbas y tamborero excepcional. Al final de la segunda guerra mundial, Chano aceptó la invitación de Dizzy Gillespie para formar fila en su orquesta. Chano no sólo tomó parte en la popularización del *bebop,* sino que su arte influyó a Gillespie y a su orquesta y a todo el mundo del jazz. Después de Pozo, el jazz, por un tiempo, pudo llamarse Chazz.

Desde entonces, todos los grupos de jazz buscaron su Chano, real o mero *erszat.* Es del apogeo de Chano Pozo que data la tantas veces intentada fusión del jazz y la música cubana. Algo parecido ocurrió más tarde con la música brasileña. Pero ya había el antecedente de Duke Ellington, al convertir la *rumba carioca,* como décadas después se conocería, como *bossa nova,* la vieja samba salvada del tiempo en el último minuto.

Las cuarenta

Si Chano Pozo revolucionó el jazz por un tiempo, ahora otro tumbador negro cubano, Daniel Ponce, ha revulsionado la salsa, no echando vinagre al agua, sino cantando las cuarenta. Ponce, como Pozo, es un cultor de las tradiciones afrocubanas (santero *abakuá,* ¿qué importa?) en La Habana, donde nació y vivió hasta 1980. Cuando llegó a Nueva York fue recibido por sus colegas con cierto asombro. Ponce no era un tocador de tumba, era un pulpo: sólo así podía tocar tantos tambores a un tiempo. Ahora lo llaman Diez Manos.

Ponce, sin dejarse llevar por el elogio, procedió a cavar su propia tumba y declaró a todos los que querían oírlo que la salsa era una broma, que nadie sabía tocar tumba en esas timbas y esos combos y que, por supuesto, no sabían ni dónde poner la mano en un tambor. Es sobre el parche, indicaba. Pronto Ponce se vio en un exilio dentro del exilio. Era un ostracismo musical. Nadie quería hablarle y mucho menos oírle. Pero yo oí sus tambores y supe lo que quería decir. La salsa es a la música cubana, su originadora, lo que el *Dixieland* al jazz, su originador. Ambos son fáciles de oír y fáciles de tocar. Para Daniel Ponce, como para mí, la salsa es *gravy*: esa salsa espesa que le echan a la carne encima en Nueva York impidiéndole saber. O si quieren, adulterando su sabor.

Jonathan King, discóbolo de la BBC en América, en su programa semanal en «Entertainment USA», fue a Puerto Rico a buscar, sí señor, los orígenes de la salsa. Al preguntarle a un salsero de San Juan: «*What is salsa?*», este respondió: «La salsa es la música nacional de Puerto Rico.»

Con lo que se equivocaba el salsoso dos veces dos. Tal afirmación es como si un compositor húngaro, digamos Franz Lehar, dijera: «El vals es el baile nacional de Hungría.» Una afirmación más acertada declararía que la salsa es la música que hacen músicos puertorriqueños y cubanos exiliados en Nueva York. Son exilios diferentes, pero hacen la misma música. Hay un verso viejo que dice:

Cuba y Puerto Rico son de un pájaro las dos alas.
Ahora quita pájaro y pon ámbito.
Haz que alas diga salsa.

Como el genio catalán se realiza en la arquitectura y no en la música, o el genio andaluz se realiza en el flamenco, o el genio negro de América se realiza en blues o en jazz, o el genio inglés en su literatura, el genio cubano, si es que existe, es un genio musical y se realiza en sus sones.

Aquí sones quiere decir habaneras y boleros y rumbas, guarachas y danzones, pero es sobre todo son. Es el son que ya sonaba en el siglo XVI. Así sonaba así:

¿Dónde está la Ma Teodora?
Rajando la leña está.
¿Con su palo y bandola?
Rajando la leña está.

Rajar la leña era entonces lo que hoy se llama salsear. La forma estrofa y antiestrofa es naturalmente africana, pero el ritmo ya era típicamente cubano. Lorca, que también sabía de formas, habría reconocido aquí al coro griego, tanto como al ritmo afrocubano.

Cugat

Se me escapa, oyendo a Jonathan King, cómo la plena y la polca pueda producir salsa. Tampoco está claro qué vinieron a hacer Venezuela, Colombia y Panamá en la salsa del que fue realmente creador. No faltaba más que México, como había hecho con la habanera, el danzón y el mambo, reclamara ahora la paternidad de esos ritmos negros para indios. «Es que vienen de la costa», explican siempre los mexicanos del altiplano. ¿Del Pacífico? «No, no, de Veracruz.» La tierra de Agustín Lara y sus canciones de cuna para dormir a María Félix.

Siempre se le reprochó a Javier Cugat, en Cuba, que ablandara (sic) los ritmos cubanos. No veo cómo se puede repudiar el cosmopolitanismo de Cugat (después de todo más cubano que muchos salseros) y no advertir que la salsa es la música cubana de los años cuarenta, aguada no para el mercado americano, sino convertida en una suerte de cocción caribe, en el que el agua de ese Mare Vostrum es más caldo de cultivo que el eco lejano de tambores lejanos, ahora con sordina política.

La Cuba oficial, ante el avance de la salsa, apoyó y patrocinó la *nueva trova* cubana, que por supuesto ni es nueva ni era trova ni mucho menos cubana.

En 1960, la salsa encontraría por fin su ensalada. Una frase del exilio musical cubano declaraba: «El son se fue de Cuba.» Parecería una demagogia o cuando más una declaración desenfrenada. Pero en Cuba, efectivamente, los soneros eran cada vez más escasos y, si eran visibles, eran también poco vocales y en algunos casos mudos. Fidel Castro, siguiendo a Marx con el fervor de un converso, se dedicó a erradicar y en muchos casos a exterminar la clase que había producido la música cubana siempre: el *lumpen*. Esa zona crepuscular engendró el jazz en Estados Unidos al sur y al norte y en España la gloriosa música de los gitanos. Todos los sones de Cuba procedían de entre negros y mulatos y unos pocos blancos que decidieron vivir dentro de la música y al margen de la ley. El son se había ido de Cuba, pero los soneros que quedaron detrás abjuraron de su clase y de su culto para abrazar el nuevo culto o se fueron con su música a otra parte.

Gran parte de esa parte recaló en Manhattan, que era, a veces, la versión de otra isla vista en el espejo. Todo estaba invertido: el clima, la horizontalidad de La Habana convertida en rascacielos, el color de la piel. Cuando Lorca huyó de Nueva York fue a Santiago de Cuba y oyó el son. Para colmo de la visión en el espejo, los soneros de Cuba se iban a Nueva York, allí donde la música cubana se llamaría salsa.

«La voz de aquel que pregonaba así: ¡Échale salsita, échale salsita!»

En esa misma Nueva York, a fines de los años veinte, Ignacio Piñeiro, el más extraordinario de los soneros cubanos, había grabado ese son sencillo, himno y epígrafe ahora de los historiadores de la salsa. Pero Piñeiro no hizo historia sino música. Los movimientos musicales de la salsa están dirigidos hacia Ignacio Piñeiro en los años treinta, a Arsenio Rodríguez, en los años cuarenta, y a la Sonora Matancera, toda una orquesta, a fines de los años cuarenta y principios de los años cincuenta. De entre la ganga de los imitadores hay que extraer una voz genuina, original.

Celia

Esa es la de Celia Cruz, negra de oro, que lleva cuarenta años cantando y creando el ritmo en cada canción: primero, con la Sonora en Cuba, y con conjuntos de salsa, ahora, por toda América, desde Manhattan, hasta Medellín. Uno de los pocos poetas de la salsa, el colombiano Umberto Valverde, ha dedicado un libro entero a Celia. Se llama *Celia Cruz: Reina Rumba*. Allí Celia, sonera fabia y sensual, compone un poema que es su vida, que es un son. Léase suavecito, suavecito.

Sigue Celia:

> *Y después vino* Abuso, *con el gran Willie Colón.*
> *Con Willie Colón, caramba,*
> *Se formó, ay, el rumbón.*

Celia es justa y hace justicia a un músico maestro, el pequeño puertorriqueño Willie Colón. Entre ellos recrearon, crearon un bolero brasileño en un solo son de salsa: *Abuso*. Esta es una de las pocas obras maestras de la salsa sincopada. Celia, con su voz que es dominante hasta llevar ella sola el ritmo, y con el trombón elegante y efectivo de Colón, descubrió para nosotros una joya musical.

Aquí y antes, en Cuba y en Nueva York, Celia muestra, demuestra que es una de las grandes creadoras del canto y del encanto negro. Ella está a la altura de Bessie Smith y de Billie Holiday, más allá de Sarah Vaughan y de Ella Fitzgerald y de Nina Simonen. Celia es la canción: fue son y sonora, antes como ahora es la salsa. No hay que reprocharle a ella que tantos músicos mediocres se hayan refugiado en su sonoridad que crea el tiempo, porque Celia es como su voz: generosa pero precisa, incapaz de desafinar o de estar fuera del compás. Celia Cruz, señores, es nada más y nada menos que la música. Esto, si no la hace una diosa, la hace al menos una musa.

No está nada mal para una negrita que sólo quería ser soprano y cantar en la ópera.

Hace sólo cincuenta y cinco años que el cine canta y baila, pero ese medio siglo largo es una eternidad de delicia. Parecería que todo comenzó con *El cantor de jazz,* en 1927, pero curiosamente en esa película fue más importante para el cine que el impulsivo Al Jolson, su cara teñida de betún, exclamara en mal inglés, pero excelente americano: «*You ain't heard nothing yet folks*» —y ese «no han oído nada todavía, gente» fue de veras profético. De *The Jazz Singer* en adelante todo fue crecer y cantar. La técnica creció y se perfeccionó: a las películas todas bailadas, todas cantadas, se unieron las películas todas habladas. Pero en realidad el cine siempre había hablado.

Edison, inventor del fonógrafo, y parcial inventor del cine, había ideado y desarrollado un sistema de sonido. Ya en la Exposición de París de 1900 la voz descarnada de Sarah Bernhardt declamaba a un público doblemente asombrado. Y el cine silente bailaba, como lo demuestra la inmortal Joan Crawford en su gran éxito mudo, *Our Dancing Daughders.* La Crawford se estableció allí no sólo como una de nuestras hijas bailarinas mejores, sino como la reina del charlestón en el cine.

Pero la primera muestra de canto y baile en el cine tuvo lugar un año antes de que el lamentado judío disfrazado de negro lamentable de Al Jolson cantara en *The Jazz Singer* (donde, por cierto, se cantó la primera canción escrita especialmente para el cine: de haber ocurrido años antes habría sido como si un sordomudo asistiera a un concierto de Stevie Wonder) su plañidera *Mammy.* Esa primicia inadvertida fue un programa filmado y grabado para cultos ocultos en exaltación de la música clásica, con la Orquesta Filarmónica de Nueva York, el tenor Giovanni Martinelli, el violinista Efrem Zimbalist, Mischa Elman y, ¡sorpresa!, la compañía de bailarines de flamenco anunciada como The Cansinos, nada menos que los felices padres de una niña llamada Margarita Carmen Cansino —a la que luego conocería el mundo feliz como Rita Hayworth—, una de las personalidades más luminosas de la comedia musical, superestrella y uno de los mitos del siglo.

Las imitaciones

Después de *El cantor de jazz* (en que Jolson nunca cantó *jazz)* vinieron las inevitables imitaciones, al ver empresarios, productores y jefes de empresa cómo un estudio en quiebra, Warner Brothers, se convertía en otro El Dorado en California. La Warner inclusive llegó a imitarse a sí misma, y Al Jolson se hizo no el autorretrato, sino una copia burda en *The Singing Fool:* ese idiota que canta ciertamente no hacía la cinta autobiográfica. Las secuelas se hicieron serie: *Sonny boy, Dilo cantando* y *Mammy,* que es, curiosamente, la mejor película de Jolson.

Desgraciada o afortunadamente, su popularidad cayó en picado a partir de 1930 —y la misma suerte corrieron las recién nacidas comedias musicales, que todavía no se llamaban *musicals.* Un año antes, la Metro había entrado en la competencia de lleno, con su productor *estrella,* Irving Thalberg, contratando a un escritor de letras de canciones, Arthur Freed, que a su vez se convertiría años más tarde en el gran productor de *musicals* (como *Un americano en París*) para la Metro, y a Nacio Herb Brown, que compondría la música de una canción que haría historia veinte años después como melodía, como letra y como título de una de las obras maestras del cine, musical o no: *Cantando bajo la lluvia.*

La película con que el león de la Metro debutó con tan buena garra musical fue la famosa *Melodía de Broadway.* Por primera vez el espectador vería lo que es hace rato el hábitat del *musicals:* la vida cómica y musical entre bastidores. A veces, en el futuro, serían *entresets* del cine.

En 1932, con la comedia musical *Boqueando,* ahogada por el drama fotografiado, parecía que iba a ser el telón final para ese gran género del cine americano, que compartía la pantalla con el Oeste, la comedia de porra y garra y el filme de *gangsters.* Era, por cierto, el único género que debía su voz cantante a una invención recientemente adoptada por el cine: el sonido. Es debatible que hubiera o no películas de pandilleros en el sonido que aumentara a rugido el ruido de cada disparo, pero no hay duda de que sin un sistema sonoro nunca habría habido *musicals.*

El sonido mejoraba día a día, mientras cada noche el interés del público disminuía. Fue entonces que Darryl Zanuck, que luego sería dueño de la Fox, ahora productor jefe de la Warner (de nuevo ese estudio salvador del cine musical), contrató a un antiguo autor de teatro convertido en director de autores, convertido en productor de comedias en Broadway para que dirigiera los números bailables de una película musical con que la Warner se jugaría su fortuna hecha con la música. Esa película se llama *La calle 42.* Ese hombre de teatro convertido en coreógrafo de cine se llamó Busby Berkeley. Cuando llegó a Hollywood, Berkeley cambió al momento. Cuando llegó al *set* de la Warner fue la comedia musical la que cambió para siempre.

La óptica de Berkeley

Busby Berkeley encontró en Hollywood un cine que bien podía ser una comedia teatral con música. Técnicamente las exigencias de Berkeley fueron innúmeras en el decorado y la tramoya y los participantes, pero razonables. En el plano óptico fueron inusitadas. Entonces se acostumbraba a rodar con cuatro cámaras. Berkeley, contra lo que ofrecen en apariencia sus resultados, exigió usar una sola cámara. Todos sus efectos especiales tendrían lugar en el *set.* Aparte de la coreografía extravagante, Berkeley concedió una enorme importancia a la mujer, o mejor, al cuerpo femenino.

188

Su amor por las mujeres, por las coristas, llegaría, como todo amor que se respete, a la veneración y al desprecio, a la exaltación y al sadismo. Sólo dos o tres creadores hay en la comedia musical que tengan la originalidad de Berkeley (Minnelli, Donen, Bob Fosse), y todos exaltan a la mujer como heroína y como figura secundaria, como estrella y como extra, como cara y como cuerpo. Berkeley produjo innúmeros números maestros (como el extraño sueño coreográfico *Lullaby of Broadway,* que resalta violento y perfecto de entre la ganga de *Goldiggers of 1935),* pero aparte de la creación de caleidoscopios de cuerpos está su curioso fetichismo musical en que bellas mujeres adornan pianos autónomos, configuran enormes violines luminosos y son mascarones de proa de arpas gigantescas. (Esta aberración sexual hizo a un padre, pudoroso y crítico poderoso, rechazar la película en que aparece, *Modas de 1934,* con una frase que acabó con las coreografías de Berkeley para siempre: «No traje a mi hija al mundo para ser un arpa humana.»)

Los cuerpos y los pies

A Vincente Minnelli debemos la visión demorada de dos o tres mujeres bellas, un gusto impecable y una extraordinaria armonía visual —más algunas obras maestras. Y a Gene Kelly en su apogeo. A Gene Kelly debemos su coreografía atlética y la perfección helada, pero tórrida, de Cyd Charisse. Y a Stanley Donne. A Stanley Donne debemos la comedia moderna, con *On The Town, Cantando bajo la lluvia* y *Funny Face.* Esta última revela en el cuarto oscuro del cine la cara bella de Audrey Hepburn y prolonga la duración del arte de Fred Astaire.

De este bailarín asombroso (a quien ni siquiera el gran Kelly puede emular aun cuando no lo imita) ha dicho una autoridad absoluta: «Es el más grande bailarín del siglo.» Esa voz que no duda es de Nureyev —a quien ha hecho eco Mijail Baryshnikov. Ambos podían haber dicho Nijinsky, pero han dicho, saltando por encima de su arte y del nacionalismo, Fred Astaire. A ese Fred que debutó en el cine en 1931 contra la opinión de un ejecutivo del estudio que reportó (y es histórico): «No canta, no actúa, baila un poquito»; para ese artista que hizo siempre parecer fácil lo imposible. Pero si Fred Astaire domina la comedia musical con sus pies, son las mujeres, con sus cuerpos, a las que el *musicals* debe su atractivo perpetuo: el eterno femenino baila eternamente.

A pesar de la presencia de Astaire, mis ojos me llevan de sus pies a las piernas de Cyd Charisse, perfecta, peligrosa; a la cadera sinuosa y a la espalda elegante y erótica de Ginger Rogers; a la melena, a la alegría y al atractivo animal de Rita Hayworth; al cuello de cisne y a la boca, y a los ojos de moda de Audrey Hepburn.

Esa tetrarquía gobierna toda mirada masculina que continúa ahora en las musculosas mujeres de Bob Fosse, en *All That Jazz,* redimiendo una película fracasada en más de un sentido, aunque no en el sentido musical. Todas esas mujeres son una sola mujer que baila en esa Audrey Hepburn de color en *Fama,* llamada Coco, llamada Irene Carar, pero en realidad llamada Terpsícore, esa diosa de la danza que encarna en cada comedianta musical. Son todas inolvidables, porque la musa es hija de Mnemosine, y Mnemosine, lo recuerdo, es la diosa de la memoria.

Rita Hayworth fue más que una belleza del cine, más que una vampiresa, más que el ídolo en que la convirtió el siglo. «Dios ha muerto», decretó Nietzsche, pero enseguida surgieron los dioses. Rita Hayworth fue una diosa hecha a la medida de los tiempos, pero, curiosamente, nadie con menos fue tanto. Su belleza fue construida poco a poco, y quien la vio en *Charlie Chan en Egipto* apenas podía compararla con la elegante desdeñosa de hombres en *Sólo los ángeles tienen alas,* de apenas cuatro años más tarde. Era la distancia que mediaba entre Margarita Cansino y Rita Hayworth. Pero ya en su primera aparición como una mujer de cuidado era evidente que su misterio radicaba en su vulnerabilidad. Su próxima aparición fue en *Ay qué rubia,* donde sustituyó a Ann Sheridan. Si aún hoy uno puede lamentar la ausencia de la roja sexualidad de la irlandesa, no hay duda que la combinación de Irlanda y España produjeron en Rita una mujer a la medida del cine. Luego, en *My gal sal,* era una corista de alto copete capaz de enamorarse de Víctor Mature en la película y en la realidad. Fue poco después cuando se encontraron dos mitos del siglo.

Nosotros sus amantes en la oscuridad la admiramos en *La modelo* y *Esta noche y todas las noches,* y en *Sangre y arena,* en la que su Doña Sol esclavizó a Manuel Puig hasta que se liberó con su *traición* de Rita Hayworth. Pero fue en *Gilda* donde cometió el más resonante *strip-tease* desde que Friné se desnudó ante sus jueces en la Grecia antigua. Friné lo revelaba todo; Rita, con sólo quitarse unos eternos guantes negros que convertían sus codos en rodilla oculta, a la vez que cantaba (otra mentira: estaba doblada) *Put the blame on me* y su larga cabellera negra era ella misma un fetiche, que es lo que todo amor total quiere que sea la hembra de la especie: mamantis, amantis, mantis religiosa que promete devoraciones en público y en privado. Después vino su aparejamiento y matrimonio con Orson Welles, que entendió que Rita era algo más que cabellera longa y seso breve.

En *La dama de Shanghai,* una Rita rubia y monda y lironda podía ser el amor que se esconde detrás de una esquina del parque Central o la pistola que se oculta detrás del amor y que no siempre la enfunda el hombre. Rita, además, se mostró en la película y en las palabras posteriores de Welles como una actriz insegura y una mujer vacilante, nada violenta, siempre víctima. Saber que esa asesina blonda era en realidad una mujer a la que vigilarle las manos cuando empuñaba el duro Colt calibre 32 fue un escalofrío nuevo. No hubo en la historia del cine manos más largas, más bellas y más expresivas: iban de la garra en la caricia a la ponzoña en el beso aparentemente inerte.

Rita es una diosa, y las diosas no mueren. Pero también una mujer. Cuando el historiador del cine John Kobal, autor de su mejor biografía, le sugirió el título derivado de una canción, *El tiempo, el lugar y la chica,* Rita lo objetó y propuso un cambio: *El tiempo, el lugar y la mujer.* ¿Por qué?, quiso saber Kobal. «Es que —susurró Rita— yo nunca he sido una chica.» Las diosas, ya se sabe, siempre han sido antes mujer.

En La Habana vieja, en una calle irlandesa, O'Reilly, había una librería francesa llamada la Casa Belga. Allá iba yo a comprar cada semana *Cinemonde,* la revista parisina popular en el mundo del cine de entonces. Si es memorable es por sus abigarradas portadas a cuatro colores, de un *kitsch* cálido (como Martine Karol en *Lucrezia Borgia* o en *Naná,* toda tetas teñidas: de yodo la piel, de yema el pelo), y por sus títulos de películas notables por su sentido insólito, que a veces solía coincidir con el original. Así, *High Noon* no se llamaba *Solo ante el peligro,* como en España, sino *El tren pitará tres veces,* y *The Set-up* no era *El perdedor,* como en Cuba, sino *Hemos ganado esta noche,* mientras que la legendaria *Lo que el viento se llevó* se llamaba en *Cinemonde,* entre exclamaciones, con un título que siempre me recordó a un director de cine de moda de entonces, Autant-Lara: este clásico del cine en color, con 10.000 extras y un productor que reía mientras Atlanta ardía, se convirtió en francés en *Autant en emport le vent!*

Amado Alonso (sin parentesco con don Amado Alonso: nótese que no tiene don), el dependiente de la Casa Belga, me facilitaba cada mes *Cahiers du Cinema,* el *cinemonde* de la crítica. Pero de cuando en cuando me mostraba de soslayo el título prohibido de un libro que se vendía en todas partes, y me lo aseguraba, como *camp* caliente, venido, como *Cinemonde,* como *Cahiers* y los bebés, de París. Solían titularse estos libros libertinos con nombres como *Prelude charnel* o *Les chansons de bilitis,* y estaban primorosamente ilustrados, a mano y a todo color subido, con paisajes poblados por ninfas ninfómanas y faunos fálicos. También tenía Amado a mano novelitas de The Obelisk Press, editadas en Francia en inglés, y ya se sabía qué eran estas ofertas bilingües: una ofrenda de amor en cada entrega. Algunos libros estaban infibulados para garantizar al cliente la virginidad total del tomo: la posibilidad de un desfloramiento bíblico se aseguraba sólo al comprador, ceremonia previa al goce de la lectura prohibida. La librería se convertía así en álbum y harén, y los lectores éramos, como Valentino, hijos del jeque.

Amado Alonso, impar, era un asturiano de edad media, mediano, de peso medio, con caderas y cara maciza, de cabeza clara y frente despejada. Siempre de cuello y corbata, sin siquiera reparar en la cruel canícula. Este era el invierno de su contento en esa Casa Belga que nunca conoció el frío exótico del aire acondicionado. Su ambiente enrarecido por el bochorno, horno y entorno erótico, apenas lo movían las aspas altivas del ventilador que pendía del cielo raso como una palmera invertida. Si Amado Alonso era serio, más estólido, sólido, era el propietario que nunca dejaba la trastienda tórrida.

Cuando lo hacía, raro, se mostraba un belga bajo o del País Bajo: rosado, de barba cana y con aspecto de holandés errado, más que de valón. Se llamaba Vandamn, y al conocer el viejo vicio que lo transportó en éxtasis de Amberes a una antigua antípoda ambigua, yo lo llamé Vandamned, recordando el círculo como un hoyo que reserva Dante en su infierno a los pederastas pasivos. Fue así, con más humor que sorpresa (o vicio versa), que supe que Vandamn y Alonso eran amado y amante y bailaban cada noche un flamenco raudo y lento, fraudulento, con castañuelas blandas.

Lo anterior es, por supuesto, más digresión que agresión y no tiene nada que ver con *Lolita,* excepto que...

Un día de 1956, temprano en la estación violeta, Amado Alonso me enseñó no una gramática parda, sino un librito verde que por la magia blanca de la moral al uso y la publicidad púdica se convertiría en un tomo escarlata en menos de dos años. Estaba editado por la Olympia Press de París, pero en inglés: esta olímpica editora clandestina era hija del obelisco fálico que al no estar ya más en la Resistencia erótica era ahora legal y gálica. Ambos editores eran padre, hijo y el espíritu non santo soplaba sobre sus anaqueles: eran los días de los Girodias, puros pornógrafos parisinos. Vi el título del tomito que me ofrecía Amado, displicente. Se llamaba *Lolita,* pero excepto por el recuerdo de una criadita ampulosa, popular y tan falsa rubia como falaz amante, llamada Lolita, como para desmentir tanta carne cubana, el nombre no me decía nada.

—¿Aló, Lolita? —Nadie respondía a mi llamada.

—Vale la pena —me respondió Amado Alonso, y pronunció «pena» como si le doliera venderme el libro.

—Es la iniciación de una niña —añadió con autoridad, casi como si fuera el autor de la desfloración impúber, aunque Amado debía saber más de niños que de niñas. Inadvertido o apenas advertido, cogí el libro en la mano —siempre acojo en mi mano lo que me ofrecen: sea, amistosa, otra mano, o ya de esteta, una teta—: verde que lo quiero verde. Pero en ese momento Odiado Alonso ejecutó una pirueta doble y dijo: «Son *dos* tomos ¿sabe...?», y en efecto, eran dos libritos o un mismo libro repetido, como si Lolita tuviera una hermana gemela: dos niñas en flor o siamesas en capullo. El precio que me susurró Amado (ahora amigo, mi semejante, cómplice hipócrita) era exorbitante, y los ojos, en efecto, se me salieron de la obrita: ¡quince pesos! sonaban al oído herido como iguales dólares contantes: el peso cubano, como dice el gran Bienvenido Granda, se tuteaba entonces con el dólar dondequiera. Con dolor de dólares devolvía ya los libros a su custodio como una virgen de la noche menor de edad a su proxeneta: arcanos ambos.

Luz del alma

Pero quiso el azar del lector o el designio del autor que advirtiera, en ese momento del duelo, que viera que uno de los dos tomos, cerca del lomo, no sé si en Lo o en Lita, tenía un agujerito redondo (casi imperceptible a un ojo que no fuera muy miope) que atravesaba como una oreja verde de una de las *Lolitas* de parte púbica a parte pudenga. Era el arte del arete de una traza tropical que venía a vengar al cliente que tiene toda la razón pero no mucho dinero. Esta perforación de Lolita —o mejor, *en medias res* de Lolita— hizo que se depreciara de inmediato a diez dólares —el libro, no su lectura, siempre preciosa. Así fue como rapté a Lolita (Sabina en las sábanas o Lolita *au lit)* de entre los belgas.

No conocía a Nabokov, por supuesto. Ni siquiera sabía pronunciar su nombre entonces, que me sonaba a Nabuco. Pero su libro me ganó al perderme. Me cautivó enseguida esa primera línea de su falso prefacio, «Lolita o Las confesiones de un viudo blanco», tanto como el verbo barbarroco «preambular» por poner preámbulo. ¿O es que el protagonista, según su psiquiatra, padecía de manía preambulatoria? Lo ignoraba yo todo del arte de Nabokov, Nabuco narrador, pero enseguida supe que Humbert Humbert, autor de este sí de la niña, estaba loco. El libro abierto, en la misma primera página aparecía ese pequeño poema Doloroso: «Lolita, luz del alma, fuego lumbar.»

Todavía, ya en la novela, me esperaba a la entrada la demencia delirante del poeta pedófilo: «No hay como un asesino para tener el asesino de adorno.» ¿Se refería acaso a Theodor W. Adorno? O más abajo, la clemencia loca de ofrecer, como ilustración de su prosa, circular dentro de poco tarjetas postales, verdes, «de brillo». Como si fuera poco, en ese primer párrafo paranoide el autor ilustraba la muerte de su madre de una manera más elíptica que apocalíptica: «Mi muy fotogénica madre murió en un accidente raro: picnic rayo.» Era, lo vi enseguida, una parodia nada accidental del inicio de *El extranjero.* Sin las pretensiones filosóficas, claro. Sin la prosa deprisa, de risa, de Camus. Sin piedad, sin par.

Leer el libro, tomo tras tomo, fue una doble fiesta fantástica: de la imaginación verbal no de la fantasía del funámbulo. Presté *Lolita,* las dos, a todos mis amigos que sabían inglés en una orgía de frases felices y falsa fornicación. Escribí una crítica ignorante, inepta, que fue, sin embargo, la primera que se hizo en español a *Lolita* y posiblemente a cualquier libro de Nabokov. No tuvo mucha acogida en Cuba, ni erótica ni heroica, ni en otras partes, que yo sepa. Pero para mí, Vladimir Nabokov fue un descubrimiento y una revelación, casi una revolución en el palacio del placer de leer.

Desde que leí *Historia universal de la infamia,* en 1947, y descubrí a Borges como otro planeta, *orbis tertius,* ningún escritor había sido una fuente de regocijo igual y una confirmación de que toda literatura será juego o no será. Un juego de placer como el sexo, y casi tan vital. Un juego metafísico como el ajedrez y casi tan letal. Un juego de solazar. *Fêtes vos jeux, mesdames et messieurs.* Leer a Nabokov era como escribir en inglés: un juego que yo no podía jugar con Joyce o con Lewis Karol o con Stern o con Mark Twain, nacidos en el idioma, pero podía jugar con Nabokov y su ruleta rusa de azar.

Niñas deseosas

En el pseudoprólogo al falso texto de *Lolita,* un analista alineado advierte que el libro «se volverá sin duda un clásico en los círculos psiquiátricos». Lolita se ha vuelto más que un nombre propio: es el nombre impropio para señalar a esas niñas deseables, deseosas, como alicias que se ven en un espejo adulto desde temprano. *Lolita,* el libro, ha resultado algo más y algo menos que lo que el augurio del falaz prologuista proponía. *Lolita* es un clásico primero del escándalo (como *Ulises,* como *Madame Bovary)* en que la moral no es el libro ni su autor, sino los otros, nosotros.

Es, ahora, un clásico de la literatura del siglo. Este, que es uno de los libros más escritos (sobrescritos) de las últimas décadas, nos viene en imágenes: la *Lolita* de Kubrick llega ya. Nadie mejor que su autor, Vladimir Nabokov, para opinar de la puesta en pantalla luminosa de sus palabras, cuyo sentido, si no oscuro, es opaco. Entrevistado por *El País,* Nabokov, en una nube de núbiles, dijo: «Creo que la película es absolutamente de primera fila». Si eso dijo el escritor, ¿qué puedo decir yo, entonces, en el estreno de *Lolita?* Soy sólo un lector, un espectador, un mirón atento siempre a Lolita, pero mirando por un agujero hecho (ahora lo sé) por su autor, y no, como creía, por Amable Alonso.

Es Miriam Gómez. Pero no siempre fui yo su hombre favorito. Me costó una persecución y un cortejo y una corte de meses para ganarla. Ella tenía 17 años y yo treinta: casi como el verano que mira a la primavera con la nostalgia de las estaciones. La gané y la perdí y volví a ganarla casi un año más tarde. Vivimos juntos durante un tiempo y cuando ella decidió que debíamos casarnos (después de todo, todo el mundo creía que lo estábamos) fuimos un día de diciembre de 1961 a un juzgado del barrio para descubrir que necesitábamos dos testigos y en la oficina había sólo uno: la secretaria. Salimos a la calle a buscar el segundo hombre y lo encontramos pronto. El edificio era viejo y tenía tres escalones de madera. En uno de ellos estaba sentado un mendigo, un pordiosero, en todo caso alguien que necesitaba menos una lismona que un baño, y ese fue nuestro testigo. Parecía una boda de película de los años treinta, pero fue una boda real de los años sesenta. Sin embargo, nadie nos creyó y hasta que nos fuimos a Cuba, en el ministerio de Relaciones Exteriores juraban que era mentira, que la boda nunca existió, que nunca nos casaríamos. Para evitar divorciarnos, aseveraban. (Hasta Severo Sarduy lo aseveraba en París.) Pero sí nos casamos y aquí estamos, treinta y tantos años más tarde casados, hasta que la suerte nos separe. Miriam Gómez, por su parte en el arte de amar, no lleva ni anillo ni alianza. Pero nadie cree que es soltera.

Todo el mundo pregunta por qué llamo Miriam Gómez a Miriam Gómez. Es muy sencillo, ella se llama así, se llamaba así cuando la conocí y aunque en el pasaporte inglés y en otros documentos similares se llama Mrs. Cabrera Infante, ella es Miriam Gómez. La conocí con ese nombre cuando ella era actriz y yo acababa de convertirme en un *fan* feudal, ese que quiere toda la atención, pública pero privada.

Somos los exactos opuestos. Ella es alta, blanca, de ojos de color aceite. Yo soy bajo, moreno, nada buen mozo. Ella es más que bella (perdón por la rima) porque como dijo Byron camina en la belleza como la noche cuando cambiamos roles. Ella me ha dado a mí estilo, yo le he dado a ella el sexo. Ella me ha dado elegancia y maneras refinadas. (O ha tratado.) Yo le he dado a ella humor. Yo le di a ella La Habana, ella me ha dado a mí Cuba. No le enseñé a amar a los animales, pero ella me enseñó a amar a los gatos. Ella es Aries pero su símbolo es la tortuga: siempre me gana en las carreras largas porque mi talón es de Aquiles. Como la virgen de la Caridad, patrona de Cuba, ella nació en el mar, Afrodita aguada. Cuando yo embisto como un Tauro ella usa la capa apropiada, que va del rosado al malva.

No fuimos los amantes de Verona sino de un verano que ha durado una eternidad. Ahora yo entro en mi invierno, mientras Miriam, en el otoño, dora sus hojas como sus ojos.

(Nunca he escrito un poema, pero quisiera que esta página se leyera como un poema. Como todos mis libros, estará dedicada a Miriam Gómez, a Miriam, a MG.)

«*QUINTA*»

*He estado siempre rodeado de mujeres pero, como el ciego Tiresias, vivo rodeado
del misterio: Mi abuela, mi madre, Miriam Gómez, mis dos hijas y, para colmo, tengo dos nietas. Sólo me salva de ese harén mis dos nietos, a los que en vez de contarles cuentos de hadas (¡más mujeres!) les paso películas de horror. Pero como el honesto siempre hace un ciento, tengo que confesar que de muchacho me masturbaba frente a una foto de la Venus cirenaica, que tenía menos brazos que su rival de Milo
para mis manos. Mis mitos de mujeres han salido, sin embargo, del cine: Ginger
Rogers, Marilyn Monroe, Brigitte Bardot. Todas rubias cuando, en realidad, en la
realidad no me interesan las mujeres rubias. Debe de ser el saldo de Isolda.*

Enterrador, no la llores

No es un bolero: y ya explica su autoría —y su sentido— el propio Cabrera Infante en *Sexta,* pero es que este fragmento va de otros sones. Contiene, además de VI y la ya mencionada *Sexta,* el cuento «En el gran ecbó», de *Así en la paz como en la guerra* y *Delito por bailar el chachachá* (Alfaguara, Madrid, 1985), fragmentos de «Seseribó», parte importante de *TTT,* en la que los tambores juegan a ser caja de Pandora de la traición, pero también caja de resonancia del amor, esta vez desesperado, y «Jazz», un curioso cuento de *Así en la paz como en la guerra.* Hay además dos artículos sobre dos personajes muy especiales: «El gran Cachao, el verdadero rey del mambo», que apareció en *El País* (25-XI-1993) pero también en la carátula del disco de Cachao, *Como su ritmo no hay dos* —cuya aparición en España dio lugar a una fiesta memorable en la que pudimos ver, en carne y hueso y tocando los cueros, al propio Andy García— y «Paquito d'Rivera, un cubano que nació para el jazz» aparecido también en *El País* (12-XII-1981). Es quizá esta parte del libro una de las que mejor equilibra la ficción y la teoría: y su orden real —que no es el de esta nota— pretende mostrar el ritmo realidad-ficción presente en toda la obra de GCI. R. M. P.

Le dije a Rine Leal: «Esa camina», señalando casi con un dedo (solía ser sutil) a una muchacha que viajaba en nuestra guagua. Rine miró y vio la media docena de mujeres entre los pasajeros y me preguntó: «¿Cuál?» «La rubia —le dije—, la que tiene el niño al lado.» Era una muchacha levemente rubia (tal vez en otra isla que no fuera esta, con tanta gente oscura, sin contar indios ni negros, ni siquiera fuera catalogada como rubia en ese libro censual, pero aquí en La Habana era rubia y las rubias eran piezas de caza entonces), delgada, pequeña, muy joven, de facciones regulares—un si es no es bonita. «¡Es una niña!», casi protestó Rine. «Pero camina», insistí yo imitando a ese José Atila todavía en el futuro potencial que entonaría una cantilena alegando que una amiga mutua, admirada de todos, *innamorata* mía (y si uso el italianismo es porque su pelo, largo y sedoso y del color de la miel, la señalaba como una rubia de Ticiano) y futura fruta prohibida, era fácil, gritando por la calles de La Habana: «¡Esa se acuesta! ¡Se acuesta, coño! ¡Se acuesta!», cuando éramos tan inocentes, ingenuos o inferiores para creer que las niñas de sociedad sólo se acostaban para dormir.

Llovía. La lluvia caía con estrépito por entre las columnas viejas y carcomidas. Estaban sentados y él miraba al mantel.

—¿Qué van a comer? —preguntó el camarero.

«Menos mal que no dijo: ¿Qué tú no vas a comer? —pensó él—. Debe ser por el plural.» Le preguntó a ella.

—¿Qué quieres?

Ella levantó los ojos del menú. En las tapas del cartón oscuro se leía *La Maravilla*. Sus ojos parecían más claros ahora con la luz nevada que venía del parque y de la lluvia. «La luz universal de Leonardo», pensó él. Oyó que ella hablaba con el camarero.

—¿Y usted? —el camarero hablaba con él. «¡Ah! ¿De manera que también en el singular? Bien educado el hombre.»

—Algo simple. ¿Hay carne?

—No. Es viernes.

«Estos católicos. Gente de almanaque y prohibiciones.»

Lo pensó un momento.

—¿No hay dispensa? —preguntó.

—¿Cómo dijo? —preguntó el camarero.

—Me va a traer costillas de cordero. Grillé. Y puré de papas. ¡Ah! y una malta.

—¿Usted va a tomar algo, señorita?

«¿Y por qué tan seguro?»

Ella dijo que cerveza. «Toda una mujer.»

Mientras traían el almuerzo la miró. Ahora le parecía otra mujer. Ella levantó los ojos del mantel y lo miró: «Siempre desafiante —pensó él—. ¿Por qué no tienes cara de vencida hoy? Debías tenerla.»

—¿En qué piensas? —preguntó ella y su voz sonó curiosamente dulce, tranquila. «Si tú supieras.» Dijo:

—En nada.

—¿Me estudiabas? —preguntó ella.

—No. Te miraba los ojos.

—*Ojos de cristiana en una cara judía* —citó ella.

Él sonrió. Estaba ligeramente aburrido.

—¿Cuándo crees que escampe? —preguntó ella.

—No sé —dijo él—. Posiblemente dentro de un año. Tal vez dentro de un momento. Nunca se sabe en Cuba.

Él hablaba siempre así: como si acabara de llegar de un largo viaje al extranjero, como si estuviera de visita, fuera un turista o se hubiera criado afuera. En realidad nunca había salido de Cuba.

—¿Crees que podremos ir a Guanabacoa?

—Sí. Ir sí. Aunque no sé si habrá algo. Llueve mucho.

—Sí. Llueve mucho.

Dejaron de hablar. Él miraba al parque más allá de las columnas heridas, por sobre la calle que aún conservaba los adoquines y la vieja iglesia tapiada por las trepadoras: al parque de árboles flacos y escasos.

Sintió que ella lo miraba.

—¿En qué piensas? Recuerda que juramos que siempre nos íbamos a decir la verdad.

—No, si te lo iba a decir de todas maneras.

Se detuvo. Se mordió los labios primero y luego abrió desmesuradamente la boca, como si fuera a pronunciar palabras más grandes que su boca. Siempre hacía ese gesto. Él le había advertido que no lo hiciera, que no era bueno para una actriz.

—Pensaba —la oyó y se preguntó si ella había comenzado a hablar ahora o hacía un rato— que no sé por qué te quiero. Eres exactamente el tipo de hombre contrario al que yo soñé, y sin embargo, te miro y siento que te quiero. Y me gustas.

—Gracias —dijo él.

—¡Oh! —dijo ella, molesta. Volvió a mirar al mantel, a sus manos, a las uñas sin pintura. Ella era alta y esbelta y con el vestido que llevaba ahora, con su largo escote cuadrado, lucía hermosa. Sus pechos en realidad eran pequeños, pero la forma de su tórax combado la hacía aparecer como si tuviera un busto grande. Llevaba el cabello en un moño alto. Tenía los labios parejos y carnosos y muy rosados. Tampoco usaba maquillaje, excepto quizás una sombra negra en los ojos, que los hacía más grandes y más claros. Ahora estaba disgustada. No volvió a hablar hasta que terminaron de comer.

—No escampa.

—No —dijo él.

—¿Algo más? —dijo el camarero.

Él la miró.

—No, gracias —dijo ella.

—Yo quiero café y un tabaco.

—Bien —dijo el camarero.

—Ah, y la cuenta, por favor.

—Sí señor.

—¿Vas a fumar?

—Sí —dijo él. Ella detestaba el tabaco.

—Lo haces a propósito.

—No, sabes que no. Lo hago porque me gusta.

—No es bueno hacer todo lo que a uno le gusta.

—A veces, sí.

—Y a veces, no.

La miró y sonrió. Ella no sonrió.

—Ahora me pesa —dijo ella.

—¿Por qué?

—¿Cómo que por qué? Porque me pesa. ¿Tú crees que todo es tan fácil?

—No —dijo él—. Al contrario, todo es difícil. Hablo en serio. La vida es un trabajo difícil.

—Vivir es difícil —dijo ella. Sabía por dónde venía. Había vuelto a lo mismo. Al principio no hablaba más que de la muerte, todo el día, siempre. Luego él la había hecho olvidar la idea de la muerte. Pero desde ayer, desde anoche exactamente, ella había vuelto a hablar de la muerte. No era que a él le molestase como tema, pero no le interesaba más que como tema literario y aunque pensaba mucho en la muerte, no le gustaba hablar de ella. Sobre todo con ella.

—Lo que es fácil es morir —dijo ella, finalmente. «Ah, ya llegó», pensó él y miró a la calle. Todavía llovía. «Igual que en *Rashomon* —pensó—. Sólo hace falta que aparezca un viejo japonés diciendo: No lo comprendo, no lo comprendo...»

—No lo comprendo —terminó diciendo en voz alta.

—¿Qué cosa? —preguntó ella—. ¿Que no le temo a la muerte? Siempre te lo he dicho. Sonrió.

—Te pareces a la Mona Lisa —dijo ella—. Siempre sonriendo.

Miró sus ojos, su boca, el nacimiento de sus senos —y recordó. Le gustaba recordar. Recordar era lo mejor de todo. A veces creía que no le interesaban las cosas más que para poder recordarlas luego. Como esto: este momento exactamente: sus ojos, las largas pestañas, el color amarillo de aceite de sus ojos, la luz reflejada en el mantel que tocaba su cara, sus ojos, sus labios: las palabras que salían de ellos, el tono, el sonido bajo y acariciante de su voz, sus dientes, la lengua que a veces llegaba hasta el borde de la boca y se retiraba rápida: el murmullo de la lluvia, el tintineo de las copas, de los platos, de los cubiertos, una música distante, irreconocible, que llegaba de ninguna parte: el humo del tabaco: el aire húmedo y fresco que venía del parque: le apasionaba la idea de saber cómo recordaría exactamente este momento.

Había terminado. Todo estaba allí. Como estaba todo lo de anoche.

—Nos vamos —dijo.

—Todavía llueve —dijo ella.

—Va a llover toda la tarde. Ya son las tres. Además el carro está ahí mismo.

Corrieron hasta el auto y entraron. Él sintió que le sofocaba la atmósfera dentro del pequeño automóvil. Se ubicó con cuidado y encendió el motor.

Pasaron y quedaron detrás las estrechas, torcidas calles de La Habana Vieja, las casas viejas y hermosas, algunas destruidas y convertidas en solares vacíos y asfaltados para parqueo, los balcones de complicada labor de hierro, el enorme, sólido y hermoso edificio de la aduana, el Muelle de Luz y la Alameda de Paula, con su aspecto de templo romántico a medio hacer y los trozos de muralla y el árbol que crecía sobre uno de ellos y Tallapiedra y su olor a azufre y cosa corrompida y el Elevado y el castillo de Atarés, que llegaba desde la lluvia, y el Paso Superior, gris, de hormigón, denso, y el entramado de vías férreas, abajo, y de cables de alta tensión y alambres telefónicos, arriba, y finalmente la carretera abierta.

—Quisiera ver las fotos de nuevo —dijo ella, al cabo.

—¿Ahora?

—Sí.

Él sacó su cartera y se la alargó. Ella miró en silencio las fotos. No dijo nada cuando devolvió la cartera. Luego, después que dejaron la carretera y entraron al camino, dijo:

—¿Por qué me las enseñaste?

—Hombre, porque las pediste —respondió él.

—No me refiero a ahora —dijo ella.

—¡Ah! No sé. Supongo que fue un pequeño acto de sadismo.

—No, no fue eso. Fue vanidad. Vanidad y algo más. Fue tomarme por entero, asegurarme que era tuya más allá de todo: del acto, del deseo, de los remordimientos. De los remordimientos sobre todo.

—¿Y ahora?

—Ahora vivimos en pecado.

—¿Nada más?

—Nada más. ¿Quieres algo más?

—¿Y los remordimientos?

—Donde siempre.

—¿Y el dolor?

—Donde siempre.

—¿Y el placer?

Se trataba de un juego. Ahora se suponía que ella debía decir dónde residía el placer exactamente, pero ella no dijo nada. Él repitió:

—¿Y el placer?

—No hay placer —dijo ella—. Ahora vivimos en pecado.

Él corrió un poco la cortina de hule y arrojó el tabaco. Luego le indicó:

—Abre la gaveta.

Ella lo hizo.

—Saca un libro que hay ahí.

Ella lo hizo.

—Ábrelo por la marca.

Ella lo hizo.

—Lee eso.

Ella vio que en letras mayores decía: «Neurosis y sentimiento de culpabilidad.» Y cerró el libro y lo devolvió a la gaveta y la cerró.

—No tengo que leer nada para saber cómo me siento.

—No —dijo él—. Si no es para saber cómo te sientes, sino por qué te sientes así.

—Yo sé bien por qué me siento así y tú también.

Él se rió.

—Claro que lo sé.

El pequeño automóvil saltó y luego desvió a la derecha.

—Mira —dijo él.

Delante, a la izquierda, por entre la lluvia fina, apareció deslumbrante un pequeño cementerio, todo blanco, húmedo, silvestre. Había en él una simetría aséptica que
nada tenía que ver con la corrupción y los gusanos y la peste.

—¡Qué bello! —dijo ella.

Él aminoró la marcha.

—¿Por qué no nos bajamos y paseamos por él un rato?

La miró fugazmente, con algo de burla.

—¿Sabes qué hora es? Son las cuatro ya. Vamos a llegar cuando se haya acabado
la fiesta.

—¡Ah, eres un pesado! —dijo ella refunfuñando.

Esa era la segunda parte de su personalidad: la niña. Era un monstruo mitad mujer y mitad niña. «Borges debía incluirla en su zoología», pensó. «La hembra-niña.
Al lado del catoblepas y la anfisbena.»

Vio el pueblo y en una bifurcación, detuvo el auto.

—Me hace el favor, ¿dónde queda el stadium? —preguntó a un grupo y dos o tres
le ofrecieron la dirección, tan detallada que supo que se perdería. Una cuadra más allá
le preguntó a un policía, que le indicó el camino.

—¡Qué servicial está todo el mundo aquí! —dijo ella.

—Sí. Los de a pie y los de a caballo. Los villanos siguen siendo serviciales con el
señor feudal. Ahora la máquina es el caballo.

—¿Por qué eres tan soberbio?

—¿Yo?

—Sí, tú.

—No creo que lo sea en absoluto. Simplemente, sé lo que piensa la gente y tengo
el coraje de decirlo.

—El único que tienes...

—Quizás.

—No, sin quizás. Tú lo sabes...

—Está bien. Yo lo sé. Te lo dije desde el principio.

Ella se volvió y lo miró detenidamente.

—No sé cómo te quiero siendo tan cobarde —dijo.

Habían llegado.

Corrieron bajo la lluvia hasta el edificio. Al principio pensó que no habría nada,
porque no vio —por entre unos ómnibus urbanos y varios autos— más que muchachos
vestidos de pelotero, y la lluvia no dejaba oír. Cuando entró, sintió que había penetrado
en un mundo mágico:

> había cien o doscientos negros vestidos de blanco de pies a cabeza:
> camisas blancas y pantalones blancos y medias blancas y la cabeza cu-
> bierta con gorros blancos que les hacían parecer un congreso de cocineros
> de color y las mujeres también estaban vestidas de blanco y entre ellas
> varias blancas de piel blanca y bailaban en rueda al compás de los tam-

bores y en el centro un negro grande ya viejo pero todavía fuerte y con espejuelos negros de manera que sólo se le veían sus dientes blancos como parte también de la indumentaria ritual y que golpeaba el piso con un largo bastón de madera que tenía tallada una cabeza humana negra en el puño y con pelo de verdad y era el juego de estrofa y antistrofa y el negro de espejuelos negros gritaba *olofi* y se detenía mientras la palabra sagrada rebotaba contra las paredes y la lluvia y repetía *olofi* y cantaba luego *tendundu kipungulé* y esperaba y el coro repetía *olofi olofi* y en la atmósfera turbia y rara y a la vez penetrada por la luz fría y húmeda el negro volvía a cantar *naní masongo silanbasa* y el coro repetía *naní masongo silanbasa* y de nuevo cantaba con su voz ya ronca y levemente gutural *sese maddié silanbaka* y el coro repetía *sese maddié silanbaka* y de nuevo

Ella se pegó a él y susurró al oído:

—¡Qué tiro!

«La maldita jerga teatral», pensó él, pero sonrió, porque sintió su aliento en la nuca, la barbilla descansando en el hombro.

el negro cantaba *olofi* y el coro respondía *olofi* y él decía *tendundu kipungulé* y el coro repetía *tendundu kipungulé* y mientras marcaban el ritmo con los pies y sin dejar de dar vueltas formando un corro apretado y sin sonreír y sabiendo que cantaban a los muertos y que rogaban por su descanso y la paz eterna y al sosiego de los vivos y esperaban que el guía volviese a repetir *olofi* y comenzar de nuevo con la invocación que decía *sese maddié*

—Olofi es Dios en lucumí —le explico él a ella. Ella sonrió.

—¿Qué quiere decir lo demás?

«¡Si casi no lo sé lo que quiere decir Olofi!», pensó.

—Son cantos a los muertos. Les cantan a los muertos para que descansen en paz.

Los ojos de ella brillaban de curiosidad y excitación. Apretó su brazo. La rueda iba y venía, incansable. Había jóvenes y viejos. Un hombre llevaba una camisa blanca, toda cubierta de botones blancos al frente.

—¡Mira! —dijo ella a su oído—. Ese tiene más de cien botones en la camisa.

—Ssu —dijo él, porque el hombre había mirado.

silanbaka bica dioko bica ñdiambe y golpeaba rítmicamente el bastón contra el suelo y por los brazos y la cara le corrían gruesas gotas de sudor que mojaban su camisa y formaban parches levemente oscuros en la blancura inmaculada de la camisa y el coro volvía a repetir *bica dioko bica ñdiambe* y en el centro junto al hombre otros jerarcas bailaban y repetían las voces del coro y cuando el negro de los espejuelos negros susurró ¡que la cojan! una a su lado entonó *olofi sese maddié sese maddié* y el coro repitió *sese maddié sese maddié* mientras el negro de los espejuelos negros golpeaba contra el piso su bastón y a la vez enjugaba el sudor con un pañuelo también blanco,

—¿Por qué se visten de blanco? —preguntó ella.

—Están al servicio de Obbatalá, que es el dios de lo inmaculado y puro.

—Entonces yo no puedo servir a Obbatalá —dijo ella bromeando. Pero él la miró con reproche y dijo:

—No digas tonterías.

—Es verdad. No son tonterías.

Lo miró y luego al volver su atención a lo que había dicho antes:

—De todas maneras, no me quedaría bien. Yo soy muy blanca para vestirme de blanco.

y a su lado otro negro se llevaba rítmicamente y con algo indefinido que rompía el ritmo y lo desintegraba los dedos a los ojos y los abría desmesuradamente y de nuevo volvía a señalarlos y acentuaba los movimientos lúbricos y algo desquiciados y mecánicos y sin embargo como dictados por una razón imperiosa y ahora el canto repercutía en las paredes y se extendía *olofi olofi sese maddié sese maddié* por todo el local y llegaba hasta dos muchachos negros con uniformes de pelotero y que miraban y oían como si todo aquello les perteneciese pero no quisieran recogerlo y a los demás espectadores y aho-gaba el ruido de las botellas de cerveza y los vasos en el bar del fondo y bajaba la escalinata que era la gradería del estadio y saltaba por entre los charcos formados en el terreno de pelota y avanzaba por el campo mojado y entre la lluvia llegaba a las palmeras distantes y ajenas y seguía hasta el monte y parecía como si quisiese elevarse por encima de las lomas lejanas y escalarlas y coronar su cima y seguir más alto todavía *olofi olofi bica dioko bica dioko ñdiambe bica ñdiambe y olofi y olofi y olofi* y más *sese maddié* y más *sese maddié* y más *sese* y más *sese*

—A ese le va a dar el santo —dijo él señalando al mulato que llevaba sus dedos a los ojos botados.

—¿Y le da de verdad? —preguntó ella.

—Claro. No es más que un éxtasis rítmico, pero no lo saben.

—¿Y me puede dar a mí?

Y antes de decirle que sí, que a ella también podía ocurrirle aquella embriaguez con el sonido, temió que ella se lanzase a bailar y entonces le dijo:

—No creo. Esto es cosa de ignorantes. No para gente que ha leído a Ibsen y a Chéjov y que se sabe a Tennessee Villiams de memoria, como tú.

Ella se sintió levemente halagada, pero le dijo:

—No me parecen ignorantes. Primitivos, sí, pero no ignorantes. Creen. Creen en algo en que ni tú ni yo podemos creer y se dejan guiar por ello y viven de acuerdo con sus reglas y mueren por ello y despés les cantan a sus muertos de acuerdo con sus cantos. Me parece maravilloso.

—Pura superstición —dijo él, pedante—. Es algo bárbaro y remoto y ajeno, tan ajeno como África, de donde viene. Prefiero el catolicismo, con toda su hipocresía.

—También es ajeno y remoto —dijo ella.

—Sí, pero tiene los evangelios y tiene a San Agustín y Santo Tomás y Santa Teresa y San Juan de la Cruz y la música de Bach...

—Bach era protestante —dijo ella.

—Es igual. Los protestantes son católicos con insomnio.

Ahora se sentía más aliviado, porque se sentía ingenioso y capaz de hablar por encima del murmullo de los tambores y las voces y los pasos, y porque había vencido el miedo de cuando entró.

y sese y más sese y olofi sese olofi maddié olofi maddié maddié olofi bica dioko bica ñdiambe olofi olofi silanbaka bica dioko olofi olofi sese maddié olofi sese sese y olofi y olofi olofi

La música y el canto y el baile cesaron de golpe, y ellos vieron cómo dos o tres negros agarraron por los brazos al mulato de los ojos desorbitados, impidiéndole que golpeara una de las columnas con la cabeza.

—Ya le dio —dijo él.

—¿El santo?

—Sí.

Todos lo rodearon y lo llevaron hasta el fondo de la nave. Él encendió dos cigarrillos y le ofreció uno a ella. Cuando terminó de fumar y llegó hasta el muro y arrojó al campo mojado la colilla, vio a la negra, que venía hacia ellos.

—Me permite, caballero —dijo ella.

—Cómo no —dijo el hombre, sin saber qué era lo que tenía que permitir.

La anciana negra se quedó callada. Podía tener sesenta o setenta años. «Pero nunca se sabe con los negros», pensó él. Su cara era pequeña, de huesos muy delicados y de piel reluciente y con múltiples y menudas arrugas alrededor de los ojos y de la boca, pero tirante en los pómulos salientes y en la aguda barbilla. Tenía unos ojos vivos y alegres y sabios.

—Me permite el caballero —dijo ella.

—Diga, diga —dijo él y pensó: «Usted verá que ahí viene la picada».

—Yo desearía hablar con la señorita —dijo ella. «Ah, cree que ella es más sensible al sablazo. Hace bien, porque yo soy enemigo de toda caridad. No es más que la válvula de escape de los complejos de culpa que crea el dinero», fue lo que pensó antes de decir: —Sí, ¡cómo no!

—y antes de retirarse un poco y mucho antes de preguntarse, inquieto, qué querría la vieja en realidad.

Vio que ella, la muchacha, escuchaba atentamente, primero y que luego bajaba los ojos atentos de la cara de la negra vieja para mirar al suelo. Cuando terminaron de hablar, se acercó de nuevo.

—Muchas gracias, caballero —dijo la vieja.

Él no supo si tenderle la mano o inclinarse ligeramente o sonreír. Optó por decir:

—Por nada. Gracias a usted.

La miró y notó que algo había cambiado.

—Vámonos —dijo ella.

—¿Por qué? Todavía no ha acabado. Es hasta las seis. Los cantos duran hasta la puesta de sol.

—Vámonos —repitió ella.

—¿Qué es lo que pasa?

—Vámonos, *por favor.*

—Está bien, vámonos. Pero antes dime qué es lo que pasa. ¿Qué ha pasado? ¿Qué te ha dicho la negrita esa?

Ella lo miró con dureza.

—La *negrita esa,* como tú dices, ha vivido mucho y sabe mucho y si te interesa enterarte, acaba de darme una lección.

—¿Sí?

—¡Sí!

—¿Y se puede saber qué te ha dicho la pedagoga?

—Nada. Simplemente me ha mirado a los ojos y con la voz más dulce, más profunda y más enérgicamente convincente que he oído en mi vida, me ha dicho: «Hija, deja de vivir en pecado.» Eso es todo.

—Parca y profunda la anciana —dijo él. Ella arrancó a caminar hasta la puerta, abriéndose paso con su gentileza por entre los grupos de santeros, tamboreros y feligreses. La alcanzó en la puerta.

—Un momento —dijo él—, que tú has venido conmigo.

Ella no dijo nada y se dejó tomar el brazo. Él abría la máquina cuando se acercó un muchacho y dijo:

—Docto, por una apuejita, ¿qué carro e ese? ¿Alemán?

—No, inglés.

—No e un renául, ¿veddá?

—No, es un MG.

—Ya yo desía —dijo el muchacho con una sonrisa de satisfacción, y se volvió al grupo de donde había salido.

«Como siempre —pensó él— «Sin dar las gracias. Y son los que tienen más hijos.»

Había escampado y hacía fresco y condujo con cuidado hasta encontrar la salida a la carretera. Ella no había dicho nada más y cuando él miró, vio que estaba llorando, en silencio.

—Voy a parar para bajar el fuelle —dijo.

Se echó a un lado de la carretera y vio que se detenía junto al breve cementerio. Cuando bajó la capota y la fijó detrás de ella, tuvo intención de besar su nuca desnuda, pero sintió que desde ella subía un rechazo poderoso.

—¿Estabas llorando? —le preguntó.

Ella levantó la cara y le mostró los ojos, sin mirarlo. Estaban secos, pero brillaban y tenían un toque rojo en las comisuras.

—Yo nunca lloro, querido. Excepto en el teatro.

Le dolió y no dijo nada.

—¿Dónde vamos? —le preguntó.

—A casa —dijo ella.

—¿Tan definitiva?

—Más definitiva de lo que puedas pensar —dijo ella. Entonces abrió la guantera, sacó el libro y se volvió hacia él.

—Toma —dijo, a secas.

Cuando miró, vio que ella le alargaba los dos retratos —el de la mujer con una sonrisa y los ojos serios, y el del niño, tomado en un estudio, con los ojos enormes y serios, sin sonreír— y que él los aceptaba maquinalmente.

—Están mejor contigo.

SESERIBÓ
(Fragmentos)

Ekué era sagrado y vivía en un río sagrado. Un día vino Sikán al río. El nombre de Sikán podía querer decir mujer curiosa —o nada más que mujer. Sikán, como buena mujer, era no sólo curiosa, sino indiscreta. Pero ¿es que hay algún curioso discreto? Sikán vino al río y oyó el ruido sagrado que solamente conocían unos cuantos hombres de Efó. Sikán oyó y oyó —y luego contó—. Lo dijo todo a su padre, que no la creyó, porque Sikán contaba cuentos. Sikán volvió al río y oyó y ahora vio. Vio a Ekué y oyó a Ekué y contó a Ekué. Para que su padre la creyera persiguió al sagrado Ekué con su jícara (que era para tomar el agua) y alcanzó a Ekué, que no estaba hecho para huir. Sikán trajo a Ekué al pueblo en su jícara de beber agua. Su padre la creyó.

Cuando los pocos hombres de Efó (no hay que repetir sus nombres) vinieron al río a hablar con Ekué no lo encontraron. Por los árboles supieron que lo hicieron huir, que lo habían perseguido, que Sikán lo atrapó y llevó a Efó en la jícara del agua. Esto era un crimen. Pero dejar que Ekué hablara sin tapar los oídos profanos y contar su secreto y ser una mujer (¿pero quién si no podía hacer semejante cosa?) era más que un crimen. Era un sacrilegio.

Sikán pagó con su pellejo la profanación. Pagó con su vida, pero también pagó con su pellejo. Ekué murió, algunos dicen que de vergüenza por dejarse atrapar por una mujer o de mortificación al viajar dentro de una jícara. Otros dicen que murió sofocado, en la carrera. Pero no se perdió el secreto ni el hábito de reunión ni la alegría de saber que existe. Con su piel se encueró el *ekué,* que habla ahora en las fiestas de iniciados y es mágico. La piel de Sikán la Indiscreta se usó en otro tambor, que no lleva clavos ni amarres y que no debe hablar, porque sufre todavía el castigo de los lengua-largas. Tiene cuatro plumeros con las cuatro potencias más viejas en las cuatro esquinas. Como es una mujer hay que adornarlo lindo, con flores y collares y cauris. Pero sobre su parche lleva la lengua del gallo en señal eterna de silencio. Nadie lo toca y solo no puede hablar. Es secreto y tabú y se llama *seseribó.*

Rito de Sikán y Ekué
(de la magia afrocubana)

I

Los viernes no tenemos cabaré, así que tenemos la noche libre y este viernes parecía el día perfecto porque abrían de nuevo esa noche la pista al aire libre del Sierra. De manera que, lucía correcto darse un salto hasta allá a oír cantar a Beny Moré. Además esa noche debutaba en el Sierra Cuba Venegas y yo debía de estar allí. Ustedes saben que yo fui quien descubrió a Cuba, no Cristóbal Colón. Cuando la oí por primera vez, yo había vuelto a tocar de nuevo y dondequiera estaba oyendo música, de modo que tenía el oído en la perfecta. Yo había dejado la música por el dibujo comercial, pero también ganaba poco en esa agencia de anuncios que era más bien una agencia de epitafios y como había un montón de cabarés y de nite-clubs abriéndose, inaugurándose, pues saqué mi tumba del closet (una tumba en una tumba, que es un chiste que yo repito a cada rato y siempre que lo repito me acuerdo de Innasio, Innasio es Innasio Piñero, que escribió esa rumba inmortal que dice que un amante dolido y maltratado y vengativo puso una inscripción en la tumba de su amada (hay que oír esto en la voz del propio Innasio) que es la copia de una rumba: *No la llores, enterrador, no la llores, que fue la gran bandolera, enterrador: no la llores)* y comencé a practicar fuerte y a darle a los cueros y en una semana estaba sacando el sonido parejito, dulce, sabroso y me presenté a Barreto y le dije, «Guillermo, quiero volver a tocar».

La cosa que Barreto me consiguió trabajo en la segunda orquesta del Capri, esa que toca entre show y show y cuando termina el último show, para que la gente baile (los que le gusta el baile) o se maten en ritmo o revienten callos al compás del seis por ocho. A escoger.

Fue así que yo estaba oyendo cantar por la ventana y me pareció que aquella voz tenía su cosa. La canción (que era Imágenes, de Frank Domínguez: ustedes la conocen: esa que dice, *Como en un sueño, sin yo esperarlo te me acercaste y aquella noche maravillosa...),* en fin la voz salía de los bajos y luego vi que detrás de ella salía una mulata alta, de pelo bueno, india, que entraba y salía al patio y tendía la ropa. Adivinaron: era Cuba, que entonces se llamaba Gloria Pérez y claro, yo, que no he trabajado por gusto en una publicitaria, se lo cambié para Cuba Venegas, porque nadie que se llame Gloria Pérez va a cantar nunca bien. De manera que esa mulata que se llamaba Gloria Pérez es ahora Cuba Venegas (o al revés) y como ella está ahora en Puerto Rico o en Venezuela o qué sé yo dónde y no voy a hablar de ella ahora, puedo contarles esto así de pasada.

Cuba pegó en seguida: el tiempo que le tomó pelearse conmigo a tiempo y empezar a salir con mi amigo Códac, fotógrafo de moda ese año y después con Piloto y Vera (primero con Piloto, y luego con Vera) que tienen dos o tres buenas canciones, entre ellas Añorado encuentro, que Cuba hizo *su* creación. Finalmente se puso a vivir con Walter Socarrás (Floren Cassalis dijo en su columna que se casaron: yo sé que *no* se casaron, pero eso no tiene la menor importancia, como diría Arturo de Córdova), que es el arreglista que se la llevó de jira por América Latina y que era quien estaba dirigiendo desde el piano la orquesta del Sierra de noche. (Eso tampoco tiene la menor importancia.) De manera que me fui al Sierra a oír cantar a Cuba Venegas, que tiene una voz muy linda y una cara muy bonita (Cubita Bella, le dicen en broma) y tremenda figura en la escena, a esperar que me viera y me guiñara un ojo y me dedicara No me platiques.

II

Estaba en el Sierra precisamente tomando en la barra, hablando un poco con el Beny. Déjenme hablar del Beny. El Beny es Beny Moré y hablar de él es como hablar de la música, de manera que déjenme hablar de la música. Recordando al Beny recordé el pasado, el danzón Isora en que la tumba repite un doble golpe de bajo que llena todo el tiempo y derrota al bailador más bailador, que tiene que someterse a la cadencia inclinada, casi en picada, del ritmo. Ese golpe carcelero del bajo lo repite Chapottín en un disco que anda por ahí, grabado en el cincuentitrés, el montuno de Cienfuegos, un guaguancó hecho son y ahí *sí* que el bajo juega un papel dominante. Una vez le pregunté al Chapo que cómo lo hacía y me dijo que fue (larga vida a los largos dedos de Sabino Peñalver) improvisado en el momento mismo de la grabación. Solamente así se hace un círculo de música feliz en la cuadratura rígida del ritmo cubano. De eso hablaba con Barreto en Radio Progreso un día, en una grabación, donde él tocaba la batería y yo repicaba con mi tumba y a veces me cruzaba. Barreto me decía que había que quebrar el cuadrado obligatorio del ritmo, que siempre tiene que cuadrar, y yo le puse de ejemplo al Beny, que en sus sones, con su voz, se burlaba de la prisión cuadrada, planeando la melodía por sobre el ritmo, obligando a su banda a seguirlo en el vuelo y hacerla flexible como un saxo, como una trompeta ligada, como si el son fuera plástico. Me acuerdo cuando toqué en su banda, sustituyendo al batería, que era amigo mío y me pidió que ocupara su lugar porque quería tener la noche libre ¡para irse a bailar! Era del carajo estar detrás del Beny, él vuelto de espaldas, cantando, moneando, haciendo volar la melodía por sobre nuestros instrumentos clavados al piso, y entonces verlo virarse y pedirte el golpe en el momento preciso. ¡Ese Beny!

De pronto el Beny me da un golpe con el hombro y me dice, «¿Qué, socio? ¿La ninfa es cosa suya?». Yo no sabía a qué se refería el Beny y como uno no sabe a qué se refiere el Beny casi nunca no le presté mucha atención, pero miré. ¿Ustedes saben lo que vi? Vi una muchacha, casi una muchachita, como de 16 años, que me miraba. En el Sierra afuera o adentro siempre está oscuro, pero yo la estaba viendo desde la barra y ella estaba del otro lado, de la parte afuera y había un cristal por el medio. Vi bien que estaba mirando para mí y mirando bien, de manera que no había ninguna duda. Además vi que me sonrió y yo me sonreí también y entonces dejé al Beny con su permiso y me llegué hasta la mesa. Al principio no la reconocí porque estaba muy tostada por el sol y tenía el pelo suelto y se veía hecha toda una mujer. Llevaba un vestido blanco, casi cerrado por el frente, pero muy escotado por detrás. Muy, muy escotado, de manera que se le veía toda la espalda y era una espalda linda lo que se veía. Me sonrió de nuevo y me dijo: «¿No me conoces?» Y entonces la reconocí: era Vivian Smith-Corona y ya ustedes saben lo que significa ese doble apellido. Me presentó a sus amigos: gente del Habana Yacht-Club, gente del Vedado Tennis, gente del Casino Español. Era una mesa grande. No sólo era larga del largo de tres mesas unidas, sino que había unos cuantos millones sentados en las sillas de hierro marcando algunas nalgas que eran prominentes social y físicamente. Nadie me hizo mucho caso y Vivian venía de casi-chaperona, de manera que pudo hablar conmigo un rato, yo de pie y ella sentada y como nadie me ofreció un sitio, le dije:

—Vámonos afuera —queriendo decir a la calle, donde sale mucha gente a hablar y a respirar el humo caliente y hediondo de las guaguas cuando hay mucho calor adentro.

—No puedo —me dijo ella—. Vengo de cháper.

—¿Y eso qué? —le dije.

—*No* pu-e-do —me dijo, finalmente.

No sabía qué hacer y me quedé allí indeciso, sin irme ni quedarme.

—¿Por qué no nos vemos más tarde? —me dijo ella hablando entre dientes.

Yo no sabía qué quería decir exactamente con más tarde.

—Más tarde —me dijo—. Cuando me dejen en casa. Papi y mami están en la finca. Sube a buscarme.

III

[...]

Vivian hizo tch tch tch con su boca fruncida en falsa congoja y diversión real y Silvestre la miró de frente y casi levantó otra vez la mano con que insistía en la facilidad erótica de Vivian, pero se volvió a ver pasar a una de las coristas rumbo a la calle y al olvido de la noche. Cué lloró más todavía. Cuando me iba hacia la orquesta estaba llorando ahora acompañado por Silbia, que también estaba borracha, y dejé la mesa flotando en un mar de llanto (de Arsenio Cué & Cía.) y de consternación (de Silvestre) y de risa sofocada (de Vivian) y vine para el escenario que ya bajaron hasta ser una pista de baile.

Cuando me pongo a tocar me olvido de todo. De manera que estaba picando, repicando, tumbando, haciendo contracanto o concertando con el piano y el bajo y apenas distinguía la mesa de mis amigos los plañideros y los tímidos y los divertidos, que quedaron en la oscuridad de la sala. Seguí tocando y de pronto veo que en la pista estaba bailando Arsenio Cué, nada lloroso, con Vivian todavía divertida. No me imaginaba que ella bailara tan bien, tan rítmica y tan cubana. Cué, por su parte, se dejaba llevar, mientras fumaba un cigarrillo king-size en una boquilla negra y metálica y con sus espejuelos negros confrontaba a todo el mundo petulante, pedante, desafiante. Pasaron junto a mí y Vivian me sonrió.

—Me gusta cómo tocas —me dijo y el tuteo era otra sonrisa.

Pasaron muchas veces y terminaron por bailar junto a mi zona. Cué estaba borracho-borracho y ahora se quitó los espejuelos para guiñarme un ojo y se sonrió y me guiñó los dos ojos, y, creo, me dijo hablando con los labios nada más, Se acuesta se acuesta. Finalmente se acabó el número, que era ese bolerón, Miénteme. Vivian bajó primero y Cué se me acercó y me dijo, bien claro, al oído: —*Ese* se acuesta —y se rió y me señaló a Silvestre que dormía sobre la mesa, su cuerpo chato y chino y chiquito envuelto en un traje de seda cruzada que parecía caro aun a esa distancia, azul echado sobre el mantel blanco. En la próxima pieza Arsenio Cué bailó (es un decir) con Silbia, que también daba tumbos por lo que ahora parecía él bailar mejor o menos mal que con Vivian. Mientras yo sonaba los cueritos vi que ella (Vivian) no me quitaba los ojos de encima. La vi levantarse. La vi caminar hasta el estrado y se quedó allí junto a la orquesta.

—No sabía que tocabas tan bien —me dijo cuando terminó la pieza.

—Ni bien ni mal —le dije—. Lo suficiente para ganarme la vida.

—No, tocas *muy* bien. Me gusta.

No dijo si le gustaba que tocara o que tocara bien o si le gustaba yo tocando bien. ¿Sería una beata musical? ¿O de la perfección? ¿Hice alguna seña o indicación delatora?

—En serio —me dijo—. Ya quisiera tocar yo como tú.

—No te hace falta.

Movió la cabeza. ¿Era una beata? Pronto lo sabría.

—A las niñas del Yacht no les hace falta tocar el bongó.

—Yo no soy una niña del Yat —dijo y se fue y no supe dónde le dolía. Pero seguí tocando.

Seguía tocando y tocando vi a Arsenio Cué llamar al camarero y pedir la cuenta tocando y tocando despertar a Silvestre y vi al prieto escritor levantarse y empezar a salir con Vivian y Sibila cogidas de los brazos y tocando Cué estaba pagando él solo bastante y tocando regresó el camarero y Cué le dio una propina tocando que pareció buena por la cara del camarero satisfecha tocando y lo vi irse a él también y reunirse todos en la puerta y el botones abrir las cortinas y tocando salieron por la sala de juego roja y verde y bien alumbrada y la cortina cayó sobre, detrás de ellos tocando. No me dijeron ni hasta luego. Pero no me importó porque estaba tocando y seguía tocando y todavía iba a seguir tocando un buen rato.

[...]

VI

No fui a ningún lado aquella noche, sino que me quedé parado en la esquina, bajo el farol como ahora. Podía haber ido a buscar una corista al terminar el segundo show del Casino Parisién. Pero eso hubiera significado ir de allí a un club, a tomar y luego ir a una posada y finalmente despertarme por la mañana con la lengua como una lápida viscosa, en una cama extraña, con una mujer a la que apenas reconocería porque habría dejado todo el maquillaje en las sábanas y en mi cuerpo y en mi boca, con un toque en la puerta y una voz anónima que dice que ya es la hora y teniendo que ir solo a la ducha y bañarme y quitarme el olor a cama y a sexo y a sueño, y luego despertar aquella desconocida, que me diría como si lleváramos diez años de casados, con la misma voz, con la monotonía de la seguridad. Chino me quieres, preguntándome a mí, cuando lo que debiera era preguntarme el nombre, mi nombre, que no sabría y porque yo tampoco sabré el suyo le diría, Mucho china.

Allí estaba ahora pensando que tocar el bongó o la tumba o la paila (o la batería, los timbales, como decía Cué señalando que era culto y a la vez brillante, sexual, popularmente ingenioso) era estar solo, pero no estar solo, como volar, digo yo, que no he viajado en avión más que a Isla de Pinos, como pasajero, como volar digo como piloto, en un avión, viendo el paisaje aplastado, en una sola dimensión abajo, pero sabiendo que las dimensiones lo envuelven a uno y que el aparato, el avión, los tambores, son la relación, lo que permite volar bajo y ver las casas y la gente o volar alto y ver las nubes y estar entre el cielo y la tierra, suspendido, sin dimensión, pero en todas las dimensiones y yo allí picando, repicando, tumbando, haciendo contracanto, llevando con el pie el compás midiendo mentalmente el ritmo, vigilando esa clave interior que todavía suena, que suena a madera musical aunque ya no está en la orquesta, contando el silencio, mi silencio, mientras oigo el sonido de la orquesta, haciendo piruetas, clavados, giros, rizos con el tambor de la izquierda, luego con el de la derecha, con los dos, imitando un accidente, una picada, engañando al del cencerro o al trompeta o al bajo, atravesándome sin decir que es un contratiempo, haciendo como que me atravieso, regresando al tiempo, cuadrando, enderezando el aparato y por último aterrizando: jugando con la música tocando sacando música de aquel cuero de chivo doble clavado a un dado a un cubo de madera chivo inmortalizado su berrido hecho música entre las piernas como los testículos de la música yendo con la orquesta estando con ella y sin embargo tan fuera de la soledad y de la compañía y del mundo: en la música. Volando.

Allí estaba todavía parado desde la noche que dejé a Cué y a Silvestre caminando a la exhibición de pájaros en la jaula musical del Saint Michel, cuando pasó rápido un convertible y me pareció ver en él a Cuba, atrás, con un hombre que podía ser o no ser mi amigo Códac y delante otra pareja, muy junticos todos. La máquina siguió y se metió en los jardines del Nacional y pensé que no era ella, que no podía ser ella porque Cuba debía estar un su casa, durmiendo ya. Cuba tenía que descansar, se sentía enferma, «mala» me dijo: en eso pensaba cuando oí que un motor, un autor, subía por la calle N y era el mismo convertible que se paró a media cuarta, en la oscuridad junto al parqueo elevado y oí los pasos subir la acera y venir hacia la esquina y pasar por detrás de mí y me volví y era Cuba que venía con un hombre que yo no conocía, y me alegré que no fuera Códac. Ella me vio, claro. Todos entraron en el 21. No hice nada, ni siquiera me moví.

Al poco rato salió Cuba y vino a donde yo estaba. No le dije nada. No me dijo nada. Me puso una mano en el hombro. Quité el hombro y ella quitó la mano. Se quedó quieta, sin decir nada. No la miré, miré para la calle y, cosa curiosa, pensé entonces que Vivian debía estar al llegar y quise que Cuba se fuera y creo que fingí un dolor en el alma tan fuerte como un dolor de muela. ¿O fue que lo sentí? Cuba se alejó despacio, se viró y me dijo tan bajito que casi no la oí:

—Aprende a perdonarme.

Parecía el título de un bolero, pero no se lo dije.

—¿Me esperaste mucho? —me preguntó Vivian y me pareció que fue Cuba quien habló, porque había llegado casi encima de la ida de ella y me pregunté si nos habría visto.

—No.

—¿No te aburriste?

—De veras que no.

—Yo tenía miedo de que te hubieras ido. Tuve que esperar a que Balbina se durmiera.

No había visto nada.

—No, no me aburrí. Fumaba y pensaba.

—¿En mí?

—Sí en ti.

Mentira. Pensaba en un arreglo difícil que ensayamos por la tarde, cuando pasó Cuba.

—Mentira.

Parecía halagada. Se había cambiado el vestido que tenía en el cabaré por el que traía el día que la conocí. Se veía mucho más mujer, pero no estaba nada blanca fantasmal como la primera vez. Traía el pelo recogido en un moño alto y se había maquillado fresca. Estaba casi bella. Se lo dije, claro que suprimí el casi.

—Gracias —me dijo—. ¿Qué hacemos? No nos vamos a quedar aquí toda la noche.

—¿Adónde quieres ir?

—No sé. Di tú.

¿Adónde llevarla? Eran más de las tres. Estaban abiertos muchos sitios, pero ¿cuál era el apropiado para esta niña rica? ¿Uno miserable, pero sofisticado como el Chori? La playa estaba muy lejos y me iba a gastar mi sueldo en taxi. ¿Un restaurant de medianoche, como el Club 21? Ella estaría cansada de comer en estos lugares. Además, ahí estaba Cuba. ¿Un cabaré, un nite-club, un bar?

—¿Qué te parece el Saint Michel?

Me acordé de Cué y Silvestre, los jimaguas. Pero pensé que a esa hora habría terminado la velada enloquecida y febril de las niñas del sí y de los negros espirituales y nada más que quedarían unas pocas parejas, quizás heterosexuales.

—Me parece bien. Está cerca.

—Eso es un eufemismo —le dije y le señalé el club—. Cerca está la luna.

Apenas había nadie en el Saint Michel y el largo pasillo que era un túnel de sodomía temprano por la noche, estaba vacío. Solamente había una pareja —hombre y mujer— junto a la victrola y dos locas tímidas y bien llevadas en un rincón oscuro. No podía contar al cantinero —que era también el camarero— porque nunca supe si era maricón o lo fingía para un mejor negocio.

—¿Quévana tomar?

Le pregunté a Vivian. Un daiquirí para ella. Bueno, otro para mí. Tomamos tres seguidos, antes de que entrara un grupo de gente haciendo ruido y Vivian dijera bajito, «¡Ay mi madre!»

—¿Qué pasa?

—Gente del Bilmor.

Eran amigos de ella de su club o del club de su madre o de su padrastro y claro que la reconocieron y claro que vinieron a la mesa y claro que hubo presentaciones y todo lo demás. Con todo lo demás quiero decir miradas de entendimiento y sonrisas y dos de ellas que se levantaron con el permiso de todo el mundo occidental para ir al baño y el dalequedale de la conversadera. Me entretuve completando los círculos de agua de las copas y haciendo círculos nuevos con el sudor que hacía bajar por el pie de la copa con el dedo. Alguien puso un disco misericordioso. Era La Estrella que cantaba Déjame sola. Pensé en aquella mulata enorme, descomunal, heroica, que tenía el micrófono portátil, redondo y oscuro, en su mano como un sexto dedo, cantando en el Saint-John (ahora todos los nite-clubs de La Habana tenían nombre de santos exóticos: ¿era sisma o snobismo?) a tres cuadras apenas de donde estábamos, cantando subida en un pedestal sobre el bar como una monstruosa diosa nueva, como si el caballo fuera adorado en Troya, rodeada de fanáticos, cantando sin música, desdeñosa y triunfal, los habitués revoloteando a su alrededor, como las alevillas en la luz, ciegos a su cara, mirando nada más que su voz luminosa porque de su boca profesional salía el canto de las sirenas y nosotros, cada uno de su público, éramos Ulises amarrado al mástil de la barra, arrebatados con esta voz que no se comerán los gusanos porque está ahí en el disco sonando ahora, en un facsímil perfecto y ectoplásmico y sin dimensión como un espectro, como el vuelo de un avión, como el sonido de la tumba: esa es la voz original y a unas cuadras está solamente su réplica, porque La Estrella es su voz y su voz yo oía y hacia ella me dirigía, a ciegas guiado por el sonido que fulguraba en la noche y oyendo su voz, viéndola en la oscuridad súbita dije, «La Estrella, condúceme a puerto, llévame seguro, sé el norte de mi brújula verdadera, Mi Stella Polaris» y debí decirlo en alta voz, porque oí unas risas en las mesas que nos rodeaban y alguien dijo, una muchacha, creo, «Vivian te cambian el nombre», y yo dije con su permiso y me levanté y fui al baño.

VII

Cuando regresé, Vivian estaba sola y bebía su daiquirí y a mí me esperaba el mío en mi puesto, helado, casi sólido. Lo bebí todo sin hablar y como ella se había tomado el suyo, pedí otros dos y no dijimos una sola palabra de la gente que ya yo no sabía si habían estado aquí o la había soñado o la imaginé. Pero habían estado, porque tocaban de nuevo, por la tercera vez, Déjame sola y vi las marcas de los vasos sobre el vinil negro de las mesas.

Recuerdo que encima de nosotros había un farol de fantasía que alumbraba la cabeza rubia de Vivian cuando empecé a quitarle los ganchos del moño, sin hablar. Ella me miraba los ojos y estaba tan cerca que bizqueaba. La besé o me besó, creo que me besó, porque me pregunté por entre la borrachera dónde aquella niñita que no tendría todavía diecisiete años cumplidos había aprendido a besar. Ella hablaba dentro de mi boca y sentí algo salado y pensé que me había roto el labio. Era que lloraba.

Se separó de mí y echó hacia atrás la cabeza y la luz le dio en la cara. La tenía mojada por completo. Algo era saliva, pero el resto eran lágrimas.

—Cuídame —me dijo.

Entonces lloró más y yo no supe qué hacer. Las mujeres que lloran siempre me confunden, aunque esté borracho que es cuando más confundido estoy: todavía me pueden confundir más que el próximo trago.

—Soy tan desgraciada —me dijo.

Creí que estaba enamorada de mí y que sabía —ella lo sabía— lo mío y de Toda Cuba (otro apodo de doña Venegas) y no supe qué decir. Las mujeres que están enamoradas de mí, me confunden más que las mujeres que lloran y que el otro trago. Ahora, para colmo, esta lloraba y venía el camarero con dos copas más que nadie pidió. Creo que quería terminar el clinche. Pero ella habló con el referí delante y todo.

—Quisiera morirme.

—Pero ¿por qué? —dije yo—. Se está muy bien aquí.

Me miraba a los ojos y seguía llorando. Toda el agua del daiquiri se le salía por los ojos.

—Por favor, es terrible.

—¿Qué es terrible?

—La vida es terrible.

Otro título para un bolero.

—¿Por qué?

—Porquesí.

—¿Por qué es terrible?

—Ay, es tan terrible.

Dejó de llorar de pronto.

—Préstame un pañuelo.

Se lo presté y se limpió las lágrimas y la saliva y hasta se sonó en él. Mi único pañuelo. Quiero decir, de la noche: tengo más en mi casa. No me lo devolvió. Quiero decir, que no me lo devolvió nunca: todavía debe tenerlo en la casa o en la cartera. Tomó el daiquiri de un viaje.

—Perdóname. Soy una boba.

—No eres boba —dije y traté de besarla. No me dejó. Lo que hizo fue subirse el zipper y arreglarse el pelo.

—Quiero contarte algo.

—Dímelo, por favor —dije yo, tratando de ser tan atento y tan comprensivo y tan desinteresado que parecía el actor más malo del mundo tratando de parecer desinteresado y comprensivo y atento y a la vez hablando a un público que no lo oía. Otro Arsenio Cué.

—Quiero contarte una cosa. Nadie más la sabe.

—Nadie más la sabrá.

—Quiero que me jures que no se lo vas a decir a nadie.

—A nadie.

—Sobre todo no se lo digas a Arsen.

—A nadie —mi voz sonaba ahora a borracho.

—Júramelo.

—Te lo juro.

—Es muy difícil, pero lo mejor es decírtelo de una vez. Ya no soy señorita.

Debí poner la cara de Cué cuando los episodios con Gounod, Mozart & Cía., productores de música embarazosa al por mayor.

—De veras —me dijo, sin que yo dijera nada.

—No lo sabía.

—Nadie lo sabe. Tú y *esa* persona y yo somos los únicos que lo sabemos. Él no se lo va a decir a nadie, pero yo tenía que contarlo o reventaba. Tenía que decírselo a alguien y Sibila es mi única amiga, pero la última persona que quiero que se entere en el mundo es ella.

—No se lo diré a nadie.

Me pidió un cigarro. Se lo di, pero no cogí ninguno para mí. Cuando le ofrecí candela apenas rozó mi mano, a no ser las veces que el temblor de su mano se trasmitía a la mía por los dedos agarrotados y húmedos del sudor. También le temblaban los labios.

—Gracias —me dijo y soltó humo y sin hacer pausa dijo—: Él es un muchacho muy confundido, muy joven, muy perdido y yo quise darle un sentido a su vida. Pero, me equivoqué.

No sabía qué decir: la entrega de la virginidad como un acto de altruismo me dejaba completamente desarmado. ¿Pero quién era yo para discutir las formas posibles de la salvación? Después de todo, yo no era más que un bongosero.

—Ay Vivian Smith —dijo ella, que nunca usaba su Corona y me acordé de Lorca que siempre se presentaba como Federico García. No fue un lamento en su voz ni un reproche, creo que quería asegurarse de que estaba allí conmigo y yo no se lo echaba en cara porque para mí también era un sueño. Solamente que no era mi sueño soñado.

—¿Lo conozco? —le pregunté, tratando de no parecer curioso ni con celos.

No me respondió enseguida. La miré bien y aunque parecía que había menos luces en el bar, no lloraba. Pero vi que tenía los ojos aguados. Respondió dos años después.

—Tú no le conoces.

—¿Seguro?

La miré bien, de frente.

—Bueno, sí. Lo conoces. Estaba en la piscina el día que fuiste.

No quería, no podía creerlo.

—¿Arsenio Cué?

Ella se rió o trató de reírse o una mezcla de las dos cosas.

—¡Por favor! ¿Tú crees que Arsen haya estado confundido *un* solo día de su vida?

—Entonces no lo conozco.

—Es el hermano de Sibila. Tony.

Claro que lo conocía. Pero no me preocupó saber que aquel tipo medio bizco, anfibio de mierda, de cadena al cuello y pulso de identidad en la muñeca: el ciudadano de Miami, ese era el Muchacho Confundido de Vivian. Lo que me preocupó es que dijo *es*. Si hubiera dicho fue, habría sido algo pasajero o accidental o forzado. Eso quería decir una sola cosa y era que estaba enamorada. Veo a Tony de nuevo: con otros ojos. ¿Qué vería ella en ellos?

—Ah sí —dije—. Sé quién es.

Me alegré de que Cué lo pisoteara. No, desié que él, como yo, tuviera el alma en los dedos.

—Por favor, por lo que más quieras, no lo digas nunca a nadie nunca. Prométemelo.

—Te lo prometo.

—Gracias —dijo y me cogió una mano y la acarició ni mecánica ni dulce ni interesadamente. Era otra sabiduría de su mano, como acercarla a su cara para encender un cigarro—. Lo siento —me dijo, pero no me dijo por qué lo sentía—. Lo siento de verdad.

Era la noche en que todo el mundo lo sentía conmigo.

—No tiene la menor importancia.

Creo que mi voz sonó un poco a Arturo de Córdova pero también un poco a mi voz.

—Lo siento y me pesa —me dijo, pero tampoco me dijo qué le pesaba. Tal vez fuera el contármelo—. Pídeme otro trago.

Llamé al camarero con los dedos y para esto hay que cazar a los camareros: no es tan fácil como se cree: Frank Buck no podría traer a un camarero vivo. Cuando volví a mirarla estaba llorando de nuevo. Habló comiéndose las lágrimas.

—¿De veras que no vas a contarlo?

—No, de veras. A nadie.

—Por favor, a *nadie,* pero a nadie a nadie a nadie.

—Seré una tumba.

Enterrador, te suplico, que por mi bien cantes mucho / sobre su tumba un requiém / y que el diablo le haga bien. / No la llores, enterrador, no la llores (se repite).

EL GRAN CACHAO, EL VERDADERO REY DEL MAMBO

Se llama Israel López pero lo llaman Cachao. Su verdadero nombre rima con música. Nacido en una familia loca por el bajo, por lo menos 35 miembros del clan Cachao han tocado el contrabajo en un momento y otro, bien con la Filarmónica de La Habana o en conjuntos populares. Alguno de ellos, como su hermano mayor, el difunto Orestes, eran músicos de talento reconocido desde el conservatorio. Cachao y Orestes tocaban con la Filarmónica bajo la batuta de Erich Kleiber, antiguo dirigente de la Orquesta de la Ópera de Berlín. Hasta que Hitler le dijo a Goebbels: «Hay que impedir por todos los medios que ese judío interprete a Wagner.» Lo que perdió Berlín lo ganó La Habana. En la Filarmónica, Cachao era tan joven que tuvieron que construirle otro podio para dar con el traste. No sólo era ya un virtuoso sino que se hizo compositor, arreglista y director de orquesta. También toca la trompeta, el piano, la celesta y el bongó. Pero Cachao no es un hombre orquesta al uso. Su modestia le impide proclamarse par de Charley Mingus, el hombre que dio al contrabajo del jazz un aire de concierto. Así es imposible, para atrapar a Cachao, atarlo a un solo instrumento. Aunque el contrabajo es su mejor trabajo.

Si en *Lo que Lola quiere* lo que Lola quería era saber a quién le dolía el mambo, ¡ay!, le puedo decir quién dio el grito de Dolores. O quién creó el mambo antes del gruñido feral. Fueron Cachao y su hermano Orestes. Era el año 1939 y ese mambo auroral se llamó, ¿qué otra cosa?, *Mambo*. Derivaba del más clásico de los ritmos cubanos: el danzón. Del danzón también salió el chachachá y un poco más tarde la descarga. ¿Quién habla de ritmos caribeños? Solamente los que ignoran que la costa norte de Cuba queda en el Atlántico. Antes, esas islas se llamaban las Antillas y el Caribe era para caníbales.

Pero, en fin, ¿qué es el danzón? Dice el diccionario de María Moliner, errado, errante: «Baile cubano semejante a la habanera.» Aunque se originó, ¡sorpresa!, en Inglaterra. Dice George Eliot, mujer que escribía como todo un hombre, en *Adam Bede,* de 1859: «...y ahora la música arrancó con una gloriosa *country dance,* la mejor de las danzas.» Escribe el novelista cubano Cirilo Villaverde en *Cecilia Valdés,* en 1882: «Por sobre el ruido de la orquesta con sus estrepitosos timbales podía oírse, en perfecto tiempo con la música, el monótono y continuo chis chas de los pies; sin cuyo requisito no cree la gente de color que se pueda llevar el compás con exacta medida en la danza criolla.»

La *country dance,* tan cara a Eliot, se hizo popular en otros países de Europa. Por la tradicional dificultad que tienen los franceses con el inglés, la *country dance,* danza campestre, se convirtió en Francia en la *contredanse,* danza contraria. Con ese nombre viajó a las colonias francesas, a Santo Domingo, para ser precisos, que era entonces la más próspera colonia europea en América. Una revuelta de esclavos transformó la isla rica en Haití, uno de los países más pobres del mundo.

Cuando los revuolucionarios negros expulsaron a todos los blancos los colonos franceses se llevaron lo que sabían como cafeteros y sus esclavos y su música a la vecina Cuba. En Oriente, la provincia más cercana a Haití, plantaron café, rehicieron sus vidas y construyeron sus mansiones y bailaron su versión de la *country dance* con acento francés. La *contredanse,* danza contraria, se volvió moda y manera, y de qué manera, en Santiago de Cuba, y esta locura francesa adquirió un «aire español», para pedir prestada la frase a Jelly Roll Morton, el hombre que fue jazz. La danza inglesa pero francesa se volvió ahora cubana y se llamó, cómo si no, la contradanza. De ahí derivó la danza que Villaverde vio bailar. Se había hecho habanera cuando atravesó la isla para llegar a La Habana. La habanera se hizo género clásico gracias a Bizet, quien la llamó, cómicamente, habañera, mitad habano, mitad bañera. ¡Ah, los franceses y los nombres extranjeros!

Pero esa habanera que cantó en la ópera no es de Bizet ni es un robo. Fue compuesta por un compositor vasco con nombre catalán. Se llamaba entonces *El arreglito* y fue concebida en La Habana. Su autor, prolífico, fue también el autor de *La paloma,* cuya letra parece un programa de compositor. «Cuando salí de La Habana, / ¡válgame Dios!, / nadie supo de mi salida / si no fui yo.»

El compositor de *La paloma,* pieza encantada de la emperatriz Carlota y favorita de Dashiell Hammett, en ese orden, fue un tal Sebastián Yradier. Yradier siguió la tradición de los compositores populares del siglo XIX y murió anónimo y sin un centavo de cobre. Pero no sin antes hacer de la danza el *hit* número uno en Cuba, México y España. Hasta en Argentina, donde Borges la decretó «madre del tango».

De la danza, conocida en Europa y dondequiera como habanera (venía de La Habana), se dio el danzón, que no es una danza grande sino el ritmo, menos obsesivo, que dominará la música cubana todo el fin de siglo y buena parte del siglo entrante. De acuerdo con el *Diccionario de música* de Oxford, una autoridad, el danzón es «una danza cubana en forma de rondó. Consiste en una serie de episodios en tiempos diferentes y es interpretada ahora por un conjunto que incluye flauta, clarinete, piano, cuerdas y percusión». En la sección de cuerdas, como una suerte de bajo continuo, está el contrabajo, y sin trabajo lo toca el Gran Cachao, que es de lo que se trata ahora. Cachao es el músico que hizo con el danzón lo que la Revolución Francesa le hizo al minué. ¡Que rueden las pelucas!

El danzón, como dijo Scott Joplin del ragtime, «no se debe tocar rápido». Se le toca lento, más que lento, como quería Debussy del vals: *«la plus que lente»,* y más lento que los *rags* de Joplin. Era música para «bailar con un ladrillo», como bailaban entonces. Para muchos europeos, el danzón, como quiere el diccionario, es un rondó redondo. Si es así, es un rondó caprichoso, ya que su última sección es vivaz, fugaz. Esa zona rápida venía poco después que se paraba la música para dar tiempo a las damas a abanicar su ardor. (El abanico era un habanico). La primera parte del danzón es una suerte de sonata que se oye y se baila. La orquesta es de cámara, pero la sección rítmica comprende los timbales (un par de pailas parientes del bongó que se tocan con baquetas, como el redoblante), un piano y el contrabajo, que suena como un bajo profundo a veces. Aunque Cachao ha desarrollado un *stile brillante* tan notable que antes se consideraba imposible. Para muchos músicos Cachao es el más alto bajo del mundo.

Cachao partió de las formas tradicionales del danzón para crear el mambo, que revolucionó la música cubana y hasta la manera de bailar de los cubanos. El mambo era rápido, pero más rápida era su intrincada coreografía. Esta forma musical fue llamada por un tiempo diablo y hasta el Papa decretó que era una danza diabólica. Pero no se sabe si el Papa la vio bailar o simplemente la oyó por la Radio Vaticana. Para completar la herejía armónica, un mambo americano se llamó *Papa loves mambo*. Con las *descargas,* donde el grito ritual era ¡diablo, diablo!, Cachao cambió la forma en que tocaban los músicos cubanos, en grupo o solos. Pero los mambos más famosos fueron creados por Dámaso Pérez Prado, pianista y arreglista de genio armónico que venía de la Orquesta Casino de la Playa y luego de la banda de Stan Kenton. Esos mambos tienen poco que ver (y que oír) con el danzón *Mambo,* cuyo nombre usurpó don Dámaso. El mambo de Cachao es un *ur*-mambo y Pérez Prado tocaba sus mambos en bandas gigantes llamadas en Cuba *jazz bands* porque incluían saxofones y trombones. Pero fue Pérez Prado el primero que dio el grito infernal que intrigaba a Gwen Verdon: «¿A quién le duele el mambo?» Ciertamente, a Cachao, que nunca cobró un céntimo por su invención diabólica. Pérez Prado, entre tanto, tuvo varios *hits* en las *charts* americanas en los años cincuenta. Pero su momento de gran gloria vino cuando Fellini usó su mambo *Patricia* para vestir a Anita Ekberg de fraile, quien lo convirtió en un himno ateo en *La dolce vita*. Parte de la *dolce* pertenecía en *vita* a Pérez Prado.

La descarga (léase eléctrica) fue otra dirección que tomó el mambo con Cachao de comopositor y maestro. Reunió a los músicos mejores para *descargar* después de medianoche, cuando terminaban de tocar en otra parte. Lo hacían por placer, no por dinero.

Por fortuna, las mejores descargas fueron grabadas en los años cincuenta, aunque eran grabaciones pirata. La clase maestra la dio Cachao con el nombre de *Cachao, como su ritmo no hay dos* en Miami y el momento cumbre de ese concierto lo captó Andy García en un documental. Cachao tocaba ahora para millares de personas y el documental se ha exhibido en todas partes. El concierto fue una hazaña extraordinaria, ya que Cachao había vivido 16 años en Miami en total oscuridad, tocando en bodas y bautizos y hasta *bar mitzvahs* en que el mambo hacía de *shogar.*

Pero en ese memorable concierto de Miami el músico le dio una lección a su público. Fue una lección no sólo de música popular, sino de música total. Comenzó con los danzones escritos por Cachao y tocados por una orquesta de cámara de violines, chelos y piano con percusión cubana. Primero Cachao tocó su *Mambo* con su *montuno* histórico, en que las síncopas para la elite se volvieron un sistema rítmico. Luego vinieron otros danzones, otros temas, de Gershwin y de Arlen. Por fin tocaron *África viva,* recordando sus raíces, y Cachao dirigió a sus músicos desde su contrabajo en un verdadero *concerto grosso* que fue el acmé de los ritmos fascinantes de Cuba.

227

La segunda parte del concierto fue toda de lo que Cachao anunció con gracia como «las famosas descargas». Si en la primera parte del programa las cuerdas tocaron suaves *glisandi,* la segunda parte (con gente joven bailando en los pasillos) fue la apoteosis del mambo y un coro que venía del público: «Cachao, Cacachao, Chao», como en los viejos tiempos buenos. La gloria llegó cuando Gloria Estefan subió a escena: lo viejo y lo nuevo unidos por un cordón umbilical de ritmos. Andy García, maestro de ceremonia, hacía de segundo cantando y de primer tambor acorde. ¡Qué noche la de esa noche!

El último disco de Cachao es de la marca Messidor. Se llama *Cuarenta años de descargas* y es un homenaje de Paquito d'Rivera al viejo maestro, que cumple 74 años y sigue tan campante. El disco contiene la autobiografía de Cachao en su música. Su vida en música está en el número que se llama *Descarga 93* y comienza con Cachao tocando el contrabajo *col arco.* Es un solo y una introducción en que el bajo suena como un chélo. Minutos más tarde la percusión cubana se le une en un paroxismo de ritmos desde el doble bajo, también un instrumento de percusión. Esta electrizante descarga es un recorrido desde los días de música clásica en la Filarmónica hasta las noches de creación y ritmos de este músico mágico a quien llaman Cachao.

Nadie sabe lo que significa este apodo, pero se sabe que Cachao nació Israel en La Habana en 1918. Cosa curiosa, en la casa en que nació José Martí en 1853. Pero ahí termina el parecido. Martí era un hombre pequeño con un gran bigote. Cachao es alto y fornido y con unos ojos asombrosamente azules en una cara egipcia. Cuando toca parece un jinete arcaico que monta su caballo de madera y cuerdas, las que pellizca y golpea, o usa su arco como un látigo para someter a ese instrumento de dos metros, el más masivo de la orquesta. Al mismo tiempo, pone un ojo azul para seducir a sus músicos con la mirada. Cachao coloca siempre su contrabajo junto al piano, pero no pierde ojo ni oído. Dirige a sus músicos con los ojos y las cejas, siempre formidable. Cuando no toca, Cachao habla con su voz suave, siempre en acuerdo civilizado. Excepto, claro, cuando habla de su oficio. Así salvará a cualquiera que comience a ahogarse en los remolinos de agua blanca de la música cubana. Fácil de oír pero no tan fácil de bailar (toda la música cubana ha sido hecha para bailar y aun el lento, dulce bolero tiene un ritmo preciso obligatorio) y es tan sofisticada y compleja que cuando Stravinsky (que su música es toda ritmo) vino a La Habana por primera vez y lo llevaron a una descarga, trató de captar con su notación los diferentes instrumentos de percusión, y se perdió —Cachao, que tiene una cara tan inmutable como la de Buster Keaton, al contar esta anécdota no puede evitar reírse— con los ojos sólo.

Después de montar tanto su bajo color caramelo, Cachao ha cogido un cuerpo extraño y con —¿qué otra cosa?— piernas arqueadas. Tan alto como su bajo, Cachao parece pequeño por su andar y con el cuerpo que le ha hecho su música. Si quiere el lector convertido en oyente oír las tonadas más dulces entramadas con el ritmo más endiablado, que no le grite a Cachao «¡Diablo, diablo!», sino «Como su ritmo no hay dos». Pero, cuidado, que Cachao no soporta a los sordos y es capaz de decirle al mismo Beethoven que no tiene oído para la música cubana. Mucha música.

Cuando volví a ver a Gianni en *El Jardín* creí que no me reconocería. Pero me reconoció bien. Me lo habían presentado una semana antes en una exposición. Me preguntó qué me parecían los cuadros y yo le dije, con franqueza, que pura mierda. Se rió.

—Esa es una palabra que no tiene en italiano la fuerza que tiene en español —dijo.

—O en francés —dije yo.

—Sí. O en francés.

Había nacido en Italia y luego sus padres se habían mudado para el sur de Francia y ahora era francés. O mejor dicho: ahora no se sabía lo que era, porque estaba aquí y hablaba muy bien el español y no parecía francés ni italiano. Su padre tenía una buena *trattoria* y una mejor clientela. Él se había quedado en Francia cuando su familia emigró a acá, pero luego tuvo que salir él también, huyéndole al servicio militar. Tenía unas ideas muy precisas de lo que era el servicio obligatorio y del papel que tendría que desempeñar en Argelia, matando gente que se parecían a él entonces como ahora se parecía él a mí.

Esta segunda vez todavía llevaba la misma revista surrealista bajo el brazo y tomaba un cubalibre, despacio y a través de una pajita, lo que resultaba bastante chocante. Hablamos. Aparte los comentarios de política internacional y una decidida antipatía por De Gaulle, teníamos otro interés común: el jazz. Yo había dejado de oír toda otra música por el jazz y mi hermana y mis amigos me jugaban bromas de lo lindo por ello.

—¿Cómo van los discos? —me preguntó.

—Bien —le dije—. Los discos bien. El que anda mal soy yo, que no he podido comprar ninguno más porque el viejo se niega a darme un centavo para discos. Dice que es una nueva locura y que pronto me voy a cansar de ellos como me cansé de la tumbadora, de la cámara fotográfica y de los libros de reproducciones.

—¿Y tiene razón?

—Es posible —le dije y se sonrió con su sonrisa sana y ajena.

Luego vinieron otros amigos de él y míos y cuando salimos del café era más de la una. Decidí acompañarlo a su casa y coger allá el autobús. Al llegar me dijo:

—¿Quieres comer algo, Silvestre?

Le dije que me daba lo mismo y como si hubiera aceptado con entusiasmo me abrió la puerta del restorán y pasamos a la cocina. ¡De veras que cocinan bien los italianos! Yo no sé cómo se las arreglan para hacer una comida tan variada con un mismo elemento: la pasta. Estuvimos mordisqueando el salami, unas lascas de gorgonzola, aceitunas, y me sirvió un poco de *timballo di maccaroni,* frío. Luego subimos a su casa.

Cuando entramos me rogó que no hiciéramos ruido, porque sus padres dormían al fondo. Me sorprendió ver que los muebles de la casa no se diferenciaban mucho de los de casa, pero que, sin embargo, aquella sala tenía un definido aire europeo. Había unas reproducciones de Utrillo casi idénticas en su perfección a las que había en casa de Cézanne y un fino mantel en la mesa de centro, una o dos mesitas bajas y en un rincón, un tocadiscos.

—¿Qué quieres oír? —me preguntó.

—No sé —le dije y en realidad no sabía. Era un poco tarde para oír cualquier cosa, ni siquiera jazz que es una música de medianoche.

—¿Tú conoces a Miles Davis? —me preguntó.

Yo no lo conocía entonces, pero de haberlo conocido no lo habría reconocido en su pronunciación. Si hay algún idioma que nunca habla bien un europeo del continente —francés, italiano o español— es el inglés.

—No. ¿Quién es?

—Es un trompeta formidable. Para mí es el músico más importante que hay hoy en día en el jazz.

—¿Mejor que Gillespie?

—Dizzy es otra cosa. Tiene un gran sentido del humor y es un músico con mucho *swing* y mucho ritmo. Pero Davis es un músico de hoy.

Yo he comprado mis discos de jazz con un criterio histórico. Por supuesto que me he guiado más por los libros de crítica que por mi gusto, pero tengo una colección que está bien equilibrada, históricamente hablando. Tengo a Blind Lemmon Jefferson y Ma Rayney y Louis Armstrong y Duke Ellington y a Benny Goodman —a quien no considero un jazzista particularmente, pero que tiene uno o dos discos logrados— y a Cootie Williams y sobre todo a un músico que es mi favorito, aunque no toque mi instrumento preferido: Charlie Parker. Me acordé de Armstrong.

—¿Y Armstrong?

—Eso es prehistoria —me dijo—. Está bien, para su tiempo, pero la música que se siente de veras, la que llega dentro y por la que se expresa el músico, es el jazz moderno. Llámalo *cool* —pronunció c-o-o-l— o como te dé la gana.

Se dio cuenta que hablábamos muy alto.

—Bueno, está bien de discusión y vamos a oír a Davis.

Puso *Round 'Bout Midnight* que desde entonces se ha convertido en mi disco favorito. Sobre todo la interpretación que hace Miles Davis de *All of you*. Comencé a oír aquellos extraños lamentos, estirados, elásticos. La trompeta, tocada con sordina y muy cerca del micrófono, sonaba anestesiada, como envuelta en algodones empapados en éter y la música se escurría por el cuarto pegajosa, cálida. Oímos en silencio.

Cuando empezó la rápida *Ah-leu-cha*, Gianni fue adentro. Regresó con dos vasos mediados de ron y una botella de *Cawy*.

—¿Qué es eso? —le pregunté.

—Ron con *Cawy*.

—¿Y es bueno?

—Pruébalo —me dijo.

Lo probé. No sabía mal. Me sonreí.

—¿De qué te ríes?

—De que un europeo me venga a mí a enseñar cómo tomar ron.

Me miró significativamente y me dijo:

—A un niño se le pueden enseñar muchas cosas.

—Yo no soy un niño.

—¿No?

—No —le respondí serio.

—Pues lo pareces —me dijo sonriendo una sonrisa torcida.

—Tal vez. Pero no lo soy.

Se sonrió más. Me molestaba su sonrisa.

—Está bien. No te pongas bravo —dijo. No dijo exactamente eso, pero era eso más o menos lo que quiso decir.

Seguimos oyendo el disco y cuando acabó *All of you,* le dio vuelta y empezó a sonar *Bye-bye, Blackbird,* que no sé por qué me recuerda a Poe. Quizá sea por el pájaro negro y por «El Cuervo».

Pasó un rato y yo noté algo extraño en Gianni, tan extraño como su sonrisa. De pronto comencé a pensar que si no sería un homosexual disfrazado y pensé que si su familia estaría o no en la casa. Ya una vez me había ocurrido una experiencia desagradable con un individuo que me invitó a su casa a oír ópera. Era un tipo con la cara llena de barros y muy miope. Tenía por lo menos diez mil discos de ópera en un pequeño cuarto que cerraba a cal y canto. Me puso unas cuantas arias y entre ellas un vals. ¿Y a que ustedes no saben lo que hizo el tipo? Se acercó y me dijo (le vi las espinillas tan cerca que pensé que si una se reventaba en ese momento me caería el pus en los ojos), muy meloso: «¿Quieres bailar conmigo?»

Lo recordaba ahora viendo a Gianni, desesperado por decirme algo que o era muy embarazoso o era muy extraordinario. Entonces ocurrió una cosa que recuerdo con toda nitidez. Sacó del bolsillo una cajetilla de cigarros y dentro de ella extrajo una bolsita de tela.

—¿Quieres? —me preguntó. Todavía no comprendía.

—¿Qué cosa?

—Algo que ayuda a oír el jazz.

—¿Qué cosa es?

—Mariguana.

Yo debí saltar en mi asiento, porque me dijo, sonriendo otra vez con su sonrisa sana:

—No te asustes, que no mata.

—No me asusta —le dije.

—¿No?

—No. Yo la he fumado ya —mentí.

—¿De veras? ¿Y qué efecto produce?

—A mí me dio mareos y vómitos.

—Pues no has fumado mariguana, porque la mariguana ni da mareos ni vómitos.

Es exactamente como la bebida, sólo que no hay que despertar malo al día siguiente. ¿De veras no quieres?

—No —me mantuve ahí.

—Bueno, ¿entonces no te importa que yo la fume?

—No —le dije, muy *blasé*—. No me importa.

En realidad estaba muerto de miedo. Pensaba en la familia que dormía al fondo (ahora no tenía duda de ello, porque oí un ronquido que debía pertenecer al padre), en la policía, en mis padres si se enteraban de esto.

—Puedes fumarla —le dije.

Entonces él, con mucha paciencia y muchos método, consiguió de alguno de sus bolsillos una libretica de papel de fumar —muy bonito, hecho en Barcelona— y tomó una hoja. La puso en sus piernas y vació un poco de una picadura gruesa, suelta, verde, en el papel blanco. Cerró la bolsita y enrolló la picadura con el papel. Finalmente, dobló rudimentariamente las puntas del rollito y tuvo un cigarrillo. Lo encendió y comenzó a fumar. Yo no sentía olor ni nada por el estilo. Puede ser que hubiera sido el miedo o la sorpresa, porque insistí, muy ingenuamente, en preguntarle:

—¿Es mariguana de veras?

Me miró. Se sonrió con su sonrisa doblada. Me dijo, simplemente.

—Mi nombre es Gianni, no Zanni.

Zanni, en italiano, quiere decir bufón, cómico, payaso.

Dizzy Gillespie es, din duda, uno de los grandes creadores de la música del siglo, negra o blanca, pero nunca gris. Compone, junto a Louis Armstrong y Miles Davis, la trinidad eterna de la trompeta, durante décadas el instrumento alrededor de cuyo timbre giraba el orbe sonoro del jazz. Dizzy, que se ganó su apodo temprano por su humor desmedido, es un trompeta vertiginoso y un virtuoso de la improvisación. Pero Gillespie, en sus años de reposo, ha sabido ser un mesurado diplomático del jazz y ha viajado por todo el mundo, a veces como enviado cultural volante del State Department, por Asia, África y América del Sur.

En 1978, Gillespie fue a Cuba con su orquesta, como invitado especial del Gobierno cubano, entonces entre sonadas aperturas y sonoras oberturas —él, omo siempre, sólo ponía la boca, y los demás, la oreja. Gillespie confesó luego que fue a La Habana por mera curiosidad musical más que nada. En 1946 se había encontrado en Nueva York de repente frente a un músico, más bien un fenómeno de la naturaleza, que sería después de Charlie Parker la mayor influencia musical de su vida: un verdadero vuelco rítmico, como Parker lo fue armónico.

Ese músico natural era el bongosero cubano Chano Pozo, que dislocó él solo el jazz con un golpe de tambor que no aboliría la raza. Dos composiciones conjuntas de Chano y Dizzy lo atestiguan aún: *Cubana be, cubana bop* y *Manteca,* temprano canto a la marihuana, que era la verdadera religión de Chano, antiguo brujero de Cayo Hueso. Esa droga, llamada en La Habana la Maligna, le costó la vida al músico, asesinado por un expendedor en Harlem. El dúo de discos fue el punto de fusión de las dos más poderosas corrientes musicales del siglo hasta la aparición del rock: el jazz y los ritmos afrocubanos.

Gillespie no ignoraba que no hay apertura sin cierre previo, pero su pasaporte es su trompeta y su identidad sólo su soplo de música. A La Habana llegó soplando. Para Gillespie, Cuba era el ronco ruido de Chano Pozo sin fondo musical: ese hombre hirsuto que con un cuero de chivo tenso, un par de manos y su bemba afroide encantaba cantando con voz de eco salvaje. *Blen, blen, blen* (esa era toda la letra de una rumba suya) fue su canto cubano. Pero ¿no sería el distante rumor de la selva, ahora un embrujo en la noche caribe, lo que atraía al Dizzy músico de atmósferas? Sea como sea, Gillespie vino, y tocó, y le oyeron. Pero no sólo vino a que le oyeran. Vino también a oír a los hijos y nietos musicales de Chano, y en alguno, que consideró un pozo de la suerte musical, echó una moneda de cobre como óbolo. Este centavo americano tiene un Lincoln libertador grabado en el reverso, y el anverso dice casi en lengua bahai, la religión de Gillespie: «*In God We Trust*».

Gillespie se fue de Cuba contento al oír que a veces la música cubana se atrevía a decir su nombre afrodisiaco, todavía, como Chano solía. Escogió para recordar al grupo Irakere, pero para grabar a uno solo de sus músicos, llamado Paquito d'Rivera. Le susurró en confidencia, hablando en clave musical, que si algún día, por azar, ya sabes, visitaba Nueva York, no buscara ningún anglosaxofón para soplar, sino su trompeta de heraldo negro. Dizzy sabía dónde se hacía allí la música y dónde la música se hace dinero.

Pese a su aspecto, Gillespie es uno de los pocos negros hechos ricos con el jazz. Armstrong, Ellington y tal vez Miles Davis eran los otros. Paquito anotó el número de una casa, de una calle y de un teléfono privado y aprendió que todo se hace por números en Nueva York —hasta las más fuertes cajas de música se abren así. Pandora, ahora, también tiene su combinación secreta.

Paquito estaba en las nubes del trópico, pero bajó una escala musical a la realidad y vio que si quería hacer una música de algún valor que no fuera político, para trascender el fácil folklorismo oportuno de los Irakeres, que tocan siempre una música en La Habana y otra en el extranjero —los impuros *Cuban Curios,* de Cugat, de antes, ahora de pura propaganda. El grupo estaba hecho por músicos que saben dónde cae la nota que más duele y cuándo evitarla a tiempo. Pero Paquito dio la nota. Del Ministerio de Cultura le comunicaron que si quería tocar como siempre podía quedarse con los Irakeres, pero si insistía en hacer jazz tendría que tocarlo en casa o exiliarse. Las autoridades no le pondrían puente de plata musical. Pero tampoco se incautarían de su saxofón, bien fundible, que es en realidad un instrumento imperialista infiltrado en las bandas del Tercer Mundo.

Paquito d'Rivera escogió: cogió su sufrido saxofón, tocó las de Villadiego y se fue con su música de jazz a otra parte. A Madrid exactamente, que queda a media distancia entre La Habana y Nueva York, puntos distantes ahora. Manhattan, acogedora como siempre, lo recibió con las fauces abiertas: dientes de acero entre encías de concreto y lenguas luminosas de neón. No le bastó a Paquito más que un rugido de la multitud indiferente que salía por cada boca del *subway,* para saber que para triunfar en la Babel de Hierro (como conocía la ciudad de oído) tendría, primero, que tocar música suave para calmar a la esfinge que devora, mientras hacía él de sus revelaciones un enigma fácil. Tocar el saxofón no ha sido nunca soplar y hacer botellas musicales del aire diáfano de la noche, sino hacer música, y en el jazz la música es una aristocracia: el músico no se hace, sino que nace en ella como en una sagrada familia. Pero Paquito (como propagaba aquel inolvidable por cursi candidato a senador en Cuba circa 1948) tenía música dentro. Se le podía oír a media cuadra cuando venía como un saxofón ambulante con zapatos que chirriaban música por los hoyos de las suelas.

Soplando fuego sonoro

Conectó a Gillespie en cuanto pudo soplar su nombre por el breve saxofón negro del teléfono: lleva la melodía lejos. La primera frase que le dijo a Dizzy fue una que aprendió a pronunciar con el saxofón en la boca: «*Angel, blow your horn*», tema y lema del ángel Gabriel para derribar la barrera de Wall Street a golpes de saxofón soprano. Gillespie, del otro lado, sopló su trompeta y le dijo para que le acompañara: «*Blow, man, blow!*». Le consiguió en seguida su primera audición, que es una audiencia de muestra y prueba privada. Paquito, emulando a Gillespie, sopló como sólo soplan los ángeles con un muro dejado detrás —y quedó contratado para tocar en un bar *dipso facto.* Así como suena. De ahí en adelante todo fue *tocar* y cantar, con Gillespie por mentor y *Negro Spiritual,* guía nativo de la selva de asfalto y otros tópicos del trópico, además de verdadero introductor de embajadores musicales. Gillespie hasta memorizó en español el verso con que Lezama despidió a Paquito de *esotra* parte en D'Rivera: «¡Ah, que tú escapes, sexto saxo, cuando habías alcanzado tu afirmación mejor!». Para entonces, Paquito había devenido el primer saxo del momento, soplando junto a Dizzy, trompeta alta, dúo de soplos. En honor de los soplidos de Dizzy, Paquito le puso título a su primer disco, *Paquito Blowin,* un *long playing* audaz que recibió elogios espléndidos dondequiera en Estados Unidos. Aunque parezca de película (muchacho moreno, maravilla Manhattan, Paquito d'Rivera, en sólo seis meses, había triunfado total y atonalmente en ese mundo del jazz, ahora tan difícil como sus melodías, tan duro como el sonido de su *drum* acústico.

Así, en absoluto mareado por los chistes constantes del Dizzy, impermeable a sus elogios públicos, maduro y tan seguro de sí que suena ya como un veterano, Paquito d'Rivera inició su gira de estreno por Europa con Gillespie y su grupo —en el que estaba, en los *drums,* otro músico cubano recién llegado, pero que dará que hablar, Ignacio Berroa. A través de un territorio peligrosamente nuevo, erizado de críticos y poblado de oyentes que son exigentes conocedores, todos haciendo señales de humo en clubes de jazz, d'Rivera tocó en Estocolmo, en Berlín y en Londres, ciudades que son viejos bastiones del jazz. Pasó la prueba, una ordalia, alto y soplando fuego sonoro.

Paquito d'Rivera, durante dos noches en el abarrotado Club Ronnie Scott, del Soho, mostró que es el saxo que viene del calor para escoger el frío del jazz libre y hacerlo sonar alegre y brillante. Para hacerlo eligió dos tesituras de un mismo instrumento: el saxofón alto y soprano. Escila y Caribdis del jazz en realidad. En una orilla sonora creó el sonido total Charlie Parker hace cuarenta años y nadie lo ha igualado, mucho menos superado desde entonces. En la opuesta, el saxofón soprano de John Coltrane, último genio del jazz, compuso en los años sesenta sus baladas más intensas, que son riberas sin límites armónicos. Los dos, Coltrane y Parker, son influencias totales, letales, capaces de hacer naufragar aún al veterano viajero en sonidos altos imitados. Ambos negros, Parker era todo vibrato y ataque violento; Coltrane, todo melodía infinita.

Paquito ha evitado con tiento, astuto y audaz, todo ardides este Ulises sonoro, la segura ruina de conceptos que hay emboscada entre estos escollos mitológicos del jazz moderno. D'Rivera suena ahora con un sonido nuevo, distinto, que a veces puede acercarse al plácido rumor de un Lee Konitz, músico blanco de enorme pericia. Pero Paquito, creador, se niega a oír ese son de sirena lejano y navega por otros mares de cordura tonal. Esas ondas que nos mueven y conmueven con su tintineo de monedas de

plata acústica es Paquito d'Rivera, que paga su deuda con el arte americano que aprendió sólo oyendo discos en Cuba y al hacerlo se le acusó de traición a una tradición
que ya ha muerto hace tiempo. Pero ese de ahora es su sonido cubano, ni negro, como
Parker, ni blanco, como Konitz; música mulata, que es su mejor contribución contante y sonante a los fondos casi exhaustos del jazz vivo. *Paquito blows!*

No hay música negra, excepto por la que hacen algunos tambores rituales. Toda la música la han hecho en Cuba los mulatos y unos pocos blancos como Lecuona o Eliseo Grenet, en imitaciones del genio mulato. La música ritual, con los tambores batá, viene de la santería a la que sirve tanto como el canto gregoriano. El resto, aun en negros como Bola de Nieve, Ignacio Fineiro y Chano Pozo, negros puros, es música mulata. Está también la música culta, que por su rareza es música oculta. Pero hasta el músico cubano serio más relevante del siglo, Amadeo Roldán, era mulato.

Mala noche

«MALA NOCHE»

Este bolero de Alberto Domínguez da lugar a un sector en el que el tema central se vuelve ambiguo y reconduce el amor por la vía de la homosexualidad y la música por la del éxito, o el fracaso. Desde la música pero también desde la tragedia, como en esa viñeta de *Vista del amanecer en el Trópico* (Seix Barral, Barcelona, 1974), libro que GCI encabeza con el nombre de un *Capricho* de Goya, «Si amanece nos vamos», y que comienza, sin título como todas, con: «Como a muchos cubanos...» Mala noche en el fragmento de «Ella cantaba boleros», y también en el artículo «En espera del Piñera total» *(El País,* 26-12-1983), donde el fracaso prepara el éxito. Y sobre el éxito los retratos de dos personajes muy especiales, que aparecen bajo el título común de «Otras voces, otras rumbas»: «Hooly-oh», subtitulado «Boceto de un músico melancólico», y que no es otro que Julio Iglesias *(El País,* 8-8-1983) y «Un hombre llamado Navaja» *(El Nuevo Día,* 30-9-1984), contratraducción y uso precisamente de lenguas bífidas, de bilingüismo. Duplicidad barroca, ambigüedad, en este capítulo en el que no hay capítulo de apertura en romanos —el silencio en música funciona como las notas— pero sí hay *Séptima.* R. M. P.

No recuerdo cuánto tiempo anduve por la calle ni dónde estuve porque estuve en todas partes al mismo tiempo y como a las dos regresaba a casa y al pasar por frente a La Zorra y el Cuervo vi salir a dos muchachas y un hombre y una de las muchachas era una pecosa tetona y la otra era Magalena, que me saludó, que vino hasta donde estaba yo y me presentó a su amiga y a su amigo, un tipo con espejuelos negros, extranjero, que dijo que, así, de entrada, que yo le parecía interesante y Magalena dijo, Él es fotógrafo, y el tipo dijo con una exclamación que era un eructo, Agh, fotógrafo, venga entonces con nosotros, y me pregunté qué habría dicho si Magalena le hubiera dicho que yo era placero: Agh, cargador del mercado, un proletario, interesante, venga con nosotros a tomar algo, y el tipo me preguntó cómo yo me llamaba y le dije que Mojoly-Nagy y me preguntó, ¿Agh húngaro? y yo le dije, Agh no, ruso, y Magalena se moría de risa, pero me fui con ellos y ella caminaba delante con la mujer que era su mujer (quiero decir, mujer de este hombre que caminaba junto a mí: no vayan a malentender nada, todavía) hebrea de Cuba y él era griego, hebreo griego, hablando con acento de no sé de qué carajo, creo que explicándome la metafísica de la fotografía, diciéndome que si el juego de luces y sombras, que era emocionante como las sales de plata (Dios mío, las sales de plata: el hombre era un contemporáneo de Emilio Zola), es decir la esencia del dinero hacía inmortales a los hombres, que era una de las armas, escasas (excasas dijo) que tenía el ser para luchar contra la nada, y pensé que yo tengo una suerte del carajo para encontrarme con estos metafísicos bien alimentados, que comen la mierda de la trascendencia como si fuera tocinillo del cielo, y llegamos al Pigal y no bien entramos cuando se nos cruza Raquelita perdón Manolito el Toro y viene y besa en la cara a Magalena y le dice Saludos mi amiga, y Magalena que la saluda como a una vieja conocida y este filósofo que está a mi lado me dice, Interesante su amiga, cuando ve que me coge la mano y me dice, Y qué mulato cómo andas, y yo le digo al griego, presentándolo y corrigiéndolo a la vez, Mi *amigo* Manolito el Toro, Manolito, un amigo, y el griego me dice, Más interesante todavía, como sabiendo que yo sé y le digo, al irse Manolito, Y a usted, Platón ¿le gustan los efebos? y él me dice, ¿Cómo dice? y le digo, Que si le gustan las enfermas como Manolito, y me dice, Esa sí, como esa sí, y nos sentamos a oír tocar a Rolando Aguiló y su combo y al poco rato el griego que me dice, ¿Por qué no saca a bailar a mi mujer? y yo le digo que no bailo y él me dice que cómo es posible que haya cubano que no baile y Magalena que le dice, No hay uno, hay dos, porque yo tampoco bailo, y yo le digo, Ve: hay una cubana y un cubano que no bailan, y Magalena empieza a cantar, bajito, Yo me voy para la luna que es lo que está tocando la orquesta y se levanta, Con su permiso dice sonando mucho las eses que es una manera deliciosa que tienen las mulatas habaneras de hablar y la mujer del griego, esta Helena que botará mil barcos en el Mar Muerto, le pregunta, ¿Dónde vas? y Maga le responde, Al baño, y la otra dice, Voy contigo, y el griego, muy fino, un Menelao, que no se disgusta por un París más o menos, se pone de pie y cuando ellas desaparecen, se sienta de nuevo y me mira y se sonríe. Entonces comprendo. Me cago, me digo, ¡esta es la isla de Lesbos! y cuando regresan del baño esta combinación de dos tonos, estas dos mujeres que Antonioni llamaría Las Amigas y Romero de Torres pintaría con su pincel gitano y Hemingway describiría con más discreción, cuando se sientan digo, Con su permiso pero me retiro, que mañana me tengo que levantar muy temprano, y Magalena dice, Ay pero por qué te vas tan pronto y yo le sigo la corriente musical y digo, Pedazo de mi alma, y ella se ríe, y el griego se pone de pie y me da la mano y me dice, Mucho gusto, y yo le digo el gusto es mío y le doy la mano a esta ricura bíblica para quien nunca seré yo un Salomón ni siquiera un David y me voy. En la puerta me alcanza Magalena y me dice, ¿Te vas bravo? y yo le digo, ¿Por qué? y ella me dice, No sé, te vas tan pronto y así, y hace un gesto que sería encantador si no lo hiciera tanto y yo le digo, No te preocupes que me voy bien: más triste pero más sabio, y me sonríe de nuevo y de nuevo hace el gesto, Hasta luego cosa rica, le digo, Chao, me dice y regresa a la mesa.

Pienso en volver a casa y me pregunto si habrá alguien allá todavía y cuando paso por el hotel Saint John no puedo resistir la tentación no de las máquinas traganíqueles, los mancos ladrones, que hay en el vestíbulo y donde nunca echaré un centavo porque nunca me sacaré nada, sino de la otra Helena, de Elena Burke que canta en el bar y me siento en la barra a oírla cantar y me quedo después que termina porque hay un quinteto de jazz de Miami que es cool pero bueno y tiene un saxofonista que parece el hijo del padre de Van Heflin con la madre de Jerry Mulligan y me pongo a oírlos tocar *Tonite at Noon* y a beber y concentrarme nada más que en los sonidos y me gustaría sentarme en la mesa con Elena y decirle que tome algo y contarle cuánto sufro con las cantantes que no quieren acompañamiento y cuánto me gusta ella no sólo por su voz, sino por su acompañamiento y cuando pienso que quien la acompaña al piano es Frank Domínguez no le digo nada, porque esta es una isla de equívocos dichos por un tartamudo borracho que siempre significan lo mismo, y sigo oyendo Straight no chaser que podía ser muy bien el título de cómo hay que tomar la vida si no fuera tan evidente que es así, y en este momento en la puerta, el manager del hotel tiene una discusión con alguien que hace rato que juega y que pierde siempre y el tipo, que está además borracho, saca una pistola y se la pone en la cara al manager que ni se inmuta y antes de que el tipo pueda pronunciar la palabra bouncer vienen dos tipos enormes y le quitan la pistola y le dan dos bofetadas y lo aplastan contra la pared y el manager le saca las balas a la pistola, vuelve a ponerle el peine y se la entrega al borracho que todavía no sabe bien qué le pasó y le dice a los otros que lo saquen y lo llevan a la puerta y lo sueltan con un empujón y debe ser un tipo muy importante porque si no lo hubieran hecho picadillo y lo servirían con las aceitunas de los Manhattans y llegan Elena y la gente del bar (la música se paró) y ella me pregunta qué pasó y yo le voy a decir que no sé cuando el manager se vuelve para todo el mundo y dice, Aquí no pasó nada, y con dos palmadas manda al quinteto a seguir tocando, cosa que los cinco americanos, más dormidos que despiertos, obedecen como una pianola.

Ya me voy cuando hay otro revuelo en la entrada y es que Ventura viene, como todas las noches, a comer en el Sky Club y a oír recitar a Minerva Eros, que dicen que es amante de este asesino y que berrea ella, felizmente en las alturas, y saluda al manager y sube con cuatro esbirros en el elevador, mientras otros diez o doce se quedan regados por el lobby y como siento que esto no es un sueño y cuento las cosas desagradables que me han pasado esta noche y veo que son tres, decido que es el momento preciso para probar mi suerte en el juego y saco de algún bolsillo que más parece un laberinto una moneda que no tiene un minotauro grabado porque es un real cubano y no un níquel americano y lo echo en la cerradura de la suerte y tiro de la palanca que es el brazo único de la diosa Fortuna y pongo la otra mano en la cornucopia para contener la futura avalancha de plata. Las ruedas giran y sale primero una naranjita, luego un limoncito y más tarde unas fresas. La máquina hace un ruido premonitorio, se detiene por fin y se queda en un silencio que mi presencia hacía eterno.

Mi puerta está cerrada. Debe haber sido Rine, leal. Abro y no veo el caos amistoso que viene después del orden ajeno que impuso esta mañana la muchacha que limpia, porque no me interesa, porque no puedo verlo, porque hay cosas más importantes en la vida que el desorden, porque encima de las blancas sábanas de mi sofá-cama, abierto, sí señor, no más un sofá y ya todo cama, sobre las sábanas impolutas del sábado, veo la mancha enorme, cetácea, carmelita, chocolate, que se extiende como una cosa mala y es, lo adivinaron, claro: Estrella Rodríguez, la estrella de primera magnitud que empequeñece el blanco cielo de mi cama con su fenomenal aspecto de sol negro: La Estrella duerme, ronca, babea, suda y hace ruidos extraños en mi cama. Lo cojo con la filosofía humilde de los derrotados y me quito el saco y la corbata y la camisa. Voy al refrigerador y saco un litro de leche fría y me sirvo un vaso y el vaso huele a ron y no a leche, pero la leche debe saber a leche. Me tomo otro vaso. Guardo el pomo mediado en el refrigerador y echo el vaso en el fregadero, a que se confunda en el bazar. Siento por primera vez en la noche el calor sofocante que hace, que debe haber hecho todo el día. Me quito la camiseta y los pantalones y me quedo en calzoncillos, que son cortos, y me quito los zapatos y las medias y siento el piso tibio, pero más fresco que La Habana y que la noche. Voy al baño y me lavo la cara y la boca y veo la bañadera con un gran pozo de agua que es el recuerdo del hielo y meto los pies allí y no está más que fresca. Vuelvo al cuarto único, a este apartamento imbécil que Rine Leal llama studio y busco dónde dormir: el sofá, el de madera y pajilla y pajilla, es muy duro y el suelo está mojado, sucio, y lleno de colillas y si esto fuera una película y no la vida: esa película donde uno se mueve de veras, iría al baño y no habría un dedo de agua dentro, sino un lugar cómodo y seguro y blanco: el enemigo mayor de la promiscuidad y echaría las frazadas que no tengo y dormiría allí el sueño de los justos castos, como un Rock Hudson subdesarrollado, falto de exposición y a la mañana siguiente La Estrella sería Doris Day que cantaría sin orquesta pero con música de Bakaleinikoff, que tiene la extraordinaria calidad de ser invisible. (Me cago en Natalie Kalmus: ya estoy hablando como Silvestre.) Pero cuando regreso a la realidad es de madrugada y este horror está en mi cama y tengo sueño y hago lo que usted y todo el mundo haría, Orval Faubus. Me acuesto en *mi cama*. En un borde.

Virgilio Piñera titulaba su ensayo introductorio (a Virgilio le gustaría esa frase: considerar su escrito como un tubo de ensayo que es un supositorio literario) a su teatro que publiqué a finales de 1960 en *Lunes,* suplemento del periódico *Revolución.* Llevaba el título inmodesto de *Piñera teatral.* Allí Virgilio decía lindezas tan peligrosas como: «Siempre pensé asombrar al mundo con una salida teatral.» Y pasaba a enumerar su salida de teatro favorita: la del «hombre que salió desnudo por la calle». Envidiaba también «a ese otro que asombró a La Habana con su enorme bigote, y envidio, por supuesto, «al que se hizo el muerto para burlar a su sacerdote» y, por más supuesto, «a Fidel Castro entrando en La Habana». (¿Era esta una salida o una entrada teatral?) Luego, hablando Piñera de su comedia blasfema *Jesús,* escribió estas veleidades (hay que recordar que Virgilio escribía y leía en la Cuba de Castro) de su fortuna: «Y a pesar de ser el anti-Fidel», el falso Jesús siente «la nostalgia de no haber podido ser Fidel». Ese Piñera, tan teatral, se estaba buscando un telón rápido. De hecho, más de una vez tuvo que hacer un brusco mutis por el foro.

La primera vez que Virgilio se encontró en una situación de salida súbita fue en 1944. Piñera no tenía treinta años todavía. La Segunda Guerra Mundial estaba en su perigeo totalitario y Cuba en su apogeo democrático. El atroz general Fulgencio Batista acababa de ser derrotado no en el campo de batalla, que nunca conoció, sino en las urnas, que siempre fueron adversas: votos o balas. Había ascendido al poder presidencial el doctor Ramón Gray San Martín, ese médico adelantado que había declarado en el mismo discurso que «las mujeres», no los mejores, «mandan», y sin coger aliento: «La Cubanidad es amor», cuando debió haber dicho «es robo». Pero estaba enconada la guerra en Europa todavía, y como Cuba estaba entonces en el mundo, había racionamiento y razón para racionar y ser racionado. El principal producto escamoteado era una obsesión cubana y uno de los temas favoritos de Virgilio: la carne. Piñera escribiría un día una novela llamada *La carne de René.* Pero ahora acababa de terminar un cuento titulado *La carne* a secas.

La carne caliente

Virgilio envió el cuento a un amigo que era jefe de redacción de un diario de la tarde tal vez demasiado popular. El cuento fue aceptado y publicado. Pero por uno de esos azares que los anglosajones creen que los comete el diablo en el taller (es decir, el aprendiz de brujo), el artículo salió en primera plana, destacado —pero como un editorial, sin comillas en el título ni nombre de autor. La ficción convertida en opinión pero no por obra del azar, como querían los surrealistas. El tipógrafo había creído que se trataba de un editorial sobre el candente tema de la carne caliente. Virgilio montó no en Pegaso, como el poeta juvenil que fue, sino en cólera.

Cualquier persona avisada habría dejado la omisión en la página, el error en el periódico y tomaría el agravio como una broma más en esa comedia de erratas que es toda imprenta. Pero Virgilio Piñera era todo menos una persona cualquiera. Era uno de los hombres humildes más soberbios que he conocido —y su soberbia casi lo pierde. Puso pleito al periódico, claro está, por latrocinio (robo de su título) y usurpación de su personalidad: el escritor como editorialista anónimo. El día de la vista fue la hora de su verdad. Ocurrió no bien el juez, conocido mujeriego, hizo ponerse en pie a la parte ofendida, el señor Piñera. Al levantarse Virgilio (que de tan afeminado que era hacía parecer al otro Virgilio como un viril togado romano) se irguió Friné ante sus jueces, pero todavía vestida. El juez, de toga y bigote, exclamó viendo a la parte ofensora ahora: «¿Cómo? ¿Usted es el acusador? ¿Usted? ¡Usted lo que es un marica empedernido! ¡Fuera de aquí! ¡No quiero verlo de nuevo en esta corte porque vendrá de acusado por sodomita, pederasta y evirado!» Virgilio contaba años después que lo primero que hizo al regresar a su casa fue coger un diccionario y buscar qué quería decir evirado exactamente —y cuando lo supo comenzó a preparar en seguida sus maletas. Le tomó año y medio hacerlo, pero se fue de Cuba a Argentina y no regresó hasta 1958. Más lejos las antípodas, más próxima la eternidad.

La «loca» nacional

En ese tiempo afuera se convirtió en un mito literario habanero y, ¿por qué no decirlo?, en la *loca* nacional. Su regreso fue como una consagración. Editó la revista *Ciclón,* que acabó a golpes de viento con su rival *Orígenes,* dominada durante dos décadas por su más querido rival literario, Lezama Lima. En 1959, con la toma del poder por Fidel Castro, Virgilio consiguió sacar su pluma al aire y empezó a escribir en *Revolución* con artículos más a propósito que *La carne,* pero no de menos actualidad. En seguida fue uno de los colaboradores de *primo cartello* de *Lunes,* la más influyente y masiva publicación literaria que haya habido jamás en Cuba. Hasta el viejo juez que lo obligó a convertirse en culpable *in absentia* (primero la condena, después el veredicto) fue destituido por el nuevo ministro de Justicia —por, como dijo el actual ministro de Cultura, Armando Hart, ¡prevaricar con el ejemplo! Virgilio, por primera vez en su vida, era un éxito y se permitió un viaje de vacaciones a Bruselas, en casa de su viejo amigo el escritor Humberto Tomeu, ahora agregado cultural en Bélgica, su pica en Flandes. Al regreso de Europa, Virgilio, que conocía bien a sus griegos, cometió un acto de última *hybris:* besó la tierra colorada del aeropuerto de La Habana como si fuera una alfombra roja.

A las pocas semanas de su regreso vencedor estaba detenido por pederasta pasivo, por sodomita o evirado o por todos esos crímenes carnales juntos. Cayó en la oscura *Noche de las Tres Pes* (sólo se admiten prostitutas, proxenetas y pederastas), trampa armada en el centro de La Habana pero que atrapó a Virgilio en su casa de la playa, a varios kilómetros al este de la capital. Su viejo pasado pecaminoso se convirtió en un presente violento que lo perseguiría aún en el escaso futuro que le quedaba. La última escena de las burlas a Virgilio tiene lugar a miles de kilómetros de La Habana, en la Embajada de Cuba en Argel. Entra en escena el Che Guevara y después de saludar a los visitantes (Juan Goytisolo, de España; Jean Daniel, de París, Francia), mira a su alrededor, se vuelve violento y con tres pasos viriles cruza el salón, se dirige a un estante exiguo, extrae un tomo de entre sus pares y le dice al embajador, hosco: «¿Cómo es que tienes aquí, en la Embajada de Cuba, un libro de este maricón?»

El libro es *Teatro Completo,* editado por Ediciones R, nuestra editora en *Revolución.* Su autor, «este maricón», ¿habrá que revelarlo?, es Virgilio Piñera. Este entremés político-sexista tiene un final no menos machista. El Che Guevara arrojó el libro contra la pared más próxima, furioso. Su excelencia el embajador, comandante Jorge Seguera, héroe junto a Raúl Castro de las campañas de la Sierra, se excusa con el Che, el legendario Guevara, el revolucionario de la guerrilla permanente, mártir máximo, aduciendo: «Bueno, Che, tú sabes, son cosas de mi mujer.»

¿Qué había hecho Virgilio Piñera para ganarse esta fama infame en dos regímenes y en tres continentes? Era una suerte de antonomasia, pero ignoro qué hizo para merecerla. De cierta manera, su destino fue similar al de Lorca, y su muerte, aunque se debió a un infarto, no fue menos una suerte de castigo ejemplar. Para el maricón que escribe, la cárcel, el exilio o la muerte súbita. Todo lo posible para malograrlo, lo imposible para hacerlo desaparecer. Cuba, que debió haberse sentido orgullosa de su talento, repudió su talante. O mejor, Cuba no: los cubanos. Virgilio no fue siempre otra cosa que la *loca,* es decir, el *marica epónimo.*

Virgilio sí era homosexual; pero no era ni un *homo sexualitis* ni mucho menos un *homo sensualitis,* sino parco. Entre los muchos escritores que he conocido, *homos* o *heteros,* Virgilio era el único que se calificaría como monje. Su casita de la playa era su celda, su vecindario una cartuja de palmas. Su habitación estaba desnuda de cualquier atributo de su sexo, afición o profesión. No había allí una sola imagen ni, lo que es más raro, un solo libro. Cuando le pregunté por qué, Virgilio me respondió con desdén característico: «Los libros que quería leer, ya los he leído. Los libros que me interesaba conservar, ya los he escrito.»

La presente antología de cuentos de Virgilio Piñera se detiene en 1970, aunque Virgilio muere en 1979: todo lo que escribió después del escándalo Padilla hasta su muerte ha desaparecido y esta antología de ahora es la misma que publicó Editorial Sudamericana en 1970, bajo la superba supervisión (y prólogo) de José Bianco. Es probable que la antología que publica Alfaguara en España tenga un *imprimatur* cubano. Tal vez hasta el ministro de Cultura cubano, el hilarante Hart, haya permitido sacar al autor de *Cuentos fríos* de su Siberia para traerlo al calor de Iberia. En todo caso, el tomo tiene una muestra menor del talento de Virgilio Piñera, quien, junto al uruguayo Felisberto Hernández, es el más independiente, inapresable y sin duda original de los escritores que han escrito cuentos en español en este siglo. Es bueno que se lean ahora en España, a la espera de *Todo Piñera:* no sólo el Piñera cuentista o el Piñera teatral, sino el Piñera poeta y el Piñera postal, es decir, un *Piñera total.*

Como a muchos cubanos, le gustaba bromear con las desviaciones sexuales y su especialidad era la imitación perfecta de un pederasta. Mulato, pequeño y delgado, se peinaba con peine caliente y dejaba un tupé al frente. Al principio, cuando se unió al grupo le apodaban de cierta manera; pero luego mostró valor y sangre fría y audacia suficientes para escoger él su alias. En otro tiempo habría sido rumbero porque bailaba bien la columbia, pero ahora era un terrorista y llegó a ser responsable provincial de acción y sabotaje, que era un puesto al que no podía aspirar todo el mundo. Hacer terrorismo político no es, como se dice, juego de niños. Y si es un juego, debe parecerse a la ruleta rusa.

Uno de los métodos favoritos de este terrorista era encender el pabilo bajo el saco con un cigarrillo, la dinamita segura por el cinto, y luego dejar que el cartucho rodara por la pierna del pantalón, por dentro, mientras caminaba tranquilo, paseando. Poco después lo cogieron.

Venía pensando cómo escapar a la tortura mientras subía la escalera del precinto, esposado a un policía cuando se le ocurrió una treta. Quizá diera resultado. Iba vestido como siempre, con pantalón mecánico, la camisa por fuera y los tennis blancos y terminó de subir los escalones que faltaban con alegría ligera, casi alado, contoneando las caderas. Al entrar, pasó la mano libre para alisar el pelo y formó la concha al mismo tiempo. Los policías lo miraron extrañados. Cuando el sargento de guardia le preguntó las generales, entonó un nombre falso y una falsa dirección y una ocupación también falsa: decorador exterior. Los que lo arrestaron insistieron en que se le asentara como peligroso y el sargento lo miró de nuevo, de pies a cabeza. La anotación significaba que lo viera el jefe de la demarcación. Los policías aseguraron que era el cabecilla de una organización terrorista y ante la insistencia salió el jefe. Al oír la puerta y los pasos autoritarios y ver la respetuosa atención con que todos saludaron, se volvió con un gesto que Nijinski habría encontrado gracioso, y girando solamente las caderas enfrentó a su némesis y a la escolta con una sonrisa casi erótica. Era un coronel que había comenzado su carrera al mismo tiempo que el terrorista, pero en otra dirección. Los dos hombres se miraron y el terrorista bajó sus largas pestañas, humilde. El coronel lanzó una carcajada y gritó entre la risa generalizada: Pero coño, cuántas veces le voy a desir que me dejen quieto a los maricones. Nadie protestó, ¿quién iba a hacerlo? Lo soltaron y él se fue dando las gracias con floridas, lánguidas eses finales.

Pero la historia tiene otro final. Dos, tres meses después lo volvieron a coger, esta vez con un auto lleno de armas. El coronel quiso interrogarlo él mismo y al saludarlo le recordó la entrevista anterior. Apareció a la semana en una cuneta. Le habían cortado la lengua y la tenía metida en el ano.

HOOLLY-OH
(Boceto de un músico melancólico)

Hace años (¿cuánto? ¿ocho años? ¿siete solamente?) paseando por South Kensington, en la misma esquina de Harrington Road y Old Brompton había, hoy, ¡ay!, una discoteca (todavía las casas de discos se llamaban discotecas y nadie bailaba en ellas a la luz íntima pero vertiginosa del estrobo y al estruendo del *Dolby Stereo* deletéreo) vi en el escaparate varios discos diferentes de un cantante de quien nunca había oído hablar antes. Su cara morena no era conocida pero sí sus dientes, más exhibidos que los de la familia Kennedy, poseedores de las dentaduras más célebres del mundo antes de *Tiburón*. La carátula, sin embargo, decía Julio Iglesias. Entré a la tienda y pregunté al dependiente *«Who he?»*. Me respondió: *«He-he»*, el dependiente era tartamudo, «es el cantante español que más discos vende ahora». Pensé que bromeaba pero no bromeaba: los ingleses no tienen sentido del humor.

Ese fue mi primer encuentro, evitable, con Julio Iglesias. El segundo encuentro ocurrió cuando le propusieron al fotógrafo cubano Orlando Jiménez Leal dirigir la primera película de Julio Iglesias. Jiménez no pudo negarse: Leal no tendría en su vida otra oportunidad de dirigir la primera película de Julio Iglesias. Además, hay que considerar el aspecto artístico: le pagarían espléndidamente. Me contó Orlando, amigo apacible, su experiencia: «¡Nunca he visto derrochar tanto dinero en mi vida!», y Orlando no es precisamente tacaño: durante la filmación en España se gastó ¡14.000 dólares llamando a familiares y amigos por larga distancia! (Hay que decir que la productora pagó la cuenta.) «Ahora, si pedías una grúa — añadió Orlando— te traían una escalera de mano.»

La tercera vez fue casi la vencida. Me trasladé a la cubana ciudad de Miami para participar en un programa de *Trescientos millones* con escritores de habla española en tres mundos. Su animador, Amestoy (la única persona que lleva en la segunda parte de su apellido la traducción al español de la primera parte en inglés: *Am*/estoy) quería iniciar la emisión con una obsesión americana: el dinero. Como es también una obsesión humana, todo humano Amestoy propuso situarme al sol frente a la isla que tiene en Miami Julio Iglesias. La cámara captaría en *zoom* la casa del cantante a años luz de distancia, y al retirarse enfocaría a Amestoy que en primer plano diría, después de mirar su reloj: «Son las ocho de la mañana y Julio Iglesias acaba de despertarse. Mientras dormía, su fortuna aumentaba a razón de 3.000 dólares por minuto.» Me volví a Amestoy y le pregunté: «¿Y qué pasa cuando Julio Iglesias tiene insomnio?» Tengo que decir que la entrevista comenzó de manera un tanto diferente.

Era una broma mía, claro, pero *Julio Iglesias Incorporated* no es cosa de chacota. Hoy día, ocho años después de mi primera pregunta ingenua en South Kensington, Julio Iglesias es más conocido en Inglaterra que Gabriel García Márquez. (De cierta manera el paralelo es justo porque Julio Iglesias es el García Márquez del bolero.) Antes, cuando uno preguntaba «*Who he?*» la contestación cuidadosa era *Hulio Higlesias*. O, ya más íntimos, sólo *Wholio*. Algunos locutores locales todavía pronuncian su nombre *Julio Jiglesias,* lo que confiere una cierta gracia de jota aliterada. Ju ji en Jez de ja ja.

Pero ya nadie bromea: Julio Iglesias se ha convertido en una potencia popular y tres canciones suyas (o casi suyas: *Begin the Beguine, Hey* y *Cuando se quiere de veras*) han llegado alto en *Top of the pops,* el más popular programa con canciones de moda de la televisión inglesa. A veces, es cierto, Julio Iglesias se ha cubierto de un cierto rocío de risas en que su sonrisa blanca en los mares del sur (con vestales hawayanas que bailan hula-hula al fondo) ha bordeado el *camp* y el *kitsch* para caer en el mar Pacífico de la voz que arrulla como palmeras en la brisa marina. Julio (permítanme la leve confianza del tuteo) ha sabido, eso sí, traducir las letras de sus canciones en versiones que tienen la dudosa distinción de lo bilingüe. Ahora Julio Iglesias acaba de originar una operación que podría ser la pesadilla americana de Amestoy: gastará el cantante en lanzar sus discos al orbe anglosajón más de dos millones y medio de dólares en un año. De dúo con Barbra Streissand y Diana Ross, ellas cantarán boleros y Julio ingresará en el mundo pop con baladas como *Hey,* que en su voz de tenor a veces suena a *Hay* —heno en inglés. Hablando de pronunciaciones, ya ningún discorador duda al pronunciar su Julio y lo llaman todos por su nombre de pila español pero transliterado. Cuidando los ingleses de poner siempre una admiración final ante el éxito enorme de una voz olvidable y una sonrisa ubicua: *Hoolly Oh!*

UN HOMBRE LLAMADO NAVAJA

Blade quiere decir en inglés hoja (de yerba o de espada) y, combinada con *switch,* navaja como esas que usan las pandillas juveniles o un desolado delincuente. También quería decir en otra época hombre atrevido y audaz, y ahora un aventurero, como en *Blade Runner,* el que cazaba réplicas. Todas esas cosas es (o puede ser) Rubén Blades. Es significativo que su canción (en realidad una narración criminal) más conocida se titula *Pedro Navaja.* Admiré esta crónica cantada desde que Orlando Jiménez-Leal (coautor de la película *El súper,* coautor también del documental *Conducta impropia)* me la hizo conocer en su casa de Nueva York en 1980. Nunca había oído yo hablar de Blades ni de Bleids, como su nombre puede pronunciarse. Orlando acariciaba entonces la idea de hacer de *Pedro Navaja* una película musical engendrado en una canción, casi como *Cantando en la lluvia* pero con lágrimas. Me regaló el disco con la esperanza secreta de que aceptara escribir el guión y lo traje conmigo a Londres.

Curiosamente, cada vez que la oía, como ocurre con muy poca música popular, el disco repetía su efecto inicial: *Pedro Navaja* no perdía su filo.

Pasó el tiempo y Orlando Jiménez también: *Pedro Navaja* fue convertida enseguida en pieza teatral en Puerto Rico. Orlando, furioso, perdió interés. Fue en otro viaje a Nueva York este año que León Ichaso, coautor de *El súper,* me ofreció ver su segunda película. (Esta vez volaba solo.) Se titulaba *Crossover Dreams* (literalmente, «Sueños de un paso superior»), que me pareció un título excelente: con doble filo. León Ichaso me explicó que la película era la historia de la vida de un músico puertorriqueño, salsero suave, que quiere cantar en inglés y pertenecer, casi con comillas, al mundo musical americano, pop o rock o *poprock.* La película estaba hablada en inglés (lo que era adecuado al tema) y su héroe cantante era Rubén Blades. Me asombré de que Blades actuara, pero Ichaso me aseguró que Blades era un actor natural que además fotografiaba muy bien. La película, lamentablemente, no sólo no estaba terminada sino que tendría que verla en un vídeo, no muy perfecto pero, eso sí, con sonido defectuoso. ¿Qué estaría bien esa tarde de marzo en casa de Max Mambrú, productor de cine invisible. León rugió: «¡La película!» y el televisor cojo comenzó a transmitir, trépidamente, una cinta inestable sin títulos. ¿Quién me mandaría a mí?

Blades apareció en la pantalla con un bigote pequeño y con voz puertorriqueña. «En realidad ese no es su acento inglés —me explicó Ichaso—. Pero lo imita muy bien, ¿no es verdad?» ¿Cómo saberlo? No conocía a Blades de nada, ni siquiera en fotos, una de esas donde el fotografiado «parece que está hablando». La película, sin embargo, me llevó de fracaso en triunfo a un nuevo fracaso del protagonista. No sólo me divirtió sino que su final trunco me encontró más conmovido que movido. Cuando le dije a León Ichaso que me había gustado mucho no quería creerlo. «¿De veras, tú?» De verdad. «¿Quieres conocer entonces a Rubén Blades? Él me dijo que quería conocerte.» Como siempre quiero conocer a quien me quiere conocer, le dije que sí. «Se sabe La Habana de memoria.» Le dije que *sí* dos veces.

Blades vive en Columbus Avenue, en el West Side de Manhattan, lo que se llama «El barrio» aún en inglés y donde ocurre, en el teatro y en el cine, *West Side Story:* el barrio como escenario. «Todo esto lo están rescatando», me explicó León Ichaso. El edificio en que vive Blades está siendo restaurado. Blades mismo ha decorado su apartamento, en un estilo neocolonial y que es más escenografía que decoración. Como ocurre siempre Blades es más pequeño que en la pantalla, aun que en la pequeña pantalla. Lo que me afirma a creer, una vez más, que el cine es como la vida pero mucho más grande. Tiene todavía el bigote del cine. Ahora habla y el reproche hecho a Blades de que es «Bla bla Blades» (se refiere a sus discos, más hablados que cantados) no es exacto. Blades es más bien parco, lo que habla con el mismo acento de la película. «Te toma el pelo, tú —me dice en un aparte Ichaso—. Blades es abogado. Graduado de Panamá.» ¿Se referirá al sombrero en vez de toga y birrete?

Le digo a Blades cuánto me gustó *Pedro Navaja* y por su falta de reacción —modesta o inmodesta— veo que debe estar acostumbrado al elogio. Pero cuando le digo que me gustó su película, que nadie ha visto, tampoco reacciona. Miriam Gómez también le dice cuánto le gustó *Crossover.* «No está terminada», responde Blades y se vuelve a Ichaso: «Hay que terminarla antes», dice y se vuelve a Ichaso: «Recuerda, me voy de jira.» El dilema, como siempre en el cine se llama dinero. Ahora León enrojece al decir: «La vamos a terminar, ya verás». Tercio para decirle a Blades que el final posible que me contó Ichaso (el cantante fracasado se convierte en fallido contrabandista de drogas, es apresado, va a la cárcel pero triunfa su voz al final) es creíble. Pero desde Sudamérica voces metalizadas amenazan con comprar el negativo y usar la cinta para breves vídeos. Ahora Blades habla, en torrente continental, de política en América. En su voz, con acento de salsa, surgen todos los lugares comunes de la izquierda ilustrada: la estabilidad sandinista en Nicaragua, la inestabilidad que promete la guerrilla en El Salvador, en Honduras, en Perú. Con tacto (¿o es el contacto?) no habla de Cuba, aunque su madre (Anolan Díaz, del dúo precoz Miriam y Anolan) nació en La Habana. Blades habla ahora de Panamá, que es el itsmo de su conversación: «Quiero tener que ver con el futuro de mi patria.» León Ichaso, cuando Blades va al baño a afeitarse, dice en otro aparte a voces: «Quiere ser presidente.» ¿De qué? «De Panamá, ¿de dónde va a ser?» ¡Nunca se me hubiera ocurrido! Es como si Julio Iglesias quisiera ser primer ministro, o rey de España.

Blades sale del baño y Miriam Gómez le dice: «Te dejaste un bigote más corto que el otro.» Blades reacciona como si ella le hubiera dicho que tenía abierta la bragueta. «Es una roma», tercia León Ichaso. «No, no —afirma Miriam Gómez—. El lado izquierdo te quedó más corto que el derecho.» Digo que para un izquierdista el corte es serio. Blades regresa al baño rápido como un reflejo. Cuando sale sonríe por primera vez en la mañana. «Efectivamente. El bigote está disparejo —explica—. De todas maneras me lo iba a quitar. Pero ahora no hay tiempo. ¿Vamos?» A almorzar en el barrio.

Salimos abrigados a Columbus Avenue. Sólo Blades no lleva abrigo al viento helado de Manhattan, pero de vez en cuando se lleva la mano en copa al bigote trunco, como para protegerlo. ¿Del frío hostil o de miradas indiscretas? Arriba, antes, habló de su nuevo disco, *Buscando América* (me gusta esa ausencia equívoca de la preposición que hace de América destino o cantidad sutil) y tocó en su tocadiscos fragmentos que hablan de un padre Antonio y de un monaguillo Andrés. Luego leyó unas narraciones cortas, más bien viñetas, que serán letras de otras rumbas, de otras sagas y otros sones como *Pedro Navaja*, canción que comienza como la calle que acabamos de cruzar:

Por la esquina del viejo barrio lo vi pasar,
con el tumbao que tienen los guapos al caminar.

Pero siento la ausencia del melodrama en la vida y en la vía:

Las manos siempre en los bolsillos de su gabán,
pa que no sepan en cuál de ellas lleva el puñal.

Cuando le digo que por esta esquina debió pasar Navaja al ir al muere, Blades señala preciso el nombre de la calle. «Pedro pasó más abajo.» ¿Será su nombre francés, Blagues? Pero Blades habla en serio, se toma muy en serio, sus canciones, son siempre serias, a pesar del ritmo: serioso y salsoso, tan dramático como sus sagas en tiempo de son. Blades no bromea nunca. Es en realidad un primitivo en su música, sofisticado en su arte de letras (Brecht del barrio) pero ingenuo en su parte política, como si se creyera los editoriales del diario.

En *Pedro Navaja*, el que pasa ahí abajo, Rubén Blades ha hecho una versión del famoso *Mack the Knife* de *La ópera de tres cuartos*. Pero, al revés de otros imitadores, Blades no ha seguido la música de Kurt Weill sino la letra de Bertolt Brecht. Blades es, también, el Woody Guthrie de la salsa. Hasta su estilo de cantar hablando recuerda los *talking blues* de Guthrie. Pero debe todavía más a un discípulo judío de Guthrie llamado Robert Zimmerman, a quien todos conocemos por el nombre de Bob Dylan. Como Dylan, Rubén Blades está a medio camino entre la música popular, la tonada folklórica y la canción protesta, senderos que se trifurcan. *Pedro Navaja* es, en efecto, el hijo bastardo de *Mack the Knife* y *Mr. Tambourine Man.* Es eso que se ha llamado, casi cómicamente, la salsa conciente o ¡concisalsa! En *Crossover Dreams,* Blades muestra las penas y plenas de un cantante puertorriqueño por convertirse en un *singer* americano. Este «sueño de crueles cruces» es una suerte de autobiografía del cantante que cruza musicalmente la isla de Manhattan. «Puerto Rico está en América», cantaba Rita Moreno en *West Side Story,* la película. Ahora, según Blades, América está en Puerto Rico.

Bertolt Brecht tomó su arte escénico del teatro-balada inglés del siglo XVIII. Concretamente de su obra maestra *La ópera del limosnero,* de John Gay, éxito teatral continuado en Inglaterra hasta nuestros días. Pero Brecht también pidió prestado a François Villón, poeta de París y ladrón ilustre. El gran baladista francés murió antes de que Colón descubriera América, pero no murió su arte auténtico. Como en la *Balada y oración por el padre Jehan Cotart,* en que Villón ruega y juega con los vicios de su amigo, cura curdo, bebedor de todo lo que no sea agua bendita, Brecht celebra al hampa de Londres. *Pedro Navaja* es también una balada y debía titularse mejor «Balada de Pedro Navaja». Pero Blades sabe más que un gato de azotea y evitar cualquier referencia poética, aunque mencione directamente a Kafka. Esta es la primera vez que una canción popular hace referencia tan culta, oculta: «Como en una novela de Kafka». (Por cierto esta mención cultural no aparece en la letra impresa.) Su letra (o mensaje como diría Blades) se salva por la salsa o no se salva.

La verdad artística muestra que *La ópera de tres cuartos* vive, si vive, por su música y no por su letra muerta. En su versión americana (Blades no entiende alemán) la letra de *Mack the Knife,* la principal tonada de la ópera, dice:

> *Pero el tiburón tiene,*
> *monada,*
> *cuando nada,*
> *lindos dientes,*
> *que mantiene*
> *perlipálidos.*

Todo *Pedro Navaja* sale de esta balada brechtiana. Blades escribe, compone y canta lo que se puede llamar una balada de plomo y yerro.

Blades en su disco más exitoso, *Siembra* (se considera que es el álbum más vendido en la corta historia de la salsa), que contiene a *Pedro Navaja*, tiene canciones sucesivamente en ritmo de guaguancó (o rumba cantada), guaracha, rumba abierta y, sobre todo, son. La misma balada de «Navaja», después de sonidos de ambiente (un locutor de la radio, sirenas de policía) y una canción dicha en guaguancó, termina en un perfecto ritmo de son sacado de la Sonora Matancera. No en balde Blades declaró a doce revistas *Time* la semana pasada: «No puedo eliminar el formato afro-cubano.» Su explicación se hizo más política que musical al añadir: «Esta forma es el único lazo con el pueblo.» Blades quiso decir, por supuesto, con Cuba: «Mantuve la música básica y sólo cambié la letra.» No hay más que oír esta tonada que exalta al hampa, masculina y femenina, para saber que, al final, en su *montuno,* el triunfo es una vez más del son, de la Sonora y de su son inmarcesible: tres golpes de gangarria, ahora agoreros y fatales, y la salsa encuentra Beethoven.

Pero *Pedro Navaja* es de veras un logro considerable. No es una parodia de Brecht ni una copia servil de *La ópera de tres cuartos.* Es un verdadero homenaje al poeta alemán que prefería que su música fuera popular y su poesía subversiva. Este homenaje no se extiende a la música de Kurt Weill, que estaba llena de jazz y de añoranza por los viejos blues. Sin embargo, detrás del canto casi llano de Blades, se oye una rumba, la sombra de un guaguancó y hasta casi al Joseíto Fernández que creó la *Guantanamera* como comentario al crimen y al robo. Como todos los salseros Blades siente nostalgia por una música que no conoció, excepto como un pasado ajeno. Ni la rumba de ambiente ni el guaguancó cantado tienen nada que ver con Panamá. Pero, cosa curiosa, parece que tiene que ver todo con Rubén Blades. *La ópera de tres cuartos* tenía, como *Pedro Navaja*, una banda de sólo ocho músicos. «En cuanto a la melodía —opinaba Brecht— no debe ser seguida a ciegas. Se debe cantar *contra* la música... una suerte de sobriedad incorruptible que debe ser independiente de la música y del ritmo.» Estoy seguro de que Blades ignora la teoría de Brecht (aun su teoría marxista), pero en la práctica *Pedro Navaja* es hijo de «Mack the Knife», «Cuchillo Mack». O cuando menos nieto natural. Mack fue de Londres a París pasando por Nueva York. Pedro Navaja fue de Panamá (o de Puerto Rico) a Nueva York pero pasó antes por La Habana.

> *Aquí les traigo el mensaje de mi canción.*
> *Sorpresas te da la vida,*
> *la vida te da sorpresas.*

Más sorpresas que la vida, claro, da el arte y esta es una de ellas, agradable. Si la salsa fuera arte, *Pedro Navaja* sería, sin duda, su obra maestra.

«SÉPTIMA»

La música, por suerte, no tiene sexo. En cuanto a los intérpretes, sólo conocí homosexual a Bola de Nieve, que era más bien una muchachita. Las lesbianas cantantes de boleros, como Tona la Negra y Elvira Ríos, son mexicanas como Lucha Reyes. De la tierra del mero mero y el mucho macho.

Lágrimas negras

El que da título a este fragmento es un bolero-son de Miguel Matamoros, e introduce el tema de la muerte, que ocupaba también el ocho en *TTT* Y es que el 8 es un número complicado en la charada cubana, relacionado con el poder y con la muerte, y tampoco en la kábala tiene mejor fario, y tumbado quiere decir el infinito. Tampoco este «bolero», como se anunció al principio, lleva la entrada en romanos de *La Habana para un Infante Difunto;* se abre con un artículo, «Guantanamerías» *(El País,* 11-4-93) para seguir con el relato de la muerte de La Estrella, en «Ella cantaba boleros». Dos necrológicas a dos amigos en «No más fotos de Jesse» *(El País,* 23-3-86), sobre el amigo, personaje y fotógrafo cuya presencia se hace imagen y palabra en casi todos los libros de GCI, Jesse Fernández, y en «Sobre una tumba, una rumba», otra negación de la necrológica, que es la negación de la muerte, esta vez para Severo Sarduy *(El País,* 12-6-93.) Y, naturalmente, *Octava.* R. M. P.

Parece un título del gran Gómez de la Serna, pero es el de la triste y alegre historia de una tonada a la moda que ha dado la vuelta al mundo varias veces (algunas de ellas, en sentido contrario). Se trata de la sorprendente canción cubana llamada *La guantanamera*. ¿Sorprendente, dice usted? Si, señora. Ni más ni menos sorpresivo que el vuelo popular de la habanera *La Paloma,* compuesta en Cuba por Sebastián Yradier y publicada (es decir, hecha pública) en la corte de Maximiliano en México, para ser cantada obsesivamente, como todos los *hits,* por la emperatriz Carlota, ya loca, en su *château* belga.

Yradier, ya que estamos entre habaneras, hizo una de las tantas suyas (él componía habaneras), que tituló *El arreglito,* en plan de juerga. Bizet la oyó mal en Francia cuando aún no existían las *charts* y se la compró por 40 francos al vasco, que dicen que dijo: «Tómala, toma la mía. Yo tengo más en mi casa.» Es decir, en La Habana, cuna de habaneras. Esa habanera de Yradier es ahora la obsesiva, trágica aria que canta Carmen en *Carmen. L'amour est un oiseau rebelle.* Pero ese pájaro rebelde está preso en una jaula llamada destino musical. «La habanera —dice Borges de otro destino—, madre del tango», danza fatal si las hay. *La guantanamera* a su vez, será atrapada al vuelo y enjaulada en un destino político. Pero, pájaro libre, fue concebida en La Habana de los años cincuenta por un español entonces apolítico llamado Julián Orbón, que vivió gran parte de su vida en Nueva York. A la generosidad musical de Orbón debe el mundo su último himno, melodía multinacional y noble guajira universal.

(Este artículo es de alguna manera una continuación de un obituario de la cantante cubana La Lupe que escribí hace un mes. Ahí revelé por primera vez que Orbón era el creador de *La guantanamera*. Ahora respondo al coro alarmado que exclama: «¡Qué Orbón ni qué Orbón!»)

Pero vayamos por partes. ¿Qué es una guajira? Es, primero que nada, una mujer del campo cubano, una campesina, como era Aldonza Lorenzo, como es este modo musical antes de volverse ritmo al añadirle unas gotas de sangre negra, clave racial. Orbón, Quijote armónico, la convirtió en una Dulcinea del Toboso musical al pronunciar su nombre a la cubana: *Dulse nena de to'goso.*

Pero, por favor, ¿qué es una guajira? Es, primero que nada, como ocurre a menudo, una composición literaria. Dice el *Novísimo Pichardo,* uno de los más curiosos diccionarios de América: así «se llaman (...) a las décimas y otros cantos que entonan la gente del campo». La guajira, como forma musical, ha llegado hasta el diccionario de música de Oxford, que dice: «Tipo de canción y baile rural cubanos. Las características muestran una influencia española (...) especialmente en el uso de los ritmos de tres por cuatro y seis por ocho, para voz sola y guitarra en la armonía tónica-dominante.» El uso del compás de tres por cuatro la señala como campesina, ya que toda la música bailable cubana está en compás de dos por cuatro y sus combinaciones. Pero al mencionar la guitarra y no el tres (típica guitarra cubana con las seis cuerdas pareadas de dos en dos) se acentúa la influencia española. Es decir, canaria. El nombre completo de *La guantanamera* es *Guajira guantanamera,* que la señala como venida de Guantánamo, ciudad de Oriente, la provincia que originó casi toda la música cubana, incluyendo la habanera. Es, por tanto, un modo musical folclórico. Pero *La guantanamera* tuvo un compositor. Tuvo más de uno.

«Ya en 1951— escribe el musicólogo cubano que vive en Puerto Rico Cristóbal Díaz— la revista *Bohemia* recogió una polémica en la que Joseíto Fernández, cantante popular cubano, se la atribuyó, alegando que venía cantándola desde 1928, e inscribió la propiedad musical a su nombre en 1941.» Pero Pete Soeger (más, más tarde), haciendo una nota necrológica de Fernández, escribe: «He visto partituras de la canción de 1920, una versión diferente, que implican que Joseíto hizo su canción partiendo de un modelo más viejo.» Ese modelo «más viejo» es, por su puesto, el folclor.

Dice Díaz: «En 1941, un guitarrista e improvisador de décimas guajiras, Chanito Isidrón, inició un programa por la emisora de Radio Lavin, patrocinado por la pasta dental Gravi, en que intervenía una cantante de décimas. La Calandria, programa en que se contaba el suceso [casi siempre criminal] del día en décimas con la melodía de *La guantanamera.*» (Las interpolaciones son más. GCI)

«La empresa rival de Gravi —sigue Díaz—, Crusellas y Compañía [tan poderosa en la radio que hasta se permitía tener una hora en idioma chino todos los días: piensen no más en los miles de trenes de lavado chinos que había en Cuba; las interposiciones siguen siendo mías. GCI] se llevó el programa [para una emisora rival] y se le agregaron dos nuevos elementos: una voz masculina, la de Joseíto Fernández, más cerca del gusto popular.» Díaz no dice que la voz de Isidrón era blanca y campesina, y la de Fernández, mulata y urbana, pero añade: «La Calandria, como buena cantante guajira, tenía una voz áspera.» *La guantanamera,* como vino a conocerse la emisión, dramatizaba el *suceso del día* con actores. Los dos cantantes introducían, intermediaban y resumían los hechos, casi siempre sangrientos y siempre violentos. Fue así que la tonada devino sinónimo de caso criminal, y en la voz del pueblo, la frase «te van a cantar *La guantanamera*» quería decir que el que tenía la voz cantante ahora podría tener la voz cantada en el futuro. Una *guantanamera* podía también ser un sermón dado el carácter admonitorio con que culminaba cada emisión. La moraleja de esta fábula habanera terminaba con un sonsonete que era un son, que es el ritmo con que Joseíto Fernández había contaminado la guajira original. El son, como *La guantanamera,* como Joseíto Fernández, vino de Oriente. De donde vino el bien musical y el mal político: Batista y Fidel Castro son los dos orientales.

«Posteriormente —dice Díaz— los *surveys* demostraron la preferencia por la voz de Joseíto, y se eliminó a La Calandria. Por último se suprimieron las décimas y quedó sólo la melodía de *La guantanamera* como tema musical de apertura y cierre.» Es decir, triunfó la música sobre la literatura. En el futuro ocurriría todo lo contrario con

La guantanamera secular. Cristóbal Díaz echa de menos en la versión actual la introducción a *La guantanamera* radial, que «corría varios compases, con una fanfarria de guitarras, piano e instrumentos rítmicos, imitación de cencerros, ladridos, mugidos, etcétera, que le daban el toque campesino. También perdió el cambio de golpe, o de ritmo, que hacía Joseíto Fernández a la mitad del número». Díaz, que tiene buen oído y mejor memoria, había dado con el único verdadero aporte de Fernández a la trama guajira: Joseíto había introducido un ritmo de seis por ocho, venido del guaguancó, típicamente negro. O, como quería Fernando Ortiz, afrocubano.

La guantanamera ha llegado hasta ser música indirecta —pero fue también una referencia intelectual directa. En 1946, Virgilio Piñera, el dramaturgo principal de Cuba, escribió una tragedia paródica, *Electra Garrigó,* donde sustituyó el coro griego con décimas a la manera de *La guantanamera.* Empezaba así la acción: «En la ciudad de La Habana, / de Cuba perla fulgente...», y seguían unos ripios más que versos que en el estreno de la obra fueron recitados por un actor. En una reposición de 1960, el director Francisco Morín sacó del olvido en que había caído a Joseíto Fernández (el programa radial ya había sido suprimido) y lo puso a cantar, entre el público, las décimas que eran una parodia suya. Con todo, su presencia (Sartre y Simone de Beauvoir lo vieron y oyeron arrobados) fue lo mejor de la noche. ¡Ah, ese Joseíto! Estuvo esa vez mucho mejor que los Sandpipers, que popularizaron la canción haciéndola *pop* en 1965. Pero yo, personalmente, prefiero la versión de La Lupe, con letra diferente, indiferente a la política, de Abelardo Barroso. La Lupe, al final, devuelve la guajira al son de donde salió.

«Pero no ha perdido —termina Cristóbal Díaz— esa fuerza misteriosa que arrastra...» Como ejemplo de arrastre emocional relata un caso que pudo haber estado en *La guantanamera* radial, pero apareció en un periódico de 1948. (Antes de relatarlo hay que decir que el bendito Sancti Spiritus es una ciudad del interior de Cuba.)

«Sancti Spiritus. La joven de 17 años Elia Rosa Acosta se encontraba con su abuela oyendo el radio en los momentos en que cantaban *La guantanamera,* y le entró tal congoja que penetró en su habitación, tomó un veneno y se tendió en la cama a esperar la muerte. La abuela la encontró en gravísimo estado, llevándola a la casa de socorro. Se desconfía de salvarla... (AF).»

El artículo de Cristóbal Díaz tiene como ilustración una página de la partitura de *La guantanamera* en su avatar (edición) americano. Se llama a la tonada *Guantanamera,* y para que no haya dudas de su origen, se traduce el título: *Lady of Guantanamo.* La letra es más política que poética, y dice en inglés: «Soy un hombre que trata / de hacer bien antes de morir, / pedirle a cada hombre y a su hermano...», etcétera. Arriba dice: «Letra española de José Martí». Es decir, del caso criminal de la radio, la vieja tonada guajira ha pasado a comentario castrista. O así lo entendió la vasta Vanessa Redgrave cuando la cantó en un auto de fe política en el Londres de 1968. Pero antes tuvo Vanessa que hacer una introducción *ad hoc:* «Voy a cantar *La guantinamara.* Una canción escrita por el patriota Joseph Marty, amigo de Fidel Castro». ¿Cómo nadie le dijo a Redgrave (cuyo nombre quiere decir *tumba roja)* que Martí murió en el campo de batalla en 1895?

Entra Orbón sonriendo a carcajadas. Julián Orbón nació en Avilés, Asturias, en 1925. Era hijo de un ilustre profesor de piano español, Benjamín Orbón, y de madre cubana. Orbón, padre, viajaba por toda Cuba y a veces entre Cuba y España. En uno de sus viajes se desató la guerra civil y, atrapada, la familia no pudo regresar a La Habana hasta 1939. De esa estancia obligada, Julián guardaba un recuerdo tenebroso y un fuerte acento asturiano. Pero Orbón, hasta el final, fue muy cubano, habanero más bien. Además de su acento, Julián había heredado de su padre un talento musical que pronto se reveló enorme. Aún adolescente componía piezas de una rara sabiduría armónica. Alejo Carpentier, en su *La música en Cuba,* califica su talento de «increíble precocidad». Tanta, que en 1945 (no tenía aún 20 años) compone su *Sinfonía en do mayor,* que la estrena Erich Kleiber en La Habana en 1946. Kleiber, antiguo director de la Orquesta de la Ópera de Berlín, entonces director en propiedad de la Orquesta Filarmónica de La Habana, fue uno de los músicos más exigentes que dio Alemania antes de Hitler. Orbón es un músico, ya desde muy joven, de una exigencia musical que corre pareja con la de Kleiber. Pero es también poseedor de una facultad creadora que se nutre de todos los elementos musicales posibles, y a la admiración por compositores de la Edad de Oro española, como Milán, Victoria y el padre Soler, une también la de Cabezón, que tomó una tonada de sabor campesino, *Guárdame las vacas,* para sus inmortales variaciones, las más cultas de su época. Dice Carpentier, alabando la cubanía española de Orbón: «...su apasionado interés por la supervivencia, en la isla, de melodías venidas del romance (como la guacanayara).» La guacanayara, no tiene por qué explicarlo Carpentier, es otro tipo de *punto guajiro,* al que Orbón, riendo con sus dientes blancos sobre las teclas negras, componía variaciones tocando sobre las teclas blancas y cantando décimas del poeta cubano en Nueva York Eugenio Florit. Canta la tonada tradicional: «Guacanayara, ay, Paimarito / cuando yo me esté muriendo / ven prieta y dame un besito.» Ahora, los versos de cultos de Florit encajaban perfectamente en el diseño, designio armónico de Orbón, la melodía campesina hecha un *canctus firmus.*

Este *tour de force* de la imaginación musical lo había hecho antes Orbón en La Habana, uniendo los *versos sencillos* de Martí que comienzan: «Yo soy un hombre sincero», a la melodía de *La guantanamera.* Ya lo anotó Cristóbal Díaz: «Aunque la décima (...) es una estrofa más larga que la de los *Versos sencillos* —que son cuartetas.» El genio de Orbón fue armonizar estos elementos dispares, y no solo prosódicamente. Orbón cantaba sus versiones a amigos y aun a amigos que no lo eran. Como cantaba en sus noches de exilio en Nueva York (acogiendo a todos Tangui, su apartamento) en verso y estribillo de Lope en *La dama boba* (ese que dice y repite: «Me voy a Panamá») con la música del *Son de la loma,* de Miguel Matamoros, de 1930. Y nadie podría decir que Lope no era sonero, ¡o Matamoros músico clásico! Eso se llama simbiosis sonora.

(Por cierto que en algunas de esas noches se aparecían por la casa las bellas sobrinas de Lorca, una de las cuales era novia del hijo mayor de Orbón, Juliancito. Ellas gozaban tanto esas veladas como su tío, que se fue a La Habana y compuso su *Son de negros en cuba.)*

Escribe Cintio Vitier, antes poeta hermético y ahora representante (electo) del poder popular, en *Lo cubano en la poesía:* «Experiencia inolvidable, verdadera iluminación poética, la de oír a Julián Orbón cantar a Martí con la música de *La guantanamera.* Esas estrofas alcanzan, en su propio centro, la esencia del pueblo eterno.» *Lo cubano en la poesía* está publicado en Cuba ¡en 1958! Me dice Orbón en una de sus últimas cartas: «Publicado en 1958, cuatro años antes de que *La guantanamera* se tornara en esa nueva *Internacional,* nacida de la CMQ y criada por mi *perversa* imaginación.»

Entra un falso discípulo, Héctor Angulo, estudiante de Arquitectura en la Universidad de La Habana y estudiante de poesía con el poeta Baragaño. El eterno estudiante se hace también estudiante (gratuito) de música con Orbón. En 1962 decide exiliarse en Nueva York, se encuentra allá con el compositor Pete Seeger, especialista en protestas, y le canta una de cubanos. No hay que adivinar que es *La guantanamera* con los versos de Martí. ¡Pero Angulo olvidó mencionar al autor de la simbiosis que era a la vez su maestro! Tal vez pensó que Orbón, ahora exiliado en México, nunca se enteraría. Seeger, como todos, se enamora de la melodía y hace esfuerzos por pronunciar la letra (aunque, en sus labios, el verso «yo soy un hombre sincero» casi dice «sin un cero»). Seeger graba la canción en 1963, y el disco ofrece dos autores de *La guantanamera,* Seeger-Angulo. ¡Angulo y nunca Orbón! El falsario, cosa curiosa, decide olvidar sus viejos agravios y regresa a Cuba, *vincitore:* el autor de una ¡canción revolucionaria! No son invenciones: la canta Seeger, colega de Joan Báez; la canta (es un decir) Vanessa Redgrave; la cantan todas las almas buenas, de Sechuán a Santiago de Chile.

Orbón entabló un pleito por robo a la propiedad intelectual, que ganó al cabo de los años y a medias. Me dice en su carta: hay «un artículo de Pete Seeger donde inmortaliza mi nombre, con toda justicia, al colocarlo al lado de Joseíto Fernández». Para añadir con ironía risueña: «¡Nunca se conocen los caminos que llevan a la inmortalidad!» Es el mismo Seeger quien lo reconoce (después del veredicto) así: «En los últimos cincuenta, ahora aparece, el compositor cubano Julián Orbón encontró las tres estrofas patrióticas del último libro de José Martí (circa 1985) y ajustó la melodía a los versos. El refrán que puede traducirse [al inglés] como "Muchacha de Guantánamo, muchacha campesina tú", cobró nuevos matices de significado y al mismo tiempo juntó los versos musicalmente.»

Pero la gloria como músico y la justicia poética vinieron del cine, en el colofón de créditos de *Los reyes del mambo.* Allí, entre nombres que pertenecen a la historia musical de la infamia, aparece, como autor de *La guantanamera,* el nombre de Julián Orbón. Demasiado tarde. Exactamente seis meses antes había muerto en Miami, Florida, el compositor español de la canción cubana que todos quieren hacer suya.

Ahora que llueve, ahora que este aguacero me hace ver la ciudad desde los ventanales del periódico como si estuviera perdida en el humno, ahora que la ciudad está envuelta en esta niebla vertical, ahora que está lloviendo recuerdo a La Estrella, porque la lluvia borra la ciudad pero no puede borrar el recuerdo y recuerdo el apogeo de La Estrella como recuerdo cuándo se apagó y dónde y cómo. Ahora no voy por los naicluses, como decía La Estrella, porque quitaron la censura y me pasaron de la página de espectáculos a la de actualidad política y me paso la vida retratando detenidos y bombas y petardos y muertos que dejan por ahí para escarmiento, como si los muertos pudieran detener otro tiempo que no sea el suyo, y hago guardia de nuevo pero es una guardia triste.

Dejé de ver a La Estrella un tiempo, no sé cuánto y no supe de ella hasta que vi el anuncio en el periódico de que iba a debutar en la pista del Capri y ni siquera sé hoy cómo dio ese salto de calidad su cantidad de humanidad. Alguien me dijo que un empresario americano la oyó en Las Vegas o en el Bar Celeste o por la esquina de 0 y 23, y la contrató, no sé, lo cierto es que estaba su nombre en el anuncio y lo leí dos veces porque no lo creí y cuando me convencí me alegré de veras: de manera que La Estrella por fin llegó dije y me asustó que su eterna seguridad se mostrara un augurio porque siempre me asusta esa gente que hacen de su destino una convicción personal y al mismo tiempo que niegan la suerte y la casualidad y el mismo destino, tienen un sentimiento de certeza, una creencia en sí mismos tan honda que no puede ser otra cosa que predestinación y ahora la veía no solamente como un fenómeno físico sino como un monstruo metafísico: La Estrella era el Lutero de la música cubana y siempre estuvo en lo firme, como si ella que no sabía leer ni escribir tuviera en la música sus sagradas escrituras pautadas.

Me escapé del periódico esa noche para ir la estreno. Me habían contado que estaba nerviosa por los ensayos y aunque al principio fue puntual había dejado de ir a uno o dos ensayos importantes y la multaron y por poco la sacan del programa y si no lo hicieron fue por el dinero que habían gastado en ella y también que rechazó la orquesta, pero sucede que no se fijó cuando le leyeron el contrato que estaba bien claro que debía aceptar las exigencias de la empresa y había una cláusula especial en donde se mencionaba el uso de partituras y arreglos, pero ella no conocía la primera palabra y la segunda y se le pasó, seguro, porque debajo, junto a la firma de los dueños del hotel y del empresario, estaba una equis gigante que era su firma de puño y cruz, así que tenía que cantar con orquesta. Esto me lo contó Eribó que es bongosero del Capri y que iba a tocar con ella y me lo contó porque sabía mi interés en La Estrella y porque vino al periódico a darme explicaciones y atenuar mi disgusto con él por motivo de un gesto suyo que por poco me cuesta que no sólo no contara yo el cuento de La Estrella sino el cuento a secas. Iba del Hilton al Pigal y atravesaba la calle Ene cuando debajo de los pinos que hay junto al parqueo, allí frente al rascacielos del Retiro Médico vi a Eribó que conversaba con uno de los americanos que tocan en el Saint John y me acerqué. Era el pianista y no conversaban sino que discutían y cuando los saludé vi que el americano tenía una cara extraña y Eribó me llevó para un lado y me preguntó, ¿Tú hablas inglés?, y yo le dije, Un poco sí, y él me dijo, Mira, aquí mi amigo tiene un problema y me llevó al americano y en aquella situación rara me presentó y en inglés le dijo al pianista que yo me iba a ocupar de él y se viró para mí y me dijo, Tú tienes carro, preguntándome, y le dije que sí, que tenía carro y me dijo, Hazme el favor, búscale un médico, y dije, Para qué, y me dijo, Un médico que le ponga una inyección porque este hombre tiene un dolor terrible y no se puede sentar a tocar así y tiene que tocar en media hora, y miré al americano y la cara que tenía era de dolor de veras y pregunté, ¿Qué tiene?, y me dijo Eribó, Nada, un dolor, por favor, ocúpate de él que es buena gente, hazme ese favor, que yo me tengo que ir a tocar, porque el primer show está al acabarse, y se viró para el americano y le explicó y me dijo, Hasta luego, tú, y se fue.

Íbamos en la máquina buscando yo un médico no por las calles sino en la mente, porque encontrar un médico que quiera ponerle una inyección a un adicto a la heroína no es fácil de día, mucho menos de noche y cada vez que cogíamos un bache o atravesábamos una calle el americano gemía y una vez gritó. Traté de que me dijera qué tenía y pudo explicarme que tenía algo en el ano y primero pensé que sería otro degenerado y luego me dijo que no eran más que hemorroides y le dije de llevarlo a una casa de socorros, a Emergencias que no estaba tan lejos, pero él insistía en que no necesitaba más que una inyección calmante y quedaría como nuevo y se retorcía en el asiento y lloraba y como yo había visto El hombre del brazo de oro no tenía la menor duda de ónde le dolía. Entonces recordé que en el edificio Paseo vivía un médico que era amigo mío y fui y lo desperté. Estaba asustado porque pensó que era un herido en un atentado, un terrorista al que le estalló una bomba o tal vez un perseguido por el Sim, pero le dije que yo no me metía en nada, que no me interesaba la política y que lo más cerca que había visto a un revolucionario era a la distancia focal de dos metros cincuenta y me dijo que estaba bien, que lo llevara a su consulta, que él iría detrás y me dio la dirección. Llegué a la consulta con el hombre desmayado y tuve la suerte de que el policía de posta llegara en el momento en que trataba de despertarlo para hacerlo pasar a la casa y sentarlo en el portal a esperar al médico. El policía se acercó y me preguntó que qué pasaba y le dije quién era el pianista y que era mi amigo y que tenía un dolor. Me preguntó qué tenía y le dije que almorranas y el policía repitió, Almorranas, y yo le dije, Sí, almorranas, pero entonces lo encontró más raro que yo lo había encontrado y me dijo, No será este uno de esa gente, me dijo haciendo una seña peligrosa y le dije, No, qué va, él es un músico, y entonces mi pasajero se despertó y le dije al policía que lo llevaba para dentro y a él le dije que tratara de caminar bien porque este policía que tenía al lado estaba sospechando y el policía entendió algo, porque insistió en acompañarnos y todavía recuerdo la verja de hierro que chirrió al entrar nosotros en el silencio del patio de la casa y la luna que daba en la palma enana del jardín y los sillones de mimbre fríos y el extraño grupo que hacíamos sentados en aquella terraza del Vedado, en la madrugada, un americano y un policía y yo. Entonces llegó el médico y cuando vio al policía al encender las luces del portal y nos vio a nosotros allí, el pianista medio desmayado y yo bien asustado puso la cara que debió tener Cristo al sentir los labios de Judas y ver por sobre su hombro los esbirros romanos. Entramos y el policía entró con nosotros y el médico acostó al pianista en una mesa y me mandó a esperar en la sala, pero el policía insistió en estar presente y debe haber inspeccionado el ano con un ojo vigilante porque salía satisfecho cuando el médico me llamó y me dijo: Este hombre está mal, y vi que estaba dormido y me dijo, Ahora le di una inyección, pero tiene una hemorroides estrangulada y hay que operarlo enseguida, y yo fui el asombrado porque después de todo tuve suerte: jugué un billete jugado y me saqué. Le expliqué quién era bien y cómo lo encontré y me dijo que me fuera, que él se lo llevaría a su clínica que no estaba lejos y se ocuparía de todo y salió a despedirme a la calle y le di las gracias y también al policía que siguió su posta.

En el Capri había la misma gente que siempre, quizá un poco más lleno porque era viernes y día de estreno, pero conseguí una buena mesa. Fui con Irenita que quería siempre visitar la fama aunque fuera por el camino del odio y nos sentamos y esperamos el momento estelar en que La Estrella subiría al zénit musical que era el escenario y me entretuve mirando alrededor y viendo las mujeres vestidas de raso y los hombres que tenían cara de usar calzoncillos y las viejas que debían volverse locas por un ramo de flores de nylon. Hubo un redoble de tambores y el locutor tuvo el gusto de presentar a la selecta concurrencia el descubrimiento del siglo, la cantante cubana más genial después de Rita Montaner, la única cantante del mundo capaz de compararse a las grandes entre las grandes de la canción internacional como Ella Fitzgerald y Katyna Ranieri y Libertad Lamarque, que es una ensalada para todos los gustos, pero buena para indigestarse. Se apagaron las luces y un reflector antiaéreo hizo un hoyo blanco contra el telón malva del fondo y por entre sus pliegues una mano morcilluda buscó la hendija de la entrada y detrás de ella salió un muslo con la forma de un brazo y al final del brazo llegaba La Estrella con un prieto micrófono de solapa en la mano que se perdía como un dedo de metal entre sus dedos de grasa y salió entera por fin: cantando Noche de ronda y mientras avanzaba se veía una mesita redonda y negra y chiquita con una sillita al lado y La Estrella caminaba hacia aquella sugerencia de café cantante dando traspiés en un vestido largo y plateado y traía su pelo de negra convertido en un peinado que la Pompadour encontraría excesivo y llegó y se sentó y por poco silla y mesa y La Estrella van a dar todos al suelo, pero siguió cantando como si nada, ahogando la orquesta, recuperando a veces sus sonidos de antes y llenando con su voz increíble todo aquel gran salón y por un momento me olvidé de su maquillaje extraño, de su cara que se veía no ya fea sino grotesca allá arriba: morada, con los grandes labios pintados de rojo escarlata y las mismas cejas depiladas y pintadas rectas y finas que la oscuridad de Las Vegas siempre disimuló. Pensé que Alex Bayer debía estar gozando dos veces en aquel gran momento y me quedé hasta que terminó, por solidaridad y curiosidad y pena. Por supuesto no gustó aunque había una claque que aplaudía a rabiar y pensé que eran mitad amigos de ella y la otra mitad la pandilla del hotel y gente pagada o que entraba gratis.

Cuando se acabó el show fuimos a saludarla y, por supuesto, no dejó entrar a la Irenita en su camerino que tenía una gran estrella afuera pintada de plata y con los bordes embarrados de cola: lo sé muy bien porque me la aprendí de memoria mientras esperaba que La Estrella me recibiera el último. Entré y tenía el camerino lleno de flores y de esa mariconería de los cinco continentes y los siete mares que es la clientela del San Michel y dos mulatitos que la peinaban y acomodaban su ropa. La saludé y le dije lo mucho que me gustó y lo bien que estaba y me tendió una mano, la izquierda, como si fuera la mano del papa y se la estreché y se sonrió de lado y no dijo nada, nada, nada: ni una palabra, sino sonreír su risa ladeada y mirarse al espejo y exigir de sus mucamos una atención exquisita con gestos de una vanidad que era, como su voz, como sus manos, como ella, simplemente monstruosa. Salí del camerino lo mejor que pude diciéndole que vendría otro día, otra noche a verla cuando no estuviera tan cansada y tan nerviosa y me sonrió su sonrisa ladeada como un punto final. Sé que terminó en el Capri y que luego fue al Saint John cantando, acompañada por una guitarra solamente, donde su éxito fue grande de veras y que grabó un disco porque lo compré y lo oí y que después se fue a San Juan y a Caracas y a Ciudad México y que dondequiera hablaban de su voz. Fue a México contra la voluntad de su médico particular que le dijo que la altura sería de efectos desastrosos para su corazón y a pesar de todo fue y estuvo allá arriba hasta que se comió una gran cena una noche y por la mañana tenía una indigestión y llamó un médico y la indigestión se convirtió en un ataque cardíaco y estuvo tres días en cámara de oxígeno y al cuarto día se murió y luego hubo un litigio entre los empresarios mexicanos y sus colegas cubanos por el costo del transporte para traerla a enterrar a Cuba y querían embarcarla como carga general y de la compañía de aviación dijeron que un sarcófago no era carga general sino transporte extraordinario y entonces quisieron meterla en una caja con hielo seco y traerla como se llevan las langostas a Miami y sus fieles mucamos protestaron airados por este último ultraje y finalmente la dejaron en México y allá está enterrada. No sé si todo este último lío es cierto o falso, lo que sí es verdad es que ella está muerta y que dentro de poco nadie la recordará y estaba bien viva cuando la conocí y ahora de aquel monstruo humano, de aquella vitalidad enorme, de aquella personalidad única no queda más que un esqueleto igual a todos los cientos, miles, millones de esqueletos falsos y verdaderos que hay en ese país poblado de esqueletos que es México, después que los gusanos se dieron el banquete de la vida con las trescientas cincuenta libras que ella les dejó de herencia y que es verdad que ella se fue al olvido, que es como decir al carajo y no queda de ella más que un disco mediocre con una portada de un mal gusto obsceno en donde la mujer más fea del mundo, en colores, con los ojos cerrados y la enorme boca abierta entre labios de hígado tiene su mano muy cerca sosteniendo el tubo del micrófono, y aunque los que la conocimos sabemos que no es ella, que definitivamente esa no es La Estrella y que la buena voz de la pésima grabación no es su voz preciosa, eso es todo lo que queda y dentro de seis meses o un año, cuando pasen los chistes de relajo sobre la foto y su boca y el pene de metal: en dos años ella estará olvidada y eso es lo más terrible, porque la única cosa porque siento un odio mortal es el olvido.

Pero ni siquiera yo puedo hacer nada, porque la vida sigue. Hace poco, antes de que me trasladaran, fui por Las Vegas que está abierto de nuevo y sigue con su show y su chowcito y la misma gente de siempre sigue yendo todas las noches y las madrugadas y hasta las mañanas y estaban cantando allí dos muchachas, nuevas, dos negritas lindas que cantan sin acompañamiento y pensé en La Estrella y su revolución musical y en esta continuación de su estilo que es algo que dura más que una persona y que una voz, y ellas que se llaman Las Capellas cantan muy bien y tienen éxito, y salí con ellas y con este crítico amigo mío, Rine Leal, y las llevamos a su casa y por el camino, en la misma esquina de Aguadulce, cuando paré en la luz roja, vimos un muchacho que tocaba la guitarra y se veía que era un guajirito, un pobre muchacho que le gustaba la música y quería hacerla él mismo y Rine me hizo parquear y bajarnos bajo la llovizna de mayo y meternos en el bar-bodega donde estaba el muchacho y le presenté a Las Capellas y le dije al músico que ellas se volvían locas por la música y cantaban pero bajo la ducha y que no se atrevían a cantar con música y el muchacho de la guitarra, muy humilde, muy ingenuo y muy bueno dijo, Prueben, prueben y no tengan pena que yo las acompaño y si se equivocan las sigo y las alcanzo, y repitió, Vamos, prueben, prueben, y Las Capellas cantaron con él y él las seguía lo mejor que podía y creo que las dos bellas cantantes negras nunca cantaron mejor y Rineleal y yo aplaudimos y el dependiente y el dueño y una gente más que estaba por allí aplaudieron también y nos fuimos corriendo debajo de la llovizna que ya era aguacero y el muchachito de la guitarra nos siguió con su voz, No tengan pena que ustedes son muy buenas y van a llegar lejos si quieren y nos metimos en mi máquina y llegamos hasta la casa de ellas y nos quedamos allí dentro del carro esperando que escampara y cuando paró de llover seguíamos hablando y riéndonos hasta que se hizo un silencio íntimo en el carro y, oímos, bien claro, fuera, unos golpes en alguna puerta y Las Capellas pensaron que era su madre que llamaba la atención, pero se extrañaron porque su madre es Muy chévere, dijo una de ellas y volvimos a oír el toque y nos quedamos quietos y se volvió a oír y nos bajamos y ellas entraron en su casa y su madre estaba durmiendo y no vivía más nadie en la casa y todo el barrio estaba durmiendo a esa hora y nos extrañamos y Las Capellas empezaron a hablar de muertos y de aparecidos y Rine hizo unos cuantos juegos malabares con los bustrofantasmas y yo dije que me iba porque me tenía que acostar temprano y volvimos Rine y yo de regreso a La Habana y pensé en La Estrella y no dije nada, pero al llegar al centro, a La Rampa, nos bajamos a tomar café y encontramos a Irenita y una amiga sin nombre que salían del Escondite de Hernando y las invitamos a ir a Las Vegas donde no había show ni chowcito ni nada ya, solamente el tocadiscos y estuvimos allí como media hora tomando y hablando y riéndonos y oyendo discos y después, casi amaneciendo, nos las llevamos para un hotel de la playa.

Conocí a Jesse Fernández (fallecido el pasado sábado en París) cuando estaba bien vivo. Fue en la barahúnda para celebrar *La vuelta al mundo en 80 días,* año primero, en Nueva York, en 1957. Allí me lo presentó Humberto Arenal, escritor cubano que, como Jesse, vivía en Manhattan, la otra isla. Fue un milagro que entre tanto ruido de matracas que sonaban a maracas pudiera oír su nombre. Pero lo oí y desde entonces Jesús Fernández se convirtió en Jesse a secas. Era el segundo Jesse que conocía. El otro, por supuesto, era Jesse James.

Jesse, vistiendo casi como un *cow-boy,* con su cuerpo magro de vaquero urbano, iba y venía disparando su Leica desde la cintura a la cara de todas las celebridades del Este para quienes había un cartel anunciador y una leyenda: *Wanted.* Se les busca, y Jesse buscaba y encontraba a Elizabeth Taylor, Mike Todd, su marido; a Víctor McLaglen, a Tony Curtis y su todavía carnal Janet Leigh; a sir Cedric Hardwicke, altivo sobre un camello; a David Niven riendo remoto, sonriendo sonoro.

Desde entonces, en esa quincena de periodista en Nueva York nos hicimos amigos inseparables, y Jesse fue el más perfecto cicerone de la ciudad: instruía mientras divertía, conocía a Manhattan como su mano. Hicimos juntos varios reportajes de abordaje y estuvimos, por cuestión de minutos, a punto de capturar para la máquina de imágenes y la máquina de escribir el asesinato de Anastasia, que no era la heredera del zar de Rusia, sino el zar de la Mafia muerto.

Luego vino a La Habana enviado por *Life.* Coincidió con el secuestro de Fangio, y yo, que conocía los secuestradores, tuve que desviarlo a una dirección desconocida, a Jaimanitas, que jamás citas, donde solo ocurrió el cuento del pescador minúsculo y el enorme pez espada que Hemingway convirtió en una obra maestra del coraje en lucha incierta contra la adversidad. Al triunfo de la revolución convencí a Jesse para que volviera a Cuba, a La Habana, donde había nacido, hijo de asturianos, asturiano de aspecto él mismo a pesar de su dicción y maneras tan cubanas.

Trabajamos juntos en *Revolución* y en *Lunes,* pero a fines de año, después de aventuras sigilosas en que acompañó a Fidel Castro a descubrir una conspiración alentada por Trujillo, que desembarcó en la oscuridad, pero resultó más cómica que tenebrosa, Jesse decidió regresar a Nueva York. Ya tenía experiencias de lo que era una emboscada cuando sus padres regresaron a Asturias huyendo al dictador Machado y al hambre para verse atrapados en la guerra civil y la hambruna. Ellos también volvieron a la isla.

Pero en ese tiempo conocí a varios Jesses: el ojo incansable que lo ve todo, la máquina que atrapa cada instante para inmovilizarlo, un hombre apocado y audaz, un individuo vulnerable que detrás de la cámara se convertía en un héroe que no conocía el miedo, un americano de atuendo que conocía dónde estaba lo cubano, un *dandy* popular que nos influyó a todos con su vestuario novedoso: camisas azules de obrero, pantalones de caqui, zapatos de cuero virado y un cigarro Player entre los labios. Había otro aspecto inquietante de Jesse: era capaz de llevar al viaje que hicimos por todo el territorio cubano tomando fotos para un número de *Lunes* titulado *A Cuba con amor,* de cargar con un inusitado volumen de las poesías completas de Rimbaud —que leía cada noche del viaje al fin de la isla—. Jesse era un hombre culto oculto.

No nos volvimos a ver hasta el viaje que hice de Londres a Hollywood en 1970. A mi regreso me detuve en Nueva York para encontrarme a un Jesse absolutamente dejado de la mano de la suerte. Lo había perdido todo menos su cámara: una Leica, por supuesto. Con ella me hizo, como si todo ocurriera en 1957 todavía, un memorable retrato neoyorquino. Jesse, en el triunfo o en la derrota, era un retratista consumado. Para mí fue el más grande autor de retratos fotográficos que conozco.

No hay más que ver sus obras maestras: el retrato de Borges dominado por la presencia de su madre; un Hemingway fanfarrón y melancólico; Lezama Lima aspirando a *gourmet* en un café habanero; Alejo Carpentier en unas mangas de camisa plebeyas, Luis Buñuel sordo a la belleza de las flores que le rodean; Gerardo Diego fantasmal entre libros vivos; Botero apoyado en un botero; Casals en sombras sobre un *chelo* luminoso; Víctor Manuel, el pintor primitivo cubano, displicente entre el vaso vacío y la botella de cerveza que lo mataría; Max Aub como una suerte de Sartre de la ironía; Gastón Vaquero, que más que poeta parece un Otelo en chaleco; Vicente Escudero bailando a los ochenta como a los veinte: por bulerías; Nicanor Parra como su poesía en mangas de camisa; Luis de Pablos como Heitor Villalobos como Ernesto Halffter, componiendo sobre una mesa de música; José Bergamín saliendo al sol como un vampiro que viene a morir en Madrid; Manuel Puig vestido de aviador amable; Corín Tellado con una mueca de disgusto y de incredulidad: ¿yo popular?; Félix B. Caignet, autor del *Derecho de nacer,* disfrazado de lobo de mar en tierra en mi foto favorita del libro *Retratos* que publicó en Madrid en 1984. Hay más, muchas más fotos, que hacen del volumen y de la vida de Jesse Fernández una vasta galería de retratos que son desnudos.

Jesse se recobró de su *impasse* de Nueva York, vivió bien en Puerto Rico y en Madrid, y vivió mejor en París, donde se casó, simbólicamente, con France. Jesse había sido y era un pintor de vocación a quien la vida convirtió en fotógrafo de profesión y luego la misma vida lo hizo un *amateur* de la fotografía mientras la pintura ocupaba todo su interés de nuevo. Pintaba, cosa curiosa, innúmeras calaveras rodeadas de extrañas y perfectas caligrafías que eran flores de tinta.

Hace tres años, Jesse sufrió un doble accidente patológico y doméstico. Tuvo un derrame cerebral, pero al caerse en el baño se golpeó contra el lavabo y se partió la cabeza. La caída, cosa curiosa, le salvó la vida. Jesse, como otras veces, se recuperó, publicó un libro en Francia, *Las momias de Palermo,* y el libro de fotos y planeaba hacer un libro de retratos de pintores, desde Francis Bacon a David Hockney. Pero la muerte, en forma de infarto, se le adelantó en su cuarto oscuro. Esta vez no habría regreso. Ahora se puede decir: «No más Jesse.» Pero, aún peor, se debe decir: «No más fotos de Jesse.»

Detesto escribir notas necrológicas de amigos (nunca lo hago con los enemigos: el placer de ignorarlos es bastante), pero es un poco como cerrarles los ojos. Severo Sarduy fue un amigo desde los años cincuenta. No lo conocí en la revista *Ciclón* con que Rodríguez Feo liquidó con un golpe de viento (el logro de *Ciclón* era un Éolo soplando) a *Orígenes*. Pero sí lo conocí en la noche habanera paseando con Miriam Gómez por La Rampa entonces rampante. Severo era delgado en extremo, cimbreante como una caña pensante. Luego publiqué sus primeros cuentos en *Carteles,* cuando ya hacía rato que Severo era un niño prodigio. Después, cuando dirigía *Lunes,* publicó sus ensayos sobre pintura cubana, que le sirvieron para ganar una beca en París. Se fue a fines de 1959 declarando que volvería a pasear su imagen de nuevo romántico (todavía exhibía su cabellera negra con orgullo) por La Habana, pero nunca volvió. Fui tal vez el causante de que su estancia en París se convirtiera en exilio. Paseando por los jardines del Louvre en octubre de 1962, me dijo que sus estudios históricos (se especializó en el retrato Flavio) terminaban y planeaba regresar a Cuba. Le dije que sería un error, un horror. Acababa de saber que la persecución de homosexuales se sistematizaba en toda la isla; sería una víctima propicia. No podía sospechar que sería un día una víctima renuente, como Reinaldo Arenas: un mal íntimo, y no Fidel Castro en la distancia, exterminará a todos los escritores del exilio.

Después, nos vimos a menudo: en París, en Barcelona y en Madrid. También en Londres, donde al salir de un restaurante y encontrarnos de pronto con Rock Hudson, Severo abrió la boca desmesurado, pero no pudo decir nada. De súbito arrancó a correr y recorrió toda la manzana, para volver a ver al actor, que de todas maneras ya había desaparecido. Severo era la aparente frivolidad, pero dentro tenía un escritor extraordinario y, lo que es más difícil, un crítico literario de una sagacidad tan aguda como su capacidad de expresión. Con él muere en el exilio (como murió en Cuba con Lezama) la tradición tan cubana del poeta culto que comenzó con José María Heredia a principios del pasado siglo, se continuó con José Martí y culminó con Julián del Casal a fines de siglo. Costó muchos años a Severo conseguir su cultura y, en su devoción por Lezama, una expresión a la vez cubana y erudita.

Murió ahora de una enfermedad que entre sus síntomas públicos produce un secreto a voces. Pero Severo sabía que agonizaba y sin embargo compuso uno de sus libros más ingeniosos, *Corona de las frutas,* décimas a la vez populares y culteranas, como las letrillas de Góngora precisamente. Para alguien herido de muerte, este *tour de force* no puede ser más divertido. Como Lezama descubrió la muerte de Casal, extrañamente asesinado por un chiste (tuberculoso *in extremis,* al reír la carcajada se le convirtió en una hemoptisis: la sangre que no cesa), en que el poeta dijo que había «muerto con su tos alegre», quiero contar un cuento de Severo que lo retrata de cuerpo entero.

Atrapados en la revuelta

Corrían los días de *les Événements* en 1968. Para algunos eran divertidos, pero no para los exiliados cubanos en París, que habían huido de una revolución para sentirse atrapados en una revuelta. Estaban, entre otros, Néstor Almendros y Severo Sarduy sentados en el café Flore, el favorito del escritor y el cineasta, cuando Néstor le preguntó a Severo qué iban a hacer «si ganaban». Severo respondió: «Quedarme y adaptarme.» Néstor no lo podía creer: nunca soportó el oportunismo, y así lo dijo, y Severo, con la misma voz, pero con una inflexión cubana, respondió: «¡Qué va, chica! Estaba bromeando. Si yo soy una guasana del carajo.»

A llorar a Papá Montero. / ¡Zumba, canalla rumbero! / Ese muerto se nos va al cielo / ¡Zumba, canalla rumbero! (Rumba tradicional).

¿*La muerte como tema o como anatema? Toda esa parafernalia existencial de «Vivimos para la muerte» o «La muerte convierte nuestras vidas en destino» me coge, como las ruinas, impávido. Al sentimiento trágico de la vida opongo el sentimiento cómico de la vida. Uno o Dostoievsky, que es como decir dos whiskeys. Quiero alinearme junto a Eça de Queiros, que dijo que él era de esos que pasan por la vida con una carcajada de tránsito. Por supuesto Ignacio Piñeiro en su* Enterrador, no la llores *lo dice mejor porque lo dice con música. Es un réquiem que ríe.*

Piensa en mí

Piensa en mí

Confieso que no sé bien por qué he incluido como título un bolero como este de María Grever, que me ha jugado una mala pasada, y que no tiene, o tal vez sí, mucho que ver con la «música clásica», tema que vertebra este «bolero». La reaparición de *La Habana para un Infante Difunto,* en IX, con un fragmento de «La plus que lente» es un alegre y casi porno homenaje paralelo al de John Dereck (o, a lo mejor, Bo) en *Ten.* El fragmento de la «Bachata», parte revelatoria y fundamental de *TTT,* y que, como se verá, juega con algo tan serio como Bach, pero en cubano (bachata significa también juerga, y aquí lo es). Y, vuelta a Bach, el artículo «Offenbach, Bach de los bulevares», *(El País,* 16-8-1980), y, en un cambio de tercio musical, sin salir de la música «clásica» —es decir, entrando en lo que se llama «clásica contemporánea»— los artículos «Viva Berlin... y vive todavía» *(Cambio 16,* 4-7-1988) y «Música debajo de una campana de cristal» *(El País,* 15-12-1986). Más explicaciones en *Novena.* R. M. P.

IX

Notable es la influencia que ha tenido Claude Debussy en la música popular cubana. Me refiero a cierta zona de la música popular, no a expresiones de falso folklore o cuasi cultas, sino a esa clase de música popular que representa muy bien el mejor Ernesto Lecuona o a la manera habanera en que tocaba el piano Bola de Nieve. No es que estos dos músicos ni otros más modernos (pienso por ejemplo en las canciones tanto como en la ejecución de Frank Domínguez y en el piano bien acompañante de un Meme Solís) conscientemente imiten al autor de *Imágenes* —hay, ¿casualmente?, un bolero de Domínguez con ese mismo título, muy popular y al mismo tiempo apreciado por un exquisito autor inglés que visitó La Habana en su apogeo— sino que el pianismo de Debussy, sus sonoridades, se han introducido en la música popular para piano, quizás a través de Albéniz con composiciones contemporáneas, de forma inconsciente pero pertinaz. No existen por supuesto los acordes interrumpidos, las armonías moribundas, los arpegios líquidos de Debussy, pero sí mucha de su manera de sonar el piano, sobre todo en sus registros altos y en sus forti más que en sus pianissimi. Vienen a la memoria enseguida las melodías hesitantes del vals *La plus que lente,* que Debussy confesaba haber compuesto *dans la genre brassérie.* Por supuesto que Lecuona no poseía el poder paródico que informa a Debussy en su valsecito lento, pero si uno oye bien, por ejemplo, su *Comparsa,* hay momentos de Lecuona en que casi aparece consonando el Debussy del género café-concierto que tan bien suena en *La plus que lente*, ese vals más lento.

Cosa curiosa el papel que ha tenido Debussy, más que él su música, en mi vida amorosa. La primera vez que hice el amor —el galicismo es intencionado, doblemente— fue, para mi asombro eterno, con la que era la muchacha más hermosa que mis ojos cubanos vieron y para seguir con ella tuve que conseguir acariciarle los tímpanos con música de Debussy y los penetraba con ese perforador suave, cayendo ella en un éxtasis que, créanme, yo era incapaz de conseguir sin un juego de olas a las once y cuarto de la mañana, como diría Satie —pero ese recuerdo pertenece al futuro y ahora hablo del presente, es decir del pasado.

Hubo otra ocasión amorosa en que hizo su intervención Debussy, su música interpuesta, pero todo terminó en el fracaso. Tuvo parte propicia Olga Andreu, celestina después del alba, y más que ella su colección de música clásica —en este caso impresionista, escuela en que ella matriculaba también a Ravel, mientras yo, con mi pedantería purista, le señalaba que Ravel era algo más que un impresionista, era un imitador, un parodista, pasmoso poeta del pastiche y apuntaba: «Ese compuso *Bolero»,* sin siquiera aludir a *La valse.* Pero otro vals francés, *La plus que lente,* es la música de fondo que viene ahora a un primer plano erótico, es decir memorable. Recuerdo que era una versión para violín y piano o tal vez violín solo y la tocaba Jascha Heifetz. Siempre que oigo *La plus que lente*, aun en su forma original para piano, me acuerdo de aquella muchacha entonces embellecida, idealizada, doncella elegida. Se llamaba (o se llama todavía) Catia Bencomo. Ella era amiga de Olga Andreu y vivían en el mismo edificio, el Palace, que está en lo que luego sería, por tres ocasiones diferentes, la esquina de mi casa: en Avenida de los Presidentes y calle 25, en El Vedado. A través de la naturaleza de Olga conocí a Catia, la conocimos todos. Todos éramos el grupo de amigos que iba a casa de Olga Andreu a oír música y conversar con ella de música y otras artes menos lógicas, ella Mlle. Recamier tumbada en su tumbona, un hallazgo, casi un milagro histórico: una muchacha con quien se podía conversar y que no era cursi o pretenciosa, cosa curiosa en La Habana, llamada a veces La Vana.

Catia no era bella en realidad, ni siquiera bonita, pero tenía la gracia de los quince años habaneros que todavía, dos o tres años después (ella debía de tener unos dieciocho años, yo no había cumplido veinte) conservaba cuando conversaba. Tenía además un cuerpo que estaba bien, lo que se llamaba mono (palabra que los hombres sólo usaban cuando estaban en una jaula), que quiere decir, más que en el diccionario, gracioso y grato a la vez. Era de estatura mediana, más bien baja, y sonreía con gran gracia: su sonrisa no era un rictus ni un ritual sino un estado del alma. Como Olga, ella era inteligente y capaz de conversar con nosotros los de entonces, que siempre éramos los mismos, haciendo chistes constantes y juegos de palabras de salón y padeciendo la paronomasia como un mal no sólo incurable sino contagioso. Recuerdo que una de las primeras veces que la vi, Catia llevaba un vestido de esos que tienen tirantes y se llaman *jumpers,* hecho de una tela que imitaba al leopardo y por unos días ella se convirtió en Leopardina Bencomo, fiera amable. También hacíamos artes combinatorias con su apellido, llamándola Catia Bencomo Estés y preguntando qué pasaría si Catia Bencomo se casara con otro amigo fronterizo llamado Lino Abraido. Juegos propios del bachillerato y de ese humor adolescente al que, como al amor, nunca renunciaría. Catia lo soportaba todo con paciencia, casi con contento, y hasta llegaba a colaborar con los chistes hechos a base de su nombre o de su ropa, ella un verdadero agente catializador.

Eran los días en que Roberto, nacido Napoleón Branly, que entró a formar parte del grupo como especialista en humor vítreo, decía tener un amigo apodado Bombillo y otro apellidado Chinchilla y no sabíamos cuál era el apellido y cuál el apodo, dudando que la piel de Chinchilla fuera genuina y preguntando cuántas bujías encendía Bombillo. Recuerdo cuando Branly se anotó un tanto notable con Olga Andreu, al venir a ver sus recién estrenados pececitos de colores y preguntar con curiosidad casi científica: «¿Son adultos?» Pero Olga (a quien Branly bautizó Olgasana) desde su sofá hizo del juego de Branly una partida, un repartée.

—Adúlteros —dijo Olga—. Son peces pecadores.

—¿Cómo se llaman? —preguntó Branly doble—: ¿Dafnis y Cloe?

—No —dijo Olga—, Debussy y Ravel.

—Ah, ya veo —dijo Branly acercándose más al estanque—. Debussy debe de ser ese con los cabellos de lino.

—Son algas.

—¿Olgas?

—Filamentos vegetales que flotan vagamente.

—-¿Son impresionistas? —preguntó Branly.

—Sí, Debussy hasta ha compuesto *El mar,* una impresión.

—Será una presión —dijo Branly—. Aunque dudo que lo haya hecho. Nadie dentro del mar compone *El mar* y no iba a componer *La pecera* estando en ídem.

Olga quería espantar a Branly.

—El otro, Ravel, compositor de valses y boleros, compuso *La pavana para un gracioso difunto.*

Branly no se dio por aludido y tuvo la última palabra o la última alusión impresionista:

—Supongo que Debussy compondrá una tarde *L' aprés midi d' un poisson d' or.*

Catia se volvió hacia mí para preguntar casi anonadada:

—¿Es que es loco?

—Es entusiasta.

Lo más curioso es que éramos todos terriblemente tímidos, pero con Olga y con Catia se estaba bien, nos sentíamos cómodos, como en casa. Como Catia y Olga estaban siempre juntas Branly las bautizó The Andreu Sisters, que para cualquiera que oyera *swing* en los queridos cuarenta era una sonata a trío, la alusión hecha ilusión, el tercero reducido a dúo dorado. Inevitablemente unos nos enamoramos de Olga y otros de Catia. Yo caí en el grupo menchevique (éramos minoría) de los que se enamoraron de Catia. Al principio el amor no fue más que unas ganas de conversar con ella a solas, sin Olga, sin Branly, sin testigos de ya ves (fue por culpa de Debussy, no el silente circular de la pecera sino el sonoro pero no menos obsesivo del disco, con su *La plus que lente* que oía interminablemente, melodía infinita, movimiento perpetuo en el tocadiscos de Olga, en su apartamento, mientras Selmira, su madre, llamada a veces Selmíramis de Rossini, entraba y salía de la sala, vigilante y al mismo tiempo indiferente, un centinela asténico, y en el cuarto del fondo Finita, la abuela de Olga, una viejita como de noventa años, alerta, que todavía fumaba y, a veces, venía a participar de nuestra conversación, viva, interesada en nuestra ecolalia demente), después tuve ganas de estar siempre solo con Catia Bencomo y al final me enamoré estúpidamente, que es la única manera de amar.

Recuerdo exactamente cuándo sucedió. Catia estaba de visita en casa de Olga como siempre y oíamos (¿qué otra cosa se podía oír?) *La plus que lente*, con sus notas que se demoran, sus silencios embarazados y su disfrazado aire de vals. Caía la tarde y ya al irme (era pleno invierno por lo que anocheció más temprano que de costumbre) Catia me acompañó hasta el elevador —era muy chic, viniendo yo del solar de Zulueta 408 y su escalera escatológica, vivir en un edificio con elevador y era el colmo del glamour que una muchacha lo acompañara a uno hasta coger lo que Catia llamaba, en broma, el ascensor y yo la corregí diciéndole: «El descensor ahora.» Fue entonces que decidí acompañar a mi vez a Catia hasta su casa, que quedaba un piso más abajo, en el apartamento casi exactamente debajo del de Olga Andreu, demorando la despedida. Se me ocurrió pedirle ver el paisaje por la ventana del pasillo que daba al sur. (Ni la ventana ni el paisaje ni el sur le pertenecían, por supuesto, pero se lo pedí como si fuera dueña de todo.) Todavía allí se reflejaba el crepúsculo y desde el balcón se podía ver el tráfico habanero bajando la cuesta donde la Avenida de los Presidentes encuentra su monumento y comienza a bajar por entre los farallones del Castillo del Príncipe (mi cárcel y mi celda un día) y el nuevo edificio de la Escuela de Filosofía y Letras, nunca mi facultad, al otro lado. Ya apenas se veía otra cosa que las luces rojas de los autos que iban cuesta abajo y los faros blancos de los que venían cuesta arriba.

Continuamos la conversación mientras mirábamos la noche habanera. No recuerdo ya de qué hablamos, pero sí sé que hablamos mucho. A Catia le gustaba oír y a mí, vencida la timidez, me encantaba hablar con ella. Pero la conversación devino disturbio doméstico. La familia de Catia la había empezado a reclamar pues era hora de comer. Primero fueron por supuesto a casa de Olga Andreu o preguntaron por ella por teléfono y Olga debió decir que Catia hacía horas que había bajado a su casa. Pero en su apartamento no estaba Catia, lo que era obvio. Debía de estar entonces en el lobby (ese edificio, con su extraña arquitectura que luego identificaría como eduardina, tenía hasta lobby: para mí una muestra más de la categoría de Catia) o tal vez en la calle, en la acera, frente a la entrada, donde a veces se reunían los muchachos y muchachas de la vecindad. Tampoco la encontraron ahí. Estaba por supuesto conmigo en el balcón de balde, sumidos los dos en la amable oscuridad del final del pasillo, ella mirando al tránsito (tal vez la contagié con mi admiración de los automóviles, mi pasión por el movimiento) o a la noche (lo que era quizá más probable) y yo tratando de ver sus ojos pequeños y negros bizquear un poco al mirarme de cerca, mientras intentaba yo mover esos ojos miopes, a su dueña, a Catia, en dirección del amor. No que habláramos de amor: yo era muy corto para hacerlo y ella no lo hubiera permitido —al menos yo creía (firmemente) que ella nunca lo permitiría.

Seguimos hablando y sólo dejamos de hacerlo cuando ella se dio cuenta de lo tarde que era. No sé cómo lo hizo: ella no llevaba reloj (entonces no se veía bien que las muchachas bien usaran reloj: el tiempo era cosa de hombres) y yo era muy pobre para tener reloj. Sí sé que ella dijo que era tarde y que tenía que irse a comer: su familia comía toda junta a la misma hora: era una ocasión solemne. Mientras en casa, en el cuarto, en Zulueta 408 la comida era una fiesta movible. La acompañé hasta la puerta de su apartamento. Para ello no tuve que hacer otra cosa que caminar los veinte pasos del pasillo de su piso. Ella tocó a la puerta (las muchachas bien solteras no tenían llave de su casa, aunque de esta regla femenina, como de otras, se burlaba y las rompía a diario Olga: Andreu anarquista, como la llamó Branly), mejor dicho, torció el timbre mecánico —no eléctrico: un capricho español del arquitecto— que oigo chirriando, ni alegre ni triste, sólo sonando todavía. Salió a abrir su abuela. Ahora sé que era su abuela pero en ese momento fue sólo una vieja que abría una puerta mientras ella, muchacha bien, decía: «Mi abuela», como presentándomela y convirtiéndola en una anciana que se extendía en una pronta y prolija queja: «¿Dónde estabas metida, muchacha? Toda la familia te ha estado buscando como locos. ¿Dónde andabas? ¿Qué has hecho, muchacha? ¿Qué horas te crees tú que son?»

El interrogatorio hacía parecer a Catia como una rica heredera en eterno peligro de ser secuestrada. Catia por su parte apenas pudo decir ahí, indicando el extremo oscuro (ahora negro de boca de lobo, de noche lóbrega, tenebroso) del pasillo y el balcón de búhos. La abuela por su parte usaba sus flacos brazos para expresar el descontento con la aparecida (Catia sería una nieta bien pero su abuela no era una dama bien) y en uno de sus manotazos al aire, aspa accesible, yo le cogí la mano, coincidiendo con la voz de Catia que decía de nuevo «Mi abuela». Mi reacción fue una acción que algo oculto —¿un manual de maneras?— me impele a cometer a menudo: tiendo a coger la mano que extiende un desconocido y estrecharla efusivo a la menor provocación. Así me he visto, casi con asombro, estrechando la mano de porteros, de maestros de ceremonia, de ujieres, de toda clase de personas en esa ciudad de gente gesticulante que es La Habana: puedo decir que le he cogido la mano a media urbe, a medio orbe, creyendo que era una presentación de la mano para estrecharla lo que es mero gesto habitual. De pronto me vi con la mano menuda de la anciana (debía decir de la vieja pero todavía tengo el respeto que tenía por la desconocida familia de Catia) en mi mano húmeda si no cálida, estrechándola como si pudiera bombear simpatía de la seca señora con este procedimiento más bien hidráulico. Pero es peor: la abuela de Catia vio su mano prisionera entre la mía y casi gritó de horror al verse atrapada por aquel desconocido —¿un secuestrador pidiendo rescate?— que se aparecía con su nieta desaparecida tan abruptamente.

La escena, la presentación, lo que fuera acabó con una corta despedida de Catia y ahí terminó también mi oportunidad de significar algo más para Catia que ser un mero conocido chistoso. Sé que la diatriba de la abuela contra su desaparición antes de la santa cena, nuestra aparición a destiempo y la confusión que ambos acontecimientos produjeron se vieron aumentados en intensidad hostil por mi acto de coger como mía la mano expresiva de la anciana. No tengo que haber oído lo que se dijo después para saber que no era nada en mi favor. Sabe Dios cuánto tuvo que explicar Catia para dar decencia a su desaparición. (No se olvide que todo el tiempo que ella faltó de la reunión familiar estábamos los dos escondidos en la oscuridad clandestina.) Lo que sé es que todo cambió después de aquella tarde luminosa que se convirtió de súbito en negra noche: hasta entonces todo fue ascenso, desde entonces todo se vino abajo. Bajé en el elevador hasta la calle solitaria, solo.

No vine a ver a Catia hasta un día después. Ya mi amor de la víspera se había hecho desesperación (como dije, yo no tenía veinte años todavía y seguía siendo un adolescente amoroso) y la esperé a la salida de su trabajo en la compañía de electricidad, pero siguiendo mi lógica loca no estaba en Monte y Monserrate sino frente a la entrada del edificio Palace. Debí haber dado a mi visita un aire casual (aunque había atravesado toda la ciudad para crear tal casualidad: más natural hubiera sido, claro, encontrarla en la propia compañía de electricidad, a tres cuadras de casa, pero de contradicciones tanto como de contracciones y expansiones está hecho el amor) porque ella aceptó con agrado verme bajo la ostentosa marquesina de cemento del Palace. Pero ya de la Catia de la noche anterior no quedaba nada, aunque yo no lo supiera entonces. (Creo que sí lo supe porque escribí o comencé a escribir —pero no terminé de hacerlo nunca— un cuento en que Catia era central. No era un cuento sino más bien un poema en prosa, un ejercicio de lenguaje en que entraba la noche, la oscuridad, los faros de los autos, sus ojos luminosos, el balcón y nuestra intimidad, todo acentuado por los sones sinuosos de *La plus que lente*. Anduvo mucho tiempo entre mis papeles y duró más aquella esquela que mi amor por Catia: permanencia de la literatura.) Conversamos un poco en los escasos escalones y ella subió enseguida a su casa, tal vez como una medida preventiva contra lo ocurrido el día anterior (una historia de amor siempre se repite: primero como comedia, luego como tragicomedia), tal vez como defensa propia: de mi amor, del pseudosecuestro. No lo sé, sólo sé que ella se fue fugitiva.

Por aquellos días ocurrió la boda de mi tío el Niño con Fina. La ceremonia tuvo lugar en la iglesia de Monserrate (frente al cine América) y después se celebró una fiesta en la casi suite de Venancia en el primer piso, que se extendió, subiendo, inevitablemente a la placita frente a nuestro cuarto. No sé cómo ni cuándo pero allá se aparecieron Olga y Catia, entre otra gente, aunque ese día sólo importaba Catia para mí. La presencia de Catia estoy seguro que se debió a Olga, que comenzaba a interesarse por mi hermano, pintor que prometía, pero a la que también fascinaba nuestra existencia, que ella veía como preciosamente artística surgida en un medio terriblemente hostil: perlas barruecas en una ostra hosca. Durante la fiesta hubo bebida y por primera vez en mi vida me emborraché. El alcohol y la presencia de Catia me hicieron bailar literalmente de alegría, yo que no sé dar un paso: mi baile fue una especie de zapateado zurdo, de absurdo baile jondo, de *tap dancing* demente que tuvo la vertiginosa virtud de asustar —tan inusitado era que yo bailara— a Ready, que era la imagen fiel del perro bueno, inteligente y manso, y que por culpa de mis saltos se convirtió en una fiera repentina y mordió a una niña visitante en su frenesí. Allí terminó la fiesta de boda, con mi madre furiosa peleando conmigo por haberme emborrachado y lo que era peor, según ella, haber hecho el ridículo. No supe cuándo ni cómo se fue Catia (sin sentir la esencia de su ausencia) pero sí sé que no debí lucir muy bien borracho y bailando como un Pan endemoniado y que había presentado a Catia otra faceta de mi carácter que no me era favorable. Lo cual, para colmo, era falso: yo era lo contrario de un bebedor y los pocos tragos que hicieron falta para hacerme bailar aquel zapateado desatinado demuestran cuán poco amigo era del alcohol. Pero esta no fue, fatalmente, la impresión que se llevó Catia —¿quién podía convencer a la niña mordida que Ready era un perro bueno? Sin embargo nuestra tercera entrevista fue la peor, no para Catia pero sí para mí.

Ocurrió en una función de ballet en el teatro Auditorium. Yo había ido con mi madre y Carlos Franqui (quien anteriormente me había dado el dinero necesario para ver mi primer ballet: lo digo al pasar pues me he propuesto no hablar de cultura pero es inevitable que lo apunte) y allí me encontré para mi deleite a Catia acompañada de Olga. La noche, sin embargo, se mostró tan movida como la tarde de la entrevista en el balcón barroco o la tarde de la boda beoda —y no me refiero al movimiento en escena. Como en las tragedias un mensajero repentino vino a decirle a Franqui que su abuela había muerto en el pueblo y debía ir al velorio. Franqui no tenía dinero (tampoco teníamos nosotros, por supuesto) para el pasaje y hubo que hacerle una colecta rápida entre todos los amigos y conocidos que estaban en el teatro para que pudiera coger un ómnibus esa misma noche. La colecta determinó mi ajetreo por todo el teatro (nosotros estábamos en el primer balcón) yendo de amigo en amigo. Para mi bien (a mis ojos) o mi mal (los de ella) tuve que ver a Catia de cerca más de una vez. Debo explicar esta doble visión. Yo me sentía muy bien viendo a Catia, pero de alguna manera mi cara debía mostrar los sufrimientos del amor no correspondido (y no la angustia ante la vicisitud de un amigo con una muerte en la familia y sin dinero) porque se veía en los ojos de Catia, que eran muy expresivos, que ella me veía sufrir sin poder hacer nada aparentemente —y no creo que contribuyera a la colecta. El ballet, que vino a interrumpir mi infelicidad con la felicidad de la música y el movimiento de los cuerpos coreos, era *Las sílfides,* en que intervenían Alicia Alonso, todos los miembros del *corps* de ballet femenino, más algunas alumnas de su academia y tal vez la encargada del edificio — y un solitario bailarín. Branly apenas me dejó ver el ballet con sus intervenciones irreverentes. «Ese muchacho —me dijo señalando al bailarín único— es un milagro si no sale afeminado.» Cuando terminó *Las sílfides,* con la misma lentitud leve que había comenzado, moviéndose toda la troupe con pocos pasos, bromeó Branly: «Chopin no ha muerto —hizo una pausa para añadir:— Nada más está dormido —y otra pausa— de aburrimiento.» Todavía al salir y reunirnos todos para comentar las angustias de Franqui, amigo en apuros, Branly pudo intercalar: «Lo que no soporto de *Las sílfides* es su machismo —dijo definitivo—. Aunque no se puede negar que Alicia Alonso sabe movilizar su Afrika Korps de ballet.» Todos nos reímos pero yo menos que nadie porque, ay, Catia no estaba entre nosotros para reírse, sonreírse mona. Se había ido enseguida acompañada por su hermano (como hace una niña bien) y otros amigos desconocidos para mí, me aseguró Olga Andreu. Deseé con toda mi alma que entre ellos no se encontrara Jacobsen, el misterioso.

No sé por qué pensé en Jacobsen entonces. Había oído hablar a Catia de Jacobsen varias veces. Casi siempre fueron comentarios al pasar, sin importancia, dirigidos siempre a Olga, como «Me llamó hoy Jacobsen», o «Vi ayer a Jacobsen», o «Va a estar Jacobsen». Pero en una ocasión Catia habló de lo atractivo (¡y en mi presencia!) que era el tal Jacobsen, hombre sin nombre, a quien yo no había visto antes, a quien no quería ver jamás, a quien no llegué a ver nunca pero quien siempre se entrometía como un esbozo enemigo en mis proyectos de felicidad —era casi como la mano animada de la abuela de Catia. Tal vez esa noche ajetreada de la función de ballet que empezó mal, ella mencionara una vez más a Jacobsen o lo hubiera visto en el teatro— aunque Jacobsen no me parecía persona posible de gustarle el ballet, ni siquiera de oír música, mucho menos de apreciar la relación que había entre Catia y *La plus que lente* y ni remotamente capaz de encontrar la influencia de Debussy en la música cubana, no dudaba de que se presentara de improviso, surgiendo de entre las sombras, un siniestro. ¡El odioso Jacobsen! Tuve ganas de ponerme un antifaz de seda negra (en tiempo de carnaval) y acercarme al afortunado para invitarlo a probar mi amontillado y conducirlo a mis cuevas donde guardaba las paletas y el nivel —¿pero cómo reconocerlo? Hasta el día de hoy no sé qué cara tuvo. Nunca supe tampoco si era simpático o imbécil, que eran las categorías que importaban entonces. Tampoco sé qué tipo tuvo. ¿Era alto y delgado o bajo y rollizo? ¿Llevaba barba roja o pelo pajizo crespo? ¿Era Jacobsen danés legendario y remoto o cercano, familiar judío?

La tercera vez que salí con Catia (la única vez verdaderamente, ya que las dos veces anteriores no había salido con ella y el día de la boda de mi tío el Niño ella vino a la fiesta pero se fue sin mí, yo quedado con Baco y la furia de mi madre) fue a ver *Mientras yo agonizo* (quiero decir, *Mientras la ciudad duerme*) al Riviera. Recuerdo los comentarios de Olga Andreu, que nos acompañaba (Catia, bien criada, no salía sola con un muchacho sin chaperona), aunque no recuerdo quién era su compañero, durante la película. «Ese es el bonitillo —decía Olga, que siempre afectó hablar en habanero, jerga popular a pesar de su dinero. ¡Qué bueno está!» ¡Dios mío, decir que Brad Dexter estaba bueno! Era como para morirse de risa, pero yo aquella noche me moría de amor y de celos por Catia. Fue tanto el doble dolor que no lo pude soportar y a la salida, pretextando que iba al baño, me escabullí por la escalera cubierta de El Carmelo y regresé a casa sin decirles nada a ellas. Luego, cuando vi a Catia de nuevo al día siguiente, le pregunté si no le había resultado inusitada mi desaparición (en todo el viaje en guagua yo disfrutaba la posible extrañeza de Catia y de Olga, sobre todo de Catia, quien pensaría de mi despedida inglesa, creía yo: «¡Qué original!») me dijo que sí le había parecido raro y que preguntó por mí y después decidió que yo me había aburrido con la película. (Pero nunca con ella: ¡qué presunción!) Recuerdo todavía sus exactas palabras: «Te buscamos. Yo pregunté: ¿Han visto ustedes a un muchacho bajito? Pero nadie del cine ni del Carmelo te había visto.» Lo que me dolió no fue que nadie hubiera notado mi ausencia, sino que Catia, cara Catia, por toda descripción de mi persona escogiera el adjetivo bajito. Yo no soy alto pero tampoco era Catia una valquiria y aquella noche bien pudimos haber salido con Bulnes, admirador de Olga desde abajo, que medía poco más de cinco pies, si acaso. Ángel Bulnes, que casi era un enano, había hecho de su estatura baja una cualidad poco común y decía que él era del tamaño de un ángel. Bulnes que un día contó cómo durante una discusión con su jefe, su furia fue tal que perdió el control: «Me subí a una silla y lo abofetié.» Ese bajo Bulnes invulnerable pudo ser el compañero de Olga, pero todo lo que Catia tenía que decir de mí para identificarme era: un muchacho bajito. Aquellas palabras terminaron por convencerme de que Catia jamás me amaría, aun si no existieran las diferencias sociales, si salvara la barrera familiar, si desapareciera el invisible pero ubicuo Jacobsen —y la dejé de ver pero no de soñar con ella.

Es decir, esa no fue la última vez que la vi —nunca es la última vez que uno ve a nadie. La vi después algunas veces y luego nos mudamos, verdadero salto hegeliano (como lo declaró Silvio Rigor) para la calle 27 y Avenida de los Presidentes, casi enfrente (ladeado) del edificio Palace: de nuestro balcón se veían las ventanas del apartamento de Olga Andreu. También se habrían visto las ventanas de Catia si no se hubiera mudado al poco tiempo— ¿esquivándome tal vez toda la familia? Paranoia invertida aparte, creo que inclusive se mudaron antes de que nosotros nos instaláramos en el barrio. Como dije, la vi otras veces y hasta me pasó en limpio un cuento en el que se atrevió a criticar que *mi* personaje, una niña, empleara ciertos tiempos de verbo que, según ella, crítica gramatical, no eran infantiles. Pero para ese entonces mi amor, mal curable, ya había pasado. Tal vez no habría pasado, fiebre recurrente, si ella hubiera consentido mirarme siquiera con un poco de amor de vuelta, con una fugaz muestra de la mirada amorosa que le vi en el balcón vacío. Pero nunca lo hizo. Por otra parte yo jamás la olvidé: estaba *La plus que lente* para hacérmela recordar y a menudo le pedía a Olga Andreu que tocara el disco en sus tocadiscos. Luego el tiempo se ocupó del resto y ya ni siquiera *La plus que lente* podía hacerme suspirar por Catia.

Pasaron los años: creo que pasaron diez o por lo menos más de cinco. Ya yo me había casado y tenía una hija y ella (quiero decir Catia) se había casado también. (Aunque no afortunadamente con Jacobsen, según creo: nunca estuve seguro de ese fantasma.) Casi no la recordaba cuando una mañana iba para el trabajo, viviendo en otra parte de El Vedado, en mi carro convertible, y tuve que parar en la esquina de la calle 21 y Avenida de los Presidentes para dejar pasar el tránsito por la avenida. Esperando la guagua en esa esquina estaba una mujer más bien baja, gruesa o por lo menos entrada en carnes, con una nariz larga y gorda y bulbosa, que vestía una bata blanca que le quedaba grande y usaba espejuelos semi-montados al aire: el colmo de lo corriente. Era Catia Bencomo. Al principio me costó trabajo descubrir debajo de esa habanera el vals más lento, pero al ver ella que yo la miraba con insistencia, me miró y me reconoció y me saludó. La saludé yo también —pero no la invité a llevarla en mi auto a donde fuera y allí se quedó esperando su guagua. Seguí mi camino casi cantando alegre que iba: me había alegrado ver a Catia convertida de un paradigma juvenil, del ideal femenino, de único objeto amoroso en una cubana cualquiera y fea para colmo: fue una alegría casi salvaje o por lo menos malsana, que duró todo el día.

BACHATA
(Fragmento)

Será una lástima que Bustrófedon no vino con nosotros, porque íbamos por el Malecón, a sesenta, a ochenta, a cien por hora, viniendo del Almendares, ese Ganges del indio occidental, como decía Cué, y a la izquierda estaba el doble horizonte del muro y de la raya azul, plegada, que es la cicatriz de la división de las aguas. Era una lástima que Bustrófedon no vendrá con nosotros para ver cuando lo permita el horizonte de hormigón y sol las divisiones del mar, las franjas verde azul añil morado negro del mar mechadas sin que las pueda separar el cuchillo de Pym. Es una lástima que Bustrófedon no viene con nosotros, con Arsenio Cué y conmigo esta tarde por el Malecón, en el carro de Cué que se desliza como un travelling del castillito de La Chorrera a los frontones del Vedado Tenis, el continuo Malecón ahora y siempre a la izquierda, hasta que demos la vuelta (que siempre damos), y a la derecha el hotel Riviera que es un estuche cuadrado con un jabón de baño azul al lado: el huevo veteado del roc: el domo de placer del salón de juego, y la gasolinera frente a la rotonda a veces asesina: esa estación de servicio que es un oasis de luz en las noches del negro y desierto Malecón, y al fondo el mar siempre y por sobre todo, el cielo embellecedor, que es otro domo veteado: el huevo del roc del universo, un infinito jabón azul.

Viajar con Cué es hablar, pensar, asociar como Cué y ahora que él está callado aprovecho para mirar y viendo el mar, mirando cómo el ferry de Miami avanza hacia el canal de la bahía navegando por el filo del muro, equivocado de mar, saliendo de entre nubes horizontales formando una natural nube atómica, un hongo potable que se tragará la salada, sedienta corriente del Golfo, viendo cómo el sol de la tarde descubre pepitas en cada una de las ventanas de los treinta pisos del Focsa y al convertir en El Dorado a esa mole obscena no hace más que poner empastes de oro en la enorme muela habitada, mirando con ese placer único que produce acercarse a una velocidad uniforme y constante a un punto dado, que es el secreto del cine, oyendo ahora una melodía que puede ser el acompañamiento musical, música de fondo y la voz de actor de Cué completa la ilusión al tiempo que la hace trizas.

—¿Qué te parece Bach a sesenta? —me dice.

—¿Cómo? —le digo.

—Bach, Juan Sebastián, el barroco marido fornicante de la reveladora Ana Magdalena, el padre contrapuntístico de su armonioso hijo Carl Friedrich Emmanuel, el ciego de Bonn, el sordo de Lepanto, el manco maravilloso, el autor de ese manual de todo preso espiritual, El Arte de la Fuga —me dice—. ¿Qué diría el viejo Bacho si supiera que su música viaja por el Malecón de La Habana, en el trópico, a sesenta y cinco kilómetros por hora? ¿Qué le daría más miedo? ¿Qué sería más pavoroso para él?

¿El tempo a que viaja sonando el bajo continuo? ¿O el espacio, la distancia hasta donde llegaron sus ondas sonoras organizadas?

—No sé. No había pensado —y de veras que nunca lo pensé, ni antes ni ahora.

—Yo sí —me dice—. He pensado que esa música, que ese sutil concierto grueso —y deja un espacio vacío de sus frases dramáticas pedantes para que lo llene la música— fue creado para oírse en Weimar, en el siglo XVII, en un palacio alemán, en la sala de música, barroca, a la luz de candelabros, en una quietud no sólo física sino también histórica: una música para la eternidad, es decir, para la corte ducal.

El Malecón pasaba por debajo del auto hecho un plano de asfalto, a los lados en forma de casas picadas por el salitre y el muro inacabable y arriba por los cielos nublados y parte nublados y el sol que bajaba incoerciblemente, como Ícaro, hacia el mar. (¿Por qué este mimetismo? Siempre termino siendo lo que los otros: díganme cómo hablo y les diré quién soy, que es como decir con quién ando.) Oía a Bach ahora por los intersticios de la explicación y pensé en los juegos verbales que hubiera hecho Bustrófedon de estar vivo: Bach, Bachata, Bachanal, Baches (que había en el pavimento, rompiendo el continuo espacial del Malecón), Bachillerato, Bacharat, Bacaciones —y oírlo hacer un diccionario con una sola palabra.

—Bach —dice Cué— que fumaba tabaco y bebía café y fornicaba como cualquier habanero, pasea ahora con nosotros. Tú sabes que escribió una cantata al café —¿me preguntaba?— y otra al tabaco, al que hizo un poema que me sé: «Siempre que cojo mi tabaco y lo enciendo / y fumo para dejar pasar el tiempo / mis pensamientos, cuando me siento y tiro, / vienen a parar en una visión triste y gris y tenue: / eso prueba que me meto / muy bien dentro del humo» —dejó de citar, de recitar—. ¿Qué te parece el Viejo? Es casi un punto guajiro. ¡Carajo! —Hizo un silencio para oír, para hacerme oír—. Oye ese ripieno inmediato, Silvestre viejo, haciéndose cubano por este Malecón y que sigue siendo Bach sin ser Bach precisamente. ¿Cómo lo explicarían los físicos? ¿La velocidad puede ser un calderón constante? ¿Qué diría de esto Albert Schweitzer?

¿Hablando en swahili?, pensé yo.

Cué manejaba y al mismo tiempo tarareaba la música con la cabeza y con las manos avanzando un forte con el puño cerrado y siguiendo un pianissimo con la mano abierta y hacia abajo, bajando una escalera musical invisible, imaginaria, y parecía un maestro de sordomudos traduciendo un discurso. Me acordé de Belinda y casi me pareció Lew Ayres, en su cara el más honesto de los clichés dramáticos, conversando en silencio con Jayne Wyman frente a la admiración o a la ignorancia, de todas formas mudas, de Charles Bickford y Agnes Moorehead.

—¿No puedes oír cómo el viejo Bach juega en la tonalidad en re, cómo construye sus imitaciones, cómo hace las variaciones imprevisiblemente pero donde el tema lo permite y lo sugiere y no antes, nunca después, y a pesar de ello logra sorprender? ¿No te parece un esclavo con toda la libertad? Ah, viejito, es mejor que Offenbach, te lo juro, porque está here, hier, ici, aquí en esta tristeza habanera y no en una alegría parisién.

Cué tenía esa obsesión del tiempo. Quiero decir que buscaba el tiempo en el espacio y no otra cosa que una búsqueda era nuestros viajes continuos, interminables, un solo viaje infinito por el Malecón, como ahora, pero a cualquier hora del día y de la noche, recorriendo el paisaje cariado de las casas viejas, las que están entre el parque Maceo y la Punta, que terminaron por convertirse en lo mismo que el hombre robó al mar para hacer el Malecón: otra barrera de arrecifes, recibiendo el salitre siempre y rocío marino cuando hay viento y olas en los días en que el mar salta sobre la calle y pega en las casas buscando la costa que le arrebataron, creándola, haciéndose otra orilla, y después los parques en que empieza ahora el túnel y donde los cocoteros y los almendros falsos y las uvas caletas no borran del todo el aire de solar de chivos que el sol consigue al quemar la yerba y tostar el verde en un amarillo pajizo y el demasiado polvo haciendo otras paredes con la luz, y después los bares del puerto: New Pastores, Two Brothers, Don Quixote, el bar donde los marineros griegos bailan cogidos por los brazos mientras las putas se ríen y la iglesia de San Francisco, del convento, enfrentada a la Lonja y a la Aduana, señalando los diferentes tiempos históricos, las distintas dominaciones talladas en esta plaza que en la época y en los grabados de la Toma de la GuanHábana por los ingleses parecía una maravilla veneciana y los bares que repiten la entrada a la salida de la alameda de Paula y recuerdan que los muelles comienzan o terminan los paseos del mar, en La Habana, y luego siguiendo la curva suave de la bahía íbamos a cada rato hasta Guanabacoa y Regla, a los bares, mirando a la ciudad del otro lado del puerto, como desde el extranjero, en el México o en el bar Piloto, sobre pilotes, en el agua, oyendo y viendo el vaporetto que hace el viaje cada media hora, y luego regresábamos por todo el Malecón hasta la Quinta Avenida y la Playa de Marianao, cuando no seguíamos al Mariel o nos hundíamos en el túnel de la bahía y aparecíamos en Matanzas a comer y luego a Varadero a jugar para volver a medianoche, de madrugada a La Habana: hablando siempre y siempre contando chismes y haciendo chistes y siempre y también filosofando o estetizando o moralizando, siempre: la cuestión era hacer ver como que no trabajábamos porque en La Habana, Cuba, esa es la única manera de ser gente bien, que es lo que Cué y yo querríamos haber sido, queríamos ser, tratábamos de ser —y siempre teníamos tiempo para hablar del tiempo—. Cuando Cué hablaba del tiempo y del espacio y recorría todo aquel espacio en todo nuestro tiempo pensé que era para divertirnos y ahora lo sé: era así: era para hacer una cosa diversa, otra cosa, y mientras corríamos por el espacio conseguía eludir lo que siempre evitó, creo, que era recorrer otro espacio fuera del tiempo —o más claro—, recordar. Lo opuesto a mí, porque me gusta acordarme de las cosas más que vivirlas o vivir las cosas sabiendo que nunca se pierden porque puedo evocarlas *debe haber tiempo. Esta es la cosa que es en el presente lo más perturbador y si existe el tiempo que es en el presente lo más perturbador es la cosa que hace al presente lo más perturbador* puedo vivirlas de nuevo al recordarlas y sería bueno que el verbo grabar (un disco, una cinta) fuera el mismo que en inglés, recordar también, porque eso es lo que es, que es lo opuesto de lo que es Arsenio Cué. Ahora hablaba de Bach, de Offenbach y quizá de Ludwig Feuerbach (del barroco como el arte del préstamo digno, de reconciliarse con el austriaco y alegre parisino porque dijo que en la floresta de la música él sabía que nunca será un ruiseñor, de alabar al hegeliano tardío que aplicó el concepto de alienación a la creación de los dioses), pero eso no era recordar, sino lo contrario. Es decir, memorizar.

—¿Te das cuenta, mi viejo? Este tipo fue una suma y parece una multiplicación. Bach al cuadrado.

En ese momento (sí, justo en ese momento) se hizo el silencio universal: en el carro y en el radio y en Cué, y era que la música terminó. Habló el locutor —que se parecía mucho a Cué, en la voz.

«Acaban de escuchar, señoras y señores, el Concerto Grosso en Re Mayor, opus once número tres, de Antonio Vivaldi. (Pausa). Violín: Isaac Stern, viola: Alexander Schneider...»

Solté una carcajada y creo que Arsenio también.

—Chico —le dije— la cultura en el trópico. ¿Te das cuenta, mi viejo? —le dije, imitando su voz, pero haciéndola más pedante que amiga. No me miró, dijo:

—En el fondo, yo tenía razón. Bach se pasó toda su vida robándole cosas a Vivaldi, y no sólo a Vivaldi —quería salvarse por la erudición: lo vi venir:— sino a Marcello —dijo, nítidamente, Marchel-lo— y a Manfredini y Veracini y hasta Evaristo Felice Dall-Abaco. Por eso hablé de suma.

—Debías haber dicho resta, sustracción, ¿no?

Se rió. Lo bueno que Cué tenía el sentido del humor más desarrollado que el del ridículo *Hemos presentado en nuestro espacio Grandes Partituras un programa dedicado...* Apagó el radio.

—Pero tienes razón —le dije, contemporizando. Soy el Cid Contemporizador—. Bach es el padre de la música, como se dice, por la ley, pero Vivaldi le hace un guiño a Ana Magdalena de vez en cuando.

—Viva Vivaldi —dijo Cué, riendo.

—Si Bustrófedon estuviera en esta máquina del tiempo ya hubiera dicho Vibachldi o Vivach Vivaldi o Bivaldi y seguiría hasta la noche.

—Entonces, ¿qué te parece Vivaldi a sesenta?

—Que bajaste la velocidad.

—Albinoni a ochenta, Frescobaldi a cien, Cimarosa a cincuenta, Monteverdi a cientoveinte, Gesualdo a lo que dé el motor —hizo una pausa más exaltada que refrescante y siguió: —No importa, lo que yo dije sigue valiendo y pienso en lo que será Palestrina oído en un jet.

—Un milagro de la acústica —dije yo.

Alguien dijo, malicioso, que el nombre de Offenbach sugería ofender a Bach. Nada más lejos de la verdad musical, y ahora que ha muerto (que se cumplen cien años de su muerte) es hora de poner a Offenbach en su sitio, que puede ser un sitial.

El compositor de la estatura breve (era uno de los pocos hombres de su tiempo que podía mirar a la cara a Toulouse-Lautrec, sin ser condescendiente) no nació, como se cree, en París. Tampoco en Offenbach, de donde era su padre. Este cantor de sinagoga y músico profesional era oriundo de Offenbach-del-Meno (Alemania), y se llamaba en realidad Isaac Juda Eberst. Tanto insistían todos en llamarle *Der Offenbacher,* tautología teutónica, amén de antisemitismo que encontró el cantor, ahora encuadernador de libros raros, en Colonia, cuya agua le habían recomendado (allí en Colonia nació su séptimo hijo, sietemesino, al que puso Jacob Levy), que herr Eberst adoptó oficialmente el nombre de Offenbach y se fue a Francia.

Nada hubiera sido lo mismo si Jacques (en lo que se convertiría su Jacob alemán en París) se hubiera llamado Eberst para siempre. ¿Se imagina nadie una composición titulada *Gaité Perisienne,* por Jacob Eberst?

A los catorce años, todavía prodigio, fue aceptado en el conservatorio *(conservatore)* de París, que dirigía entonces María Luigi Carlo Zenobio Salvatore Cherubini, conocido como Cherubini. Esta coincidencia (conservatorio, París, Cherubini) no se volvería a repetir en su vida. No es extraño, pues, que Offenbach atrapara la ocasión por sus pocos pelos y se dejara apreciar musicalmente por las manos y el oído de Cherubini que, como su nombre italiano indica, era afecto a los querubines musicales.

Descubrimiento de la ciudad

El imberbe Offenbach (apenas tenía dieciséis años) había descubierto la ciudad y emprendió su colonización musical como luego iniciaría su conquista artística. Era la gran aventura en que la urbe se hace orbe y luego obra. Vivió además de la vida bohemia, que se acababa de inventar, precisamente, por un escritor de origen alemán. Antes de que Henry Murger escribiera sus *Escenas de la vida de bohemio* (oír Puccini), la bohemia no existía, como la niebla inglesa no se veía hasta que Dickens la describiera en *Casa sombría.* Alguien ha dicho que este alegre parisiense era en realidad un judío nacido alemán, pero ciudadano de los bulevares. A ellos debería su inspiración futura, pero en el presente no podía prestarles más que su aspecto, que ya era de considerable extrañeza.

Los bulevares condujeron al músico precoz a llegar a ser espectador veterano. En esa época el teatro florecía en París de tal manera que sólo puede ser comprendida ahora su profusión (que sería una profesión) si se juntan la televisión y el cine y se los hace un doble espectáculo público para gente privada que exige la espléndida función continua del drama y de la música. Había todo eso y más. Había la ópera, cuya suntuosa sede iba a construir ese mismo barón Haussmann, *boulevardier,* inicial inventor del bulevar y autor del París que se llamaría la Ville Lumière por su esplendor. Pero, además, estaba la Opera-Comique (que atraía sobremanera al joven Offenbach, siempre amante de la música y del humor: sólo al final de su vida los iba a separar este creador de la opereta); el bulevar de los Capuchinos, con sus funámbulos, mimos y titiriteros; la *comdie-vaudeville,* de Scribe, autor de la «pieza bien hecha», que luego perfeccionaría aún más Victorien Sardou para Sarah Bernhardt, la actriz más famosa de la historia del teatro. Estaba, además, el melodrama y su última expresión, el *grand-guignol;* pero también, respetable, la comedia clásica imperaba en la Comédie Française y la proliferación irreverente de la ópera *bufa,* importada, como la gran ópera, de Italia, y cultivada hasta por el envarado Cherubini.

El acto músico-cómico era digno de cualquier estación del Metro hoy, y Cherubini lo repudiaría ayer. Pero Offenbach sabía que su lugar estaba en la escena y no en el foso de la orquesta, todavía por cavar por Wagner, y que es la fosa común de todos los niños prodigios que crecen con hambre. Offenbach trató de encajar en la Opera-Comique, no una, sino varias veces, pero sólo encontró caras serias y oídos sordos, y siguió siendo un hombre-orquesta de salón de rechazados (véanse impresionistas, que ya comenzaban a comerse sus naturalezas muertas), y era un compositor cómico, sin teatro, de la ópera cómica.

Fue entonces, iluminado como un bulevar, que Offenbach tuvo una idea desmedida para sus proporciones. No sólo Offenbach era pequeño, sino que fundó un teatro de ópera cómica, les Bouffés-Parisiens, que se podía llamar teatro si alguien llama a una caja de fósforos un estuche de habanos. En ese teatro para enanos estrenó un idilio y una farsa —y fue un triunfo instantáneo, como nunca lo previó Cherubini, o siquiera su padre, el padre de Offenbach, modesto y circunciso. Aunque no su hijo, circunciso, pero profeta: desde el principio estuvo convencido de que tomaría París por asalto un día —o más bien una noche de luces y bulevares. En pocos meses, Offenbach tuvo que irse con su compañía a otra parte, a un teatro más grande, pero igualmente reducido para su éxito. Encontró, además un colaborador de talento en el libretista Ludovic Halevy, famoso luego por ser el autor del libreto de *Carmen,* uniendo en la letra a dos músicos de genio musical francés y exótico y teatral. Offenbach, además, inauguró un teatro de ópera *bufa* íntima al casarse con una dama española, Herminia de Alcaín. Antes cuidadoso circunciso, se convirtió al catolicismo.

Ese año, Offenbach, no el empresario, sino el compositor, se embarcó en una empresa única: la ópera parodia. Hasta ahora había habido óperas cómicas con elementos paródicos en el texto y en la música, pero ninguna había sido parodia pura. *Orfeo en los infiernos* parodiaba la ópera seria, al gran teatro, al mundo y al mito al mismo tiempo, satirizando a los homúnculos históricos del momento a través de la parodia de los grandes héroes griegos. La ópera fue en extremo controversial en la prensa y la política —lo que aseguró su éxito de público. También tuvo defensores de mérito.

Nadie menos que Rossini (uno de los pocos melodistas naturales de la historia de la ópera) elogió *Orfeo* y llamó a Offenbach el Mozart de los *Champs Elyssés* —lo que no estaba tan lejos de la verdad y de la ópera.

A *Orfeo* exitoso siguió otra opereta (eso es lo que son), *La bella Helena*, repitiendo la fórmula de sátira política y parodia mítica. Todo el mundo fue a verla, menos Cherubini. Los espectadores salían silbando sus melodías y, a falta de discos y fonógrafos para repetir la música, todas las señoritas que tocaban ociosas el piano en Francia tocaban, odiosas, aires de *Orfeo* y *suites de Helena,* haciéndolos números uno del *hit parade* de París *circa* 1860. Offenbach se hizo asquerosamente popular y ridículamente rico. Midas melódico, toda la música que tocaba se convertía en oro. Pero nadie se dio cuenta de un acontecimiento extraordinario: la *pop music* acababa de nacer cantando. De esa época dorada viene su *suite Gaité Parisienne,* que toma el nombre del teatro que alquiló en grande, y en desespero.

El dudoso origen del «can-can»

En venganza musical, su *Alegría parisiense* puso de moda ese otro himno francés, el *can-can* y todavía, cada vez que se quiere recrear el *can-can,* se copia a Offenbach o, lo que es peor, siempre suena a *gaité parisienne.* El *can-can,* baile de dudoso origen mestizo, aparentemente se creó en Argelia, y, al principio, no lo bailaban más que hombres, machismo musical que compartió con la rumba y el tango en sus inicios. Fue Offenbach quien hizo esa alegría no sólo parisiense, sino femenina, y todavía la coreografía parece pertenecerle en los homenajes visuales de John Houston o de Jean Renoir en *technicolor.* Pero aunque la música de Offenbach resonaba en todos los pianos particulares de Francia, al cesar las hostilidades los parisienses parecían hartos de parodias y sátiras políticas y le volvieron los oídos al familiar *can-can,* violento y sexual, para atender a las romanzas sentimentales que sucedieron a la ópera *bufa.*

Para salvarse de la bancarrota, Offenbah emprendió una gira, usual desde Colón: marchó a América, en un viaje por Estados Unidos que comenzó en una mala travesía a vela y terminó en un fiasco financiero. Regresó a Francia como a casa, y a París como a su cama, besando el pavimento del bulevar Haussmann, para añadir con júbilo: «Soy Offenbach, de nuevo.» Pero para los parisienses era sólo el viejo Offenbach. Aunque no podían decir que regresaba con sus mismas tonadas y sus aires cansados. Offenbach era su más severo crítico, y pudo decir, sin falsa modestia, una de las frases más memorables dichas de sí mismo por un artista: «Sé que en la floresta de la música nunca seré un ruiseñor.»

Bye, bye, blackbird

El lugar propio a Offenbach, sin embargo, era el lecho de muerte, y su agonía, una angustia musical por terminar una ópera que curiosamente compuso seria, *Los cuen-*

tos de Hoffmann. Extraño su destino musical: el *boulevardier,* melodista fácil, autor de óperas *bufas,* creador de la opereta y cancanero de genio, quería dejar como testamento artístico una ópera de grandes proporciones, tan grande obra que su partitura fue terminada sólo después de su muerte, en París, en 1880, hace casi cien años, como sabe cualquier escolar sencillo al ver el canario amarillo que tiene el ojo tan negro y mortal. Curiosamente, la ópera compuesta *in articulo mortis,* fue orquestada por el maestro Debussy, aquel a quien el músico impresionista le escribía desde su aburrida beca en Roma: «Tengo grandes ganas de volver al París de Manet y de Offenbach.» Debussy compuso después una de las óperas más originales del teatro musical francés, sin duda influida por Wagner, a quien, sin embargo, llegó a llamar «el archienvenenador del oído». Pero el modesto Offenbach y otro antídoto contra Wagner, según Nietzsche, Georges Bizet, compusieron las dos óperas más populares, más atractivas y melódicamente más inventivas del siglo XIX francés, siglo de la ópera. *Los cuentos de Hoffmann* no sólo se ha montado innumerables veces donde quiera, sino que ha sido llevada al cine en una superproducción de grandiosidad wagneriana. Es una obra extraña, extraordinaria, con una fascinante mezcla de realidad escénica y fantasía musical. Su asunto es único; su trama musical, subyugante, y sus melodías, memorables —pero una de ellas nadie se atreve a silbarla en martes trece tarde. Es la *Barcarola,* de ritmo obsesivo, bogante, melodía finita a la que persigue una absurda y estúpida reputación de tener gafe, simplemente porque la noche del estreno, en París, en 1881, el teatro ardió alegre. O porque un tenor famoso, en su reposición, cayó fulminado por una crisis cardiaca al cantarla. O porque la ópera de San Francisco la ejecutó la noche del notorio terremoto. Cosas así, Tonterías. Incidentes sin importancia que ocurrían, mera casualidad, mientras la *Barcalora* sonaba obsesiva y fatal.

Stravinsky sí la silbó —o por lo menos se la silbaron— silente. En su lecho de muerte susurró un ruego o una orden a su discípulo y amanuense Robert Craft. Todo el que tenía oído para los círculos musicales de Los Ángeles sabía que Stravinsky quería ser enterrado (más o menos) en Venecia. Pero ahora el compositor heterodoxo ruso pidió ser inhumado a los sones de la gran coral *Von Himmel hoch da komm ich her*, de la que había hecho una transcripción para órgano, apropiada música celestial para ascender al cielo luterano de Bach. Pero Stravinsky tenía el acento eslavo más inescrutable desde que Conrad pidió yodo a su hijo inglés y le dijo: *'I'm dying'* («Me estoy muriendo», en vez de *Iodine*). Ahora Stravinsky musitó turbio al oído claro de Craft y, en vez de «Bac's Choråle», pidió otra pieza: «Barcarole», y la única que Craft conocía de ese nombre, gafe o no *gaffe,* era la de Jacques Offenbach. Para colmo, Stravinsky añadió algo como «Offenbach». No quedó ya duda a Craft. El compositor más famoso del siglo XX quería navegar por los canales celestes en la *Barcarola.* Bach, Offenbach —es lo mismo. No sólo el oído lego confundía los nombres, sino que el maestro del acorde disonante los fundía: *Offenbach's Chorale.* Así, el modesto músico que había predicho que nunca sería un ruiseñor, acompañaría en su tránsito musical al más grande músico muriente, en lugar del más grande músico de todos los tiempos —de toda la música. Bach, Offenbach, dudoso dúo. No sería esa segunda voz un ruiseñor de la floresta de la música, pero sí podía aspirar a ser un mirlo de luto en esta despedida musical al autor de *El pájaro de fuego.* Avemaría. Su melodía infausta sonaba fausta ahora en el gran órgano que no resucitó a Stravinsky difunto, pero restauró a su autor al Olimpo musical con *Orfeo* y *Helena* en la armonía barroca de la iglesia de Santa María della Salute: la *Barcarola* era su propia canción fúnebre. *Offenbach,* Bach, a menudo. Offenbach final. Ruiseñor y mirlo. *Bye, bye, blackbird.*

Cuentan que Mozart, niño prodigio, de espaldas a un piano a los seis años, cuando otro músico golpeaba las teclas con ambas manos, podía decir exactamente todas las notas del acorde. Irving Berlin, de cara al piano, mirando las teclas, cuando alguien usa una sola mano (la izquierda por ejemplo) es incapaz todavía de adivinar tres notas. Mozart, como saben los espectadores de *Amadeus,* murió joven y en la miseria y fue enterrado en una fosa común. Berlin, ahora centenario, ha perdido la cuenta de sus millones (de dólares) y de sus años y es tal vez el compositor vivo más celebrado del mundo. Cuando alguien le preguntó al Berlin maduro a qué debía su éxito, respondió sin vacilar: «A mi música.» Estaba, decididamente, diciendo la verdad. Pero también podría haber dicho: «A mis letras.» Irving Berlin es uno de los pocos compositores populares (Cole Porter fue otro) que escribe canciones y las compone.

Uno de los muchos placeres que ha dado al mundo Irving Berlin, aparte de su música como miel, aparte de las letras burdas y sutiles y de sus miles de canciones (se cree que pasen de las 3.000), es poder celebrar su centenario cuando está todavía vivo el compositor. El obituario al armario ¡Viva Berlín! Como John F. Kennedy ante el muro (de las lamentaciones), pudo exclamar *«Ich bin ein Berliner!»* También yo soy berlinés y mi coche musical es la berlina. Irving Berlin es mi compositor favorito.

Un gitano al que Manuel de Falla tocó su habanera, al ser preguntado por el compositor qué le parecía la pieza, respondió: «Me gusta tó lo que usté tocó en las teclas negras.» Falla, asombrado de tres picos, supo que el oído del gitano era el de un gran músico. Berlin (favor de no llamarlo Bérlin) nunca aprendió a leer o escribir música y tocaba sus canciones, nunca otras, sobre las teclas negras del piano. Luego, al hacerse famoso (lo fue al doblar el siglo), se hizo construir un piano que con una palanca y sin pedal cambiaba de clave. Este piano arrreglado, mucho antes de Cage y sus sinfonías sosas, está ahora en el Museo Smithsoniano de Washington. ¿Dónde está el piano rococó de Mozart?

Hay en Berlin, tocando su piano o dictando letras, un método exacto para componer: primero viene la letra, después la música. Hay un recurso caro a Berlin en que una canción simple, casi una *canzonetta* en engañoso dos por cuatro, arranca en un rapto dramático, la música movida por la letra. Así ocurre en una de sus más famosas canciones, *Cheek to Cheek,* en que después de la casi cómica frase «*cheek to cheek*», la mejilla en la mejilla, el cantante (Fred Astaire, favorito de Berlin) o el compositor declama:

Dance with me,
I want my arms about you!

Quiere decir: «Baila conmigo / quiero rodearte con mis brazos», pero la música habla de agonía y antagonía. En *Let's Face the Music and Dance* el título quiere decir lo contrario de lo que parece. Toda la canción es de un dramatismo que obligó a dos películas, *Follow the Fleet* en 1935 y *Pennies From Heaven* en 1982, a servirla con coreografías dramáticas y en el caso de *Pennies* también de trágica ansiedad. Esos elementos no los inventó Astaire ni mucho menos ese mediocre *perfomer* que es Steve Martin, sino que estaban ya en la cancioncita de 1935. De más está decir que Berlin no creó la canción trágica. Ya estaban esos elementos patéticos en las canciones italianas, en todos los tangos de Gardel y hasta en el último cuplé. Conozco, además, varios boleros desesperados. Pero sorprende observar en un compositor tan lineal, tan simple y tan alegre cómo, por entre las grietas de la felicidad, se le cuela la tragedia. ¿Es que hay otro Irving Berlin sentado al piano? Creo que sí. De no serlo, sus canciones se habrían cantado un momento, esparcido en la tarde y llevadas con el viento del olvido.

Pero Irving Berlin no sólo es música, también es letra y, a veces, sorprende la delicadeza de su verso. Un ejemplo del dominio que tiene Berlin sobre sus palabras es su tonada *Pongo todos mis huevos en una sola cesta*, que parte de un refrán doméstico y comienza:

> *I've been a roaming Romeo*
> *and my Juliets have been many.*

Romeo aquí *roams,* es decir, ronda y recorre sus múltiples Julietas. En *Let's Face the Music and Dance* la música es tan sombría como el tema de la canción y, sin embargo, Berlin no deja de usar un refrán común *(«To face the music»,* que es afrontar las consecuencias) para añadirle el verbo *to dance,* bailar y transformar el dicho en un triunfo del amor que persiste en este lado de la muerte. En la canción el cantante (es decir, Irving Berlin) conmina a la invisible, inaudible compañía al advertirle que tal vez habrá problemas más adelante en la partitura, pero mientras haya luna, amor, música y romance hay que encarar la música y bailar. Toda la letra de esta canción es inaudita, a pesar de elementos tan oídos: «Antes de que los violines vuelen —escribe Berlin— antes de que nos traigan la cuenta —es decir, el recuento final—, mientras tengamos nuestra oportunidad, hay que afrontar la música y baila.» Continúa así de manera más dramática: «Pronto no tendremos ni la luna, cantaremos otra canción y habrá amargas lágrimas que compartir.» Para terminar en la misma vena invitante: «Así que mientras haya luna, amor y lágrimas vamos a encarar la música y bailar.» El escritor que escribió la letra es un poeta, el músico que compuso la música es un artista. Fred Astaire la cantó de manera magistral.

En *Ten cuidado que es mi corazón,* una de sus muchas obras maestras, Berlin comienza en su típica manera tierna y satírica a la vez:

> *Ten cuidado*
> *que es mi corazón,*
> *no mi reloj lo que tienes*
> *en la mano.*

Para seguir luego en una canción con palabras que no habría desechado Heine:

> *It's not the note I sent you*
> *that you quinckly burnt.*
> *It's not the book I lent you*
> *hat you never returned.*
> Recuerda,
> ¡es mi corazón!
> ese corazón
> que tendré un día que dejar
> es tuyo
> para guardar, para quebrar:
> *But before you start,*
> *remember:*
> *it's my heart.*

Por cierto, la versión de Bola de Nieve, en un inglés cómico y patético a la vez, habría agradado a Irving Berlin, que tuvo que conformarse con Bing Crosby hecho balada de plomo y yerro.

> *Pero antes de partir,*
> *recuerda*
> *que es mi corazón.*

Irving Berlin es singular y sus partes de hace medio siglo ya lo creían impar. George Gershwin dijo: «Berlin es la música americana.» Jerome Kern exclamó: «Berlin no ocupa lugar en la música americana.» Cole Porter, siempre ingenioso, le dedicó un verso en su famosa canción *You're the top,* que quiere decir exactamente que eres lo mejor:

> *You're the top!*
> *Yor're a Berlin ballad.*

Si hay una canción americana pegajosa (es decir, con una música inolvidable que los labios de la mente silban en el recuerdo) y nadie sabe quién es su autor, no es el folklore. Hay, al contrario, muchas posibilidades de que sea de Irving Berlin: él es el folklore que cobra derechos de autor. El siglo XX tiene en Berlin, además de su Schubert, su Chopin. No hay música que suene más natural, más inevitable. Es decir, menos compuesta. Pero ese folklore tiene partida de nacimiento y una biografía.

Irving Berlin nació en una aldea rusa llamada Temún, que él pronuncia Temor. Cuando ocurrió un pogrom demasiado frecuente y mientras la aldea ardía, Moisés Baline, su padre, cantor de la sinagoga local, decidió que era hora de irse con su melisma a otra parte y emigró con su familia a Estados Unidos. Eran tan pobres que todas las posesiones familiares eran los cacharros de la cocina. Recordando esta hégira, Berlin decía que comenzó temprano a componer música a pogrom. Su primera visión de los Estados Unidos fue la más duradera: la estatua de la Libertad presidiendo la entrada a Nueva York. Más de medio siglo más tarde compondría una comedia musical titulada *Miss Liberty* que fue su mayor fracaso. El patriotismo es el último refugio del fiasco.

En Nueva York su padre murió pronto y su madre se convirtió en el centro de su vida y de su casa. Berlin no estuvo más que dos años en la escuela pública y, cuando se fugó de casa, fue para iniciarse en una variedad de oficios (de alguna manera hay que llamarlos) que parecen ser uno solo: se hizo camarero de varios tugurios y así inició su vida musical. Nadie enseñó a Irving, que todavía no se llamaba Irving, a cantar. Nadie lo enseñaría a componer. Curiosamente Izzy, ese era su apodo, vivió en Monroe Street. Muchos, muchos años más tarde (con Irving Berlin todo parece tomar medio siglo) una de sus mejores canciones del cine salía de unos labios que hacía de los versos un beso. Era Marilyn Monroe cantando, apropiadamente, *Heat Wave.* La visión de la Monroe, en este momento musical, no necesitaba traducir el título que quiere decir ola de calor. Marilyn, en su otra faceta, cantaba también *Haragana,* tal vez la única canción de Irving Berlin que no es autobiográfica.

Berlin, entre otros inaugurios, inventó la canción que es una cápsula de la vida del autor. Irving todavía no llamado Irving, inició también la tradición del artista que comienza como pianista de burdel. Después de él vendrían genios de la música negra, como Louis Armstrong y Jelly Roll Morton. Izzy tocaba y cantaba y pasaba la cerveza a los clientes calientes. Berlin tiene otro axioma musical: «Cuando se canta se empieza a pensar en componer canciones. Es así de simple.» Irving cantor (recordaba al oficio religioso de su padre) pronto pasó a ser Irving compositor. Su primera canción era literalmente una *canzonetta:* estaba realmente escrita en dialecto italiano, que es como llamaban en los tugurios de Nueva York a una melodía tan pegajosa como el queso de una pizza, aunque la pizza no se había inventado todavía. La *canzó* era la que hacía echar agua por y cerveza boca abajo. Ese fue el año en que Izzy perdió su nombre y Berlin ganó una guerra.

George M. Cohan, a quien Berlin admira todavía y cuya estatua en Times Square es visitada ahora sólo por las palomas, el compositor inmortalizado por el cine en *Yankee Doodle Dandy,* donde James Cagney cantaba y bailaba como el viejo maestro irlandés que se hizo más americano que el chicle. Cohan dijo de Berlin: «Cogió su nombre de un actor inglés y su apellido de la capital de Alemania.» (Años, muchos años más tarde, Adolfo Hitler rugía ante la fama de un judío que osaba robarle su Berlín, que tampoco era de Hitler, que era austriaco.) La realidad como siempre es más simple y más complicada a la vez. Ocurrió que al imprimir la partitura de su primera canción, un impresor distraído (o eufónico) escribió el nombre de Israel Baline como I. Berlin. Luego Izzy (su nombre familiar que no permite usar a extraños) cambió su nombre hebreo por uno más inglés, Irving. Desde Berlin ha habido otros autores americanos que han adoptado su Irving como nombre propio. Entre ellos hay uno que otro productor de cine.

Había un director de banda llamado Jack Alexander y había un ritmo negro domesticado en pianolas y pianos caseros llamado ragtime. Berlin, con la astucia que se veía siempre en sus ojos, combinó ambos nombres, ambos ritmos y creó su Alexander's Ragtime Band, que se hizo enseguida enormemente popular. Ocurrió en 1910 y todavía en 1938 la Fox titulaba uno de sus más memorables *musicals* (en realidad un drama con música que pretendía ser la biografía musical del autor) *Alexander's Ragtime Band*. Desde 1910 Irving Berlin estuvo asociado al ragtime y muchas veces habló como si fuera de su invención. En realidad, el ragtime, a veces llamado sólo *rag,* era un ritmo negro que venía de las plantaciones de algodón, de la síncopa afroide y de muchas marchas y mazurkas. En todo caso ya, desde finales del siglo XIX, había un compositor negro, Scott Joplin, llamado el Rey del Ragtime. Como Berlín, Joplin había nacido desposeído (su padre era esclavo) y como Berlin parecía tener dentro toda la música del mundo. Pero Berlin se hizo rico y famoso con su ragtime que no es un ragtime y Joplin, rey del *rag,* murió en un manicomio. ¿Ironías de la vida o *males de la música?*

Después de Alexander's Ragtime Band Berlin, como Lot no volvió a mirar atrás. Rico y famoso, compuso canciones admirables y otras que no lo son tanto. Alistado en el ejército durante la primera guerra mundial reformó las relaciones entre las marchas marciales y Broadway. Luego, llegó incluso a casarse con una dama de la alta sociedad de Nueva York, no sin la oposición de su futuro suegro, millonario de origen irlandés, que no veía con buenos ojos a un millonario judío. Lo que originó una de las pocas ocasiones en que Berlin mostró un ingenio público tanto como en sus canciones. Cuentan que su futuro suegro apeló a sus antecesores celtas y dicen que Berlin dijo: «Pues mis antepasados se remontan al Éxodo.» La anécdota la repiten esos dos cómicos italianos, Simón Evero y Ben Trovato. En todo caso, cuando el *crash* de 1929, el rico suegro se arruinó hasta considerar arrojarse por su ventana más alta. Fue entonces que el rico yerno vino a su rescate. Y todos fueron felices hasta el final de sus días, menos los de Irving Berlin, que no ha llegado todavía a su fin.

La fama se hizo respeto entre sus pares. Un joven músico judío declaró: «Este es el modo en que debe componer un compositor americano. Esta es la clase de música que quiero componer.» El autor del elogio era George Gershwin, que acaba de cambiarse su nombre dos veces: Gershovitz, luego Gershvin y se decidía a ser un músico americano en París, en Nueva York y en Hollywood. Hasta Schoenberg quiso felicitar a Berlin. «También soy compositor», dijo Schoenberg con cierta modestia. A lo que respondió Berlin: «Tengo entendido que sus canciones son magníficas.» Schoenberg, que siempre andaba con un estuche de violín en que guardaba su raqueta de tenis, tal vez quiso tener una ametralladora a mano.

Berlin componía tantas canciones, todas tan excelentes, que se corrió la bola de que tenía un negrito escondido en su armario. (Es de esta broma que se originó la frase «tener un negro» para alguien que trabaja oculto para una persona pública.) En realidad el negrito de Berlin estaba detrás en la historia musical y no en su armario y se llamó Scott Joplin. Berlin inundó el mercado musical con toda clase de ragtimes, ahora acortados a rag. Cuenta la historia musical que ragtime y rag se originaron entre los negros menestrales ambulantes que, de tan pobres que eran, iban siempre vestidos de harapos. Es decir, rags. Berlin, por su parte, era uno de los hombres mejor vestidos de Broadway, ayudado por su amigo Fred Astaire, para quien compuso su espléndida melodía *Top hat,* que luego daría lugar a una de las películas más famosas del dúo Ginger Rogers y Fred Astaire. Astaire estaba mejor vestido que nunca, mientras que a Ginger todos la desnudaban con los ojos como quien deshoja una margarita de pétalos rubios.

Aparte del piano móvil, Berlin tenía un método muy propio para componer. Trabajaba, desde sus inicios, en la alta noche y en la baja madrugada. Tenía siempre a mano un «secretario musical» que tomaba en notas lo que Berlin tarareaba, cantaba o tocaba en su piano arreglado. Al principio, siempre usaba la clave de fa, pero, una vez que metía la palanca podía modular sin problema. Hasta cierto punto. Era aquí donde intervenía el amanuense musical que leía (es decir, cantaba) lo que había dictado Berlin. Este secretario era tan necesario a Berlin que viajaba con él a todas partes, aun a sitios como Londres o París. Un día uno de los secretarios, cansado de ganar de dos a trescientos dólares al mes, cuando su jefe ganaba millones, reveló su secreto a la prensa. No había un negrito escondido detrás del piano de Berlin. Sólo había un amanuense musical que deseaba irse a la cama.

Irving Berlin era en sus años mozos (después que dejó de ser mozo) un hombre muy pequeño, muy delgado, con pelo de charol y grandes ojos negros. Se parecía entonces mucho al cantante y actor de teatro y de cine: Eddie Cantor, que también perdió su fortuna en 1929. No sin antes recomendarle a Groucho Marx que invirtiera la suya ahora que estaban ganando. Groucho nunca perdonó a Cantor su invitación al desastre y siempre se refería a él como Irving Cantor. Berlin, que tenía en su arte su mejor parte, perdió algún dinero pero rehízo enseguida su fortuna con canciones que eran una mina de oro popular. Lo único que nunca pudo vencer Berlin, ni antes de ser famoso, ni después de ser rico, fue su depresión y su insomnio. A su insomnio debemos muchas de sus más melancólicas melodías, a su depresión algunas de sus tonadas más tónicas. Además, un hombre que se levanta a las dos de la tarde, con lluvia o con sol, no puede ser del todo malo.

Berlin fue siempre un patriota. Su agradecimiento a los Estados Unidos no tiene límites. Ha contribuido a la caridad pública, al bienestar privado y en todas partes ha cantado su amor patrio. A veces con resultados desastrosos, pero otras ha sido el compositor de presidentes como Roosevelt y Eisenhower para quien creó su famoso lema «*I Like Ike*». Ha compuesto, además una canción, *God Bless America,* Que Dios bendiga a América, que ha sido propuesta más de una vez como sustituto del himno nacional americano, que musicalmente es, por supuesto, inferior. Ha habido mociones congresionales para hacer el cambio de himno y Berlin ha dedicado todos los royalties de su canción a instituciones públicas.

Irving Berlin siempre ha sido distraído, porque no tiene otra cosa en la cabeza que letra y música de canciones. Pero en una ocasión fue tomado, como Schoenberg, por quien no era. En una de sus visitas a Londres durante la guerra fue llamado por Churchill a sus oficinas de Downing Street. Una vez ante sir Winston, este le preguntó a Berlin: «¿Cómo va la producción de la guerra?» Berlín, que no sabía mucho de producción y poco de la guerra, dijo: «Ah, me parece que va bien.» Churchill lo encaró con su famosa quijada: «¿Qué oportunidad tiene Roosevelt de reelegirse?» «Creo que ganará otra vez», dijo Berlin, aunque era republicano. «Magnífico», dijo el primer ministro. «Pero —dijo Berlin— si no se postula no creo que vaya a votar.» Churchill pareció preocupado: «¿Quiere decir que lo van a dejar votar a usted?» «Lo creo con toda sinceridad», dijo Berlin. «Sería maravilloso —entonó Churchill— que la cooperación angloamericana llegara al punto en que cada uno vote en las elecciones del otro.» Churchill sonrió: «Profesor, le admiro mucho. Debía usted venir a almorzar conmigo.»

Cuando Berlin se marchaba notó que no se había hablado ni una palabra de música. Además, ¿qué era eso de profesor? Fue cuando volvió a su hotel que se enteró que todo no había sido más que una confusión cotidiana. El profesor Isaiah Berlin, experto en economía, adjunto a la embajada inglesa en Washington, estaba en Londres para consultar. Su agenda indicaba que tendría una visita privada con Winston Churchill en Downing Street ese mismo día. Ahora había dos Berlines en Londres y, a juzgar por sus hoteles, podían llamarse Berlín Oriental y Berlín Occidental.

A Irving Berlin le robaron pocas melodías, a juzgar por el copioso manantial de sus canciones. Pero, en varias ocasiones, fue acusado de plagio sin que interviniera el negrito favorito de todos sus rivales. La acusación llegó esta vez a los tribunales y Berlin fue absuelto. ¿Quién pone un ruiseñor en una jaula? Berlin lo explicó así: «Nadie roba canciones —declaró a la prensa—. No hay más que un cierto número de ideas de canciones.» Tal vez, el número de notas sea limitado, también lo son sus múltiples combinaciones. Pero la coincidencia en la música popular, por razón de números, son, a veces, molestas. Como lo sufrió Chaplin al componer *La violetera* después de estar ya compuesta.

Cuando compuso la partitura entera de *Call me Madam,* un crítico llamó al compositor una cornucopia de música. Berlin, siempre ignorante, siempre modesto, declaró molesto que había tenido que buscar en el diccionario qué cosa era una cornucopia. Poco después, y después de un fragoroso fracaso, Irving Berlin hizo como Greta Garbo (pero sin decir «Quiero estar solo») y se retiró a su lujosa mansión de Nueva York donde había vivido los últimos cincuenta años. Todavía está allí, componiendo, según dicen (aparentemente y hay que creerlo, tiene 500 canciones en el armario donde solía vivir un negrito que silbaba sin fin), sin otro *hobby* que sus canciones. Una vez hizo su *ars poetica* y confesó cómo componía sus canciones: «Encuentro que compongo canciones simples porque así es como salen de mi cabeza.» Ahí sigue componiendo canciones, ahí seguirá, porque Irving Berlin es la radio que no cesa.

Finale

Después de una noche en la ópera (después de ver en el National Film Theater del otro lado del Támesis *Una noche en la ópera*) tomamos el *underground* para regresar a casa. Venía con Miriam Gómez, que, después de veintidós años en Londres, se empeña en llamar al *underground* el metro. Subimos sin darnos cuenta a un vagón vacío. Al subir alguien me dijo *trunk* y yo esperaba encontrarme con un baúl o un elefante dentro. Cuando se cerraron las puertas automáticas con un susurro cómplice, vi que el vagón no estaba vacío. Había un pasajero sentado en un transversal y se veía que estaba borracho. El pasajero del andén me había dicho en realidad *drunk*. Ahora, el pasajero solitario nos miraba a los dos. Era un hombre fuerte que vestía solamente una camisa sucia con las mangas por el codo. Tenía una cara brutal y pensé que era ruso, tal vez, polaco, sus ojos hechos innobles por el alcohol. Sudaba saliva por toda la cara. Nos miramos durante un tiempo que la velocidad del tren hizo vertiginoso. Ahora abrió la boca. Creí que iba a insultarnos, pero por encima del ruido del tren comenzó a cantar!

I'm putting all my eggs in one basket!

El pasajero no buscaba aprobación, pero le grité que era una de mis canciones favoritas para que viera que mi aprecio era de conocedor. Continuó cantando hasta el último verso, el anverso de un borracho: una fiera domesticada por la música:

I'm putting all my eggs in one basket!

El pasajero insistía en poner todos los huevos en una cesta. «*Good!*» le dije de corazón. Interrumpió su canto para decirme: «*Ja! Very good.*» Llegamos a nuestro término y me despedí del pasajero cantor diciéndole, como si fuera el nombre de mi estación: «Berlin.» Pero el hombre con la música dentro tuvo también la última palabra:

¡Berlín no, Amérika!

Como todos sabemos, la música moderna comenzó con Sherlock Holmes. El primer concierto se dio en la temporada de invierno de 1881, en el salón del 221 B de Baker Street. El doctor Watson, testigo presencial más que espectador, lo describe así:

«... he hecho referencia (...) a la habilidad de Holmes con el violín. Era muy notable, pero tan excéntrica como todas las suyas (...) era capaz de ejecutar piezas de música, piezas intrincadas, porque había tocado, a petición mía, algunos de los *lieder* de Mendelssohn y otras obras de mucha categoría.» (En otro concierto, sin duda. Ahora llega el gran momento, solamente comparable a cuando Stravinsky conoció a Rimski Korsakov o cuando Schönberg alteró su apellido para Schoenberg: Stravinski produjo sus *Fuegos artificiales,* y Schoenberg concibió su *Sprechgesang* para la voz cantante.)

«Sin embargo —prosigue Watson— era raro que, abandonado a su propia iniciativa, ejecutase verdadera música o tratase de tocar alguna melodía conocida. Recostado durante una velada entera en su sillón, Holmes solía cerrar los ojos y pasaba descuidadamente el arco por las cuerdas del violín, que mantenía cruzado sobre sus rodillas. A veces, las cuerdas vibraban sonoras y melancólicas. En ocasiones, sonaban fantásticas y agradables (...) Quizá yo me habría rebelado contra aquellos acordes irritantes...» Evidentemente, Watson habría estado entre la clac militante contra *Le sacre du printemps* en el Théâtre des Champs Elysées aquella noche de la *première* en 1913: el público conservador no cambia.

Pero volvamos a *Estudio en escarlata,* esa primera novelita en que el doctor Watson enumera las idiosincrasias inaugurales de su amigo Holmes: ahí está toda la historia de la música moderna. Aunque hay, como siempre, detractores. Un músico crítico (de Watson, no de Holmes) objeta que «se puedan hacer esos acordes en el piano, pero desafío a cualquier violinista a conseguir tales acordes en un violín que descansa al desgaire sobre el regazo. Los acordes, en un violín, son siempre un *tour de force.* No son naturales al instrumento. Los violines son instrumentos de melodía, no de armonía». Otro crítico musical asegura que el instrumento que tocaba Holmes no era un violín, sino ¡una viola! La crítica es, sin duda, el tributo que la mediocridad paga al genio. ¡Una viola! ¿Por qué no una viola de gamba?

En todo caso, ahí, en *Estudio en escarlata,* un poco antes, Watson describe el comportamiento de Holmes después de acabar su concierto atonal: «Le brillaban los ojos (...) puso la palma de la mano derecha sobre su corazón y se inclinó igual que si correspondiera a los aplausos de una multitud surgida al conjuro de su imaginación.» Holmes, que había inventado la música moderna, creaba también su público y, según

Watson, *made a bow,* que puede traducirse como hacer una reverencia o una venia, aunque significa también construir un arco de violín. No creo que Watson, hombre serio, jugara con las palabras. Su relato es fidedigno al relatar la primera audición de lo que hoy conocemos como música no seria, sino serial. Pero Holmes fue aún más lejos. La aventura pertenece a la historia de los instrumentos con arco. Su stradivarius fue un enemigo tan dúctil como rico fue el profesor Moriarty, *el Napoleón del crimen,* cuyas hazañas son bien conocidas. Holmes fue también el primer músico maximalista. No poco logro para un músico que, como Schoenberg, aprendió solo.

Estos recuerdos de Baker Street y sus veladas musicales me vienen a la memoria en ese Albert Hall que Hitchcock inmortalizó en *El hombre que sabía demasiado.* Esa es la película en que un asesino sabe tanto que sabía música, y lee una partitura para estar seguro de que un golpe de platillos en la orquesta coincidirá con el disparo de su Luger certera, que ahora apoya sobre el papel pautado. La reina Victoria, constructora del famoso domo del placer musical en honor de su difunto príncipe consorte, Alberto, jamás concebirá un uso fatal de la música. «No es *cricket*», hubiera dicho la monarca. Ahora, un compositor americano, Philip Glass, se muestra tan letal como el asesino con pauta, y va más allá de Berg y de Schoenberg y aun del mismo Holmes. «Elemental, Watson», diría Holmes al oír el acorde perpetuo. Mientras, Glass, cuyo nombre parece transparente, estaría de acuerdo con Holmes. ¿No lo estuvo con Poe, maestro de Doyle, en su *Descanso al maelstrom* por una nota que es un remolino tonal?

Hay un cuento americano titulado *Día perfecto para el peje plátano.* Su autor es J. D. Salinger, notorio recluso, y su protagonista es un suicida en luna de miel. Antes de enfrentar a su estúpida, como bella, mujer y a la muerte, el suicida encuentra una niña en la playa a quien su nombre, Seymour Glass, produce una frase demente que en boca de la niña se hace transparente: *See more glass.* O sea, «ver más vidrio», o, ya imposible, «ver más cristal». Una campana de cristal se llama también una campana de vidrio. En el caso del concierto del Albert Hall se trataba, en efecto, de oír más cristal: *Listen to more glass.* Hechos todos los chistes con Philip Glass (él mismo ha titulado uno de sus discos *Glassworks* o *Cristaleras),* hay que oír su música (y eso fue lo que hizo el público, todo joven, que llenó el Albert Hall la semana pasada, que conocía la banda sonora de *Mishima* mejor que conocía a Mishim).

Glass es la máxima figura de un movimiento musical que se conoce, a falta de mejor nombre (los cubistas también fueron así) como minimalismo. Nombrar la cosa no hace la cosa sino al nombre, pero un nombre es un nombre, y la cosa, una glosa. Glass mismo se considera un minimalista, como Manet o Monet no se consideraban impresionistas. Pero Glass es el más visible de los compositores minimalistas: menos es más. Subido al escenario, flanqueado por amplificadores que usualmente sirven al *rock* magno (de hecho, los críticos de los discos de Glass recomiendan que se cuide el volumen, ya que puede dañar no sólo el fonógrafo, sino al oído humano), Glass, ahora vestido por Miyake, dirige su conjunto de instrumentos tradicionales que suenan distintos (piccolo, flauta, clarinete bajo y saxófonos soprano, alto y tenor) más varios teclados electrónicos, un *emulador* con su soprano viva encima, un ordenador de sonido y, al frente de su *combo,* el propio Glass, sentado a su sintetizador, ese *word pro-*

cessor de sonidos prefabricados que a veces dan la sensación de producirse dentro de un órgano máximo, como el que ideó Gaston Leroux para su fantasma de la ópera. Glass es también un espectro sonoro para la ópera moderna, que recorre como el FO original recorría la Ópera de París. El gran éxito de la temporada es una ópera minimalista, *La máscara de Orfeo,* del inglés Harrison Birtwistle (ya su nombre, como el de Glass, es música), que es a la ópera tradicional lo que Stockhausen es a Richard Strauss. En otra dirección, la influencia de Glass se extiende a la música *pop.* Los grupos Police y Talking Heads le deben más de un acorde, y David Bowie, siempre alerta al sonido nuevo, ha hecho su elogio mejor. Glass está también en el cine y en la televisión. A veces sin siquiera mencionar su nombre: tan transparente es.

En el Albert Hall, el conjunto era máximo para música de cámara, que es lo que era mínima: una nota o dos para cada pieza obstinada, que duraba 10 o 15 minutos. Glass usa con gran efectividad toda la parafernalia electrónica asequible ya a Carlos (antes Walter, hoy Wendy, después de un cambio de nombre y de sexo), pero su música —hay quienes se niegan a llamarla así más que a llamar Wendy a Carlos— está basada en simples figuras utilizadas para la constante repetición y el *ostinato* o un unísono que es, efectivamente, un solo sonido. Sus grupos de notas (solían ser una o dos) llevan a todos, músicos y público, a una suerte de frenesí en que los cambios de acordes no aparecen más que cada cinco o diez minutos de duración melódica. El efecto es de veras encantatorio, como una serpiente sonora que se muerde el crótalo.

Una pieza cualquiera de Glass, por ejemplo *Étoile polaire,* consiste en dos o tres notas repetidas *ad náuseam* durante 30 o 40 compases, seguidas de un cambio de textura, usando los varios timbres de su orquesta, y una serie de tonos que le permite ese almacén sonoro que es el Moog sintetizador. No tiene Glass más que disponer dos o tres notas y alimentar su *computer* hasta el cansancio (del público, no del ordenador ordenado). Es el principio del péndulo, que a su vez originó el metrónomo, que ejerce, fuera de contexto musical, una fascinación hipnótica. Poe, un escritor caro a Glass, la conocía bien.

Glass ha dedicado la mayor parte de su talento al teatro (óperas, comedia, ballet), cuando es en realidad un genuino compositor de conciertos. No en el sentido que le dio a la frase Liszt, digamos, sino aun al concierto entendido como aparición en la escena. El compositor se ha convertido en ejecutante —al piano electrónico Yamaha, al sintetizador— y a la vez en director de orquesta o grupo y en animador de su propio programa. En el Albert Hall, su partitura para disparar una pistola sonora desencajaba el negro micrófono de su fábrica de sonidos (o de un sólo sonido: nunca se ha hecho tanta música con menos notas desde la *Samba de una nota sola)* y se volvía sonriente, pero no carismático (el carisma es de su música), para anunciar la próxima pieza. De negro, como Poe o como Holmes, Glass parecía juvenil, a pesar de sus 50 años, y satisfecho de que su música funcionara con tanta perfección ante un auditorio tan joven y tan ávido. Glass no suena como una campana francesa, hecha toda de vasos musicantes (ver *Broadway Danny Rose),* sino como el más claro cristal.

Alguien propuso: «Es la sarabanda de una nota sola». Al acento brasileño hay que oponer la noción de que hay una constante rítmica, apreciable, por ejemplo, en la bella pierna semita de la soprano de la cabellera roja y la voz melismática que dejaba ver su tobillo eterno al repicar en las tablas al ritmo obsesivo de un par de notas. Es casi imposible explicar, si no se ha asistido a un concierto de Glass, cómo tan poca música puede conseguir tanto efecto. Es la obsesión del *ostinato*. El *ostinato,* claro, no es nuevo en la música. De hecho, los tambores africanos repican y pican una forma de *ostinato* de tantanes que cantan como la voz humana. Más cerca del Albert Hall, una obra maestra de la música del siglo xx, *La consagración de la primavera,* usa el *ostinato* con gran efecto. Otra cosa es su empleo por Ravel o por Bartok, para no hablar de compositores más radicales, como Edgar Varese, Glass lo que ha hecho ahora es llevar este recurso armónico a sus posibilidades más mínimas. Es decir, a su reducción al absurdo: una nota, bueno; dos notas, regular, tres notas, malo. Una espectadora, que se negaba a oír el acorde perdido en el movimiento perpetuo, me dijo: «Esta música es muy complicada para mí.» «Todo lo contrario, señora», le digo. No ha habido desde el sesudo Satie y sus sarabandas una música de mayor simplicidad con el máximo de efecto armónico. Hablar de minimalismo es llamar, en efecto, la causa por el efecto. Philip Glass, oído o no, es uno de los compositores más importantes de la segunda mitad del siglo. Se ha dicho que la música de Glass no tiene futuro. Se trata no de una música futura. Es un arte combinatorio que tiene todo el presente: es una música en una campana de cristal. El doctor Watson, en Baker Street, sentirá un chirrido en sus oídos, pero es Sherlock Holmes quien tiene el violín en su regazo. Pero, ¿y la música? Si todas las artes aspiran a la condición de música, ¿a qué aspira la música? En el espacio nadie puede oír un violín. No hay ni que hablar del grito de una viola. La música es: «Mental, querido Watson.»

La música clásica, que puede ser barroca como en Bach, rococó como en Mozart y romántica como en Brahms, puede ser música ligera. Pero no soporto a Beethoven, que fue el culpable de introducir el ruido en la música sinfónica. Por eso se quedó sordo. Pero tengo una pasión por Chopin, que es, como Debussy, absolutamente inevitable en la historia de la música. Como a todos, el primer Stravinsky (y aun el segundo Stravinsky) me apasiona todavía. Rabio con Ravel, cuyo Bolero es la primera piedra pop y Satie es el compositor que habría querido ser de saber música. Toda la música la oigo de oído.

Perfidia

No es que el cine sea pérfido, pero es que el vicio capital de Cabrera Infante y el bolero *Perfidia,* de Alberto Domínguez, es, seguramente, uno de los más cinematográficos que hay, el del Rick's de *Casablanca,* y el de otras películas, como bien cuenta Guillermo Cabrera Infante en *Décima,* que no en verso. Pero sobre todo, es el bolero preferido de Guillermo y Miriam, y yo se lo he oído pedir y lo hemos escuchado a los melancólicos pianistas de al menos dos hoteles madrileños: el Wellington y el Palace. Él ha dicho muchas veces que se lo saben en los hoteles de todo el mundo, y en algún sitio más. De cine va, pues, X, el fragmento de *La Habana...* titulado «Función continua», que también va, naturalmente, de amor y música; de música y cine va «El arte breve y Vincente Minnelli feliz de», un fragmento de la conferencia sobre Minnelli, que no es su director preferido pero que hacía musicales, recogida en «Arcadia todas las noches» (Seix Barral, Barcelona, 1978) y los artículos «La música viene de ninguna parte» y «Wagner contra Wagner». El texto que comienza «Mi hermano y yo habíamos descubierto...» cuenta una emocionante historia iniciática, el camino de Santa Fe que conduce a dos niños al cine y a la vida, y aparece en «Los debutantes», *Tres Tristes Tigres.* R. M. P.

X.

La vi, la volví a ver años después, cuando era aparentemente demasiado tarde porque ella estaba ya dentro del lobby. No había entrado todavía, creo —nada hay tan ilusorio como la luz malva del crepúsculo en La Habana. Pero aunque ella tenía intención de entrar sin duda al cine estaba aún comprando su boleto: una mano desmembrada y epicena le ofrecía la entrada al paraíso mientras ella tanteaba monedas de plata en su cartera. No, me parece que ella estaba buscando el dinero dentro de la quincalla que era su bolso, dando de lado de momento el ticket tentador. Pero, pensándolo bien, bien podía ya haber pagado y ahora estaba solamente devolviendo el vuelto a su monedero, el tique (así lo llamaría ella, habanera popular que debía ser) tomado, ticketeniente. Esos eran meros detalles. Lo trascendente es que antes me dio la espalda pero ahora me había mirado de reojo, de medio lado, al sesgo: al estilo de las vampiresas del cine silente, pero la única manera en que una mujer puede mirar a un hombre desconocido en esa Arabia apodada Feliz donde debía vivir, sus sábanas su tienda. Me miró oblicuamente mientras exhibía su perfil (antes sólo me mostró su espalda), luego el cálido creciente de su cara canela se levantó ligeramente por sobre el horizonte oscuro del habitáculo o cubículo de la taquilla haciendo lucir su calmada barbilla altanera, rasgando sus ojos como vírgulas y contrastando la mancha amarilla de su pelo (rizado creo, melena me parece, oxigenado estoy seguro) que enmarcaba sus perfectas facciones bañadas en tintura de yodo, de la misma manera minuciosa que la negra caja cuadrada resaltaba su largo, lánguido cuello: un medallón de bronce exhibido en terciopelo, tantalizante.

Me miró de nuevo por un instante (apenas veinticuatro veces en un segundo) y luego bajó los párpados púdicos y sonrió en secreto, invitante y sin embargo sin dirigirse a nadie. Por supuesto que era una franca invitación al vals de la vida, tal vez al cine y es posible que fuera hecha para mí. Aunque podría estar dirigida a otra persona. No sabría decir: las hembras de La Habana habían pasado de la voz pasiva a la activa al conjugar el verbo amar en pocos tiempos. No me quedó otro remedio que volverme a mi alumno Fausto y darle en pleno Prado una duradera lección de arte angélico:

—Te dejo Fausto por el fausto— queriendo decir el Fausto porque ella se movía más allá de las puertas vaivén y dentro de la sala a oscuras, también llamada Fausto, Teatro Fausto, el cine Fausto para ella. Él, mi afín, al fin dijo entre dientes: —¡Mierda! —dijo Fausto: —¡Es una mierda!— y añadió todavía: —¡Vete a la mierda!— usando esa palabra que tanto gusta a los habaneros que han llegado a crear un cenador de caca, el comemierda. En ese momento resultaba yo un mal Mefistófeles para un falso Fausto y abandonando su auto, tan usado por mí, el blanco convertible raudo, le dije, respondiendo a sus frases frustradas con mi felicidad: —Me voy a la miel— dando a entender que perseguía, que seguía aquella dulzura, bombón o caramelo que entró en ese recinto encantado que es un cine. Y, con la condenación de Fausto, me bajé de su carro del todo que ya cruzaba ignorante los costurones que quedaban de las líneas del tranvía en la calle Colón, vestigios de una civilización desaparecida que nunca conoció, y casi corría Paseo del Prado arriba para dar de lado al poeta fusilado con su musa mórbida, eternizados en su momento, su momento, bronce que penetra al mármol y dejar detrás al parque de los mártires del amor, perdiéndose en el Malecón del mar y del recuerdo. Cortado está el vástago que podría tirar derecho.

Debí comprar la entrada y meterme en el cine a la velocidad de la luz por la puerta vaivén bajo el letrero que advertía «Infantes no admitidos», porque cuando la oscuridad de dentro, siempre en contraste con la claridad de afuera, fuera natural o artificial, me golpeó como una pared gaseosa pude ver, entre un destello de la pantalla (que abrió en ese momento una grieta en el muro negro) y el vacío de la oscuridad, vi su vestido blanco que se alzaba espectral para sentarse ella sin estrujar la falda, ni hacer un acordeón de las crinolinas que llevaba bajo del vestido, sayuelas sucesivas, esclava ella de la moda. No tuve que correr para alcanzar su imagen y tranquilamente me senté detrás de ella primero, luego, sin pretexto visible (sólo había sombras en el cine, inmóviles en la platea, móviles en la pantalla), me levanté para sentarme en su fila, después cambié de asiento una vez más y vine a posarme a su lado, técnica que era experiencia adquirida en días y noches en el cine buscando el amor a oscuras como un iluminado. Si el sexo santificara hacía rato que habría sido santo. Pero ella no miró nunca para mí y llegué a pensar que me había equivocado no de asiento sino de mujer, que la mirada de afuera era sólo una mirada más al final del día, vacía de ojos y frenesí que significaba nada. No le dije una palabra. Ninguna introducción, presentación de credenciales o mero saludo. Ni siquiera el rudo ritual que se quería fino y fácil: —¿Está ocupado este asiento?— antes de sentarme, que además salía sobrando a esa hora en ese cine. No le dirigí la palabra, solamente miradas. La miré al principio como si me asombrara de que ella estuviera a mi lado, con tantas lunetas vacías alrededor. Después la volví a mirar como si la reconociera, preguntándome dónde había visto antes esa cara de color de yodo entre ondas oxigenadas. Me puse a mirarla durante más tiempo, de reojo, luego fijamente de frente, aprendiéndome su perfil perfecto de memoria, su perfil eterno, su perfil y concluí que veía un camafeo más que una medalla. Al mismo tiempo, mientras miraba, pensé en todas las connotaciones del camafeo, desde el perdurable perfil hasta su división en sílabas gratas o ingratas: cama para ella, feo para mí. Pero dejé de mirar su cara para mirar su rodilla que se veía fosforescente en la media penumbra de sus piernas (es asombrosa la cantidad de cosas que se pueden ver a la intermitente medialuz del cine, una vez acostumbrados los ojos al parpadeo luminoso de las imágenes), cabalgando una pierna sobre la otra, moviéndose alternas pero dejando siempre una rodilla a flote de la oscuridad, como la décima parte de un cálido iceberg de carne que navegaba inmóvil en la sombra promisoria. Miré tanto su rodilla que empecé a pensar en la palabra rodilla, en sus siete letras mágicas, en que lo mismo podía llamarse redondilla, en por qué se llamaría rodilla y no peñón o domo de yodo o balón sólido, pensé en la rodilla platónica y en las veces que había encarnado en muchedumbre de mujeres muertas, en multitud de muchachas vivas, en la rodilla metafísica y finalmente regresé feliz a la rodilla física, a aquella rodilla, a su dueña, en ella y en mi mano y su rodilla, mi mano en la rodilla, y de pronto pasé de la teoría a la práctica y le puse una mano en la rodilla, mi mano en su rodilla— y ella no dijo nada. Había seguido el viejo, olvidado por sabido consejo de Ovidio: sólo que en vez de una romana en el circo ella era una habanera en el cine. Ella por toda reacción me miró solamente y aunque ahora no distinguí bien sus facciones porque en la película debía ocurrir, una de esas noches blancas del cine en que la luna de mediodía produce sombras a medianoche y aunque mis ojos estaban fijos en la visión de su rodilla, ahora eclipsada por mi mano, supe que ella me miraba, como me miró afuera en la tarde vernal. Quité la mano de la rodilla porque mano y rodilla estaban húmedas, resbaladizas con el sudor de mi ansiedad y de mis palmas tropicales, y antes de pensar qué hacer con mi mano mojada me vi colocarla (mi mano se había hecho autónoma, independiente de su autor) sobre uno de sus senos —o sobre la tela sobre su teta. Ella se rió, no se sonrió, se rió a carcajadas que la sacudían, incluyendo a mi mano en su temblor de teta. Pero no se reía de mi acto sino de una acción que ocurría frente a ella allá en la pantalla. (Era un cartón de Pluto más allá de un abismo, en el aire ingrávido.) Se rió más, se rió un rato y cuando termino de reírse, como en una extensión del fin de la carcajada, me quitó la mano de sobre su seno y la devolvió a donde estaba primero, que era mi rodilla, flaca y vestida. Vi mi mano reflejando la luz de la pantalla salir de entre sus senos y posarse sobre mi pantalón, escoltada en parte del viaje por su mano. Luego pude presenciar cómo su mano volaba hasta mi mano, la atrapaba de nuevo entre sus dedos desnudos y volvió a colocarla donde estuvo después, que era su rodilla, blanda, verdaderamente muelle. Eso fue lo que hizo. Cuando quitó mi mano de sobre su seno creí que iba a protestar, a decirme algo, que su mano viajaría veloz de mi rodilla a mi cara, que me clavaría las uñas, alfileres, dagas, que armaría un escándalo, que hasta llamaría al acomodador ausente, al portero formidable, aun al taquillero sin sexo. Pero no hizo más que lo que hizo o tal vez un poco más. Me palmeó mi mano dos veces, ambas manos sobre su rodilla, mi mano como una lasca de jamón húmeda en el sandwich de su carne amable.

Lo extraño no fue mi miedo seguido de mi júbilo sino la posición de los dos en el espacio mientras discurríamos en el tiempo acelerado de la película y el tiempo demorado del cine. Estoy seguro de que al entrar me senté a su izquierda pero la mano que ahora ella ponía sobre su rodilla era mi mano izquierda, maniobra que no pudo realizar tan fácilmente si yo hubiera estado sentado a su izquierda. De manera que debía estar sentado a su derecha en este momento, aunque puedo jurar que unos minutos antes ella estaba sentada a mi derecha. Nunca pude explicarme este cambio sino como una transfiguración. Pero para cualquier propósito práctico se debe considerar que yo estaba sentado a su derecha y tenía mi mano (colocada por su mano) izquierda húmeda sobre su tensa rodilla derecha, su pierna visible y palpable montada sobre su pierna en la sombra, impalpada, las dos piernas situadas en las zonas llamadas umbra y penumbra por lo selenélogos. Al depositar mi mano sobre su rodilla (cualquiera que esta fuese) ella se rió de nuevo, sin mirarme, por lo que de nuevo debió reírse de algo que ocurría no en tres sino en dos dimensiones y allá arriba o tenía cosquillas. Casi enseguida después de esta risa o risita desmontó la pierna y mi mano bajó con su rodilla, convertido brazo (mío) y pierna (suya) en un solo miembro móvil. Mi mano se desplazó con su rodilla hasta que mis dedos tocaron con la yema la piel estirada de su otra rodilla, ahora a idéntico nivel que su rodilla primera (izquierda o derecha) y mi mano (también indiferenciable por la confusión de posiciones). Entonces ella comenzó a juntar sus rodillas, como hacen las niñas bien y muchas mujeres malas que no quieren mostrar las entrepiernas, de manera que no sólo las yemas sino también las uñas y los nudillos y sus articulaciones y la piel sobre ellos (que constituían mi mano, con falanges, falanginas, falangetas, etc., según la lección de anatomía de la doctora Miranda) tocaban su rodilla otra, se clavaban en su carne, se aplastaban contra sus huesos (que sentí por primera vez: antes todo había sido suavidad y blandura) y ella juntó todavía más las rodillas y apretó la mano entre ellas y siguió haciendo presión hasta que mi mano estuvo en contacto con ella como la nuez con el cascanueces y me hizo daño y me dolió de veras, tanto que casi grito, alarido que hubieran ahogado las risas del cine. Con mucho esfuerzo pude escurrir la mano de entre sus rótulas casi rota. Es decir, retiré los dedos pero no saqué la palma sudada ni quité la mano tullida. Ella se rió a carcajadas y debió de ser de Pluto una vez más, sus hazañas invisibles para mí porque yo ahora estaba mirando sus senos que subían y bajaban demasiadas veces seguidas para ser efecto de su respiración y tampoco era su risa. Fue entonces que abrió las piernas. Sé que abrió las piernas porque no las abrió una vez sino varias veces y sus muslos hicieron fuelle y el aire que se escapó de entre sus piernas sopló sobre mi mano como un vaho benigno, un monzón milagroso. No moví la mano. Estaba bien allí adherida por capilaridad a su rodilla y balanceada y fresca en su verano carnal ahora. Al menos eso creí yo pero no era lo que pensaba mi mano, Frankenstein femenino.

Vi que ella (mi mano) se movía sola por sobre las ligas (curioso que no notara hasta ahora, hasta el cambio de piel de la rodilla al muslo, que ella llevaba medias de nylon, tan toscas al tacto, que solamente sintiera esta viscosidad seca al pasar sobre el camellón de sus ligas antiguas baratas y apretadas enrolladas casi sobre la choquezuela, fea palabra) y sentí sus muslos fríos, no realmente fríos sino frescos, pulidos, tersos, suaves, blandos, que comenzaron, mientras mi mano reptaba autómata por ellos, sin escapárseme como peces sorprendidos ya que eran carne avisada y comenzaron a hacerse tibios cálidos calientes ardiente quemante calcinante mientras mi mano (debía haber dicho siempre *la* mano) empezó a luchar por separarlos sin darse cuenta ella (la mano) de que allí eran ya inseparables, que era su cuerpo lo que debía abrir si quería encontrar la meta: fue entonces que descubrí, debajo de tanto tul y ningún nylon, su desnudez íntima. Ahora ella se convirtió en una cajita peluda de música de olores —¿o fue en la caja mágica?

No habíamos hablado, yo no había tratado de hablar con ella antes (donde sobran los gestos, no nacen palabras) pero en ese momento yo traté de hablarle yo le hablaba, le hablo todavía, pero ella no respondió. Nada más que se reía, mueca de Mona Lisa demente. Traté de hablarle otra vez y no me dejó: no me tapó la boca ni me puso un

322

dedo sobre los labios ni me chistó. No hizo nada para que yo no le hablara, pero era tan evidente que no quería más que mirar a la pantalla que, nada más de abrir la boca, hice una O o una A —y la cerré de nuevo. Pero *tenía* que hablarle, no quedaba otro remedio, era importante, imperioso, imprescindible. Yo no podía regresar a casa *sin* mi anillo.

—Mi anillo de compromiso...

Era mi vol al fin —o al principio. Pero no me hizo caso.

—Mi alianza. (Es galicismo.)

Hablé más alto pero todavía no hizo caso. Hablé tan alto ahora que estaba gritando cuando me mandaron a callar, que alguien silvó chis, sonido inusitado viniendo del público. Saqué mi mano del todo por entre ojo, labios, pelos, viniendo de la otra cara. Me senté correctamente. Me pasé, higiénico, la mano mancillada por la pierna derecha de mis pantalones. Miré a la pantalla —y no vi nada.

—¿Qué pasa?

Era ella, que hablaba por primera vez, pero no me miraba. Casi creí que hablaba con Pluto. Tan cerca estábamos —no el uno del otro ahora sino siempre los dos de la pantalla.

—¿Qué paso?

Ni me miraba de reojo, su mirada fascinante en el crepúsculo (palabra obscena) de La Habana.

—¿Qué te detuvo?

La miré bien pero ella seguía de perfil, atenta a la acción, al movimiento, al tránsito de Pluto.

—Mi anillo.

—¿Qué cosa?

—Se me perdió mi anillo...

Ella se rió ahora. Se rió más y después miró para mí por primera vez desde que entramos al cine.

—... de bodas. Se me cayó.

Ella se rió aún más y más que nunca se rió con los motivos de Pluto.

—Dentro —dije bajo.

—Ya lo sé, bobo.

Se rió, se reía, se reirá para siempre, como una muñeca de carnaval.

—¿Qué hago ahora? —dije en un lamento que expresaba la lástima de volver a casa sin mi anillo de bodas y enfrentarme a mi mujer con mi afrenta. Además estaba mi madre, juez severo.

—Búscalo.

Me quedé pasmado, sin sabér qué hacer ni qué decir. Pero ella me llevó de la mano —es decir, transportó mi mano por entre sus medias de nylon, ligas anticuadas, sayuelas a la moda y sus muslos macizos, de mármol miel.

—Anda, búscalo.

Al hacerlo, al obedecerla, o un momento antes, la miré y vi que estaba otra vez dentro de la pantalla, concentrada en la contemplación y la fiesta. Me di a mi tarea grata. Busqué bien por los costados, los dedos resbalando por entre bordes húmedos. Al tacto sentí el cambio de ambiente, de piel, de cuerpo. Metí una mano exploradora y los bordes me apretaron la muñeca, tanto como las rodillas me habían atrapado la mano antes. Probé y podía mover los dedos. Busqué hacia el fondo y dí con un obstáculo o un tope. Pero el anillo no aparecía por ninguna parte. Volví a buscar por todas partes. Nada. Busqué más. Ni rastro de mi anillo y era el que me unía en sagrado matrimonio. Molesto saqué la mano bruscamente y la muñeca se enganchó en un saliente.

—¡Maldita sea!

—¿Qué pasó ahora?

Ella había dejado de mirar la pantalla del todo. Aun al claroscuro del cine se veía que estaba molesta.

—Se me zafó el reloj.

—Bueno, ¿y qué?

—¿Cómo que y qué? Se me desprendió de la muñeca con manilla y todo y no quiero perderlo. Es un regalo de mi padre.

Mentía para que sonara no como un reloj sino como un objeto de valor sentimental. Se dará una recompensa a quien lo devuelva.

—Agáchate y recógelo.

—¿*Recogerlo?* Pero si se me cayó donde mismo perdí el anillo.

—Ve y búscalo.

—¿Ir...?

Pero ella regresó a la pantalla, no sin antes hacer un gesto de fastidio.

—Eso si tú quieres. A mí me da igual.

Maldije (en voz baja) mi suerte. Ahora no sólo tenía que buscar mi anillo de bodas sino el reloj de mi madre. ¡Qué lata, los objetos de mi familia! Mientras tanto en la pantalla ella se reía espasmódica. Parece fácil encontrar un reloj donde antes se ha perdido un anillo, pero no lo es, en absoluto. Empecé a buscar, tanteando y reconociendo al tacto los sitios por donde había buscado anteriormente. No había nada. Nada nada. Pero nada. Además ya me dolía la columna vertebral por la posición y el brazo de su luneta que se me clavaba en una costilla. Decidí bajar hasta el suelo. Me metí como pude entre el espaldar de la fila de delante y mi asiento y, evitando sus rótulas distantes pero peligrosas, me agaché despacio para no molestarla. Estaba incómodo realmente en cuclillas y me arrodillé. Al hacerlo planté mi rodilla —sobre uno de sus pies.

—¡Ay! Pero chico, ¿qué es lo que pasa ahora?

Levanté la cabeza y empecé a tratar de explicarle en susurros, pero desde abajo se veía todavía más furiosa, imponente, su pelo amarillo casi llameante. La mía no era una buena posición para ser convicente, de hinojos, farfullando atrapado entre sus piernas y la fila delantera de lunetas.

—Se trata de ...

—¿Quieres dejarme ver la película, quieres?

Estuve a punto de corregirla, de explicarle que no era una película pero era mejor aclarar mi posición:

—Es que es mi reloj. Primero mi anillo y ahora mi reloj...

—¡Ay hijo, pero qué posesivo que eres! *Mi* reloj, *mi* anillo. ¿Quién te manda?

¿Qué responder a la retórica del dialecto? Decidí que lo mejor era concentrarme en la búsqueda evitando su cuerpo. (Si no hay lógica en mi narración es porque había locura en mi método.) Metí bien la mano pero no encontraba nada. Nada-nada. ¿Dónde habrían ido a parar mi reloj y mi anillo? Ella debía saber. Le toqué un brazo para llamar su atención pero no atendía. Lo único que le interesaba era el maldito espectáculo —y así me encontré blasfemando al maldecir el cine en un cine. Me quedé paralizado por el terror religioso. Pero al cabo del rato, y viendo que desde la pantalla no caía un rayo de luz que me cegaba, reuní suficiente ánimo para moverme y la toqué de nuevo. Pero ella no atendía nada que no fuera Pluto, por lo que estiré el brazo a todo lo que daba para que lo viera, traté de colocarlo entre ella y la pantalla, interrumpiendo su línea de visión. Pero el brazo no me alcanzó para llegar a sus ojos y aunque moví los dedos era evidente que no me veía. Cansado, empecé a bajar el brazo cuando mi mano tropezó accidentalmente con uno de sus senos. Saltó como si fuera una afrenta.

—¿Qué carajo es ahora?

Detesto a las mujeres que dicen malas palabras pero no estaba en una posición para mostrarle mi aversión. Además, no la habría visto.

—¿Ppuedo... puedo...?

Lo que me salió fue pena, que es una combinación cubana de dolor y de vergüenza.

—¿Qué es lo que es?

—¿Puedo... con la otra... mano?

—Claro que puedes, siempre que no me toques.

—Pero para buscar tengo que tocar.

—No digo ahí abajo, digo en otras partes.

Me parecía absurdo pero no confuso. Ahora, a mi propósito.

—¿Puedo con las *dos* manos?

—¡Acaba ya de hacerlo!

Era una orden y la acaté. Busqué con las dos manos ansiosamente, extensamente, minuciosamente también y sólo encontré mi pasmo. Me asombró que costara tan poco trabajo esta operación exploratoria. Metódico que era primero busqué el lado izquierdo con la mano derecha y el lado derecho con la mano izquierda, palmo a palmo —o centímetro a centímetro, empleando el sistema decimal. No encontré nada. Nadanada. Decidí cruzar las manos y hacer que la izquierda buscara a la izquierda y viceversa, siguiendo a la antipatía de los contrarios, la simpatía de los semejantes. ¡Nada! Rastreé toda la zona, rastrillé el terreno, escarbé —y nada que estás en la nada fue lo que encontré—. Saqué mis manos espeleólogas y suspiré— aspiré con fuerza pero expiré con mayor fuerza aún porque el dolor se hizo dolor: reacción ante el esmegma, estigma fétido.

—¿Te quieres callar? —era ella arriba como una diosa tronante.

—Pero si no dije nada —dije humilde.

—De hacer todos esos ruidos. Van a creer otra cosa y nos van a sacar de aquí. ¡O todavía peor!

Ella no dejaba de tener razón pero yo había dejado de tener anillo y reloj, de un golpe de Dédalo que no abolirá el bazar.

—¿Y yo qué hago ahora? —la consulté.

—No sé, pero hazlo en silencio.

—Ni anillo ni reloj.

En desespero dramático me llevé las manos a la cabeza, usando su secreción secreta como vaselina y vi —las mangas de mi amisa, *sueltas,* al pairo más allá del borde marino de mi chaqueta.

—¡Mis yugos!!!

Mandaban a callar de todas partes del cine, en un comportamiento extraordinario, como si estuviéramos en una iglesia y todos los congregados fueran feligreses feroces —¡yo era el pagano en el templo!

—¡Está bueno ya!

Era ella, no el cine, enojada conmigo, contra mí, furiosa, hecha una furia ahora. Mejor, era una hidra con todas estas cabezas vociferantes —megera, harpía, erinnia, Gorgona, Salomé, Mesalina, Agripina, bruja de Macbeth, Catalina de Médicis, Catalina Grandísima, Eva Perón, Ilse Koch y, finalmente, adelantada a su tiempo, Madame Mao— de mujeres múltiples inclinadas hacia mí terribles. Pero su color de yodo, aumentó en contraste con su pelo oxigenado, era Kali manoteante, en una de sus cuatro manos una espada fulgurante. Silbaba como una olla de presión:

—¡Sssssiteinteressssssasssenessssassscoasss entra a buscarlassss de una sssssantísimavesss!

—¿Cómo?

Pero no respondió. No abrió su boca sino su cartera y la espulgaba.

—¡Toma!

Me tendía algo metálico. ¿Su espada? ¿El cáliz de Kali? ¿Una cuchara?

—¿Qué cosa es esto? —pregunté antes de tomar aquel objeto ofrenda.

—¡Mi linterna, qué va a ser!

Me la dejó en la mano golpeando con ella la palma, duro, y al mismo tiempo abrió las piernas todo lo que pudo, colocando cada corva en los brazos opuestos de su asiento. Sentí que la cabeza se me alargaba hacia atrás, que mis espejuelos tenían aro de carey, que me crecía un bigote siniestro. ¡Ah, las cosas que se podían hacer en los cines de La Habana! Vi que ella me había dejado de prestar atención para concentrarse una vez más en lo que ocurría en la tela blanca poluta. Encendí la linterna que abrió un hoyo de luz blanca donde anteriormente era todo tacto. Antes de asomarme tuve un ataque de presciencia y desatando el cordón de uno de los zapatos me amarré bien las patas de mis quevedos por detrás de mi cabeza y entre las orejas. Avancé decidido. A mi espalda rugió un león —o tal vez fueron tres leopardos al unísono.

En el momento que metí la cabeza toda sensación cesó —ruidos, texturas, olores, sabor amargo. Todo menos la visión que proyectaba mi, su, linterna, que alumbraba bastante auque no era mucho más grande que la Pelikan en mi bolsillo —¿en mi bolsillo?— sí, en mi bolsillo de la chaqueta sempiterna firmemente prendida estaba. (Esta construcción gramatical era una influencia alemana de mi pluma, evidentemente). Hice bien en meter la linterna primero pero hice mal en llevar los brazos por delante. Al levantar la cabeza entraron también (involuntariamente) mis hombros estrechos y al tratar de sacarlos por temor a quedarme trabado hice un movimiento de palanca —para conseguir exactamente lo contrario al efecto deseado. (Doppler). Caí resbalando hacia adentro. Pero no perdí la linterna.

Me levané para saber que cojeaba de mi pie que siempre se mostraba independiente, con vida propia. Pero lo sentí mojado, pegajoso. ¿Me habría herido? Alumbré mis pies y vi que me faltaba un zapato, el izquierdo, el otro estaba bien atado. Antes de empezar a buscar mi zapato me entretuve mirando lo bien que se veía la media gris haciendo contraste con el suelo rojo y rociado. Olvidando mi esteticismo súbito dirigí la linterna hacia las paredes primero, que brillaron rosadas, coralinas o reflejando puntos de color escarlata. Hacia el fondo una luz se perdió en una curva morada. Alumbré la entrada pero el zapato no se veía por ningún lado. ¿Sería posible que lo hubiera perdido *fuera?* Gateé como pude por la rampa mucosa hasta el orificio por el que había caído y traté de mirar hacia el exterior. Solamente vi un vestíbulo a oscuras con una campana malva arriba y unas colgaduras moradas a los lados. Iba a trasponer el umbral cuando de pronto hubo como un temblor —¿de tierra?— y resbalé hacia dentro, casi hasta el fondo del salón. Pero no perdí la linterna.

Me puse en pie de nuevo y traté de encontrar la rampa de entrada, a la que ya no podía llamar La Rampa, invisible ahora. Era evidente que había resbalado hasta otro ámbito. Eché a andar en la dirección que me pareció más exacta hacia la salida y enseguida me di cuenta de que en vez de salir iba hacia adentro. Alumbré paredes, techo y rincones por igual, minucioso, y tomé nota mental de lo que parecía una morada morada. Aunque el color variaba a veces del púrpura oscuro al rosa pálido y el suelo se hizo primero granuloso y luego estriado, siempre estuve en una cueva blanda. Ni el anillo ni el reloj ni los yugos aparecieron. Pero al recorrer el salón paso a paso y trazar su topografía supe que estaba en una pieza en forma de pera. Mi éxito será mi salida.

Llegué a una bifurcación y siguiendo el consejo campesino que recomienda no dejar trocha por aprocha decidí coger el camino de la derecha, que se veía más amplio. Caminé unos diez pasos —aunque no puedo decir cuántos pasos había desde la entrada era evidente que estaba en el recinto del espacio perdido— y me di de manos a boca, lugar común, con una pared lisa toda rojo cardenal. ¿Sería esta una capilla? Pero una inspección detenida mostró que por las paredes bajaban largas rayas rojas, irregulares y finas. No había nada allí, ni rastros de los objetos a encontrar. Di la vuelta mirando siempre al suelo húmedo, la vista fija en la roleta de luz que eran mi adelantado. Al regresar a la horqueta, a la izquierda, vi como una mota blanca que desapareció en la curva. Parecía —me da horror decirlo— una pata de conejo animada —o tal vez su rabo raudo—. Corrí hasta la esquina pero no vi rastro ni rabo. ¿Sería una alucinación? Nadie respondió a mi pregunta y descubrí que estaba solo. O casi solo: tenía a mi linterna por compañía: cuando uno está solo hasta la luz de una linterna es alma amiga. Torcí la esquina para encontrarme con otra bifurcación. Me hallaba en un laberinto, sin duda, y siguiendo una regla que establecí en ese momento, desdeñé el camino ancho por el estrecho. A los pocos pasos de andar por esta vereda me encontré con un cul-de-sac. (También llamado blind alley y callejón sin salida en el exterior.). ¿Estaría perdido? ¡Imposible! El que se ha encontrado nunca se pierde. La salida está ahí a la derecha. ¿A la derecha? ¿Es a la derecha o a la izquierda que está la salida a la realidad del cine? Iba a buscar una moneda para tomarla como brújula y decidir mi rumbo a cara o cruz, cuando de nuevo tembló la tierra, toda la caverna se sacudió y me vi empujado por movimientos cada vez más sísmicos —hacia el fondo— ¿o hacia el frente? Esta ocasión logré mantener un equilibrio precario y tampoco solté mi linterna acompañante. Patiné a regular velocidad hasta un saloncito color vino agrio y justo en medio cesaron los temblores como habían comenzado, de golpe. ¿Dónde estaría ahora? El cul-de-sac, blind alley o callejón sin salida había pasado por mi lado empujado por muros color violeta y mucosas columnas enfermas y moduladores blandos. Decidí reflexionar sobre mi situación y mi derrotero —más que nada porque tenía miedo a moverme de allí. Derrotero suena más a derrota que a ruta y derrotado hice lo que hacen todos los vencidos que no creen en el cielo: miré al suelo. Allí, tan inesperada aparición como la desaparición de mis objetos y mi pérdida, había un libro, más bien un librito. Lo tomé como un signo: siempre había creído en la salvación por los libros. Me incliné a recogerlo y a la luz de la linterna, que me pareció de pronto mágica, pude ver que estaba encuadernado en piel y era un tomo antiguo. En su portada había una inscripción en latín, que es para mí griego, que decía: *Ovarium, corpus luteus, labium majus, tubae Falloppi, matrix*— no entendía una palabra o tal vez entendía una, la última, que sin duda se refería a la imprenta. ¡Era un libro sobre libros! Pero debajo de esa inscripción había dos iniciales: AS, aparentemente las siglas del autor, desconocido o demasiado conocido para poner su nombre. Compuse una breve lista de autores posibles al preguntarme quién podía ser. ¿Adolphe Sax? No me parecía un tomo de instrumentos musicales, a pesar de la tuba latina. Tenía la impresión de que la solución era simple. ¿Askenazis y Sefardíes? ¿Sophonisba Angusciola invertida? ¿Ánima Sola? ¡Ah qué enigma entrambaspiernas! Desesperaba pero esperaba. ¿Esas iniciales no serían acaso...? ¡Claro! ¡Eso era! ¡Ábrete Sésamo! La A y la S eran una indicación de Arriba la Salida. Abrí el librito para comprobar la certeza de mi acierto o aserto —y lo que encontré fueron fragmentos escogidos de un diario o cuaderno de bitácora, que nunca se sabe con las notas de a bordo.

> Domingo, 16 de agosto. Nada nuevo. Mismo tiempo. Vientos ligeramente frescos. Cuando desperté, mi primer pensamiento fue para observar la intensidad de la luz. Vivo en el temor de que la luz se atenúe y desaparezca del todo.

Mis piernas temblaban. Al principio pensé que eran mis nervios pero luego caí en cuenta de que temblaba el suelo bajo mis pies. Tuve que regresar a la lectura de las notas del pobre narrador con luz escasa.

> Mi tío echó sondas varias veces, atando uno de los picos más pesados al final de una cuerda que dejó caer a doscientas brazas. *No hay fondo.* Tuvimos dificultad en subir la sonda. Cuando el pico estuvo de nuevo a bordo, Hans me

mostró unas huellas profundas en su superficie. Era como si la pieza de hierro hubiera sido comprimida entre dos cuerpos duros.

Miré al guía.

«Tander», dijo.

No entendí y me volví hacia mi tío, sumido en sus cálculos. Decidí no molestarlo y regresé al islandés, quien abriendo y cerrando su boca varias veces me hizo comprender. «¡Dientes!», dije atónito, mirando detenidamente a la barra de hierro.

Si, eran definitivamente marcas de dientes, impresas en el metal. Las quijadas que los contienen deben ser increíblemente poderosas. ¿Serían los dientes de un monstruo de una especie prehistórica que vive allá abajo, un monstruo mucho más voraz que el tiburón, más formidable que la ballena?

Trataba de alumbrar el papel y leer al mismo tiempo pero (los que han intentado esta forma de lectura lo saben muy bien) era prácticamente imposible, con el suelo tan resbaladizo, irregular y sometido de cuando en cuando a ligeros temblores. Además las pilas debían de estar cediendo porque la luz era más débil ahora. Decidí, para mejor ver, sostener la linterna entre mis dientes y acercar el diario de a bordo a la boca.

Miércoles, 19 de agosto. Afortunadamente, los vientos que soplan fuerte nos permitieron alejarnos del escenario de la batalla.

Jueves, 20 de agosto. Vientos variables. Nor-Nordeste. Temperatura elevada. Velocidad, 9 nudos.

Hacia el mediodía oímos ruidos distantes, un rugido continuo que no pudimos identificar...

Transcurrieron tres horas. El rugir parecía el de una cascada distante. Se lo dije a mi tío, que movió su cabeza negativamente, pero yo estaba seguro de tener razón y me pregunté si no estaríamos navegando hacia alguna catarata que nos hundiría en el abismo. No dudaba que este método de descenso le gustaría a mi tío, porque sería vertical, pero por mi parte...

De todas maneras, definitivamente había un fenómeno sonoro a unas millas mar afuera, porque el sonido rugiente se hizo claramente audible...

Miré hacia arriba, hacia los vapores suspendidos en la atmósfera y traté de penetrar su interior...

Luego examiné el horizonte, que aparecía ininterrumpido y libre de niebla. Su apariencia no había cambiado en absoluto. Pero si el ruido venía de una caída de agua, de una catarata, si toda el agua caía en una fosa interior, si ese ruido era producido por el sonido del agua al caer, entonces debía haber corrientes, y su creciente velocidad me daría la medida del peligro que nos amenazaba. Consulté la corriente: ninguna. Eché una botella vacía al agua: no se movió...

«Ha visto algo», dijo mi tío.

«Sí, creo que sí.»

Hans bajó del mástil y tendió su brazo hacia el horizonte.

«Der nere.»

«¿Hacia allá?», repitió mi tío.

Tomando su telescopio oteó el horizonte detenidamente por un minuto que me pareció una eternidad.

«¡Sí, sí!», gritó.

«¿Qué se ve?»

«Un gran chorro de agua que se levanta sobre las ondas.»

«¿Otro monstruo marino?»

«Tal vez.»

«Entonces debemos poner proa más al Oeste, ¡porque ya sabemos lo peligrosos que pueden ser estos monstruos prehistóricos!»

«No, sigamos adelante», dijo mi tío.

Me volví a Hans, pero él sostenía el timón con inflexible determinación. Pero si a la distancia que nos separaba del animal —que estimé por lo menos en 30 millas náuticas— podíamos ver la columna de agua que expedía, entonces debía ser de dimensiones sobrenaturales. La más ordinaria prudencia habría aconsejado la huida, pero no habíamos venido tan adentro a ser prudentes.

Nos apresuramos, por tanto. Mientras más nos acercábamos al chorro, más grande parecía. ¿Qué monstruo, nos preguntamos, podía coger tal cantidad de agua y soltarla a chorros sin un momento de interrupción?

A las ocho de la noche estábamos a menos de cinco millas. Su enorme, oscuro, escarpado cuerpo surgía del mar como una isla. Ilusión óptica o miedo, pero me daba la impresión de que tenía más de una milla de largo. ¿Qué podría ser este cetáceo que ni Cuvier ni Brumenbach sabían de él? Estaba inmóvil y aparentemente dormido: el mar parecía incapaz de moverlo y las olas eran las que rompían contra sus costados. La columna de agua, lanzada hasta una altura de unos 500 pies, caía en forma de lluvia como un rugido ensordecedor. Y aquí estábamos nosotros, apresurándonos como lunáticos hacia este poderoso monstruo que ni cien ballenas al día serían suficientes para dejarlo satisfecho!

Domingo, 23 de agosto. ¿Dónde estamos? Hemos sido arrastrados con increíble rapidez.

¿Adónde vamos?

Hace cada vez más calor. Miré el termómetro, registraba *(el número es ilegible)*.

Lunes, 24 de agosto. ¿No terminará esto nunca? ¿Esta densa atmósfera, ahora que ha cambiado, va a mantenerse en esta condición?

Durante tres días no hemos podido cruzar palabra. Abríamos la boca y movíamos los labios pero no salía sonido alguno. No podíamos hacernos oír ni gritando en los oídos... Mi tío se acercó y pronunció unas cuantas palabras. Creo que dijo, «Estamos perdidos», pero no estoy seguro... Apenas habíamos levantado su cabeza cuando una bola de fuego apareció...

El miedo nos paralizó. La bola de fuego, mitad blanca, mitad azul y del tamaño de una concha de diez pulgadas, se movía lentamente...

Un hedor de gas nitroso llenó el aire entrando en las gargantas y colmando los pulmones hasta sofocarnos... De pronto hubo un fogonazo. La bola había estallado y estábamos cubiertos por innumerables lenguas de fuego. Todo se hizo oscuro. Apenas tuve tiempo de ver a mi tío tumbado sobre la balsa y a Hans al timón pero «escupiendo fuego» bajo la influencia de la electricidad que lo saturaba.

¿Adónde vamos? ¿Adónde vamos?

Martes, 25 de agosto. He salido de un largo sopor...

Puedo oír un nuevo rugido. ¡Seguramente es el agua rompiendo contra las rocas! Pero entonces...

Aquí no pude seguir leyendo los fragmentos fantásticos no porque fuera interrumpido por los elementos sino porque el librito se acabó, *editio brevis*. Nunca me enteré de la naturaleza del monstruo: ¿animal, vegetal o mineral? ¿Quiénes eran estos viajeros sobre esa balsa sobre la laguna, lago o laguito? ¿De dónde venía ese aire azufrado?

Misterios del texto. Tampoco pude descifrar las iniciales en la tapa. La A bien pudo significar Ariadna y tal vez me ayudara a salir de esta trampa teatral el tomo. Pero, ¿y la S qué significaba? ¿Sodoma, sonda, solo? ¡Ah, qué enigma fétido! Fue en este soliloquio que hubo otra sacudida sísmica, mayor que las anteriores. ¿Sería una ola de Love? ¿Cuánto mediría el péndulo de La Coste ahora? ¿Vendría la discontinuidad del punto moho? ¿Habríamos llegado al grado 9 de la Escala (modificada) de Mercalli? ¿Cuántos richters de magnitud alcanzaría el seísmo? Ninguna de estas preguntas pudo ser contestada porque una sacudida como de 10 puntos Fumagalli me hizo perder el equilibrio y caer al suelo, sísmico pero siempre suave. Otro temblor todavía mayor me acostó sobre una alfombra acogedora. Luego hubo otro espasmo en la caverna y otro y otro más, cada vez más fuertes. ¡Era un cataclismo! Mi cuerpo (y yo con él) comenzó a moverse, a desplazarse sobre el suelo, primero a la derecha, luego a la izquierda, después volvimos a su centro para resbalar enseguida hacia adelante y finalmente salir despedidos con fuerza de despegue —¡hacia atrás! ¡Santos cielos!, ¿adónde iremos a parar? ¿Adónde? Viajaba ahora a mayor velocidad sobre el suelo encharcado, a veces deslizándome como un trineo, otras navegaba sobre un colchón de aire como un hovercraft anacrónico, otras volaba en una alfombra mágica. Ahora rodaba, pegaba contra las paredes pálidas, dando nuevos tumbos contra columnas cálidas, contra muros muelles, para luego torcer una esquina redonda y volver a deslizarme, a correr, a volar a velocidad vertiginosa. Nunca había soltado la linterna, que era la luz, pero fue precisamente en este momento en que perdí el libro. Empecé a girar en un torbellino sin centro. Stop! Luego hubo como un choque en una falla, un estertor en la espelunca y caí libremente en un abismo horizontal.

Aquí llegamos.

Londres, 1975-1978.

Ningún arte ha estado tan indisolublemente ligado a otro como el cine a la música. (Contrariamente a lo que se pudiera pensar el verdadero cine no debe nada ni al teatro ni a la novela.) El teatro aparece íntimamente conectado con la poesía, pero las dos son formas literarias que coinciden. Es cierto a su vez que la unión del teatro con la música está ya en los orígenes griegos, pero no hay una relación de dependencia tan decisiva como entre el cine y la música, y la música en el teatro es siempre incidental. Se puede decir que el verdadero drama musical —que Wagner creyó posible en la ópera— está en el cine. La música en la ópera cuando no es una guitarra para acompañar a los cantantes, ahoga las voces —los ejemplos diversos están presentes en un mismo compositor, Verdi— con un torrente musical y las palabras son siempre ininteligibles, aun a los italianos: la ópera más que una forma de arte es un magma musical sobre la escena. Si existen películas sin música (como se empeña en demostrar Luis Buñuel: este director es sordo y, como un enfermo siempre quiere hacer partícipe a los demás de su mal, contagiarlo, así, al contrario de Bethoven, Buñuel trata de negar la música al no dejarla oír), también hay films compuestos de foto-fijas, como *La Jetee,* la pretenciosa cinta francesa —fijeza que no niega el movimiento.

Sin embargo el cine sonoro no se desarrolla hasta treinta años después de la invención del cine: como se sabe, el cine es el único arte que surgió de un invento. Las artes, desde la más remota antigüedad, habían dependido de la percepción humana, de ojos y oídos, de los sentidos y solamente su trasmisión necesitaba de la técnica. Algún arte, aparentemente nuevo, como la novela, parecía haber surgido con la invención de la imprenta. Pero ya había novelas antes de haber imprenta. El cine, sin embargo, siempre dependió del cinematógrafo: el arte nació de la invención. Pero había algo en el cine mismo que necesitaba de la música y así desde los primeros años del cine las películas eran acompañadas por pianistas, cuartetos de cuerdas y hasta pequeñas orquestas. En época tan temprana como 1908, el afamado, infame compositor Camille Saint-Saens compuso música para el film *El asesinato del duque de Guisa.* Esta es la primera asociación entre un compositor sinfónico y el cine. Después de la invención de la banda sonora habría muchos de ellos, tal vez demasiados. El primer film hablado, *El cantor del jazz,* de 1927, era significativamente una película cantada. En ella Al Jolson, con su excesivo entusiasmo de siempre, se atrevió a decir dos o tres frases históricas —que no estaban en el guión. El objetivo inmediato de esta película era dejar oír la voz humana haciendo música: era un musical. Esta cinta sonora terminó con el silente, con un arte que era incompleto porque le faltaba el primer elemento de comunicación dramática, que es la voz. Pero al mismo tiempo hizo desaparecer el piano o la pequeña orquesta que sonaban delante de la pantalla, a plena vista, para hacer a los músicos incorpóreos, la música producida no en la misma pantalla sino detrás, técnicamente, pero aparentemente viniendo de ninguna parte —la orquesta invisible soñada por Wagner.

Las primeras películas sonoras tenían como música préstamos pedidos a Chaicovsky, a Chopin, a Wagner mismo. Pronto los estudios contrataron a compositores vivos, menos eminentes que los muertos pero mucho más eficaces. No habría un Saint-Saens entre ellos (más bien hubo Honegger, William Walton y Aaron Copland, que vendrían después), pero los mejores músicos resultaron ser compositores desconocidos con un gran dominio de la técnica orquestal y una comprensión cabal del rol de la melodía en el cine —aunque muchos pidieran prestado a los generosos músicos del siglo anterior y otros llegaron hasta el plagio y la piratería. Así nació la música de películas, tan distinta, reconocible, toda atmósfera y descripción, como quería Debussy y la emotividad cara a Chaikovsky. Como Hollywood era el centro del mundo del cine (y de paso quien mejor pagaba) allí sin buscar habría que encontrar a estos compositores, casi todos europeos. Uno de los primeros en llegar fue Max Steiner, inevitablemente venido de Viena y establecido en Hollywood en 1931. Entre sus créditos iniciales están *Cimarrón,* 1931, *King Kong,* 1933, y en 1934 gana su primer Óscar con la música de *El delator,* esa insoportable mezcla melodramática de John Ford y Dublín insurrecto, que es más bien Dostoievsky en Irlanda visto desde Hollywood. Cinco años después Steiner tiene su momento de gran popularidad al componer la música para *Lo que el viento se llevó.* Sin embargo para mí la cumbre de su talento está un poco más allá, en la música de *La excéntrica (Now Voyager,* 1942), que es tan inolvidable como la famosa frase final dicha por Bette Davis. Steiner compuso muchas películas más y se ganó otros dos Óscares, pero aunque vivió hasta 1972 ya en *El tesoro de la Sierra Madre,* 1947, su canción se oía cansada. Otro gran compositor de Hollywood, Erich Wolfgang Korngold, también nació en Europa Central, en Praga. Había sido un niño prodigio musical y era un compositor sinfónico de nombre cuando sabiamente se instaló en Hollywood en 1935. Hitler tanto como la competencia de compositores lo hubiera hecho mortal. Como Steiner, Korngold vino contratado por la Warner, la compañía que no por gusto produjo *El cantor del jazz,* para introducir el sonido —es decir, la música— en el cine. Korngold compuso la partitura de la pretenciosa *El sueño de una noche de verano* (un enorme atrevimiento, sobre todo dado que existe la obra maestra de Mendelssohn) y para *Engaño (Deception,* 1945) llegó hasta componer un concierto para cello y orquesta. Sin embargo su monumento musical en el cine es la partitura para *Las aventuras de Robin Hood,* 1938, en que no se sabe quién es más galante y audaz y risueño, si Errol Flynn o Korngold —los dos extranjeros en Hollywood, los dos convertidos en memorables gracias al cine sonoro.

Miklos Rozsa es el tercer gran compositor llegado a Hollywood de Centroeuropa, más tarde el músico elegido para hacer oír la música que viene de ninguna parte. Nacido en Budapest, Rozsa tuvo una excelente educación musical y fue alumno de Arnold Schoenberg en Viena —que es como decir de un pintor que fue discípulo de Picasso en París o un escritor sucretario de Joyce en Zurich. Después de haber compuesto la música para dos de las más espectaculares producciones de Alexander Korda, *Cuatro plumas blancas* y *El ladrón de Bagdad,* la primera de 1939, la segunda hecha en Hollywood en 1940, Rozsa se instaló definitivamente en Hollywood (¿quién quiere la Zeca cuando está en la Meca del cine?) y enseguida compuso la música de tres películas inolvidables *Pacto de sangre (Double Indemnity,* 1944), *Días sin huella (The last Weekend,* 1945) y *Cuéntame tu vida (Spellbound,* 1945) y en la última las melodías son más memorables que las imágenes, aunque estas combinaron los talentos visuales de Alfred Hitchcock y Dalí. En ellas Rozsa, siempre innovador, usó por primera vez un instrumento nuevo, el Theremín, mezcla de música electrónica y las viejas ondas Martenot francesas, para conseguir una atmósfera de sueño desquiciado, de pesadilla recurrente, de perturbación mental que tuvo el raro honor de ser no sólo imitada sino de merecer esa forma de homenaje torcido que es la parodia. Rozsa siguió explotando su nueva veta dramática, melodramática en films como *Los asesinos* y *El abrazo de la muerte (A Double Life,* 1947), con la que ganó otro Óscar (el primero lo consiguió con *Cuéntame tu vida),* para regresar más tarde a su primer estilo heróico, con *Quo Vadis, Ivanhoe* y sobre todo *Ben Hur,* que en 1959 le ganó todavía otro Óscar. Pero en esta etapa nunca consiguió igualar su gran manera musical majestuosa de *El ladrón de Bagdad.* Sin embargo con *El Cid* volvió por un momento (y fue un momento memorable) al viejo esplendor kordiano y su música contribuyó a hacer de *El Cid* un espectáculo grandilocuente, casi grandioso, mejor como película épica tal vez que *Ben Hur* y superior sin duda a *Ivanhoe* y *Quo Vadis.* Rozsa vive ahora oscuramente —que para un músico de cine es decir en el silencio que sigue a la palabra FIN.

El cuarto músico que hace del trío de grandes compositores de música de cine, un cuarteto de acuerdos, no vino de Europa y aunque su nombre podría indicar un origen austríaco o alemán, proviene de Nueva York. Se trata de Bernard Herrmann, compositor de un repertorio creador completo, que se encuentra tan cómodo en una orquesta de cuerdas solas (en *Psicosis)* como sin orquesta *(Los pájaros)* y es a la vez capaz de componer una ópera para la pantalla —o fragmento de ella, como su *Salammbó,* oída a retazos en *El ciudadano (Citizen Kane).* Fue su director Orson Welles precisamente quien llevó a Herrmann a Hollywood en 1940 para componer la música de *El Ciudadano.* Al año siguiente Herrmann ya había ganado un Óscar por su partitura para *Un pacto con el diablo (All That Money Can Buy).* Por esa fecha Herrmann compondría otros acompañamientos memorables (tal en *Soberbia, The Magnificente Ambersons)* pero lo que lo hace notable como compositor cinemático no es su talento inmediato, sino su capacidad para sobrevivir a largo plazo todos los estilos fílmicos, diversas épocas del cine y diferentes generaciones de cineastas.

En 1955 Herrmann formó pareja con otro maestro de las imágenes como Welles, pero con un diverso uso de las posibilidades técnicas, dramáticas y visuales del cine. Este hombre orquesta es Alfred Hitchcock. Tanto deben algunas de las obras maestras de Hitchcock a la música de Herrmann que durante años significó para muchos el músico del suspense. Su primer film juntos sin embargo fue *El hombre equivocado,* que es un Hitchcock fallido, sin suspense. Pero ya al inicio del film Herrmann tiene una abertura que es su firma de la película y una marca de agua sonora para todo el tiempo que durará su colaboración con Hitchcock. En ese comienzo inolvidable se oye una rumba dislocada, tensa, mientras se ve unas parejas bailando en un club. Los bailadores empiezan a escasear, mientras sigue la rumba fatal —no para los que bailan. Finalmente la pista de baile queda vacía y vemos a los músicos, todos de aspecto impersonal, igualmente cansados: obreros del arte de hacer ruidos organizados, gratos, ingratos, recordables, olvidables —y uno de ellos es un presunto asesino, un falso culpable.

La colaboración con Hitchcock continuó creadora y en los próximos cinco años Herrmann trabajó exclusivamente con este director meticuloso, fastidioso, perfeccionista. A *El tercer tiro (The Trouble with Harry,* 1956), que no es nada perfecto, sigue *Vértigo,* 1958, en que Herrmann da rienda suelta a su romanticismo derivado del buen Wagner y algunas muestras de su arte propio, como son un *ostinato* obsesivo que es el tema del vértigo, de la caída y de la muerte y una habanera, que llamé en su estreno depravada y ahora llamaría desquiciada en el sentido mental y musical. Pocas veces el arte de un director de cine ha sido tan bien servido por su música como en *Vértigo,* una película que se puede oír transcurrir con los ojos cerrados mientras la música suena sugerente. A *Vértigo* siguió *Intriga internacional (North by Northwest,* 1959), en que las notas de Herrmann son tan juguetonas como las tomas de Hitchcock. Luego vino *Psicosis,* 1960, en que Herrmann usó la orquesta de cuerdas con amplitud sinfónica y la intimidad de la música de cámara, al tiempo que conseguía aterrar con sonidos estridentes, tan penetrantes como el cuchillo homicida del loco armado. Después de *Vértigo* esta es la mejor partitura que Herrmann compuso para una película de Hitchcock —y sería la penúltima. Aunque conspiraron en *Los pájaros* (Herrmann orquestó los sonidos de alas, el piar frenético, el barullo de las aves como si fueran instrumentos en una partitura, pero, desde luego, esto no es música, no en el sentido que lo entiende el cine), la última vez que colaboraron él y Hitchcock fue en el film *Marnie,* 1965, donde Herrmann inyectó en su vena romántica una transfusión de fluido neurótico que traduce fielmente en sonidos musicales la personalidad patológica de su protagonista, una ladrona compulsiva. Herrmann debería haber compuesto la música para la siguiente película de Hitchcock, la escasa (tal vez porque echamos de menos su música) *Torn Curtain,* 1966, pero hubo una confusión de intereses y de intenciones, en las que el estudio Universal objetaba a Herrmann por ser un músico pasado de moda y Hitchcock lo acusaba de no haber seguido sus instrucciones —como si Herrmann lo hubiera hecho en el pasado, cuando se limitaba a traducir en sonidos audibles el sentido oculto de las imágenes hichcockianas. Es irónico que Herrmann fuera tildado atrasado en los sesenta mediados cuando terminaría su vida y su carrera (murió de repente en Hollywood en 1977) colaborando con los directores más avanzados de los años sesenta y sirviendo de maestro de imaginaciones musicales a las visiones aún imperfectas de estos novatos novedosos —sus imágenes serían completadas por la música de Herrmann de una manera que más que eficaz, es milagrosa. No otra cosa ocurre con *Obsesión,* 1975, que es un homenaje de Brian de Palma y a la vez una parodia seria, pensada de Hitchcock, del Hitchcock romántico y actual de *Vértigo.* Si las imágenes son nuevas (de una manera que las imágenes de Hitchcock ya no lo son, como muestran *Frenzy* y *Family Plot,* de 1972 y 1977 respectivamente), la música mantiene la atmósfera de suspenso o de miedo y se completa con el tema del amor, recurrente, obsesivo y nada parecido a la partitura de *Vértigo*. Esta es una de las mejores muestras del talento de Herrmann para organizar sonidos como imágenes. Pero su música de cine extraordinaria —tal vez su obra maestra— es la que suena mientras discurren las imágenes de *Taxi Driver,* 1976, su canto de cisne en el cine. Sin estos acordes bajos, sombríos, temerosos, la película perdería su eficacia para incluir el terror al tiempo que invoca una visión del infierno de la gran ciudad. Bernard Herrmann vivió en Nueva York y es esta traslación de la ciudad en sonidos lo que nos hace penetrar el misterio de la urbe que es un orbe cerrado: esa música que parece subir de las alcantarillas, escurrirse entre los callejones sin salida, emerger de los edificios ominosos es una miasma sonora: esa música no viene de ninguna parte, viene de todas partes, es la música ubicua, la música total, la música del cine —en que las imágenes son otra forma de música pero donde la música completa la forma final de las imágenes.

El miércoles 22 de agosto, este año, los cines de La Habana estaban exhibiendo a la vez *Gigi, La herencia de la carne, La rebelde debutante, Dios sabe cuánto amé, Té y simpatía* y *Sinfonía de París.* Esa media docena de films, cosa curiosa, son de un mismo director y, todavía, son casi un resumen de la larga y feliz carrera de ese maestro de ceremonias de la alegría, de ese artesano del entretenimiento, de ese técnico experto y extraordinariamente modesto que se llama Vincente Minnelli.

La grata concurrencia de las seis películas la explica, más que el azar, el arte infalible de Minnelli para divertir a todos los públicos: él ha sustituido a Walt Disney como embajador *at large* del cine americano. No hace mucho Nikita Khruschov, hablando con Benny Goodman, hizo el elogio de la comedia musical. André Malraux dijo en su visita a los Estados Unidos que la comedia musical, el *musical* del cine, era una forma de arte genuinamente americana. Sukarno y Nasser se divierten —es decir, siguiendo a la etimología, se dejan llevar por otro camino— de las obligaciones políticas con comedias musicales. Alain Resnais, el colmo de los cineastas intelectuales, acaricia, con vehemencia que está a un paso del estupro, un virginal proyecto de hacer, «algún día», una comedia musical en Hollywood. En el Japón las comedias musicales ocupan las carteleras por años y en Italia se han hecho congregaciones políticas y religiosas que prometían un *musical* después de los «discursos trascendentales». Sin ir más lejos, aquí mismo, entre nosotros, las comedias musicales —y no hay más que ver los programas— sirven, de relleno, el papel de alegres y confiados señuelos cinematográficos. Pregúntele a ella y pregúntele a él, pregúntele al público y se verá cómo identifican, hacen de muchos uno solo, y declaran que la frase «comedia musical» se pronuncia, en el lenguaje del cine, Vincente Minnelli.

Los seis films de Minnelli reunían entre sí otra singularidad: representaban o casi representaban la total carrera del artista. No faltaba más que la fugaz huida hacia el campo de la biografía, *Sed de vivir,* para que tuviésemos en esta muestra a todo Minnelli. Pensándolo mejor, no hacía falta la presencia de este film bien hecho pero fracasado: la biografía de Van Gogh es un extraño en el orbe cerrado —Minnelli es un hombre feliz: él sabe unir el fin con el principio— y pulido y perfecto de un crador que, si alguna vez ha puesto un huevo, lo ha puesto redondo. Si uso la frase «poner un huevo» es porque aparece a menudo en los diálogos de las películas de Minnelli, como parte esencial de la jerga del *cocktail party* y porque quizás su film más feliz, la cinta que cerrará estas charlas y estos ciclos, *Brindis al amor,* utiliza el modismo del huevo como su gran chiste central. Para aquellos que quieran saberlo, les diré que «poner un huevo», en inglés, equivale a esa frase española que hemos merecido alguna vez y que implica no solo el error por el error, sino el error cuando más inoportuno es, el error social. La frase equivalente es «meter la pata».

Todo está bien si bien acaba

Miguel de Montaigne, para citar a Juvenal, dice: «Antaño me empleé en consolar a una dama verdaderamente afligida: la mayor parte de los duelos femeninos son artificiales y de ceremonia.» No hay que haber leído a Shakespeare para saber que Shakespeare leyó a Montaigne: «Fragilidad, tienes nombre de mujer.» Mientras que Montaigne, antes de negar a Juvenal, lo convoca: «Una mujer tiene siempre prestas las lágrimas para soltarlas ante los espectadores cuando quiere abundantes.» ¿Por qué recopilo yo estas citas de estos supuestos enemigos de las mujeres? Porque a menudo he pensado que el afán del melodrama, del folletín, de la novela-cebolla por atraer las lágrimas fáciles, el pesar pasajero, la pena leve, es un trajín femenino: no en balde florecieron las mujeres novelistas en el siglo que vio crecer el folletón como una planta maligna: Jorge Sand, las innúmeras hermanas Brontë se continuaron en Mary Webb y, lo que es peor, en Eugenia Marlitt, en Elynor Glynn y en Daphne du Maurier. Hollywood las recogió a todas —y no por una caridad mal entendida.

Pienso esto, digo esto, porque creo que Vincente Minnelli tiene la necesidad de ciertas mujeres de hacer llorar llorando: «Tiene siempre prestas las lágrimas para soltarlas ante los espectadores cuando quiere abundantes», y no creo que este superbo *entertainer* desdeñe a los espectadores abundantes. No digo estas cosas con la boca torcida, como un Popeye crítico, sino que las menciono al pasar, convencido de que Minnelli es la exacta contrapartida de Howard Hawks. Donde Hawks exhibe una virilidad casi cruel, Minnelli deja ver una sensibilidad femenina; donde Hawks se ve tenaz, aguileño, como un halcón, Minnelli parece un pingüino inteligente, un canario que baila, una amable cacatúa que canta bonito; donde Hawks es casi una fascista, un violento, un duro, Minnelli es un demócrata completo, un hombre de sociedad, un *citadino* generoso que sabe que urbanidad viene de la urbe, que las buenas maneras se inventaron en la ciudad. Por otra parte, puedo recordar un axioma atribuido comúnmente a Walt Whitman: «El genio es un monstruo, mitad mujer y mitad hombre», o «El genio es un monstruo con alma de mujer», o algo así: no recuerdo. Vincente Minnelli es, sin duda, un hombre genial, ingenioso: cuando sus películas nos hacen llorar lo consiguen por una simpatía cálida, en una nostalgia apresurada, con un supremo buen gusto. Sus films de mujeres, hechos para hacer llorar y para hacer reír a toda la familia. Es además, después de Orson Welles y después de Alfred Hitchcock, el primer *showman* del cine: el hombre capaz de tomar una escoba, vestirla con una bufanda y hacerla pasear frente a la cámara y, con un pase elegante de la mano ilusionista, divertirnos, entretenernos, hacernos olvidar las penas de vivir todos los días y tenernos así, ilusionados, una hora y media y dos horas y hasta dos horas y media, haciendo verdadera la exacta frase de Lebovici: «El cine es un sueño... que nos hace soñar.»

Corrientes ocultas (1946) no es el primer film de Vincente Minnelli. Entre *Cabaña en las nubes* (1942), su debut, y esta *Undercurrent* hay un camino de cuatro años de largo que algún día recorrerá un historiador minucioso. Contentémonos nosotros con los saltos ejemplares: *Corrientes ocultas* es el primer ejemplo del cine de Minnelli que tenemos a mano. Hubiéramos querido empezar con otro ejemplo. *La rueda de la fortuna,* por ejemplo de ejemplos, que Gene Kelly considera el jalón, el momento inicial, la primera palabra de la moderna comedia musical. O *Campanas del destino,* otro ejemplo, con su pequeña trama romántica a lo David Griffith. O todavía *Las follies de Ziegfeld,* en la que Gene Kelly y Fred Astaire competían en oficio de bailarín, en gracia de *entertainer,* en plasticidad de actor durante quince hermosos, inolvidables minutos. Pero ya ustedes saben, y si no lo saben lo sabrán ahora; hay una estúpida, crasa ley comercial que hace que los films se destruyan según un contrato, donde está escrito, como en el libro de Dios, los años que vivirá una película entre nosotros —si antes no la mata el uso, el maltrato, la mano inmisericorde de los operadores, y hay que destruirlas por inutilidad física, lanzarlas al fuego devastador, implacable. No sé cómo se ha salvado *Corrientes ocultas* de ese destino aciago, pero aquí está: ha corrido mejor suerte que la cercana *Después de la boda* (1954), sus cenizas de colores esparcidas al viento.

Corrientes es un melodrama romántico. Terminada en 1945 y estrenada dondequiera en 1946, su tema es el del extraño en la casa, la visita perversa que Hollywood parece haber tomado de Stevenson y no de Dostoievsky —efectivamente, en la cinta hay una cita de Stevenson, un autor que por entre cierto romanticismo bucólico, y aun doméstico, puede mostrar las fisuras que una irracionalidad amenazadora hace todos los días en el aparente monolito de la vida racional. Pero el tema del huésped no invitado es el tema aparente, superficial, y la corriente oculta que socava el edificio del hogar es la esquizofrenia, la doble personalidad, el tema stevensoniano del doctor Jekyll y de Mr. Hyde. Desde el principio, sin revelaciones sensacionales, por un gestor retorcido, una mirada fría en el cálido momento del amor, un encuentro desequilibrado sabemos que Alan Garroway es, en realidad, un nazi, y ese es el secreto del film.

El argumento, que parece hecho más a la medida de Hitchcock que de Minnelli, está tejido por manos románticas, y las escenas del establo, la visita a la vieja casa revelan una demorada lectura de *Jane Eyre,* de *Cumbres borrascosas* y la obstinada intención de decir que estas cosas también pueden pasar entre nosotros, en la ciudad, en América. La música, que ha perdurado en mi recuerdo como el tema de *Corrientes ocultas,* es a la vez el símbolo del bien y del mal; un tiempo de la tercera sinfonía de Brahms, con su romanticismo leve, puede transformarse en una sonata siniestra, por el odio que acumula Garroway contra estos acordes líricos, a los que dispara mentiras, vanas excusas, un desprecio mortal: la música y la poesía y la literatura son el enemigo malo del mercader y del filisteo, parece decir Minnelli más allá de las primeras intenciones de un entretenimiento conseguido, de un ensayo menor en esa técnica de la poesía del miedo que se llama, a partir de Hitchcock, *suspense.* Como Hitch, Minnelli utiliza un brillante truco de reparto: Robert Taylor jamás puede ser un canalla a sangre fría, mientras que la presencia novel de Robert Mitchum tiende una trampa efectiva a la credulidad, a la ingenuidad provinciana, a la buena fe intelectual de Katharine Hepburn. Prefiero de *Corrientes* las insinuaciones ocultas que Minnelli regala al ojo observador. Katharine Hepburn tiene sobre el traje-sastre severo y anticuado, como su pueblo natal, un ramillete blanco; se mira al espejo, lo cambia de lugar varias veces y finalmente lo elimina: este gesto con el corsage barroco es un símbolo del estilo de Minnelli, que consiste, simplemente, en quitar todo lo superfluo. Es posible también ver en *Undercurrent* algunas de las maneras de Minnelli: una de ellas es la forma de enlazar a un personaje aislado con el grupo, por medio de un *dolly*, un paseo de la cámara fluido y antecesor que lleva a este recién llegado, a esta visita al seno de una reunión familiar, de un grupo de amigos que conversan, o al recinto infernal de un *party* frenético y ruidoso.

Vincente Minnelli parece sentir una atracción vertiginosa por los *parties,* por esas reuniones maníaco-depresivas que ha inventado la ciudad como un antídoto ineficaz contra la soledad y el tedio. En todas sus cintas, como una rúbrica neurótica, aparece un *party* obsesivo, recurrente. Aun en *Pasiones sin freno,* en un hospital para enfermos mentales —y quizá precisamente por ello—, hay una fiesta llena de sonidos y furias que no significa nada. ¿Serán para Minnelli esos *parties* el símbolo del gran festín de la vida? *Cautivos del mal* tiene un magno *party,* una fiesta de celebridades que fue muy alabada en los días presurosos del estreno: hay una grúa (¡cómo le gustan a Minnelli las grúas!) ubicua y pasajera que arranca desde el vestíbulo y en una sola ojeada indiscreta y ávida mira a los promiscuos invitados —la estrellita generosa de encantos y de afectos y de afeites, el actor maduro y meditabundo por el whisky, el productor ventrudo, poderoso, satisfecho de haber nacido deshuesado, la actriz envejeciente que se sostiene a la belleza por un precario mecanismo de ingeniería llamado, con eufemismo extranjero, *brassière,* el actor gallardo y exitoso y ya hastiado— y, después de escudriñar a estas criaturas de zoológico, anuncia la entrada de nuestros amigos, los héroes del film, los aspirantes respectivos a estos cetros de fama y fortuna y fastidio, que llegan sin haber sido invitados: ha sido un solo, gracioso movimiento de la cámara y Minnelli, que conoce la elegancia de una transición, de un corte, muestra en dos o tres escenas que en Hollywood es el azar el único dios adorable y que la buena suerte sopla donde quiere: Kirk Douglas, el ambicioso Jonathan Shields del film, pierde todos sus ahorros y los de sus amigos al póquer, pero gana la oportunidad de hacer carrera: en el arribismo el perdedor lo gana todo.

The bad and the beautiful —el título en inglés es casi tan malo como en español— es lo que se llama un *film à clef,* es decir: una película con claves. ¿Será Diana Barrymore, borracha y disoluta y perseguida por la memoria del padre con el famoso perfil, el personaje que Lana Turner interpreta con una convicción sorprendente? Jonathan Shields, el presuroso aprendiz de productor y de magnate y de canalla, ¿no se parece bastante a Jerry Wald? ¿O será un cruce de John Huston y Orson Welles y Spyros Skouras, un monstruo quimérico que jamás soñaron los antiguos? ¿Quiénes son el escritor sureño y retirado y su esposa frívola y tonta y adúltera? ¿Quién es el actor latino, lleno de fuego y de pasión y vacío de sesos?

Hacia el final de *Cautivos del mal* hay otra toma maestra que revela a Minnelli. Al principio parece calcada de una escena similar de *El ciudadano.* Welles ha mostrado a una pobre mujer a quien su soberbio, por poderoso, amante ha convertido en esposa y para terminar con todas las murmuraciones quiere convertir en gran cantante de ópera. Hemos asistido a las clases privadas y deprimentes y también a los ensayos repetidos, crueles; ahora estamos en el estreno; todo está a punto y hay la febril agitación concertada antes de subir el telón; sube el telón y con el telón sube la cámara por entre bastidores y sobre bambalinas, a las parrillas, a los puentes de tramoya; arriba, bien arriba, hay dos tramoyistas conocedores; la cámara termina su viaje en ellos. Uno de los tramoyistas, viejo catador de óperas, se lleva los dedos a la nariz y rinde su aplastante, silencioso veredicto contra el cantante: «Apesta.» Minnelli ha descrito un proceso similar: un productor quiere convertir a la hija de un famoso actor en una actriz famosa. Después de borracheras, peleas, escapadas y amonestaciones, llega la mañana del primer día de rodaje. Ahora la cámara sube en un viaje inquisidor y dinámico y perfecto a buscar un técnico, un sabio que diga la última palabra. El viaje del ojo ubicuo termina en un viejo iluminador: en esa cara hay la sonrisa satisfecha del hombre de oficio que reconoce a un colega experto. Finalmente, la cámara se cierne sobre un reflector atrayente y brillante y cegador, como en un augurio brutal de la fama. Vincente Minnelli ha escogido este momento, creo yo, para acentuar sus diferencias con Orson Welles, más que para indicar las semejanzas. Minnelli, como Welles, ama el mundo de los espectáculos, cree en el teatro y le gustan los actores. Pero en cuanto a la vida, a diferencia de Welles, no cree que termine en el olvido y en el desengaño y en la muerte, sino que se continúa con una buena voluntad casi tan inexplicable para el optimista como es para el pesimista la desgracia y la mala fe. Vincente Minnelli, este doctor Pangloss del cine, parece querer decir, en cada final feliz o provechoso, que vivimos en el mejor de los mundos posibles, mientras en el mundo sea posible esta felicidad creída, esta fingida buenaventura del cine.

Biografía del «entertainer»

Ya ustedes saben lo que es un *entertainer:* una persona que se aburre divirtiendo a personas que se aburren. Bien, Vincente Minnelli es un *entertainer* y no hay hombre más aburrido en el mundo. Hace, a veces, tres películas por año y todavía tiene tiempo de aburrirse entre películas. Una vez un visitante a los estudios de MGM preguntó por el caballero casi calvo, de *slacks* y tenis y bufanda al cuello de la camisa deportiva. «Es Minnelli», dijo el anfitrión del estudio. «¿El director? ¿Y por qué tiene esa cara de hastío?», preguntó la visita. «Usted no lo ha visto entonces cuando está aburrido», fue la respuesta final del ejecutivo. Toda la primera parte de *Gigi,* con el aria del aburrimiento, es un homenaje torcido a Minnelli, y dicen que la famosa frase de Chevalier («Tu padre aburre. Ya a los cinco años, aburría») fue escrita pensando en Minnelli.

Tengo a mano varias biografías verídicas, por no decir veraces, de Vincente Minnelli. Así puedo decidirme por una biografía apócrifa, escrita por un maestro del fraude y la calumnia y la mentira, antaño guionista de los hermanos Marx, el único escritor que no merece el premio Nobel, el autor de la difamada novela *El hijo de los hermanos Karamazov,* el literato que, como dijo él mismo una vez, «se las ha arreglado para vomitar una serie de libros, cada uno menos distinguido que su predecesor». He aquí trozos de una vida de artista, jirones del alma torturada de Vincente, aspectos inolvidables (para él solamente) de la existencia de Minnelli.

Una bochornosa mañana de agosto, hace años, estaba yo en la Biblioteca Pública de Nueva York, en el principal salón de lectura. Estaba sumido en un libro de Bulfinch, *La era de la fábula,* ocupado en calcar las ilustraciones de las divinidades griegas y romanas y obteniendo unos efectos de veras maravillosos, cuando me di cuenta de que un extraño individuo había entrado al salón. Aparentemente era un extranjero, porque llevaba una tarjeta verde en la solapa que decía: «Inmigración. Cuarentena.» Su ropa era un grosero apéame-uno grasiento por el viaje, y aun así se podía ver en el hombre la distinción de un ladrón de caballos a la entrada de un campamento gitano. Esta fantástica criatura empujaba un antiguo organillo y, mientras cantaba una canción pegajosa, hizo un rápido circuito por entre las mesas, ofreciendo los más altos precios por chapas de botellas, gomitas, botones y bolsas de papel usadas. Al fracasar en su intento de atraer el interés de los pocos muchachos de edad escolar que buscaban malas palabras en el diccionario, este pájaro de mal agüero (efectivamente, su apellido de soltero es Agüero) se las arregló para meter bajo su empolvado maferlán los 64 tomos de la *Enciclopedia Británica* y desapareció, obviamente a saquear el guardarropas. La lánguida bibliotecaria a quien me dirigí enunció un leve *Vincente Minnelli* y volvió a limarse las uñas.

Había olvidado esta cara rapaz, cuando tres semanas más tarde, una mañana, a eso de las dos de la tarde, me lo encontré en la calle 45. Se proponía venderme un juego de postales que él llamaba «entretenidas» y un recóndito panfleto titulado *La enigmática Maruja Pellejito,* pero cuando me sugirió que lo siguiera hasta un oscuro callejón a examinar la mercancía, me negué de plano. Sin guardarme rencor, me ofreció un papelillo de cocaína, por cincuenta centavos. Crucé la calle esperando quitármelo de arriba, pero era un sanguijuelo. A través de sus contactos con la Mafia, me dijo, podía conseguir vírgenes «jovencitas» por ciento cincuenta dólares. Gritando, me metí en un taxi, para descubrir que se había robado mi lápiz *Mirado* que gané en un concurso de oratoria. Exceptuando cierta patológica jaqueca, comprobé que no había cogido otra enfermedad en el encuentro.

En los meses que siguieron lo vi sólo ocasionalmente, de vendedor ambulante, vendiendo lo mismo cemento de pegar que cancioneros viejos, y otra vez como señuelo para un juego de siló. Durante un tiempo corrió con una línea de trampas telefónicas, con las que bloqueaba las alcancías y luego, cada noche, retiraba las monedas acumuladas. De vez en cuando robaba a un ciego profesional o saqueaba a un borracho, pero el miedo de arriesgar su cobarde pellejo le evitaba participar en empresas realmente peligrosas.

Llegué a sentir un curioso afecto por este vagabundo emprendedor, quizá porque nunca me asaltó con un cuchillo. Después de pasar seis meses de trabajos forzados, acusado de incendiario, casi me alegré de verlo libre. Para mi sorpresa, supe que había cambiado de trabajo. Con mi lápiz Mirado y una libreta de apuntes que robó a su tía, diseñó unos garabatos que los expertos llamaron geniales. Más tarde los utilizaría (a los garabatos, no a los expertos) en varias películas llamadas, significativamente, *El pirata, Yolanda y el ladrón, Cautivos del mal:* si hubo un cine autobiográfico, ese fue el de mi amigo.

El biógrafo de sus primeros años, apenas puede separar los hechos de la mera leyenda. Nació en Delaware, Ohio, en 1906, pero estuvo implicado de inmediato en un robo de pañales y tuvo que abandonar el pueblo a la edad de un año. A los dieciséis, Vincente (a quien entonces no le sobraba ni una ene) oyó decir que las gentes de Chicago estaban bailando la rumba y la machicha y se dispuso a verlo con sus ojos. Chicago era entonces un pueblo fronterizo, lleno de cuatreros y desesperados, como Walter Huston que le tiraba tiros a Gary Cooper a través de las puertas de las cantinas. Mientras Minnelli bajaba por la calle real, su pañoleta verde al cuello y las manos en la cintura, mascando una galleta y silbando a la vez *Cantando en la lluvia,* sus ojos eran del tamaño de un plato. No soñaba entonces que algún día inventaría la electricidad y que representaría a su país en la coronación de la reina Victoria. Viendo a un rapaz, cuya caja de trabajo, sucia pero llena de humor, indicaba que era un limpiabotas, Vincente le preguntó cortésmente dónde podría pasar la noche.

—En casa de Sumadre —dijo el niño, refiriéndose a Ramón Sumadre, el posadero local. Pero Vincente entendió o quiso entender otra cosa y por poco se enfrasca en una trifulca que le habría sido, inevitablemente, fatal. Lo impidió la intervención de la vieja Brígida, vendedora de manzanas de la isla de Trinidad, donde su nombre es sinónimo de náuseas. Ella lo condujo por el buen camino. No había aún doblado la esquina, cuando un caballo espantado que tiraba de una volanta que llevaba a una hermosa joven que vestía enjoyada, apareció ante sí. Después de algunas especulaciones sobre las recompensas posibles, Vincente se abalanzó sobre el piafante potro y muy pronto fue revolcado por el suelo. Pasó varios días curando con melancolía sus doloridas costillas y finalmente, confrontado por las pocas oportunidades que tiene un entrenador de perros fuera de *training,* decidió humillarse y aceptó un trabajo.

Como ayudante del fotógrafo en un estudio de fotos para el teatro, el joven concluyó que los disfraces comidos de polillas en que hacía posar a varias actrices y otros tantos actores, eran atroces, y pronto comenzó a dibujar (con el mocho de mi *Mirado* ganado en concurso de oratoria). Sus patronos todavía se emocionaban ante el recuerdo de uno de estos primeros dibujos, un plano de la situación de la caja fuerte, que Vincente, en un descuido, había olvidado en su chaqueta de pana. Poco después el artista del lápiz *Mirado* decidió dar otro golpe. Se fue a la oficina de Balaban and Katz, cuyos nombres siempre le encantaron como un redoble de tambor batiente, y les sugirió la idea de que le permitieran diseñar nuevos trajes, mejor que alquilarlos de uso. Balaban and Katz eran, por ese entonces, los más grandes productores de *shows* de medio pelo del mundo y quedaron fulminados por la audacia del muchacho.

—¡Pero no es más que un artista adolescente! —dijo Balaban, de un grito, cuando Katz le propuso aquella oferta.

—Hagámoslo más viejo añadiendo unas cuantas enes a su nombre y apellido —dijo Katz, con ese acento del estado de coma que tanto le gusta afectar. «¿Mi apellido? ¡Tú estás loco!», iban a decir Vincente y otros veinte Minnellis, pero se quedaron callados y, en el tumulto y la refriega, se encontró contratado. Cuando Balaban and Katz, que no hacen nunca nada separados, se agenciaron el teatro Paramount, de Nueva York, con ellos vino su protegido a encargarse del vestuario.

En unas semanas Minnelli está diseñando no sólo trajes, sino decorados y hasta uno que otro lunar en la espalda de una corista de moda. Fue entonces que las sesudas novelas de Restif de la Bretonne y las obras filosóficas del marqués de Sade le crearon la nostalgia de París. A punto de partir a estudiar pintura a los pies de Claude Monet —Claude Monet no sólo había puesto una escuela de pintura, sino que se había lavado los pies para hacerlo—, Minnelli fue llamado a diseñar *La Dubarry* para la gran Grace Moore. La oportunidad de diseñar *La Dubarry* para la gran Grace Moore no se le presentaría, tal vez, dos veces en la vida, y decidió aceptar. En los próximos cuatro años hizo un *show* semanal para el music-hall y luego, comido por el ocio, diseñó los decorados de *La vida comienza a las 8 y 40, En casa en el extranjero, Las follies de Ziegfeld y Comienza el acto.* Este último espectáculo atrajo la atención de un escogido grupo de soñadores y visionarios idealistas llamados Paramount Pictures, y hoy Minnelli es uno de los directores más prometedores de Hollywood.

Hay un dicho en Hollywood que dice, Cuando Vincente Minnelli trabaja en una película, más vale esconder a las mujeres y a los niños en el sótano y quedarse en la cama con el sombrero puesto. «El Huracán de Ohio», como nadie le llama, observa una rutina rígida. Al levantarse, se limpia la tinta china de la cara, junto con el blanco de España y el *guash* del día anterior. Corta unos cuantos secantes y los hace rollitos entre los dedos hasta que desaparecen. Ahora está listo para su baño de leche. Las enormes bañeras negras de vidriado *chocomilk,* su posesión más querida, se llenan con treinta galones de humeante grado A pasteurizada. Mientras juguetea entre las ondas, la mente de Minnelli se vuelve una colmena de ideas. Varias secretarias eficientísimas, que trabajan gratis nada más que por gozar el privilegio de estar cerca de él, recogen todos los sarcasmos amargos, las viñetas minúsculas, las consejas galantes y los ácidos lácteos que caen de sus labios. Estos subproductos son enviados a un cuerpo de estenógrafos que los encuadernan y los expiden a una firma de publicistas de Nueva York, que a su vez los encuadernan y los devuelven al autor. Mientras tanto, Minnelli se ocupa de hacer botecitos con las cartas que recibe de sus admiradoras y las envía bañera abajo con un soplo de los perfumes de Arabia. Si una carta de una mujer humilde o de un ama de casa loca de amor alcanza a intrigarlo, hace que una de las secretarias le envíe a la pobre enamorada una foto suya en una pose característica. Es de lamentar que las quejas de la Oficina Central de Correos hayan hecho disminuir el trasiego de fotos, antaño tan muchedumbroso. Y así pasan los días y, antes de que usted se dé cuenta, aparecen ediciones extras del *Osservatore Romano,* el *Times* de Calcutta y el diario *Izvestia* anunciando una nueva película dirigida por Vincente Minnelli.

De su vida privada conozco poco. Tengo entendido que se ha hecho inmensamente rico, desordenadamente popular e increíblemente antipático. Cuento mis cucharas y mis hermanas cada vez que viene a mi casa. Por lo demas, jamás ha hecho un solo gesto para pagarme el costo de aquel lápiz *Mirado* que me gané en un concurso de oratoria.

(S. J. Perelman.)

Así termina mi versión de la versión de Perelman de la versión popular de la vida de Vincente Minnelli. Si hay algún pariente del interfecto entre ustedes, que guarde silencio en nombre de la ciencia. Lo que se ha dicho aquí, se lo contaré a mis hijas cuando sean mayores de edad.

[...]

¿Hay un problema más que un tema común en estas diferentes películas de Vincente Minnelli? Sí, ese problema se llama familia. Quedará para otro día, para otro autor, dilucidarlo con toda felicidad. Ahora quiero dilucidar otro problema con toda facilidad. Antes de ceder la imagen a Minnelli, cedo la palabra a ese hijo de la gran chacota, a ese ingenio de moler reputaciones, a ese maestro sin discípulos: a S. J. Perelman, que me ha escrito una carta con estas frases de doble o de ningún sentido. Comienzo a citar:

Timado amigo, sé que leíste en español como míos unos cuantos trozos célebres que escribí en inglés. Dicen que tuvieron la fidelidad de Mesalina y la exactitud de un reloj de mujer. No me extraña: mientras más conozco a los traductores, más quiero al perro de la Victor: la voz de su amo.

Aquí te mando un decálogo. No llega a los diez mandamientos, pero no importa: llámalo decálogo o llámalo catálogo o llámalo deseo. No soy yo tampoco el padre de mi hijo, si eres tú quien va a bautizarlo en español. Las aguas de tus palabras convertirán mis apotegmas en papel mojado. Allá va esto:

CÓMO VER UNA PELÍCULA DE VINCENTE MINNELLI

1. No pague la entrada. Diga que es hijo de Minnelli. Si esto falla, diga que es hijo de Gene Kelly. Si esto falla, diga que es hijo de los dos. Si esto falla, no sea tacaño y pague la entrada. Recuerde que una película de Minnelli vale por dos, por dos centavos.

2. Llegue tarde. Todas las películas de Vincente Minnelli comienzan igual: con un león rugiendo.

3. Siéntese cómodo: va a ver cómo le hacen larga una historia corta.

4. Si trae chaperona, espere antes de operar a que apaguen las luces: Minnelli hace unas películas capaces de dormir a un búho de noche. En cuanto la tercera en concordia comience a roncar, ese es su momento para comenzar a pensar cómo contar el argumento al salir.

5. Si la película está cortada, o salta o sale de cuadro, no le grite cojo al proyeccionista. Grítele tuerto a Minnelli: él hace sus películas con un solo ojo.

6. Si tiene las piernas largas, póngalas en el asiento delantero, cuidado de que el espectador de delante tenga la cabeza blanda, pues hay cráneos capaces de romper juanetes.

7. Tosa, grite y escupa si la película no le gusta. Después de todo a Minnelli le tiene sin cuidado: él vive en el Limbo, California.

8. Cuéntele la película a los que tiene a los lados si ya la vio: de todas maneras no habrá sorpresas, pues Minnelli no solo es capaz de robarle un argumento a María Santísima, sino también a Fellini, a Rossellini, a Fetuccini. Todas sus películas recuerdan otras películas pasadas. A veces llegan a recordar a otras películas futuras.

9. Al salir, diga que le ha gustado: no hay hombre más vanidoso que Minnelli y a veces va a los cines de incógnito. Es más, va de incógnito a todos los espectáculos, huyéndoles a los acreedores y a los enanos atropellados y a las mujeres encinta. Si al salir usted ve un hombre calvo, gordito, de nariz de pepino, dé por seguro que ese es Alfred Hitchcock. Entonces váyase a casa corriendo, pues cuando Hitch anda cerca siempre confunden a un hombre por otro y esto es terrible: recuerde que pueden confundirlo con Vincente Minnelli.

10. Si no le gustó la película, pida que le devuelvan la entrada. Pida también un jamón. Si sale ileso del trance, celebre su cumpleaños en esa fecha, porque usted nació ese día.

Cosa curiosa anoche

Cosa curiosa. Anoche, ante dos de las películas más serias de Minnelli, sus dos tragedias americanas, nos morimos de risa. (De hecho, dos caballeros que estuvieron aquí sentados anoche están ahora tendidos en la Funeraria Caballeros. Debemos felicitarnos de que no haya muerto de risa ninguna dama, pues no tenemos una funeraria con el nombre de Damas y no es bueno que las damas pasen debajo del letrero que dice *Caballeros.*) Esta noche, frente a dos rientes ejemplos del arte de Vincente, habrá que ponerse serios. Antes de que llegue esa hora de la verdad solemne, es bueno hacer un poco de ejercicio risueño citando a esa broma de los números que se llama estadística. Oigan esos números que son un golpe de estados:

Esta es la conferencia número 24 dada por mí. He tratado sobre cinco directores (Welles, Hitchcock, Huston, Hawks y Minnelli) y sobre un país que es también una cinematografía y una ciudad, Hollywood. He escrito más de 300 páginas y mucho más de cien mil palabras. He gastado unas mil hojas de papel y 5 cintas 5 de máquina de escribir. He hablado durante doce horas seguidas y he derrochado aproximadamente 3 litros de saliva, contando las gotas que caen en la mesa. Además —esto no lo dicen las estadísticas, sino mi familia— he hecho gala de una cultura, un ingenio y un conocimiento de la estética del cine realmente —terminaría por decir uno de ustedes, corrigiendo a la parentela— deplorables. Por otra parte he intentado probar que el cine es la única fuente moderna de mitos, exceptuando a la publicidad y a Adolfo Hitler; también he querido relacionar al cine con las antiguas mitologías, y a los creadores cinematográficos los he comparado, a menudo, con filósofos y artistas de otros tiempos, otros lares; igualmente he querido que el cine parezca no sólo una fábrica de sueños (y de pesadillas) sino una fuente constante de la vida otra, de la creación poética. Y toda esta parafernalia que hoy termina, ¿de qué ha servido? Nada más que para el siguiente diálogo.

NIÑO (que se acerca corriendo): ¡Señor, señor!

YO (a punto de entrar en la sala): ¿Sí?

NIÑO: Dice mi mamá que no puede venir enseguida, que está ocupada...

YO (interrumpiéndolo): Bueno, ¿y qué?

NIÑO: Que dice que hable un poco más para que aguanten la película.

YO (insultado): Muchacho, ¿tú sabes con quién hablas?

NIÑO (muy tranquilo): Sí. Yo sí sé quién es usted.

YO: ¿Y quién soy yo?

NIÑO: El que ponen ahí a decir todas esas boberías mientras se llenan las lunetas.

La única moraleja posible es la frase cruel y crasa de un amigo que hizo el epitafio de un extranjero ya muerto, famoso acá por su fragancia de todos los sudores: nadie es mofeta en su tierra.

WAGNER CONTRA WAGNER

(Según Stravinsky, Wagner sólo valía para Hollywood)

Hace exactamente cien años (el 13 de febrero de 1883) que murió, en Venecia, Richard Wagner, lo llamo Richard no porque fuera amigo suyo, sino por rechazar ese españolísimo estúpido que se atreve a llamarlo Ricardo. (¿Qué tal si en Alemania dijeran Michel von Cervantes?)

Hace trece años que murió Igor Stravinsky y fue enterrado en Venecia (en tierra firme supongo) por designio propio. Fue en Venecia donde se consolidó entre canales para la enternidad una rivalidad imposible: Stravinsky contra Wagner. Para haber hecho de este duelo a sol y sombra un círculo infernal perfecto hubiera sido necesario que Wagner muriera un año antes —Stravinsky nació, precisamente, en 1882—. ¡Ah, efemérides musicales!

Stravinsky vino a La Habana, como un acontecimiento, por primera vez en 1951, cuando la ciudad era una gran plaza musical, a dirigir un concierto de sus obras, entre ellas había algunas piezas estomacales tanto como estomagantes, como un lamento por la muerte de madame Kussevitzky, el afamado director de orquesta.

Noble dama esta, cuya muerte entusiasmó tanto al compositor como dolió al viudo y a cuya memoria compuso el músico ruso esta pieza totalmente olvidable y ya olvidada por el ilustre bajista, también ruso, *conductor* suficientemente acaudalado como para encargar música de *memento mori* a uno de los más eminentes músicos del siglo como si fuera una esquela obituaria: *In memoriam madame K.* Entre la inerte apología de *Apolo* y la agonía de *Agon,* lo más memorable del concierto fueron, curiosamente, los ensayos. O el ensayo único, porque Stravinsky dejó la artesanía, lo que en inglés se llama *craft,* a carnal Robert Craft, *largo ad factotum.*

A ese ensayo último y primero fuimos un grupo de amigos de la música, entre ellos Ricardo Vigón, difunto, entonces un alambre vivo: fanático del cine, fanático de la música y un ángel vengador vibrante.

Al terminar el ensayo subimos todos al escenario donde Stravinsky se ocupaba en echar sobre sus estrechos hombros un blanco albornoz de felpa que cubriera su camiseta de lana blanca, sudada y cubierta de talco, y alrededor de su cuello, como bufanda, una toalla también blanca. Era un ruso blanco, pero todo ese abrigo era su atuendo en un teatro sin aire acondicionado, ¡y en el trópico! Stravinsky era pequeño, enjuto, casi prognato, con enormes manos gesticulantes y una gran cabeza casi calva: gnomo musical, nibelungo sin anillos. Pero era un hombre afable, comunicativo y capaz de conversar con cualquiera (eso éramos nosotros) en un inglés con un acento tan espeso que se podía cortar con los dientes. La afabilidad de Stravinsky, después de decir que le encantaba La Habana (que no había visto) y que Los Ángeles era una ciudad maravillosa y Miami una ciudad horrorosa (o al revés), terminó abrupta cuando Vigón le preguntó por Wagner, el compositor, no por el actor Robert Wagner, todavía virgen, en un exabrupto:

—Wagner es un compositor tan vulgar que si viviera hoy estaría en Hollywood.

Vigón se alteró tanto que era todo tendones:

—¿Cómo en Hollywood?

—¡En *Holi-vud!* —dijo Stravinsky, su acento ruso hecho *fortísimo* por la vehemencia de la frase que quiere sonar a mala palabra. Cuando Vigón se alteraba, su voz, ya bronca, se hacía ronca. Ahora estaba casi afónico, con el cuello lleno de alambres torcidos. Afortunadamente, porque así Stravinsky no entendió cuando Vigón le gritó:

—¡Y usted le cargaría el contrabajo!

Nunca entendí este insulto esotérico o histérico. Pienso que Vigón se refería al bajo de Kussevitzky o a que Stravinsky era bajo. En verdad era tan bajo que rodeado de cubanos tan altos como Vigón, espigado por la ira, que Stravinsky parecía, manoteando, un monito musical que perdió su organillero. Allí yo era el único que estaba a la altura de Stravinsky, a quien además idolatraba entonces. Pero pude arrastrar a Vigón por un brazo alambrudo y decirle:

—Ricardo, ¡que es Stravinsky!

—¡Como si es Stavisky! —gritó Vigón en un paroxismo de paranomásico, involuntario como un reflejo. Stavisky fue en los treinta el mago de la estafa en Francia. En ese momento Stavisky, *Stravinsky,* estrábico, extraviado, se caló unas gafas oscuras y abandonó el escenario no como un ruso blanco, sino como la versión pálida de un Tomtom Macoute en el exilio. Al irse palmeó mi osucra cara con su mano musical, descomunal, en señal de afecto, cuando dije algo acerca de su música —o tal vez porque era de su estatura.

Un músico de película

Stravinsky no había hecho en La Habana, ante Ricardo Vigón vehemente, nada que no fuera repetir lo que había dicho ya en todas partes desde antes de la primera guerra mundial, ahora actualizado: Wagner merecía estar en Hollywood y ser músico de cine. Para Stravinsky no podía haber peor destino. Hace años había aprobado enfático la repulsa (odio que fue amor) de Friedrich Nietzsche contra Wagner en su famoso panfleto. El caso Wagner, un ocaso. Pero al proponer el filósofo a Bizet y *Carmen* como ópera modelo y músico ejemplar, Stravinsky lo rectificó póstumo: «Donde Nietzsche dijo Bizet debió haber dicho Verdi.»

Richard Wagner nació en Leipzig en 1813, aparentemente hijo de un policía que murió cuando *little Richard* tenía sólo seis meses. En realidad era hijo de un actor itinerante llamado Ludwig Geyer. El apellido, la religión y las facciones de su presunto padrastro tal vez expliquen el antisemitismo más que feroz, visceral de Wagner, condenado hoy todavía al silencio por el Estado de Israel —o al menos, gracias a la radio y al disco, a no ser tocado nunca por una orquesta israelí.

No hay en la historia de la música nadie que haya mostrado un supuesto espíritu nacional (el nacionalismo, enfermedad senil del patriotismo) tan acendrado en combinación con una xenofobia enfermiza y un chovinismo casi primitivo. No en balde anunció Hitler, *fan* y fanático: «El que quiera comprender el nazismo que oiga a Wagner.» (O que hable por mí la ópera.) Fue el mismo Adolfo en solfa que se hizo vegetariano para seguir a Wagner en su última manía anticarnal. Fue el mismo Hitler que persiguió a los músicos judíos que osaban tocar a Wagner, aunque fuera con una batuta, como el director Bruno Walter. Al huir Walter de Alemania a Austria, Hitler, en medio de su megalomanía mesiánica, todavía tuvo tiempo de instruir a su ministro de Cultura, Joseph Goebbels, con una orden: «Hay que impedir por todos los medios que Bruno Walter toque a Wagner.»

La vida de Wagner es pintoresca y complicada —y grotesca, como el compositor mismo. Están sus muchos amores, sus matrimonios y su prodigalidad de botarate y abusador de amigos.

Esos metales que suenan siempre en sus óperas no son el fragor de la batalla de los dioses germanos, sino el eco del sablista: chis chas, chas chas, chacachaschás. No hay en toda la historia de la música un caso como el de Wagner, capaz de sablear a un aristócrata desconocido, susurrándole palabras de préstamo.

Loco por la música

Con técnica tenaz, pertinaz, Wagner llegó a sablear al mismo rey Luis de Baviera, el loco Luis, que no sólo le dio dinero y posición primera en su corte, sino que (más que loco, loca) llegó a prendarse primero de la música y luego del propio músico. Luis o Luisa lo adoraba, pero Wagner, que no era homosexual, que se rodeaba siempre de adoradores y consumía mujeres como Sibelius habanos mientras componía, se dejó adorar y hay cartas de Wagner al rey, ya reina, que son embarazosas, embarazantes casi. En este tiempo corrió el rumor de que Wagner se vestía con ropa íntima femenina. Pero la especie parece ser una calumnia de Brahms, entre puros, echando humo porque Wagner lo acusó de ser judío. Brahms, que era rubio, los ojos azules y barba rojiza, era más alemán que Beethoven y más ario que Wagner, por supuesto. Pero la venganza inmunda de Wagner llegó hasta Hitler, a quien convenció, sin mucho esfuerzo, del judaísmo del sinfonista silesio. «Ese Brahms me suena a Abraham germanizado», sentenció, de veras, el Fuhrer. Pero Wagner, quien vestía solamente camisas de seda y pantalones de terciopelo, no usaba ropa interior de mujer —ni de hombre. Entre nosotros, nunca usó *inter nos*.

Wagner, el músico innovador, creó en Bayreuth (que no debe pronunciarse nunca Beirut), financiado por el rey Luis de Baviera, edificándolo, su teatro total. A Wagner se debe el foso de la orquesta y que los músicos apenas se vean tocar. (En su afán de disimular las fuentes de la música, Wagner llegó a tapar la orquesta con un *schalldeckel* o cobertor.) También fue idea suya hacer que las luces de la sala se apaguen al comenzar la representación. Se lo permitió entonces un avance tecnológico: el gas del alumbrado pudo por fin sustituir a la vela. Así el teatro se convirtió en templo, no solo en Talía: también de Wagner, dios de las musas, de la música. Introdujo, además de ruido en la escena, el silencio que debe reinar siempre en la sala. También decretó la prohibición, entonces insólita, de entrar al auditorio una vez comenzada la función. Sin embargo, su verdadero aporte a la escena, teatral o musical, fue la de crear un ambiente, una atmósfera, una zona emotiva en que los espectadores se encuentran siempre inmersos (y atrapados), como peces en una pecera en que el agua se sustituye por otro elemento, la música.

A pesar de Stravinsky, uno de los críticos más certeros de toda la música europea, es posible encontrar en Wagner (que nunca compuso los conciertos de Mozart ni las sinfonías de Beethoven ni las corales de Bach para mostrar su musicalidad en abstracto) un aliento emocionante, entre épico y lírico, capaz de expresar una belleza que no parece humana porque, a veces, llega a la perfección pura. Sin embargo, la de veras memorable inmolación de Brunilda, cuyos acordes cromáticos (de entre violines helados que arden en oximorón musical o en fuego fatuo en la pira walkiria) son de un ardor armónico que engendra una belleza nueva, prástina a veces, pero también —¿por qué no decirlo?— barata, vulgar. Wagner es un gran músico, qué duda cabe, pero hay que admitir que en su arquitectura hay mucho oropel —que tiene que ver con oro pero también con similor. Su monumentalidad no es de pirámide sino de rascacielos: es más altura que grandeza.

Fue el poeta Heine, admirador judío de Wagner, quien dijo que donde mueren las palabras nace la música. En *Parsifal,* la película de Syberberg, la palabra parece estar agonizando eterna con su personaje principal y la música nunca llega a nacer. Por otra parte, la leyenda de Perceval y su busca del santo Grial apenas si se insinúa: el mito celta ha sido germanizado más que germinado, al tiempo que su cristianismo reciente es devuelto al mito, pero no a lo celtas. Toda la ópera se convierte así en una leyenda cristiana —sin Cristo. Lo único realmente sobresaliente (¿o es sólo salientes?) de esta puesta en imágenes es Wagner, pero no su melodía infinita, sino su vera efigie siempre presente: la cara de Wagner es el decorado. Toda la ópera tiene como escenario su mascarilla convertida en mascarón enorme, que muestra y esconde y manipula las facciones semíticas como semiótica: ya nada digna de reverencia, sino grotesca y a veces más que amenazante, siniestra por descomunal, como un inmortal; mortal Gulliver de la música entre nibelungos que cantan con voz de *catastro.* En un momento malvado los actores (doblando doble) parecen coger la nariz del compositor como Hitchcock en *Con la muerte en los talones,* entre telones, cogió las facciones gigantescas de los presidentes muertos tallados en Mount Rubsmore en piedra pura.

Wagner, en un final, ha encontrado su contrario —que es su igual. Al igual que Hitler, ese genio del bien y del mal que fue Richard Wagner se revela, en el cine, como un vulgar teutón que cometió también el pecado rampante de la burguesía alemana que tanto dijo despreciar: al cielo, entre los ángeles, por el antisemitismo. Ambos, Hitler y Wagner, nunca previeron (o tal vez el Fuhrer lo olvidó si lo supo), que los ángeles, como Hollywood, es una invención judía.

Mi hermano y yo habíamos descubierto un método para ir al cine que debimos patentar. Ya no podíamos hacer lo que hacíamos antes cuando nos colábamos en el Esmeralda, porque éramos grandes para eso: entretener conversando o armando una falsa pelea o gritando ¡ataja! ¡ataja! al portero para que uno de los dos se colara y luego venir el otro y pedir permiso para entrar a buscar a su hermano para darle un recado urgente de su mamá y aprovechar y quedarnos los dos dentro —eso ya no era posible. Pero ahora cogíamos el camino de Santa Fe. Primero reuníamos todos los cartuchos usados, que daban un centavo por cada diez en el puesto de frutas de la calle Bernaza (donde una vez el dueño me dijo que me daría veinticinco centavos por cada cien cartuchos y cuando yo, todavía deslumbrado por el descubrimiento que acababa de hacer: una mina: un idiota: uno que no sabía contar: la veta a explotar, regresé con veinte cartuchos, corriendo, presa de la fiebre del oro y le pedí los cinco centavos y solamente recogí su sonrisa, luego risa y la respuesta, «Usté se cree que yo soy bobo», con su cola para mi asombro. «Llévese sus cartuchos ¡coño!», supe lo que era el doble engaño), si el día andaba malo para la caza de cartuchos, veíamos cuántos periódicos viejos teníamos, salíamos a pedir por toda la cuartería o a buscar dondequiera y al final nos íbamos con el cargmento precioso a la pescadería— donde los periódicos valían menos que los cartuchos. (Siempre hubo que olvidarse de la propina por hacer mandados porque ya había que hacerlos de gratis: eran tan pobres en el solar y ya Lesbia Dumois, la generosa puta de quince años, Max Urquiola, el botarate, maduro crupié trasnochador, y doña Lala, la dadivosa y vieja y casi venerada mantenida del triple héroe: aviador, coronel, político (todos ellos eran, fueron personajes épicos: no desdeñen como pobre caracterización lo que quiere ser solamente, únicamente, eternamente una otiose), ellos todos se habían mudado, se habían ido, se habían muerto: los habíamos perdido tanto como la inocencia infantil para aceptar una regalía sin sonrojo: ahora crecíamos y sabíamos ya lo que es vender un favor —más fácil es vender cartuchos usados, periódicos viejos o...)

Nuestro último, gran filón fueron los libros: los de mi padre, los de su tío, los del padre de su tío: vendíamos el patrimonio literario familiar. Primero que nada fue una colección —más bien una tonga— de una pésima obra de teatro de Carlos Montenegro, regalada a mi padre con el objeto de sacarle dinero (mi padre) y fama (el autor) y propaganda (el libro), que se llamaba Los Perros de Radziwill. Nunca la pude leer, es más: nadie la leyó, porque los libros estaban en rústica y siempre conservaron la virginidad original. También hubo otro regalo del mismo autor, pero de otro libro, Seis meses con las fuerzas (o las tropas) de choque. Ambas colecciones cogieron el camino de Santa Fe, inmaculadas como la concepción: las vendimos por el peso. Quiero decir, por lo que pesaban, no por un peso —porque no llegaron siquiera a los cincuenta centavos: los libreros nunca han sabido apreciar la literatura. Después otros libros menos ilustres o más leídos (y por tanto escasos) seguían la escondida senda. A veces iban (acompañados por mi hermano) de cinco en cinco, otras de diez en diez, otras más de siete, de cuatro en dos, etcétera. (Dispenso al lector los gritos, estallidos de cólera, amenazas damoclianas de mi padre, no lo dispenso de las malas palabras, porque nunca le oí decir ninguna. Lo alivio también de los malos, óptimos argumentos de mi madre, que no sabemos cómo neutralizaba el amor de mi padre por aquella biblioteca que cada día era más el recuerdo de una biblioteca: los anaqueles vacíos, los estanques con libros que recostaban demasiado a la derecha o la izquierda, echando de menos la apretada promiscuidad de un compañero sacrificado en aras del cine (porque hay que decir que cada libro conducido al campo de exterminio de la librería de viejo (y como había librerías de viejo en el barrio: uno se asombraba de la cantidad de ellas que pueden ser tentadoras, en el camino... de Santa Fe) era trasmutado de plomo literario en oro del cine por la piedra filosofal de una caminata y un cántico), los títulos que la memoría creía ver todavía pero que el conocimiento negaba, eran pruebas de que la zorra entraba en el gallinero. Qué imagen más fabulosa: ¿no sería mejor decir el gavilán pollero?)

Voy cogiendo el camino
de Santa Fe

(Variación primera:
Voy cogiendo
corriendo
el camino de Santa Fe)

(Variación segunda:
Voy cogiendo voy cogiendo voy cogiendo voy
cogiendo el camino de Santa Fe)

(Variación tercera:
Voy
Cogiendo voy
voy
cogiendo cogiendo
el camino/el camino/el camino/el camino
deee Saaantaaaaaa Feeeeeeeeeeeeeee)

Esta tonada (y sus variaciones Goldwyn) era cantada con la música equivalente, que es la música de The Santa Fe Trail, sólo que nosotros no lo sabíamos entonces. ¿De dónde la sacaríamos mi hermano y yo? Seguramente de una película —del Oeste.

Este día, este jueves (los jueves el cine costaba menos entonces) de que hablo, ya habíamos completado la primera parte de la jornada a Santa Fe (porque Santa Fe, ustedes deben haberlo adivinado, era Arcadia, la gloria, la panacea de todos los dolores de la adolescencia: el cine) y antes que regresara mi padre del trabajo, nos habíamos bañado, escogido el programa (más bien escogido el cine; el Verdún, que a pesar de recordar una batalla, era apacible, barriotero y fresco, con su techo de hierro y planchas de zinc, que se corría con ruidos, chirridos, traqueteos tan pronto entraba la noche calurosa y que no podía hacer el cierre de vuelta tan rápido los días que llovía: se estaba bien allí, en la tertulia, frente a la pantalla (sobre todo si se sabía coger primera fila de gallinero (llamada también el paraíso): una localidad de príncipes, el palco de la realeza en otro tiempo, otro espectáculo) y directamente bajo las estrellas: se estaba casi mejor que en el recuerdo) y salíamos, cuando nos encontramos en la escalera a Nena la Chiquita, que era, como muchos de los vecinos, no una persona sino un personaje. Pero, ay, Nena la Chiquita (una vieja encogida y sin dientes y sucia, y con un insaciable apetito sexual) era también un ave de mal agüero. «Al cine, ¿no?», creo que fue lo que dijo. Mi hermano y yo le dijimos que sí, sin dejar de bajar la escalera barroca y torcida y sucia. «Que se diviertan», dijo ella, la pobre, subiendo con pena la escalera. No le dimos las gracias: lo único que se podía hacer era escupir tres veces en el suelo, cruzar los dedos y vigilar el tránsito.

Seguimos para el cine. Atravesando el parque Central ya oscurecía. Cruzamos el Centro Gallego a ver las fotos de las bailarinas españolas y, quizás, de una rumbera en trusa. Luego seguimos por la acera del Louvre, con los conversadores nocturnos que ya empezaban a llegar y los tomadores constantes de café, en el café de la esquina y nos detuvimos en el puesto de revistas, atraídos como otras tantas mariposas por las luces de colores de los magazines americanos y dimos vueltas y vueltas y vueltas, sin comprar, sin tocar, sin entender. La acera del Louvre no termina nunca: ahí hay otro puesto de café y más gente y un grupo de conversadores parados junto a los grandes retratos al óleo de los candidatos a alcalde, a concejal, a senador que parecen todos nominados al Óscar, de creer al artista del pincel que los magnificó —y retocó un poco. Aquí hay un tiro al blanco y seis flippers y un punching-bag mecánico. Los tiros secos estallan por sobre las campanitas de los pin-balls y por sobre la mala palabra del tramposo que provocó un tilt. El punto final es la trompada esponjosa al estropeado punching-bag que debía tener todo su mecanismo punch-drunk hace rato. Alguien (el muchacho del flicker, el marinero del tiro al blanco, el negro del punching-bag) hace diana. Salimos envueltos en el aroma de las fritas y los perros calientes y los panes con bisteques que hay casi en la esquina, en un puesto *ad hoc dog*. No hemos comido, no vamos a comer. ¿Quién piensa en comer cuando le espera un largo camino que la ansiedad hace corto —o al revés— y en Santa Fe la aventura, la libertad y el sueño? Cruzamos con pocos pasos tres calles —un pedazo de Prado, Neptuno y San Miguel— en esta ajetreada, ruidosa, oliente, coloreada, espesa encrucijada donde un día del futuro se ha de pasear La Engañadora, caminando con la armonía de un chachachá. Llegamos a una de las etapas del camino, El Rialto. Esta noche ponen El filo de la navaja, pero (tememos) ¿no es este título demasiado metafísico? Decidimos que sí (que lo es) solamente que lo decimos con otras palabras. Mejor esperar a la próxima semana, a la sección de la biblioteca que viene, mejor dicho, para ver La breve vida feliz de Francis Macomber. El título es muy largo y muy complicado y está esta mujer, la que se parece a Hedy Lamarr tanto, por el medio. Pero, pero hay leones y safaris y cazadores: está el África que es como decir el corazón de Santa Fe. Vendremos.

Seguimos envueltos en el ruido de la ciudad y ahora en el olor de frutas (mamey, mango, anón sin duda: esa fruta siniestra, verde camaleón por fuera y gris de masa gris, con la pulpa como un encéfalo enfermo, por dentro, con tanto punto negro de las semillas envueltas en su quiste viscoso, pero con ese olor a todas las frutas posibles del árbol de la ciencia del bien y del mal, con el aroma de los jardines de Babilonia y el sabor de la ambrosía sea esta lo que fuere, adentro) de batidos, de refrescos de melón, de tamarindo, de coco, y en la mezcla otro olor de fruta, el olor del betún y la tintarrápida y el paño del salón monumental de limpiabotas y ahí en la esquina la estación para el cambio de caballos de nuestra diligencia: los parados, con ese nombre que quiere decir que los clientes no se sientan jamás, pero que parece, decididamente, otra cosa: ahí donde por seis centavos (por una colección de la revista Nueva Generación, como quien dice) podremos tomar dos caficolas, antes de atravesar el sediento desierto con todos sus riesgos, sus venturas.

De nuevo el camino polvoriento. Tenemos ahí delante la tentación del Alkazar donde siempre dan buenas películas. Pero la semana pasada había una cantante dando gritos que se oían desde la calle —aunque la película, Sangre en la nieve, era de guerra: la culpa es de esos shows obligatorios que inventaron los artistas. Más adelante, pegado a Santa Fe, está el Majestic, con tan buenos programas, dobles, triples, cuádruples (esa palabra era difícil entonces), aunque muchas veces no son aptas y hay que rogarle al portero o irle a buscar café a la esquina para después (total) no ver más que gente enferma y una mujer (muy rica) que se baña con un gran misterio en una tina (de espuma) y una pareja que se escapa de casa una noche y después de una tormenta, ella da a luz. Basuras.

De pronto, todo es confusión. La gente corre, alguien me empuja por un hombro, una mujer chilla y se esconde tras una máquina y mi hermano me hala me hala me hala como un sueño persistente por la mano, por el brazo, por la camisa y grita: «¡Silvestre que te matan!» y me siento impulsado hacia un lugar que luego sabré que es una fonda de chinos y caigo bajo una mesa, donde ya hay una pareja compartiendo el precario refugio de una silla de madera y paja y el tiesto de una areca y oigo que mi hermano me pregunta con la voz por el suelo si estoy herido o no y es entonces que oigo los disparos muy lejos/muy cerca y me levanto (¿para huir? ¿para correr hacia adentro de la fonda? ¿para enfrentar el peligro? no, solamente para ver) y me asomo por la puerta y ya la calle está desierta y a media cuadra o al fondo o solamente a unos pasos (no recuerdo) veo un hombre gordo y viejo y mulato (no sé cómo sé ya que es mulato) tirado en el suelo, agarrando por las piernas a otro hombre, que trata de sacudirlo con los pies una y otra vez y como no puede no ve otro medio de apartarlo que dispararle dos veces seguidas en la cabeza y no oigo los tiros, solo veo una chispa, un relámpago blanco y rojo y naranja o simplemente verde que sale de la mano del hombre que está de pie y alumbra la cara del mulato muerto —porque no hay dudas de que *ahora* está muerto— y el hombre suelta una de sus piernas, luego otra y echa a correr, disparando su pistola al aire, no para asustar, no para abrirse camino, sino como el anuncio de una victoria, me parece, como un gallo que cantara después de matar al otro gallo del corral, y la calle se llena otra vez de gente y comienzan a gritar y a pedir auxilio y las mujeres a llorar aullando y alguien dice muy cerca *«¡Lo han matado!»,* como si se tratara de un muerto famoso no de un bulto que está tirado en medio de la calle que ahora levantan que se llevan cuatro hombres casi sin poder con él y desaparece en una esquina, en una máquina tal vez, de seguro en la noche. Mi hermano regresa de alguna parte y está asustado. Se lo digo: «Si te vieras la cara que tienes.» El me dice: «¡Si tú vieras la tuya!»

Seguimos para el cine. En la esquina hay una mancha negra de sangre bajo el farol y la gente se reúne alrededor y miran y comentan. No puedo recordar por más que quiero el nombre de la película que íbamos a ver, que seguimos a ver y que vimos.

Perfidia *es la obra maestra del compositor mexicano Alberto Domínguez (autor también del muy notable* Frenesí) *y es un bolero que ha dado la vuelta al mundo desde el cine y es maleable sin perder su perfección. Apareció por primera vez como aire brasileño en* Now Voyager, *como el perfume de Bette Davis. Es la segunda melodía en* Casablanca *y a su son bailan Bogart y Bergman en el París de la ficción. Reaparece como sonido húngaro al cimbalón en la secuencia de Bucarest de* La máscara de Dimitrios *y es cada vez más cautivante. Una medida de su popularidad y mi obsesión con ese verso que dice, «Mujer, si puedes tú con Dios hablar», es que le he pedido a pianistas de bar, de lobby y de terraza si la saben —y todos la saben y todos la tocan, de Australia a Austria, en Alemania, en Inglaterra, en Miami, en Madrid. En todas partes saben su arte, de memoria, de corazón para mi oído.*

Blen blen blen blen

Cuentan, y parece que es cierto, que en una noche loca, en una de esas «descargas» memorables de un cabaret habanero, Chano Pozo mantuvo a sus oyentes colgados de una improvisación, una *jam session* caribeña, con una letra que decía sencilla y llanamente «blen blen blen blen...». La recoge Cabrera Infante, a página completa, en *TTT,* novela regia a la que pertenecen estas «Confesiones de un comedor de gofio cubano», gran parodia del opiómano De Quincey, que, como Bustrófedon, consideraba el asesinato como una de las bellas artes. Estas «Confesiones», debo confesarlo, serían la única concesión a la literatura pura y dura si no fuera que, disfrazada de cine, sexo, muerte, música y amor, es, finalmente, lo único que hay en la ficción y en la no ficción de GCI. Véase, al respecto, *Oncena.* R. M. P.

CONFESIONES DE UN COMEDOR DE GOFIO CUBANO
(Fragmentos)

Sobre el opio*:
Cita del Monje de los Seis Dedos (Selelo, dinastía Ch'ing-A II):
«El opio es la religión de los chinos.»
De Marx (me pregunto si Marx habría leído a Hegel? Groucho. Groucho Marx, no
Groucho Hegel):
«El trabajo es el opio de los pueblos.»
De Gregory LaCavia:
«El cine es el opio de los espectadores.»
Cuatro siglos antes de Sartre, Christopher Marlowe:
Faustrus (dijo así, luego se corrigió en serio). Faustus: Where are you damned?
Mephistopheles: In hell.
Faustus: How comes in then thou art out of hell?
Mephistopheles: Why this is hell!
Días Faustos:
Hay muchas exégesis de El Extraño Caso del Doctor Jekyll y Mister Hyde: unas in-
teligentes (Borges), otras populares (Víctor Fleming), otras todavía desconcertantes (Jean
Renoir). Fíjate que te hablo de la literatura y del cine y de la televisión. La cultura ac-
tual. Debe haber muchas más que se me escapan, antes, pero no creo que ninguna de
las interpretaciones —mágicas o psicoanalíticas o racionalistas— desvele el único misterio. (Pausa, Arsenio Wolfang Cuéthe dramatizaba sus palabras, segunda copa en mano.) La corta novela de Stevenson, Silvestre es, anota, otra versión del mito de Fausto.

El Arte y los Discípulos:
«Neither the lunar nor the solar spheres,
Nor the dry land nor the waters over earth
Nor the air nor the moving winds in the limitless spaces
Shall endure ever:
Thou a'one art! Thou alone!»
                     Rag Majh Ki Var
                     The Sacred Writings of the Sighs

Cuévafy:
«Y qué será de nosotros sin los bárbaros?
Esa gente era como una solución.»

---

* Arsenio de Cuency comenzaba a opinar de cualquier cosa. Los titulitos pertenecen, por supuesto, al
anotador.

Mansportret:

«The condom is a mechanical barrier used by the male»

Elizabeth Parker, M. D.

The Seven Ages of Women

¿Qué dirá de esto Fileteo Samaniego, escondido autor de Uminña?

Una pregunta que me hacen siempre al oído, tarde en la noche, una voz con acento italiano: ¿Existió alguna vez Vittorio Campolo?

Los ingleses en el baño:

Las bañaderas Eureka (Shanks & Co. Ltd., Barnhead. Scotland: ver hotel Siracusa en la playa del Caney) habrían facilitado considerablemente la labor creadora de Arquímedes (¿O se trata de una prueba más del incontenible humor de los fontaneros ingleses?)

La Nada es el otro nombre de la Eternidad:

Hay más nada que ser. La nada está siempre ahí, latente. El ser tiene que hacerse expreso. El ser sale de la nada, lucha por evidenciarse y luego desaparece otra vez, en la nada.

No vivimos en la nada, pero de alguna manera la nada vive con nosotros.

La nada no es lo contrario del ser. El ser es la nada por otros medios.

Musa paradisíaca o la hoja que corta el mundo de Cué atado:

Los descubridores tomaron nuestro manatí por la sirena: las mamas, la cara casi humana y la manera de hacer el coito, facilitaron la analogía. Pero se les escaparon otros símbolos más cubanos porque son vegetales.

La palmera, con su tronco femenino y la cabellera verde del penacho, es nuestra medusa.

El tabaco (el cigarro, puro de marca para aquellos extranjeros que ves en el rincón oscuro) encendido es otra ave fénix: cuando parece apagado, muerto, la vida del fuego surge de entre sus cenizas.

El plátano es la hidra tropical: se le corta la cabeza frutal y surge en seguida otra suplente y la planta cobra nueva bida, nueba vida.

Cantata del té, Nocturno del café, Fuga del mate:

El café es un estimulante sexual. El té, intelectual. El mate es una borra amarga, primitiva, de una madrugada lunfarda de 1955 en Nueva York. (Hablo para mí y un poco para ti, Silvestre. No me importa lo que digan los científicos. Por esto te pongo el ejemplo privado y lejano.)

Un café en 12 y 23, al alba, amaneciendo, el aire de la mañana y del Malecón en la cara, golpeando con mis sentidos y la velocidad (lo que tiene de embriagador la velocidad es que convierte un acto físico en experiencia metafísica: la velocidad transforma el tiempo en espacio —yo, Silvestre, le dije que el cine transforma el espacio en tiempo y Cué me respondió, Esa es otra experiencia más allá de la física), la velocidad, yo mismo, pegado de frente y de perfil a esa aura mañanera, el estómago vacío y el cansancio haciéndote consciente del cuerpo, con la feliz lucidez del insomnio por delante y por detrás una noche, una-noche-toda-de-murmullos-y-de-música-de-fondo, grabando, es entonces que el café —un simple café de tres centavos— negro, solo, tomado cuando El Flaco, esa sola sombra larga, deja su guardia nocturna, después de haber escandalizado a los noctámbulos, a los obreros que van temprano al trabajo, a los serenos fatigados, a las putas mojadas por el rocío y por el semen, a todos ellos, a la fauna del zoológico nocturno que está a las puertas del cementerio de Colón, a esos, con Chaikovsky o con Prokoffiev o con Stravinsky (y dejen que su melomanía llegue a Webern y Schoenberg y, ¡Dios mío!, lo lincharán, a Edgar Varése), nombres que El Largo, flacamente, apenas puede pronunciar, sonándolos en 23 y 12 (y fíjate que 23 y 12 suman 35 y 3 y 5 suman 8 mientras que las sumas respectivas de 2 y 3 y por otra parte de 12 arrojan 5 y 3, que es también 8: esa esquina está condenada a tener que ver con los muertos: 8 es muerto en la charada, como sabes: eso explica por qué estando el cementerio en Zapata y 12, a una cuadra larga, 12 y 23 es sinónimo popular y habanero de cementerio) en su tocadiscos portátil y miserable y con música rayada —esa media taza de agua y aroma y negrura se transforman (dentro de mí) en una urgencia de ir a buscar, Eribó de las actrices, a N o a M o a M o a N, a su casa y despertarlas de su sueño de grandeza escénica y entre su somnolencia torpe y mi afilada vigilia y el calor turgente de la mañana del verano eterno, hacer el amor hacer el amor hacer el amor —acerelamor, acerelamo, acerela, acere.

El té siempre me hace trabajar, pensar, querer hacer —intelectualmente hablando.

Tiene que haber alguna explicación científica, algo relativo a la excitación lobular o a la actividad de la circulación sanguínea o lo que los frenólogos llamarían una perfusión bajo la corteza craneana y también la titilación, por simpatía, del plexo solar. Pero no quiero conocerla, que no quiero verla, no quiero saber esta hipótesis. No me la digas, Silvestre. Que no.

Lo siento por Macedonio Fernández, por Borges y tal vez por Bioy Casares, aunque estoy dispuesto a alegrarme por Derrota Ocampo: el mate no hace una cultura.

Godspeed:

Te burlabas de oír a Palestrina sentado en un jet. Sí, el padre Vitoria es mi copiloto y todo eso. Pero has pensado en el efecto que tiene que tener la velocidad sobre la literatura. Piensa por favor, nada más que en este fenómeno: un avión que viaja entre Londres y París, llega cinco minutos antes de la hora en que salió cuando el jet hace el vuelo de regreso París-Londres. ¿Qué pasará cuando el hombre viaje a 5 ó 6 mil kilómetros por hora y compruebe que piensa más lentamente que se desplaza? ¿Es ese hombre la misma caña pensante que creía Pascal? Y todavía, a veces, te parece que manejo muy rápido.

Por qué no escribo:

Me preguntas a menudo por qué no escribo. Te puedo decir que porque no tengo sentido de la historia. Me cuesta el esfuerzo de un día entero pensar en el día siguiente. Jamás podré decir, imitando a Stendhal, Seré leído hacia 2,058. (Que suma 15 ó 33, que los dos suman 6, número par que tiene una imagen impar en el espejo: el 9.) Domani e troppo tardi.

Además, no siento ninguna veneración ni por Proust (dijo claramente, Prú), ni por James Joyce (Cué pronunció Shame Choice) ni por Kafka (sonaba kaka en su voz bien cuidada). Trinidad Santísima, sin adorar la cual parece imposible escribir en el siglo XX —y como no podré escribir en el siglo XXI.

¿Es mi culpa si Bay City me dice más que Combrai? Sí, supongo que sí. ¿A ti también? Tú lo llamarías el Síndrome de Chandler.

¿Hablando de Laura Cton?:

El joder corrompe, el joder total corrompe totalmente.

Way of Livink:

Vivo entre lo provisorio y el desorden, en la anarquía. Este caos tiene que ser de todas-todas otra metáfora de la vida.

¿Quién será mi ventrílocuo?

The Time Killer:

La duquesa de Malfi perdonó a sus verdugos porque otro tanto haría el catarro. ¿A qué tanto odiar a Hitler? La mayor parte de las gentes que mató estarían muertas ahora. Hay que hacer una campaña, en la ONU, dondequiera, para declarar genocida al tiempo.

Ejemplo de Caos metafórico o vital:

Fábula de Helio y Gábalo: Estuve trabado en lucha incierta con Juan Blanco, alias Jan DeWitte, autor de Canción Triste, que compuso con el nom-de-plume de Giovvani Bianchi. Bajamos de su casa a las ocho de la noche a Paseo y Zapata. Juan pide batido de chocolate, yo jugo de tomate. Él, helado de guanábana, Arsenio Cué: fresas con crema. JB: jugo de piñas y detrás un V-8 —el otro, una frita—. Juan se come un pan con bisté, porque sabe que llegó la era de los sólidos. Yo pido un arroz con leche: hay tiempo de vivir y tiempo de morir, tiempo entrante y teimpo postrero. Juan Blanco masca un pudin de pan, yo huelo un cheeseburger. JoB pide masarreal, moi pastel de guayaba. (Se nos acaban la lista y la vida, ¡coño!) Iván un litro de leche, siberianamente fría, sibaritamente ingerido. Al verlo le hago señas de ¡voy! y salgo corriendo lívido, cerúleo, para el baño mortal. Claro que perdí la batalla. My kingdom for a cow! Cuando regreso, Juan, Sean, Johannes, John, Joao, toda esa gente toman el alkaseltzer de Segovia. Pero el litro, hélas, está vacío. Lo conservarán, fundido en platino e iridio, en el museo de peseveres. Ave Ioannis Vomituri te Salutant SPQIB.

Subimos de nuevo a su apartamento. Esta noche se llena con alumnas del conservatorio. Vienen a oír por tercera vez, Dios mío, la Novena, sinfonía de ese «monstruo encadenado», como llamó una ninfa musical el otro día, aquí mismo, a Beethoven. No te alarmes, Silver Tray, que otra insistía en apodarlo el Ciego de Bonn. Y como todavía es muy temprano para el Sordo y muy tarde para las Duses, hubo otra (se dan por degeneración espontánea) muchacha líbida que me llevó al balcón, yo frotándome las manos del cuerpo. Pero todo lo que hicimos fue comprobar, una vez más, la teoría de la relatividad. Me enseñó una luz. Venus, me dijo, el Lucero del Alba. Lo grave no es que fuera al anochecer ni el fiasco erótico, sino que miré y vi solamente un bombillo brillando amarillo y soez en una azotea. Todo se vino abajo, pero no dije nada, creyendo en Brecht, que dice que la verdad no se debe a todo el mundo.

Esta noche de la batalla nabal bajamos de nuevo a medianoche, todos, a comer algo después del maratone. Las muchachas insistían, melómanas, en que no se debe comer sólido después del alimento espiritual que nos depararon el alma torturada de Luis Van y los bien pagados ingenieros de la Víctor. Asintimos, con cara de convencidos y ocultamos los eructos tarareando.

Ah oscarwilderness:

«There is a land full of strange flowers and subtle perfumes... a land where all things are perfect and poisonous».

La carga de los 666

Volvió con los números, que era su carga de los 666. Arsenio Cué estaba tan ena-morado de los números como de sí mismo —o viceversa.

El 3 era el Gran Número, casi el Número Uno, porque era el primer número primo, los que no se dejan dividir más que por sí mismos y por la unidad. (Cué dijo la Unidad.)

¿No te parece curioso que el 5 y el 2 sean números tan diferentes y tan iguales? (No le dije que no y él no me dijo por qué sí.)

El número 8 es otra de las llaves del Misterio. Está hecho por dos ceros y es el primer continente de un cubo. El Gran Paso, es decir, el 2, es su raíz cúbica y a su vez 8 es el doble de 4, el número geométrico o pitagórico por excelencia. Vertical es todo esto y más y en la charada cubana significa muerto, y 64, en esta misma charada, es muerto grande, el Gran Muerto 8 x 8 = 64 como *creo* que sabes. (Le dije que sí con la cabeza de la poya.) En la antigüedad era el número dedicado a Poseidón, ese Neptunono que en Cuba tiene calles y estatuas y farolas, a quien tú quieres tanto. La calle, no te olvides, nace en el Parque *Central.*

Ese mismo número se fatiga y se acuesta, se alarga, no tiene fin, es el infinito. (O su símbolo, que es lo único cierto que sabemos de él, le dije. No me oyó.) El espacio es un Lecho de Procusto.

El cinco (perdón, Cué, viejito, el 5) es un número mágico en la mitología numérica china: ellos inventaron los cinco sentidos, los cinco órganos del cuerpo, etc.

El 9 es otro número con un comportamiento «extraño». Es, por supuesto, el cuadrado de 3, que es el primer número impar verdadero, ya que el 1 es la unidad, la base, nuestra madre. (¿Y el cero?, le pregunté.) Es una convención árabe, me dijo. No es un número. (Pero es nuestro, inifinito, le dije. Partimos de él y en él terminamos. Se sonrió. También me hizo un cero con los dedos, ese mudrá popular que indica además que todo va o fue bien —o que no hay nada.) 9 sumado por sí es 18 y multiplicado por sí mismo es 81. Al revés y al derecho, el número en el espejo. Como puedes ver, sumados cada uno de sus dígitos nos volvemos a encontrar con el 9.

¿Sabes que los números primos son extraños ante los números pares y los impares? (No lo sabía.) Sí, su serie es discontinua y arbitraria y todavía no está completa. Ni se completará jamás. Solamente los grandes matemáticos y los grandes magos encuentran números primos —o pueden encontrarlos.

(¿Dónde, entre ellos, estaría Arsenio Cué?)

Te voy a enseñar el verdadero número perfecto. (Se detuvo y me miró.) ¿No te parece que en casi todas las máquinas de escribir, en la tuya es así, me consta, el signo de número queda encima del 3, como diciendo que ese es El Número? Es el gran cuadrado.

(Cogió con gran aparato una servilleta de papel y sacó mi pluma del bolsillo. Empezó a pintar números.)

$$4 \quad 9 \quad 2$$

(Se detuvo. Pensé que iba a sumar.)

$$4 \quad 9 \quad 2$$
$$3 \quad 5 \quad 7$$

(Dejó de dibujar números y me miró. Todos números primos, me dijo.)

$$4 \quad 9 \quad 2$$
$$3 \quad 5 \quad 7$$
$$8$$

(Esperemos que no esté tan borracho como tú, le dije. O a la menor provocación, como dice Eribó, estaremos lidiando con el infinito.)

$$4 \quad 9 \quad 2$$
$$3 \quad 5 \quad 7$$
$$8 \quad 1$$

(Estabilidad para ti, me dijo, sonriendo, y para mí.)

$$4 \quad 9 \quad 2$$
$$3 \quad 5 \quad 7$$
$$8 \quad 1 \quad 6$$

(Miró al papel, triunfante, como si hubiera inventado o estuviera inventando este cuadrado numérico.)

Ahí lo tienes. El cuadrado mágico. Vale tanto como un círculo, me miró esperando que le preguntara por qué. ¿Por qué? Porque como quiera que sumes tendrás el número 15. Vertical, horizontal y diagonalmente da 15. Fíjate también que la suma de estos dígitos, 1 y 5, da 6, que es el número final y restados uno del otro tienes el primer número del cuadrado, el 4.

Como ves, falta el 0. Históricamente te puede indicar que el cuadrado es anterior a los árabes, porque antes se hacía con letras, que eran los números. Para mí este es el cuadrado de la vida.

(Quise decirle que era un euclidiano tardío, pero sabía su respuesta de pitagórico temprano.)

Niega a tu nada. Al 0.

Literatura aleatoria

(Critiqué aquí —yo entre todas las personas: pero siempre soy así: reacciono contra lo que tengo enfrente aunque sea mi imagen del espejo—, le censuré que se llevara de tal manera por los números y me respondió recitando:)

366

Sólo confío en las cosas inciertas
Sólo las cosas claras están para mí turbias
No abrigo dudas más que en la certeza
Y por azar el conocimiento busco
Y cuando gano todo, perdiendo me retiro.

François Villon
Ballade du Concours de Blois

(Eso es literatura. ¿Le dije?)

No, literatura es esta Obra Maestra Posible: Habría que escribir *Rojo y Negro* de nuevo, página tras página, línea a línea, frase por frase, palabra sobre palabra, letra a letra. Habría inclusive, que poner los puntos y las comas sobre puntos y comas, en el mismo sitio, evitando los puntos y comas originales con sumo cuidado. Habría que colocar los puntos de las íes (y de las jotas, dije yo) sobre las íes, sin desplazar los puntos de origen. Quien hiciera esto y escribiera un libro radicalmente distinto, igual pero diferente, tendría la Obra Maestra. Quien firmara este libro (Pierre Menard, interrumpí —Arsenio no se contrarió sino que dijo: ¿Tú también creíste que era eso?) con el nombre (hizo una pausa borgiana) de Stendhal, tendría la Obra Maestra Total.

(Es un blue-print dibujado con tinta simpática.)

No. Ni un programa. La única literatura posible para mí, sería una literatura aleatoria. (¿Cómo la música? le pregunté.) No, no habría ninguna partitura, sino un diccionario. (¿Pensé en Bustrófedon? porque enseguida rectificó:) O mejor una lista de palabras que no tuvieran orden alguno, donde tu amigo Zenón no sólo se diera la mano con Avicena, que es fácil porque los extremos, etcétera, sino que ambos anduvieran cerca de potaje o revólver o luna. Se repartiría al lector, junto con el libro, un juego de letras para el título y un par de dados. Con estos tres elementos cada quien podría hacer su libro. No habría más que tirar los dados. Que sale un 1 y un 3, pues se busca la palabra primera y la tercera o bien la palabra número 4 o todavía la 13 —o todas ellas, que se leerían en un orden arbitrario que aboliría o aumentaría el azar. La ordenación también, arbitraria de las palabras del listín, y esta misma colocación podría estar regida por los dados. Quizá tuviéramos entonces verdaderos poemas y el poeta volvería a ser un hacedor o de nuevo un trovador. Lo de aleatorio entonces no sería una aproximación o una metáfora. Alea jacta est quiere decir que se tiró el dado, como creo que sabes.

(Si, lou séi, le dije. ¿Por qué no llamarla aleataratura?)

Eso sería otra Bustrofonada.

(Mira, que él tiene una idea no tan lejana de la tuya.)

¿Sí? ¿Cuál? ¿La conozco?

(¿Estaba preocupado o interesado simplemente? Se parecen, no creas. Bustrófedon piensa que se puede hacer un libro con dos o tres palabras y creo que llegó a escribir una página con una palabra sola.)

Ya se adelantó Chano Pozo, en 1946.

(¿Sí?)

Recuerda aquella guaracha Blen blen blen blen. Su letra es solamente:

Partitura

Blen blen blen blen blen blen blen blen blen blen blen blen blen blen blen blen blen
Blen blen blen blen blen blen blen blen blen blen blen blen blen blen blen blen blen
Blen blen blen blen blen blen blen blen blen blen blen blen blen blen blen blen blen
Blen blen blen blen blen blen blen blen blen blen blen blen blen blen blen blen blen
Blen blen blen blen blen blen blen blen blen blen blen blen blen blen blen blen blen
Blen blen blen blen blen blen blen blen blen blen blen blen blen blen blen blen blen
Blen blen blen blen blen blen blen blen blen blen blen blen blen blen blen blen blen
Blen blen blen blen blen blen blen blen blen blen blen blen blen blen blen blen blen
Blen blen blen blen blen blen blen blen blen blen blen blen blen blen blen blen blen
Blen blen blen blen blen blen blen blen blen blen blen blen blen blen blen blen blen
Blen blen blen blen blen blen blen blen blen blen blen blen blen blen blen blen blen
Blen blen blen blen blen blen blen blen blen blen blen blen blen blen blen blen blen
Blen blen blen blen blen blen blen blen blen blen blen blen blen blen blen blen blen
Blen blen blen blen blen blen blen blen blen blen blen blen blen blen blen blen blen
Blen blen blen blen blen blen blen blen blen blen blen blen blen blen blen blen blen
Blen blen blen blen blen blen blen blen blen blen blen blen blen blen blen blen blen
Blen blen blen blen blen blen blen blen blen blen blen blen blen blen blen blen blen
Blen blen blen blen blen blen blen blen blen blen blen blen blen blen blen blen blen
Blen blen blen blen blen blen blen blen blen blen blen blen blen blen blen blen blen
Blen blen blen blen blen blen blen blen blen blen blen blen blen blen blen blen blen
Blen blen blen blen blen blen blen blen blen blen blen blen blen blen blen blen blen
Blen blen blen blen blen blen blen blen blen blen blen blen blen blen blen blen blen
Blen blen blen blen blen blen blen blen blen blen blen blen blen blen blen blen blen
Blen blen blen blen blen blen blen blen blen blen blen blen blen blen blen blen blen
Blen blen blen blen blen blen blen blen blen blen blen blen blen blen blen blen blen
Blen blen blen blen blen blen blen blen blen blen blen blen blen blen blen blen blen
Blen blen blen blen blen blen blen blen blen blen blen blen blen blen blen blen blen
Blen blen blen blen blen blen blen blen blen blen blen blen blen blen blen blen blen
Blen blen blen blen blen blen blen blen blen blen blen blen blen blen blen blen blen
Blen blen blen blen blen blen blen blen blen blen blen blen blen blen blen blen blen
Blen blen blen blen blen blen blen blen blen blen blen blen blen blen blen blen blen
Blen blen blen blen blen blen blen blen blen blen blen blen blen blen blen blen blen
Blen blen blen blen blen blen blen blen blen blen blen blen blen blen blen blen blen
Blen blen blen blen blen blen blen blen blen blen blen blen blen blen blen blen blen
Blen blen blen blen blen blen blen blen blen blen blen blen blen blen blen blen blen
Blen blen blen blen blen blen blen blen blen blen blen blen blen blen blen blen blen

¿Qué dirá de esto Zenobia Camprubí?

¿Qué dirá Ulderica Mañas?

¿Qué dirá qué dirá de todo Brigidita Frías a quien tú llamarías Frigidita Brías?

«Tú y yo juntamente en tierra, en humo, en polvo, en sombra, en nada.»

Cómo matar un elefante: modo aborigen:

En África hay pocos ríos tan hondos que obliguen a una bestia enorme como el elefante a nadar y corriente es ver las manadas migratorias vadeando corrientes. A menudo el agua no llega más allá de la rodilla (del elefante), pero a veces cubre todo el animal. Entonces caminarán sobre el lecho del río, no dejando más que la trompa fuera del agua, como periscopios respiratorios.

Los cazadores nativos no furtivos pueden sacar ventaja del elefante que cruza un río. Atan un lastre a una lanza y flechan el snorkel animal desde una canoa. El peso hace hundir la trompa y De Olifant se ahoga.

Ocho horas después (no por el reloj: hora africana) los gases en el interior de la carcasa hacen flotar al elefante, que parece entonces una ballena arponeada y los nativos cobran fácilmente la pieza.

(Era, evidentemente, una cita. ¿De dónde carajo la sacaría este Charlie McCarthy metafísico?)

Popuhilarity:

Alguien dijo que la popularidad de la palabra metafísica se debe a que sirve para todo.

Pascalma:

&La gente toma por sus virtudes lo que no es más que las Virtudes. Supersticiones éticas.

&Cuando alguien dice, Yo no adulo a los poderosos, lo que quiere decir es que *no se debe* adular a los poderosos. Todos regalamos adulación a los fuertes y aceptamos la adulación de los débiles. Lo último a pesar de otra declaración falsa: No me gusta que me adulen. Es el único descubrimiento extraordinario de Hegel (mueca *ad hoc* mía, de Silvestre), esa relación inmemorial del amo y el esclavo, tan profunda que hace olvidar que el mismo hombre dijo una vez: «Es más lo que se sabe que lo que se ignora.»

&Los franceses hacen de la lucidez una virtud, cuando no es más que un vicio: la visión ideal de la vida, que en realidad es confusa. Al menos, mi vida (la única que conozco más o menos bien) es confusa.

Hay quienes ven la vida lógica y ordenada, otros la sabemos absurda y confusa. El arte (como la religión o como la ciencia o como la filosofía) es otro intento de imponer la luz del orden a las tinieblas del caos. Feliz tú, Silvestre, que puedes o crees que puedes hacerlo por el verbo.

&Es lástima que el arte se empeñe en imitar a la vida. Happy-Happy de Ulacia las veces en que la vida copia el arte.

Lo único eterno es la eternidad

&La muerte es regresar al punto de partida, completar el círculo, ir de vuelta al futuro total. Es decir, también al pasado. Es decir, a la eternidad. Si quieres añade algo de T. S. Eliot (casi dijo Teselio), como *Time present and time past* o esa cita de Gertrude Stein, que es tu favorita.

&La vida es la continuación de la muerte por otros medios. (O viceversa, dije yo.)

&Una vida no es más que un medio paréntesis que espera ansioso la otra mitad. Sólo podemos dilatar la Gran Llegada (o la Gran Venida, para ti, Silves-yeats) abriendo otro paréntesis en medio: la creación, el juego, el estudio —o ese Gran Paréntesis, el sexo. (Aquí cabe mejor tu Gran Venida, le dije. Se rió.) Esa es la ortografía de la vida.

&La muerte es la gran niveladora: la buldozer de Dios.

&El tigre invisible, dicen los birmanos. Para mí es la máquina invisible no el tigre. Mi convertible invisible. Un día chocaré o me arrollará Ella o me tiraré de Ella a la calle eterna, a cien por hora.

¿Sabes el Cuento del Peludo y la Pelona, que es la versión criolla de Cita en Samaria? Un Peludo iba por la calle y vio a la Muerte sin que Ella lo viera a él, y la oyó que decía, Me tengo que llevar hoy un peludo. Entró corriendo en una barbería y le dijo al barbero, Al rape. Salió a la calle muy contento, sin un pelo. La Pelona que andaba búscate que busca al peludo, ya muerta de cansancio, dijo al ver al rapado, Bueno, como no encuentro un peludo voy a llevarme este calvo.

Moraleja: Todos los hombres son mortales, pero algunos hombres son más mortales que otros.

&Freud olvidó una sabiduría de otro judío. Salomón: el sexo no es el único motor del hombre entre la vida y la muerte. Hay otro, la vanidad. La vida (y esa otra vida, la historia) se ha movido más por la rueda de la vanidad que por el pistón del sexo.

&Ortega (José Ortega y Gasset, no Domingo Ortega) dijo, Yo soy yo y mi circunstancia. (Un hebreo diría, le dije, yo soy yo y mi circuncisión.)

&Los malos siempre ganan: fue Abel quien perdió primero.

&No es cierto que Dios proteja a los malos cuando son más que los buenos. Es que los malos son los muchos buenos.

&Es mejor ser la víctima que el verdugo.

&Dice Rine, siempre llevando todo a las tablas, que el mal no compone, que los malos saben hacer un magnífico primer acto, un segundo acto bueno, pero que siempre fracasan en el tercer acto. Esta es una versión boy meets girl/boy loses girl/boy finds girl de la vida. Los malos quedarán hechos polvo en una obra shakesperiana —por los cuatro y los cinco actos—. Pero ¿qué pasa con las vidas en un acto?

&Los vicios son más ciertos que las virtudes: creemos más veraz a Ahab que a Billy Budd.

&El bien le teme al mal, mientras que el mal se ríe del bien.

&El infierno puede estar empedrado de buenas intenciones, pero el resto (la topografía, la arquitectura y la decoración) lo hicieron las malas intenciones. Y no es cualquier cosa como construcción. (Leer L'Inferno como manual de ingeniería, S.)

&El mal es la continuación del bien por otros medios. (Y vicehip!)

¿No estaremos todavía en el principio?

(No lo sé ni lo sabremos nunca, porque aquí me cansé de ser un Platón para este Sócrates.)

* * *

[...]

Cogió con gracia la rotonda de Yatch y entró de nuevo en la Quinta Avenida, paseando casi debajo de los pinos, los dos alumbrados, deslumbrados, acribillados de luz por el vértigo radiante de Coney Island y la alegría eléctrica de los bares y las señales públicas de los faroles del encendido y por la premura luminosa de los autos que venían en contra. Cuando volteamos la rotonda oscurecida del Country Club, vi a Cué concentrarse en el manejo una vez más. Era un vicio. Dipsómano de la distancia, le dije pero no me oyó. ¿O fue que no lo dije? Atravesábamos la avenida y la noche envueltos en la velocidad y en el aire tibio y tierno y en el olor del mar y de los árboles. Era un vicio agradable. Me habló sin mirarme, atento a la calle o su doble borrachera. Triple.

—¿Tú te acuerdas de los juegos de letras de Bustrófedon?

—¿Los palíndromos? No los olvido, no quiero olvidarlos.

—¿No te parece significativo que no acertara con el mejor, el más difícil y más fácil, con el temible? *Yo soy.*

Deletreé, leí de atrás adelante yos oY, antes de decirle:

—No especialmente. ¿Por qué?

—A mí sí —me dijo.

La ciudad era ahora una noche quántica. Una bomba del alumbrado que pasaba rápida al costado haciendo amarillo y visible un costurón de contén o una acera con gente que esperaba el autobús o árboles lívidos, jaspeados, que dejaban de ser tronco y ramas y hojas al perderse en una fachada oscura, también era una sola luz blanca, azulosa, tratando de iluminar más espacio desde arriba y solamente conseguía deformar las cosas y las gentes con una irrealidad enferma, a veces, era un ventanal fugitivo, de crisólito, en que podía verse una escena hogareña que por ajena parecía siempre apacible, feliz.

—Bustrófedon, que fue amigo mío tanto como tuyo —estuve a punto de decirle, ¡No me digas!— tenía un defecto, aparte de su grosería. Como aquella noche —coño, todavía le molestaba: rencor al pasado se llama ese recuerdo— y su falla de carácter es que se preocupaba, mucho, de las palabras como si estuvieran siempre escritas y nadie las dijera nunca, nada más que él y entonces no eran palabras sino letras y anagramas y juegos con dibujos. Yo me ocupo de los sonidos. Al menos, ese es el único oficio que aprendí de veras.

Se calló, dramáticamente, como otras veces y atendí a su perfil, a que los labios temblones, dibujados apenas por la luz ambarina de la pizarra, me advirtieran que iba a seguir hablando.

—Di una frase cualquiera.

—¿Para qué?

—¿Por favor.

Acompañó la petición con un gesto insistente.

—Bueno —dije y me sentí un poco ridículo: en una trampa sonora: a la prueba de un micrófono ilusorio y estuve tentado de decir uno dos tres probando, pero dije—: Deja ver —hice otro silencio y dije por fin—: Mamá no es un palíndromo pero ama sí.

Homenaje al Difunto tan execrado en estos días.

De labios de Cué salió un ruido familiar y a la vez desconocido.

—Ísama orep omordnílap núseón ámam.

—¿Qué cosa es eso? —le pregunté sonriendo.

—Lo que acabas de decir pero con los sonidos invertidos.

Me reí tal vez un poco admirado.

—Es un truco que aprendí en las grabaciones.

—¿Cómo lo haces?

—Es muy fácil, como escribir al revés. Lo único que tienes que hacer es pasarte horas y horas grabando mierda, programas con diálogos increíbles, casi indecibles o por lo menos inaudibles, conversaciones de silencio, dramas rurales o tragedias urbanas de personajes más imposibles que Caperucita y que debes impersonar con una ingenuidad inhumana y al hacerlo saber que por culpa de tu voz, eso que llaman eufonía, no serás nunca el lobo, perdiendo tu tiempo como si fuera algo que puedes recoger de nuevo, como un tritón de la fuente a la entrada del túnel bota agua.

Le dije que lo hiciera de nuevo. Cué carajo. Cuérajo.

—¿Qué te parece?

—Formidable.

—No, no —me dijo rechazando el halago como si yo estuviera pidiéndole un autógrafo considerándome un fan—. Quiero decir que a qué te suena.

—¿A mí? No sé.

—Vuelve a oírlo —y desanduvo otras frases.

No sabía decirle.

—¿Te suena a ruso?

—Puede ser.

—¿Osura aneus eton?

—No sé. Más bien a griego antiguo.

—¿Cómo carajo sabes tú a qué sonaba?

—Por favor que no es una lengua secreta. Quiero decir que hay amigos míos que estudian filosofía que lo hablan —con acento habanero iba a añadir, pero no tenía cara de bromas.

—Suena a ruso, te digo. Tengo buen oído. Debías oír una grabación completa, un pedazo y te darás cuenta que el español al revés es ruso. ¿No te parece curioso, raro?

No. Lo que me extrañó no me extrañó entonces sino ahora. Entonces me asombró que en su voz no hubiera rastro de lo que bebimos. Tampoco en su manejo. Debió haberme sorprendido, más, la referencia al tiempo y los tritones y el agua. Pero fascinado con su acrobacia verbal pasé por alto la única vez que oí a Arsenio Cué hablar del tiempo como algo vagamente precioso.

* * *

Entramos en La Habana por Calzada. El semáforo de Doce no estaba rojo y pasamos frente al Lyceum como una flecha budista —¡zen! en vez de ¡zum!—. No puedo ver el Trotcha, con sus jardines sinuosos y el antiguo balneario de lujo (que estaba, Dios mío, a fin de siglo, en una remota hacienda de extramuros apodada El Vedado: un tanto para nuestro Le Cuerbusier, que piensa que la música es arquitectura en movimiento) que es hoy un pobre laberinto arruinado y el teatro colonial que es un hotel ahora, menos que eso: una casa de huéspedes, caída, venida a menos, ruinas que no me encontrarán impávido porque son para mí inolvidables. En Paseo nos detuvo el tránsito.

—¿En serio?

—¿En serio qué?

—¿Hablas en serio cuando dices que el ruso es el español al revés?

—Perfectamente en serio.

—¡Dios mío! —exclamé.— Somos vasos, veleros comunicantes. Eso ensambla exacto con la teoría de Bustrófedon de que el alfabeto cirílico (como decía él: cyrilic/cilyric) es el alfabeto latino al revés, que se puede leer ruso en un espejo.

—Bustrófedon bromeaba, siempre.

—Tú sabes que las bromas no existen. Todo se dice en serio.

—O se dice todo en broma. La vida era una broma total para él. O Él, como tú prefieres. Nada humano le fue divino.

Es decir, que para él no había cosas serias. Por tanto, no había bromas. Lógica aristotélica.

Volvió a arrancar. Dibujó una exclamación con la boca antes. Jimmydeancué.

—Coño, mi viejo —me dijo—. Nadie te echaría de más si te llevara en esta máquina del tiempo a vivir entre los sofistas.

—Mira quién habla, que no te falta más que detener tu cuádriga, el Quatre Chevaux y bajarte a matar una res y sacarle el hígado para ver cómo se presenta el futuro y si avanzamos hasta Sardis o regresamos al mar. —Sonrió—. Pero te propongo impersonar un dúo presocrático. Podíamos muy bien ser Damón y Fitias.

—Who's who?

—Elige tú qué canto yo.

—What about Códac?

—No good bum. Next.

—The Teevee Channel?

—Nothing doing. They've got plenty o'nuttin for me.

—I mean you loan shark.

—Nope. He's a sharky with a pnife, and a wife. Not on talking terms.

I laughed. Digo, me reí.

—Johnny White, then?

373

—Outa town. Left on a posse. He's a deputy sheriff now.

—And Rine?

Se quedó callado. Aprobó con la cabeza.

—Righto! Good Ol' Rine. It's a cinch. Thanks, Chief. You' re a genius.

Torció a la izquierda y luego a la derecha y finalmente regresó al Malecón en dirección contraria —y me toma más tiempo escribirlo que lo que demoró en hacerlo. Las niñas de a bordo, llevadas y traídas por las fuerzas centrífugas, centrípetas, la coriolis y tal vez las mareas, amén de la atracción lunar, que afecta tanto a las mujeres, se marearon y fueron a protestar ante el capitán.

—Eh, pero qués lo tuyo nene? Nos va a matar?

—Si seguimo así mejor bajarno Beba.

Arsenio puso suave el carro.

—Además —dijo Beba— to esa habladera en inglé y sin titulito.

Nos reímos. Arsenio tendió una mano hacia Beba y desapareció en lo oscuro. Su mano, no Beba, que se veía bellísima, con su furia medio fingida ahora.

—Es que olvidé que tengo un recado que darle a un amigo, urgente, me acordé ahora. Gases del oficio.

—Toma Fitina este niño.

Nos reímos, Cué y yo.

—Eso haré. Mañana. La voy a necesitar.

Beba y Magalena se rieron. Eso sí lo comprendían.

Además, Beba querida —Cué conectó su voz romántica, la que nosotros, sus amigos, llamamos de Linda voz tienes Juan Monedás, por una espantosa, melosa, odiosa novela radial de Félix, Pita, Rodríguez, más conocido como Felipita—, piensa en el aspecto espiritual. Hablaba con Silvestre, acá, de lo mucho que te amo, pasión que mi natural tímido no me deja expresarte. Le decía, a este, que te componía un poema en la mente, pero que no afloraba a mis labios inocentes por temor a las críticas despiadadas que este crítico profesional de ahí atrás pudiera hacerle y también con temor a la reacción de otras gentes —y Magalena que cogió la indirecta dijo enseguida, Conmigo sí que no, porque ni he hablao y además me guta mucho Ángel Buesa! No era por ti, belleza, sino por otras yerbas no presentes pero que lo estarán, espero, algún día. Le decía también a mi dilecto colega de la pluma y amigo, que mi corazón late a cien por ti y solamente espera hacerlo al unísono con el tuyo. Esa es la verdadera y real causa de mi distracción tan molesta para ustedes como dañina a este excelente carro. Mejorando lo presente.

Beba estaba o se veía encantada.

—Ay pero qué lindo es.

—Recítalo, Checué, por favor —le dije.

—Sí, sí, Arsenio Cué —dijo Magalena entusiasmada con el entusiasmo.

—Pofavor este muchacho, recítalo, siempre me encantan los poeta y los cantante de punto guajiro y eso.

Cué se llevó una mano más acá del timón. La que tenía perdida allá por Beba. Habló un Cuecalambé emocionado con los rumores del hormigón.

—Beba de mi alma, te llevaré aquí, en el pecho, siempre, junto a mi cartera, por esas palabras inolvidables que me llenan de un sentimiento inesperado. Pausa. Acorde pasional. Allá va eso. Temita. A Beba (temblor de las bes en los labios culpables de Arsenio Cué, versión local de Enrique Santisteban), a quien pertenezco en cuerpo y (conjunción suspensiva) alma (énfasis emocional), mi poema, hecho de corazón y otras entrañas. Golpe de Gong, por favor, sonidista de la noche. Versos libres que me atan a mi adorada. Redoble asordinado. Amor en el lugar de las eses. Fanfarria-tema. (Levanta el perfil lampiño Ezra Poud-quake y su voz trémola llena el carro. Había que oír a Arsenio Cué y también ver la cara de las damas de compañía. The Greatest Show in Hearse.)

SI TE LLAMARAS BABEL Y NO BEBA MARTÍNEZ

A
Ah
Ah, si solamente tú dijeras
Si con tu boca tú dijeras
Contraria contrariis curantur,
Que parece tan fácil de decir a los que somos alopáticos.
Si tú dijeras, Lesbia, con tu acento,
O fortunatos nimium, sua si bona norint, Agricolas.
Como Horacio.
(¿O fue Virgilio
Publio?)
O tan siquiera
Mehr Licht,
Que es tan fácil,
Que cualquiera en un momento oscuro
Va y lo dice.
(Hasta Goethe.)
Si tú dijeras Beba,
Digo, que dijeras,
Beba,
No que bebieras.
Si dijeras
Thalassa! Thalassa!
Con Jenofonte al modo griego
O con Valery siempre recomenzado,
pronunciando, claro, bien la última a-á
Acentuadá.
O si siquieras
siquiera con

375

Saint
John
Perse
Dijeras
Ananábase.
Si tú dijeras
Thus conscience does make cowards of us all,
Silabiomurmurando
Como sir Laurence y sir John,
Laurence Olivier, Gielgud et al.
O con los gestos sombríos de una Asta Nielsen con voz, con vitafón.
Si dijeras
Lesbia entre mis sábanas,
Con amor:
Si dijeras, Lesbia o Beba,
O mejor: Lésbica Beba,
Si dijeras
La chair est triste, helas, et j'ai lu tous le livres!
Aunque fuera mentira y de los libros/livres
No conocieras más que cubiertas y lomos,
No los tomos
Y si algún título perdido:
A la Recherche du Temps etcétera
O Remembrance of Things Past Translation
(¡Qué bueno,
pero qué bueno
sería,
Beba, que pronunciaras levres en vez de livres!
Entonces tú no serías tú
Ni yo sería yo
Y mucho menos tú,
Yo o yo,
Tú:
O si dijeras viande en lugar de chaire,
Aunque hablaras como martini-quaise.
Sería yo un feliz Napo,
león de tu josefinitud carnal, comestible y enferma.)
Si dijeras, Bebita,
Eppur (o E pur) si muove,
Como dijo Galileo por excusa
A los que recprochaban al desmentido astrónomo
Que hubiera casado con puta vieja y fea
Y sin misericordia adúltera.

Si lo dijeras, Beba,
Lesbeba,
Aunque lo pronunciaras mal:
Si convirtieras por medio de tu lengua móvil, animada como con vida propia
El griego poco, el escaso latín y el ningún arameo en lenguas vivas.
O repitieras cuarenta y cuatro y mil veces más y otras tantas
O sólo 144,
Que la primera cifra,
Los cuarenta y cuatro
Mil, en palabras, son para acá y la otra cifra
En números contantes son para un destino oculto, ocultado.
Si repitieras con mi lama
(Lagrán Rampa)
O solamente un modesto gurú,
Si aprendieras de él a decir, murmu
rado:
Om-ma ni Pad-me-Hum,
Sin resultado,
Claro.
O si me hicieras un mudrá
Con el dedo del medio erguido, parado,
Y el anular y el otro, índice se llamará,
Los dos, los cuatro, todos los demás,
Acostados o prostrados.
Si consiguiera esto de ti,
no yo sería mí,
porque sería el bardo
y no un bardo.
Pero esto es complicado.
Demasiado.
Si pudieras decir
Una frase más simple, sencilla.
Si pudieras decilla,
Si pudiera decirla yo contigo
Y con nosotros el mundillo,
El mali mir,
Esa que diz:
Ieto miesto svobodno!
Svobodnó!
Ah, si te llamaras no Beba, sino Babel Martínez!

Arsenius Cuetullus hizo el silencio, que quedó reverberando en el carro y el Mercury se transformó en Pegaso. Casi aplaudí. Me lo impidió la consternación que oí en la voz de Beba. O Lesbia. O más bien la rapidez con que dijo:

—Pero este niño yo no me apellido Martíne.

—Ah, no —dijo Cué muy serio.

—No, ni tampoco me guta ese nombrecito de Anabel.

—Babel.

—El que sea.

Habló Magalena.

—Ademá mi vida cuánta etrañesa. Te juro muchacho que no entendí ni papa.

¿Qué hacer? La respuesta, aunque habláramos ruso de veras y no a través del espejo, no la pudo dar Lenin, mucho menos Chernichevsky. Vino en nuestro auxilio, en cambio, Henry Ford. Cué pisó el acelerador hasta el fondo —o más bien, hasta Chez Rine o Rine's o Ca'Rine. *Dom Rinu.*

¿No hay suficiente amor en La Habana para un Infante Difunto, *que es la novela de un Don Juan pobre? El tema del amor suena y resuena en cada página de* TTT *(que al que no quiere T se le dan tres) donde el tema tabú es el amor por una mujer partida por la mitad con un serrucho, en escena, como arte de magia blanca. En una novela que tiene un hilo conductor (de orquesta) que se llama «Ella cantaba boleros» la música tiene que ser, de todas-todas, esencial, que está en la esencia del libro.* Mea Cuba *podría subtitularse «A Cuba con amor». Mi próximo libro estará más lleno de lluvia. No sólo Lorca vio llover en La Habana. También yo, también yo. Su título es —La revelación en el próximo capítulo.*

(Cronología a la manera de Lawrence Sterne... o no)*

* Ampliada para *Mi música extremada* desde 1978.

Año	Edad
1929	**0**

22 de abril: Nace en Gibara, pequeña ciudad en la costa norte de la provincia cubana de Oriente. Segundo hijo y primer varón de Guillermo Cabrera, periodista y tipógrafo, y Zoila Infante, una belleza comunista. (Sus padres habrían de convertirse de hecho en miembros fundadores del partido comunista local, dotando a la criatura con suficientes anticuerpos comunistas como para estar efectivamente vacunado de por vida contra el sarampión revolucionario; una hazaña reaccionaria, si uno toma en consideración que nada menos que Vladimir Ilych Ulyanov nació en la misma fecha.)

29 días

Va al cine por primera vez con su madre, a ver *Los cuatro jinetes del Apocalipsis* («reprise»).

1932   **3 años**

Ve aguacates cayendo del cielo, bombas arrojadas por orden del general Machado (uno de los tantos tiranos que esa «larga isla infeliz» ha tenido que sufrir en este siglo) para sofocar una rebelión local, y Gibara se convierte en la primera ciudad de América bombardeada desde el aire. Su padre y un tío materno pelean con los rebeldes. Comienza a gozar, pero no todavía a leer los *monitos* (los muñequitos): *Benitín y Eneas, Los sobrinos del capitán, La gatita del Tobita,* etcétera.

1933   **4**

Nace su único hermano, en el cuarto mes del año y cuatro días antes del cuarto cumpleaños de GCI, enseñándole que hay más magia que meras matemáticas en los números. Al mismo tiempo descubre la anatomía, con resultados casi catastróficos. Decepcionado al tener un hermanito, en vez de una hermanita, trata de eliminar la diferencia con un par de tijeras.

Debe interrumpir su educación para ir al Kindergarten. Odia la experiencia tanto, que se enferma violentamente y no podrá asistir a la escuela más que dos años.

1934   **5**

Se enseña a sí mismo a leer, al concentrarse en descifrar los globos cautivantes de *Dick Tracy* y *Tarzán*.

1935   **6**

Empieza la escuela primaria en Los Amigos, escuela cuáquera. Encuentra las canciones de domingo agradables, aunque los cantantes no tengan ritmo.

Un día viene su madre y no su padre a buscarlo a la escuela. No van derecho a casa sino que dan un largo paseo por la orilla del mar. Otro día encuentra su casa herméticamente cerrada al mediodía. Todavía otro día halla trazas de humo y cenizas y colillas en la casa de sus padres, que no fuman. Finalmente aprende lo que quiere decir la frase *reunión clandestina*.

1936   **7**

Vísperas del Primero de Mayo. Se despierta para presenciar un acto de astracán político. Su hermano de tres años y su madre entran corriendo a la casa, perseguidos de cerca por dos guardias rurales que enarbolan revólveres. Arrestan a su madre, y su padre, ausente momentáneamente, se entrega más tarde esa mañana. El astracán se convierte en tragicomedia. Sus padres son trasladados a la cárcel de Santiago de Cuba, a unos quinientos kilómetros de Gibara, escapando casi de milagro a la ley de fuga, mientras los rurales confiscan todos los libros encuadernados en rojo en la biblioteca de su padre: la autoridad confundiendo por primera vez en la vida de GCI la política y la poesía.

Mientras sus padres pasan varios meses en la cárcel, él se enamora por primera vez de una prima cautivadoramente bella. Ella le abre a él la caja de Pandora. Descubre el amor y el sexo, pero ¡ay!, también los celos, la traición y el odio.

1937   **8**

A su regreso de la prisión, su padre se encuentra sin trabajo y debe convertirse en tenedor de libros. La paga es tan poca y la familia vive tan apretada que empiezan a pensar en emigrar.

1938   **9**

Mientras está de expedición montuna buscando yerbas para una chiva de la familia, por poco mata a su hermano al pegarle accidentalmente en la cabeza con un machete.

1939   **10**

Siguiendo los «dictados del partido», sus padres cambian de opinión con respecto a su antiguo azote, el coronel Batista. Otras lecciones de política: su madre llora ante la caída de Madrid, pero cuando Hitler y Stalin se ponen de acuerdo para desmembrar a Polonia, su padre escribe discursos urgiendo a Cuba (y, supuestamente, al mundo) a no enredarse en la «Guerra Imperialista». Más tarde sus padres —y el Partido— hacen campaña pro Batista presidente.

1940   **11**

Una segunda niña nace al matrimonio sin hijas. (La primera hija, nacida un año antes que GCI, se estranguló con su cordón umbilical.)

Se ha convertido ahora en un cazador apasionado, aunque tiene una puntería terrible. Un día, sanguinario, mata varios pájaros en su nido, sordo a los ayes de la pájara revoloteante alrededor del nido. Dos días más tarde muere su hermana de septicemia por un ombligo infectado. Por primera vez asocia el crimen, la culpa y el castigo con un juez omnisciente y terriblemente vengativo. Su padre marcha a La Habana en busca de trabajo.

1941   **12**

Después de pasar mucha miseria, el resto de la familia emigra a la capital. Deja detrás una niñez pobre, pero feliz (una familia grande en una casa grande, amigos, todas clases de *pets,* el campo abierto), para encontrar una igualmente pobre, pero infeliz adolescencia. Al mismo tiempo se embarca en su más grande aventura: la vida en una gran ciudad.

1942   **13**

Una puta generosa, solamente dos años mayor que él, lo introduce al secreto arte de la masturbación.

De vacaciones en su pueblo, descubre los viejos libros de su padre —en realidad, una biblioteca heredada de su tío, el intelectual del pueblo, que escribía bajo el seudónimo de «Sócrates»—. Entre estos libros encuentra su primera literatura erótica: una edición española sin expurgar del *Satiricón,* de Petronio.

1943   **14**

Comienza el Bachillerato. Coexisten en él un buen estudiante haragán con un fanático, pero mal jugador de pelota.

1944-45   **15**

Mientras la vida del pueblo natal se reduce a memorias (primero muere su perro, dejado atrás; luego, su abuelo; después, su legendario bisabuelo), La Habana se vuelve la metrópolis, el mundo, un cosmos en sí.

Ansioso por leer las revistas americanas que le regala una vecina bondadosa, comienza a estudiar inglés por las noches.

1946   17

Un notable profesor —snob y mal actor, pero con las aulas siempre llenas— lo infecta sin querer con un virus literario. Predecible: es la historia conmovedora de la fidelidad de un perro hacia su amo errante lo que le hace consciente de los Clásicos. Nombre del perro: Argos.

Se vuelve un lector ávido, y mientras su interés en la literatura crece, el estudiante holgazán se vuelve indiferente hacia otras asignaturas. Finalmente, la literatura le gana a todo —incluyendo el béisbol.

1947   18

Después de leer *El señor presidente,* el lector se murmura: «*Anch'io sono scrittore*», en cubano, por supuesto, y para probarlo escribe en imitación un cuento terriblemente mediocre —que, para su asombro, es publicado por *Bohemia,* entonces uno de los principales magazines de América Latina. Mientras tanto, la hospitalidad de su madre ha hecho de su casa —o mejor dicho, cuarto— lugar de reunión de los jóvenes escritores y artistas que gravitan alrededor del periódico comunista *Hoy,* en el que su padre trabaja desde su fundación en 1940. La mayoría de estos jóvenes se pelearán con el Partido al poco tiempo, pero seguirán visitando Zulueta 408 para tomar café y conversar en una casa presidida por un cuadro de Jesús Sangrando y una foto del Sangriento José (Stalin).

Visita un burdel por la primera vez. Desalentador encuentro con una puta (falsa). Comienza a usar espejuelos.

1948   19

Un año terriblemente decisivo. La broma literaria jugada a Asturias se vuelve contra su creador y lo que comenzó como un pasatiempo se vuelve afición, luego hábito, más tarde obsesión. Un bacilo sin identificar —y tal vez muy conocido— lo aleja de las aulas y le hace perder la mayoría de los exámenes. El catarro perenne de su hermano es diagnosticado como tuberculosis. Habiendo soñado un día con estudiar Medicina, visita la Facultad Médica y se espanta con las hileras de cadáveres a la espera de ser elegidos por la breve y formolizada posteridad de una lección de anatomía; es apabullado por su obscena pasividad desnuda y por el olor, ¡el olor! Fin de una carrera que nunca empezó. Deja la escuela para pasar a ser secretario del jefe de redacción de *Bohemia.* Escribe lo que todavía considera un cuento perfecto.

1949   20

Funda un magazín literario que debió llamarse *La Vida Breve* en vez de *Nueva*

Generación. Trabaja como corrector de pruebas en varios periódicos (entre ellos uno escrito en inglés: el *Havana Herald)* y como editor literario (fantasma) de la revista *Bohemia.* Muy breve (y de nuevo desastroso) encuentro con una trotacalles negra.

1950   **21**

Ingresa en la Escuela Nacional de Periodismo. Trabaja como investigador de encuestas, traductor, sereno. Piensa irse a la mar por breve tiempo. Primera experiencia sexual con éxito con una mujer adulta. Para su sorpresa eternamente divertida, ella es la antigua Muchacha Más Bella del Bachillerato (ahora casada), quien insiste en hacer el amor oyendo *El Mar,* de Debussy; un disco prestado en un tocadiscos también prestado.

1951   **22**

La familia deja el cuarto de La Habana para mudarse a un apartamento en El Vedado, después de una seria recaída de su hermano.

Funda con un grupo de amigos una sociedad literaria, *Nuestro Tiempo,* la que abandona muy pronto después de descubrir que se había transformado en una organización-pantalla del Partido Comunista.

Persistiendo, crea con un grupo de fanáticos la Cinemateca de Cuba, hija de la Cinématheque Française.

Conoce a la muchacha salida de un convento que más tarde será su mujer.

1952   **23**

El infame segundo golpe de Estado de Batista echa por tierra sus esperanzas de votar por primera vez en su vida. Su pesar será eterno. Publica un cuento corto en *Bohemia* que contiene «English profanities», con resultados desastrosos. Es encarcelado, multado y forzado a dejar la Escuela de Periodismo por dos años.

1953   **24**

Como secuela de su prisión —o más bien como una continuación— se casa. Privado de usar su nombre en desgracia, escribe un artículo (¡en el XXV aniversario de Mickey Mouse!) usando un seudónimo que a alguna gente le parece un avatar. Uniendo la primera sílaba de su primer apellido con la primera sílaba de su segundo apellido surge Caín.

1954   **25**

Su antiguo jefe es nombrado director de *Carteles,* la segunda revista de Cuba. Todavía usando su nombre de capa y espada —G. *Caín*—, comienza a escribir una columna semanal sobre cine que se hace notoria en Cuba y en el área del Caribe.

Nace su primer hijo: una hija llamada Ana.

1955   **26**

Sale de Cuba por la primera vez en una solitaria visita a Nueva York. Como resultado, la *Cinemateca* se ve reforzada con films del Museo de Arte Moderno.

Para su asombro eterno, encuentra el adulterio mucho más fácil que el sexo prematrimonial: la culpa se hace cuita.

1956   **27**

Tratando de usar la *Cinemateca* como plataforma política, la mata. El Gobierno se incauta del club y finalmente lo dejar morir.

1957   **28**

Ve a varios de sus amigos encarcelados o muertos por la Policía de Batista. Actividades clandestinas. Escribe para la prensa clandestina. Visita México por primera vez. Vuelve a Nueva York. Interrogado brevemente por el Buró de Represión de Actividades Comunistas acerca de su filiación política.

1958   **29**

Conoce a Miriam Gómez, una joven actriz que hace su debut en *Orpheus Descending,* de Tenessee Williams. Nace su segunda hija y es llamada Carola. Es repetidamente advertido por sus amigos y enemigos acerca del contenido político de su columna. Una delegación de jóvenes socialistas trata de convertirlo en el líder de una protesta autorizada. Su columna es censurada estrechamente. Escribe muchos de los cuentos y todas las viñetas políticas de *Así en la paz como en la guerra.* Prepara la primera reunión entre los comunistas y el Directorio Revolucionario. Pasa armas de contrabando a estos últimos. Prepara un viaje a la Sierra para él y dos periodistas americanos cuando Batista abdica, el 31 de diciembre.

1959   **30**

Por breves períodos sucesivos es editor del diario semioficial *Revolución,* jefe del Consejo Nacional de Cultura y ejecutivo del recién creado Instituto del Cine. Más tarde funda *Lunes,* suplemento literario de *Revolución.* Viaja por USA, Canadá y Suramérica en el *entourage* (¿o es *en toute rage?*) de Fidel Castro.

1960   **31**

Lunes comienza su *politique des auteurs politiques* invitando a Cuba a escritores de todos los colores —de Sartre a Sarraute y Sagan, de Le Roi Jones a Wright Mills—, mientras ayuda a disfrazar al país, cada vez más comunista, en una Revolución Original. Visita Europa (más la Unión Soviética, Alemania del Este y Checoslovaquia) con una delegación de periodistas virginales. Se divorcia. Deja de escribir críticas de cine para siempre. Publica *Así en la paz como en la guerra. Lunes* se ramifica hacia la televisión.

1961   32

Corresponsal de guerra en la guerrita de Bahía de Cochinos. Cuba se convierte (oficialmente) al socialismo. La Oficina de Censura del Cine (Instituto del Cine) prohíbe y después secuestra a *P. M.*, un corto que celebra la vida nocturna de La Habana en 1960, hecho por su hermano y previamente mostrado por *Lunes* de televisión. *Lunes,* el magazine, sus editores y colaboradores organizan una protesta escrita firmada por más de 200 escritores y artistas. El Gobierno decide posponer el Primer Congreso de Escritores y Artistas de Cuba y apresuradamente monta una serie de «conversaciones con los intelectuales» presididas por Castro, secundadas por el presidente Dorticós y manejadas por los comunistas. Después de muchas idas y venidas, el resultado de las «conversaciones» (donde el grupo de *Lunes* parecían ser los únicos escritores preocupados por la libertad de expresión que quedaban en Cuba) es una sentencia antes del veredicto: el secuestro del film es condenado oficialmente y el magazín es prohibido. Pero en el Congreso de Escritores y Artistas, apenas un mes más tarde, GCI, desempleado, es elegido (como de burla) vicepresidente de la Unión de Escritores y Artistas.

Se casa con Miriam Gómez, ahora una exitosa actriz de teatro, de televisión y del cine. Comienza a escribir *Ella cantaba boleros* como continuación de *P. M.* por otros medios. Eventualmente la novelita se convertirá en *TTT.*

1962   33

Todavía desempleado, GCI comienza a ser visto como un exiliado interno. Prepara un libro con sus críticas de cine y escribe para ellas un prólogo, un epílogo y un interludio, para convertir a *Un oficio del Siglo XX* en una pieza de ficción ligeramente subversiva. El libro se propone probar que la *única* forma en que un crítico puede sobrevivir en el comunismo es como ente de ficción. A la manera bolchevique, es desterrado de la capital política. Pero La Habana es todavía una versión latina de Moscú y en vez de exiliarlo en Siberia es enviado de *attaché*-cultural a Bélgica.

1963   34

Así en la paz como en la guerra es publicada en Francia, Italia y Polonia y es nominada al *Prix International de Littérature,* ganado «ex aequo» por dos epígonos de Kafka.

Aunque escrita en cubano, su primera novela —luego titulada *TTT*— gana el más prestigioso premio para una novela en español. En un *coup d'été* que nunca abolirá el azahar, es nombrado encargado de negocios cubanos en Bélgica y Luxemburgo.

Su libro es nominado al *Prix Formentor,* que es ganado en su lugar por una novela inolvidable, *The Night Watch* —no *The Night Watchman* (¿o será quizá *The Night Watchmaker?*). Regresa a Cuba el 3 de junio a los funerales de su madre. Se queda pasmado al encontrar que La Habana es una ciudad fantasma y apresura su regreso a Europa. Pero el Conde Oeste-Oeste tiene otros planes para él y le ruega al agrimensor quedarse para una entrevista, que es eternamente pospuesta por el Castillo. Sin embargo, GCI no piensa que ha llegado a Kafkalandia. En realidad, después de ver a algunos de sus amigos espirituales decrépitos, que lo reconocen y luego mueren moviendo su rabo político, está convencido que ha regresado a Ítaca. Aunque odia ver en lo que han convertido los pretendientes a su isla, aunque está mucho más aplastado al contemplar una Penélope loca que cada día teje un tapiz diferente, al que todos deben certificar como el original, se consuela memorizando el epitafio que Cavafis escribió para su isla: *Ítaca te dio el bello viaje. Sin ella nunca lo habrías emprendido. Y si la encuentras pobre, Ítaca no te ha defraudado. Con la enorme sabiduría que has ganado, con tanta experiencia, debes seguramente ya saber lo que significan las Ítacas.*

Después de mucho vapuleo por los Robacadáveres deja La Habana —o más bien, Santa Mira— para siempre. Se ve corriendo cuesta abajo para decirles a todos los que encuentre en el camino acerca de la invasión de vainas políticas, pero nadie lo cree y todos se van corriendo inadvertidos, y es *El Fin.*

(Pero fue en verdad el principio. Lo que hizo en realidad fue tomar el avión de regreso a Europa, trayendo consigo a sus dos hijas, unos pocos manuscritos y tres fotos [o una sola foto de tres asuntos diferentes], más sabiduría y un puñado de recuerdos.)

(Una vez en el avión, entre el ruido de los motores creyó estar oyendo un *jet de mots* —¿O era un *jeux de mottos?*)

(Insolencia)

(Exilios)

(Punning)

El resto es ruido.

> Después del ruido,
> entre el ruido,
> en el ruido del ruido.

1965   36

(Finales.) Recoge en Bruselas a Miriam Gómez y con ella y sus dos hijas se instala en Madrid, en la calle Batalla del Salado (que le suena a un cubano a Guerra Contra el Infortunio), y recibe el golpe de hados que no abolirá al ser de leer el manuscrito premiado ya en galeras y rechazado por la censura española. La procedencia de este rechazo no le impide ver que el libro es un fraude, que cuando lo compuso, su oportunismo político, una forma de ceguera picaresca, pudo más que su visión literaria —y se entrega al revisionismo antirrealista, rescatando a los verdaderos héroes del lumpen de entre el maniqueísmo marxista: completa *TTT*, devolviendo al libro no sólo su título sino su intención original. Ahora está libre de todo compromiso que no sea estrictamente artístico. Entrega a su editor lo que parece un nuevo manuscrito ya entrado 1966.

Recibe un extraño mensaje casi pascual por boca de su viejo amigo Alberto Mora, de que tanto Fidel Castro como el entonces presidente Dorticós harían la vista gorda ante la defección de su hermano (asilado en Estados Unidos) y le garantizaban que las puertas del regreso estaban abiertas cuando quisiera. Decide que es una versión verbal de la carta belerofóntica.

1966   37

Se muda en Madrid, de la vecindad del Museo del Prado a la alegre ribera del Manzanares, pero esta mudada no le impide ver que vivir en Madrid es habitar el patio de un convento —y nunca ha tenido fantasías sexuales con monjas. Las autoridades españolas, mostrando una larga memoria, le niegan la residencia en España, recordando los números de *Lunes* dedicados a la literatura española en su doble exilio, a la literatura internacional antifranquista y una *Realidad* casi olvidada: la revista de París. Esos policías de la cultura componen un nuevo refrán: a enemigo que viene, puente de plomo. Viaja a Londres, invitado por un amigo con delirio de grandeza cinemática a escribir un guión que nunca se hará cine, pero que le gana su primer dinero escribiendo para el cine en inglés. Es verano y el Swinging London acaba de comenzar su balanceo carnal. Se queda tan encantado con aquella visión —el espejismo de un harén en medio del desierto doméstico— de muchachas inglesas desveladas contrastando con las mujeres madrileñas casi veladas, que decide escoger Londres como su hábitat. Regresa a Madrid brevemente y vuelve a Londres. El dinero de otro guión, que será años después una película tan mala que insiste en retirar su nombre de ella, le consigue trasladar a su familia a fines de año.

1967 38

Reside en lo que sería el polémico y notorio sótano de Trebovir Road, con su mujer y sus hijas, en extrema pobreza, solamente aliviada por las colaboraciones en *Mundo Nuevo* y la generosidad de dos amigos, uno de ellos un viejo colaborador de *Lunes,* Calvert Casey, que se le había unido en el exilio. Escribe otro guión que se transformará ese mismo año en una mediocre película, un *unfunny funny film, Wonderwall,* redimido solamente por la música de George Harrison. Pero el dinero ganado le permite mudarse para South Kensington, en el acogedor Gloucester Road. Gana más dinero con el cine y puede enviar a sus hijas internas a un convento en la costa. Ese año ocurre un acontecimiento extraordinario. Nada amante de los gatos en el pasado, la novia de su amigo director de cine le deja en préstamo un siamés de meses —y viene a la vida Offenbach, que se convierte no sólo en un gato mitológico, sino en uno de sus mejores amigos, un entenado, la relación más profunda que ha tenido con un animal este amante de los animales. Offenbach también se muda pero clandestinamente *(no cats allowed)* para Gloucester Road. Menos importante acontecimiento: *Tres Tristes Tigres* fue publicado a principios de ese año.

1968 39

Conoce a casi todo el mundo que se mueve en el Swinging London y ve de la estofa y estafa que están hechos los espejismos: muchas de las muchachas sicadélicas y sicalípticas son de silicón, otras muchachas son en realidad muchachos. En un artículo en *Mundo Nuevo* prueba y aprueba la pornografía velada de Corín Tellado. Una revista semanal, muy popular en Sudamérica, lo entrevista y hace sus primeras declaraciones políticas contra Castro: un caudillo latinoamericano más puesto al día. En Cuba lo declaran traidor y los fieles fidelistas de todas partes aprovechan la ocasión para ajustar cuentas literarias. Tan importante como su declaración de fines es el anuncio, hecho en la misma revista, del final del Swinging London —es el fin de una era.

1969 40

Escribe, muy al principio, un guión que se convertirá en una película importante: *Vanishing Point.* Pero más que el éxito literario continuado, que la calumnia organizada, lo golpea el súbito suicidio de Calvert Casey en Roma. Combate un ataque de melancolía aguda jugando ajedrez con su hija Carolita y viendo a Offenbach gozar el verano que desmiente al Londres líquido.

Viaja a Hollywood, después de vencer innúmeras trabas para el visado americano: comprueba, como una puta reformada, que será siempre un hombre con pasado. Recorre el magnífico suroeste americano —del Valle de la Muerte a Taos— buscando locaciones para su película. Conoce a mucha gente del cine, pero la cumbre del viaje es el encuentro con una reliquia fílmica y una sacerdotisa del sexo: Mae West. Al revés del personaje de Mark Twain que cruza la línea del ecuador, no tiene fotografías para probarlo. Viaja a Nueva York, su vieja metrópoli imperial, para encontrarla una ciudad sucia. Escribe un guión para un productor de Hollywood con un salario fabuloso y comprueba que el dinero lo compra todo, menos la pobreza. Gana la beca Guggenheim.

Se estrena *Vanishing Point* (llamada en otras partes no *Punto de fuga,* sino, agoreramente, *Punto límite cero)* y ve que el director ha recibido sus mensajes pero los ha leído al revés: en sus líneas el héroe era un chofer trágico, en este bustrófedon gráfico la tragedia le ocurre al automóvil. Lo que no impide que la película sea enormemente exitosa y que a la vez se convierta en un *cult film* —que no quiere decir un film culto, sino un film con culto. Decide no escribir más para el cine y se concentra en *Cuerpos Divinos.*

1971   **42**

Se publica *Three Trapped Tigers,* versión de *Tres Tristes Tigres,* que es prácticamente el libro escrito en inglés. La traducción francesa, *Trois Tigres Tristes,* obtiene en París el Prix du Meilleur Livre Étranger. Compone su entrevista para el libro *Seven Voices,* y esta confesión de agosto es una escandalosa revelación personal y política. Sus hijas, convenientemente educadas a la inglesa pero católicas, dejan el convento.

1972   **43**

Tentado por el director Joseph Losey, regresa al cine y escribe un guión basado en *Bajo el volcán.* El proceso de escribir bajo la doble presión del tiempo y la materia literaria, más la demencia adulta del personaje central, con el que debe identificarse, le producen un *nervous breakdown,* manera inglesa de diagnosticar la locura. Ingresa en un *rest home* (eufemismo inglés por manicomio privado) y es sometido a sucesivos electroshocks y a una cura intensiva por drogas. Al final de ese verano alucinante se suicida en Cuba su viejo amigo Alberto Mora —que es algo más que un shock más. No obstante, antes de fin de año puede retomar partes del viejo manuscrito de *Vista al amanecer en el Trópico* y comienza a completarlo con una despiadada cronología de la violencia en la historia de Cuba —aun antes de su historia, todavía antes de su Historia.

Luchando con la presión psíquica, presionado por la depresión, termina *Vista...,* que se publica ese mismo año: su primer libro desde que *TTT* fue editado en 1967. Comprueba que su relación con la escritura ha cambiado, y aunque antes ha dejado que las palabras lleguen al delirio (proceso que culminó en la traducción de *Three Trapped Tigers),* ahora sabe que ellas pueden también llevar al delirium tremens verbal —y se hace cauto—. Así comienza a completar una colección de ensayos y artículos cuerdos en cuya operación invierte un gran tiempo en lograr la cordura de lo simple.

1975   46

Su hija Ana, que antes ha abandonado el hogar y luego se ha casado desastrosamente, tiene una hija —pero no se siente abuelo en absoluto, no porque siga siendo un adolescente eterno, sino porque no cree que la sangre sea más espesa que el agua. Se publica *O* —que alguien insiste en llamar *Cero—,* con los artículos y ensayos mencionados y una cronología que algunos toman por una indecente exhibición cuando es un ensayo de prosa biográfica. (Por cierto, esa cronología ha aparecido en todas partes como hecha «a la manera de Sterne», cuando Sterne no escribió ninguna cronología propia, a pesar de lo obsedido que estaba con sus memorias: se trata de un error iniciado por una cronología a Sterne, y la de GCI estaba escrita a la manera de la hecha a Sterne.)

1976   47

Escogiendo viejos retazos de un libro que nunca se escribió y que se iba a llamar *Cámara lúcida,* hasta que Nabokov echó a perder ese título, compone un nuevo libro, *Exorcismos de esti(l)o,* con el nombre como un homenaje a Raymond Queneau y añadiendo unos pocos ejercicios verbales. Se propone con él terminar su relación con los fragmentos, que le ha ocupado casi toda su vida literaria. Desde ahora tratará de que haya en su escritura una mayor continuidad, una no visible relación entre las partes y el todo. Se publica *Exorcismos,* como siempre en España, lo que le obliga a reflexionar sobre cómo han acogido siempre (en el pasado y en el presente) los españoles su obra, incluso cuando había intermediarios (censores, un editor voluble, algún crítico más político que políglota) que parecían rechazarla.

1977   48

Gracias a un joven escritor español, residente en Londres y ojo avizor de la ciudad, rescata las añejas, pero tal vez todavía actuales, conferencias que pronunció peligrosamente en el Palacio de Bellas Artes de La Habana, en 1962, sobre varios directores de cine americano que le importaban entonces y todavía parecen importarle, y las reúne en el volumen titulado *Arcadia todas las noches,* en el que, contrariando una práctica habitual, no ha quitado ni puesto coma. Al final del año ocurre una tragedia que algunos podrían calificar de exagerada: una desaparición que para él es una pérdida mayor: después de más de diez años de compañía continuada, muere repentinamente Offenbach, el día más desolado del año inglés, Boxing Day. Casi en simetría, Miriam Gómez le fabrica una caja hecha con anaqueles de libros y lo entierra con once rosas blancas en el jardín de los bajos. GCI, con su aversión por los cadáveres, ayuda al entierro, pero se niega a ver a su mejor amigo muerto.

1978   **49**

Viaja a la Universidad de Yale a pronunciar conferencias, las primeras desde hace dieciséis años. Para su sorpresa, comprueba que disfruta la lectura de sus notas, en inglés y en español, y la interpretación en cubano de sus textos. Visita a Nueva York renovada con Miriam Gómez y comparten la maravilla metropolitana: ver la ciudad que tiene en su arquitectura su monumento.

Hasta aquí el ruido —ahora es la hora del silencio.

1978   **49**

Viaje a la Universidad de Yale a dar charlas, las primeras en dieciséis años: de La Habana hostil a Yale que bosteza. Para su sorpresa comprueba que todavía le gusta leer con público. Visita la casa que Mark Twain se hizo en Hartford, Connecticut, y también hojea los manuscritos de Faulkner en Virginia: rumia y recuerda. ¿Es Twain su *twin?* Gemelo o camelo, todos los humoristas son iguales.

Visita Nueva York con Miriam Gómez y se quedan los dos pasmados ante las maravillas arquitectónicas que están siempre rodeadas del escualor más atroz. Las fachadas son lápidas en busca de un epitafio.

1979   **50**

La Habana para un Infante Difunto se publica en España. Se trata de la primera novela erótica seria que se publica en español desde 1515, año en que Francisco Delicado publicó *La lozana andaluza.* Delicado tuvo que imprimir su libro en Roma. También era un exiliado.

1980   **51**

Da clases durante un semestre en la Universidad de West Virginia y charlas en todos los Estados Unidos. Viaja a México, Bogotá y Caracas a promover (la idea es de Seix-Barral) *La Habana...*

Conoce a Reinaldo Arenas recién huido de Cuba gracias al éxodo de El Mariel y Heberto Padilla, que salió con mayor comodidad, después de sobrevivir, como Arenas, a la cárcel. Ve que sus suertes respectivas podrían haber sido la propia, de haberse quedado en Cuba. La sobrevida es la vida.

1981   **52**

Lee en Washington un artículo llamado «Parodio no por Odio». La Embajada de Cuba en Washington, ¡semejante lugar!, protesta la lectura. Sucede que el embajador cubano se llama, entre todos los nombres del mundo, Parodi. Extrañamente, el agregado cultural venezolano se une a la protesta, aunque no se llama Odio.

Pasa un semestre en la Universidad de Virginia, al este de West Virginia y al sur de Washington. Visita otras universidades americanas: Chicago, Kansas, Cornell en Ithaca visitada, Wisconsin, Yale de nuevo, Nueva York y regresa a Virginia. Tiene más suerte que Poe, que fue expulsado de esta universidad.

1983 54

Completa *Infante's Inferno,* traducción más literaria que literal de *La Habana.* Comienza *Holy Smoke,* su primer libro en inglés, que todavía no se llama en español *Puro humo.* Ha escrito en inglés antes (todos sus guiones de cine, artículos como «Más mordidas da el hombre» y cuentos como «El fantasma del Essoldo») pero esta es una empresa mayor: un viaje al fondo del marasmo que es otra lengua.

1984 55

Trabajo es en inglés una palabra de cuatro letras. Se aviene con el clima inglés. Todo consiste en salir con un paraguas al brazo. Aunque no conoce Inglaterra, sólo Londres.

1985 56

Holy Smoke es publicado primero en Inglaterra. Con sorprendentes buenas críticas para un intruso en la prosa. El editor de *Times Literary Supplement* escribe que es la respuesta cubana a Conrad y a Nabokov. Pero es la carga del hombre moreno con el inglés a cuestas.

Dicta cursos en Wellesley College. Nadie en el *campus* sabe dónde vivía Nabokov que vivió en el colegio siete años. No preguntó por Conrad porque temió que lo confundieran con el actor William Conrad.

1986 57

Viaje a Australia, que se convierte en el continente encontrado: un gran desierto rojo con una corona verde. Encuentro con un canguro amoroso que quiere meterse en bolsillo ajeno.

Vuelta a Los Ángeles, vista por última vez en 1970. Ofrece una charla en UCLA, «To Kill a Foreign Name», sobre el nombre del escritor extranjero en Anglosajonia. El público cree que no tiene importancia que pronuncien Infinity en vez de Infante o que Borges se vuelva burgués.

Comienza a traducir *Holy Smoke* y abandona la traducción tal vez para siempre. Los *puns,* que son el vino de la prosa, no viajan bien. Debe de ser el español, porque el libro es traducido al alemán y al francés. ¿Y la fidelidad entonces? Eso es para los fonógrafos y el matrimonio.

Va a la Universidad de Oklahoma para verse rodeado por una patrulla de eruditos: pero no viene en su auxilio el Séptimo de Caballería con el clarín al frente. Es un largo trecho desde La Habana en 1947, cuando comenzó a escribir: sueños y escolopendras. La pobreza le enseñó a ser generoso con sus adjetivos: no tenía nada que perder excepto la vergüenza. Ahora fue *magister ludi* por dos semanas. Si su madre pudiera verlo. Le diría, «Mira, mamá, en lo alto del mundo académico!» Hay, tenía que haber, una explosión.

Nace su segundo nieto en la fe judía: circuncidado del tercer día.

Comienza a visitar *Ítaca* de nuevo. ¿Quién será su héroe ahora? ¿Ohdiseo o Judises?

Viaja a Viena a un simposio de escritores, como Ovidio, exiliados.

1988   59

Viaja con Miriam Gómez a Barcelona como miembro de una sociedad para la defensa de la cultura catalana. Viajan a Alemania, donde *Tres Tristes Tigres* ha sido un sorprendente éxito de la crítica y de ventas. Da charlas en Saarbrücken, en Colonia, viaja por el Rin y ofrece una lectura en la Universidad Goethe de Frankfurt. Sin embargo el viajero pregunta, después de bañado y afeitado, dónde está el museo Lichtenberg, cuya prosa fue la musa paradisíaca de *TTT*. El museo, en las afueras y curiosamente cerca del castillo de Frankenstein, es tan modesto como el inventor del cuchillo sin hoja y sin cabo.

Viajan por Italia pero no como personajes de Rossellini: Milán, Venecia, Florencia, Siena y Pisa. En Venecia encuentro con la bella y dulce sobrina de Adriana Ivancich, el último amor de Hemingway, que es asombrosamente cubana: su madre lo era. *Il viaggio* es para un relato en *Grand Tour,* la revista de *il barone* Franco Maria Ricci. Charlas en el Festival de Cine de Miami y de Barcelona más tarde, presentando una obra maestra desconocida, *The Last Flight.* Viaje a Brasil, invitado por el editor de *La Habana para un Infante Difunto* y *Vista del amanecer en el Trópico* y el diario *Folha de São Paulo.* Una charla memorable en São Paulo con música brasileña de fondo. Visita a Bahía, una ciudad embrujada, y a Río que no es lo que era.

1989   60

Primera publicación de *TTT* en español sin cortes de censura, y en Caracas. El libro es ahora libre en todas partes pero sigue prohibido en Cuba, donde sin embargo la nueva generación de escritores lo copia y lo calca. En todo este tiempo desde su publicación en España en 1967 los *Tigres* no cambian sus rayas ni se destiñen.

1990

Escribe para Paramount y Andy García un guión de cine titulado *La ciudad perdida.* Viaja a Hollywood con su libreto.

1991

Escribe y reescribe el guión. Viaja. ¿Con quién? Con Miriam Gómez. ¿A dónde? A todas partes menos a Cuba.

1992

Pero en 1992 viaja a la isla en su libro *Mea Cuba,* un testamento político. Recibe un doctorado *honoris causa* de la Universidad Internacional de la Florida. ¿Momento más memorable? Cuando descubre a su lado, de toga y birrete, al gran Joe di Maggio, uno de sus héroes de niño, del béisbol de las Grandes Ligas. Recibe la medalla de Sancho IV de la Universidad Complutense.

1994

Se publica simultáneamente en Londres y en Nueva York la versión inglesa de *Mea Cuba.* La Editorial Vuelta la presenta en Ciudad México —y hay dos amenazas de bomba. Pero la literatura es más explosiva: es ¡dinamita!

1995

Se publica en Madrid *Delito por bailar el chachachá,* cuentos, ensayo de literatura repetitiva. Pronuncia discursos en Madrid y París sobre el poeta José Martí, con motivo del centenario de su muerte. Escribe una monografía sobre Howard Hawks y su obra maestra *Río Bravo* para el British Film Institute. Completa su primera obra de ficción larga en mucho tiempo, de título incógnito. Recibe el premio bianual del Instituto Latinoamericano de Roma por *La Habana para un Infante Difunto,* publicada en italiano el año anterior.